Qu'est-ce qu'on mange ?

Qu'est-ce qu'on mange?

Mille et une façons de varier
la cuisine de tous les jours

Les Cercles de Fermières du Québec

Concept et réalisation
Communiplex Marketing Inc.

Direction de projet
Rolande Dussault

**Coordination de projet,
contenu cuisine**
Chef Yvan Bélisle

Photographie
Michel Bodson

Préparation des recettes
Chef Michel Simonnet

Textes sur l'alimentation et la santé
Claire Robillard

Textes d'accompagnement
Marie-Carole Daigle

Révision
Dominique Chauveau

Édition électronique
Martine Lamarche

L'éditeur remercie, pour leur gentillesse
et leur exceptionnelle collaboration

les fournisseurs suivants :

Salaison La Maison du Rôti,
Avenue Mont-Royal

La Reine de la Mer,
Boulevard René-Lévesque

Fruiterie Plantation,
Faubourg Ste-Catherine

La Boucherie Chevaline Prince Noir,
Avenue Mont-Royal

les boutiques suivantes :

Arthur Quentin,
Rue St-Denis

Stokes Ltée,
Place Bonaventure

Dépôt légal, quatrième trimestre 1989

Bibliothèque nationale du Québec

Bibliothèque nationale du Canada

Publié par Les Cercles de Fermières du Québec

ISBN : 2-920908-06-5

AVANT-PROPOS

Les Cercles de Fermières du Québec célèbrent, en 1990, leur 75e anniversaire. Trois quarts de siècle à être attentives aux besoins des femmes et des familles québécoises, ça se souligne !

Aujourd'hui, nous souhaitons manifester de façon plus tangible notre préoccupation pour le mieux être des nôtres en faisant paraître *Qu'est-ce qu'on mange ?*, un nouvel ouvrage de cuisine s'intéressant particulièrement à notre alimentation de tous les jours.

Au fil des années, nos habitudes alimentaires et culinaires ont dû s'adapter aux modifications profondes de notre façon de vivre. Tout va si vite et le défi devient souvent celui de trouver le temps de s'arrêter pour partager un moment agréable avec les siens.

L'ouvrage que vous tenez présentement entre vos mains sera votre plus précieux outil pour recréer en peu de temps, dès que l'occasion se présente, l'atmosphère propice aux chaleureux échanges.

Nos membres et nos cercles se sont donc à nouveau donné la main pour recueillir techniques, petits trucs et recettes qui savent si bien mettre en valeur chacun des aliments. Cet ouvrage des plus complets répond de mille et une façons à l'éternelle question : *Qu'est-ce qu'on mange ?* et nous rappelle qu'il faut souvent provoquer l'occasion et ajouter une touche d'originalité dans notre quotidien.

Je souhaite donc que cet ouvrage se retrouve dans le plus grand nombre de foyers québécois, et qu'il redonne à chacun le goût de cuisiner et de bien s'alimenter, histoire de se rappeler que la cuisine est aussi un art qui doit se pratiquer tous les jours.

Merci aux membres des Cercles de Fermières du Québec de nous faire profiter de leur vaste expérience. Merci aussi à l'équipe de Communiplex Marketing qui a mené ce merveilleux projet à terme.

Bon appétit !

Noëlla Huot

Noëlla Huot
Présidente provinciale
Les Cercles de Fermières du Québec

POURQUOI CE LIVRE

À cuisiner d'un jour à l'autre, on en vient à ne plus savoir quoi servir. Et pourtant, c'est tous les jours la même question : *Qu'est-ce qu'on mange ?* Vous ne pouvez vous permettre de passer des heures à cuisiner... Le temps vous manque ! Votre réfrigérateur est plein de bonnes choses, mais en y regardant de plus près, son contenu vous semble des plus disparates : quelques légumes, des restes, un peu de fromage... Que faire ?

Vous aimeriez servir un repas qui, tout en étant bien équilibré, serait savoureux et agréable à l'œil.

Qu'est-ce qu'on mange ? regorge d'idées qui viendront stimuler votre créativité culinaire et vous inciteront à essayer de nouvelles combinaisons d'aliments. Ses nombreux trucs, conseils et variantes ont été réunis dans cet ouvrage en fonction d'un même objectif : vous aider à répondre rapidement et facilement à l'éternelle question : *Qu'est-ce qu'on mange ?*

Et vous vous rendrez bien vite compte qu'avec un peu d'imagination, il est souvent possible de faire des merveilles !

QUE PEUT-ON EN RETIRER

Cuisiner vite, bien et avec des aliments simples... Quel défi !

Qu'est-ce qu'on mange ? vous permet de le relever et de briser la monotonie des plats de tous les jours.

Avec ses nombreuses recettes et variantes, cet ouvrage vous explique comment marier formes, saveurs et textures pour en arriver à modifier sans cesse vos recettes, tant dans leur goût que dans leur présentation.

Avec de simples trucs et conseils, vous tenterez de nouvelles combinaisons d'aliments tout en gardant le souci d'une alimentation saine et équilibrée. Ne redoutez plus la fatidique question : *Qu'est-ce qu'on mange ?* Osez, créez, réinventez votre cuisine de tous les jours !

TABLE DES MATIÈRES

Les Cercles de Fermières du Québec sont un organisme autonome, à but non-lucratif, regroupant les femmes et les jeunes filles sans distinction de condition sociale.

Elles travaillent au développement culturel, moral et social de leurs membres; elles favorisent l'implication dans les différentes sphères socio-économiques; elles interviennent au besoin pour faire connaître les positions de l'Association sur les différents dossiers à caractères sociaux et politiques; elles veillent au maintien de nos traditions artisanales en tant que moyen d'épanouissement et de créativité et à la transmission de notre patrimoine.

Soucieuses des besoins des familles québécoises, les membres des Cercles de Fermières ont accepté de partager avec enthousiasme leur savoir culinaire. Nous remercions chaleureusement la collaboration des Cercles suivants :

86

Le bœuf

FÉDÉRATION 1: Saint-Alphonse-Caplan. FÉDÉRATION 2: Padoue, Pointe-au-Père, Albertville, Amqui, Cacouna. FÉDÉRATION 6: Inverness, Lyster, Notre-Dame-de-Ham. FÉDÉRATION 8: Beaulieu. FÉDÉRATION 11: Notre-Dame-de-

Stanbridge. FÉDÉRATION 13: Île-Bizard, Jolibourg, Laval Ouest. FÉDÉRATION 14: Latulipe, Laverlochère. FÉDÉRATION 24: Portneuf-Station, Saint-Alban, Saint-Alban Village. FÉDÉRATION 25: Beauport, Bourg-Royal, Charlesbourg.

126

Le veau

FÉDÉRATION 3: Montmagny, La Pocatière, Saint-Roch-des-Aulnaies, Saint-Omer, Saint Marcel, Saint-Jacques. FÉDÉRATION 5: Saint-Zacharie, Sainte-Clotilde. FÉDÉRATION 13: Chomedey. FÉDÉRATION 24: Saint-Marc-des-Carrières, Cap Rouge. FÉDÉRATION 25: Villeneuve.

148

L'agneau

FÉDÉRATION 2: Luceville, Saint-Valérien, Sainte-Agnès, Sainte-Félécité, Sainte-Luce-sur-mer, Saint-Gabriel, Saint-Hubert, L'Isle-Verte, Saint-Anaclet, Saint-Clément.

168

Le porc

*FÉDÉRATION 4: Frampton,
Honfleur, Lac Etchemin,
Saint-Anselme. FÉDÉRATION
6: Notre-Dame-de-Lourdes,
Notre-Dame-de-Thetford,
Plessisville, Princeville.
FÉDÉRATION 8: Magog.
FÉDÉRATION 11: Saint-
Sébastien, Saint-Valentin.
FÉDÉRATION 13: Pincourt,
Pointe-Claire, Rivière-des-
Prairies, Rosemont-Saint-
Michel. FÉDÉRATION 16:
Lorraine, Mont Saint-Michel,
Oka. FÉDÉRATION 17:
Norbert. FÉDÉRATION 18:
Saint-Agapit, Saint-Antoine-
de-Tilly. FÉDÉRATION 20:
Laterrière, Mistassini, Nor-
mandin, Notre-Dame-
d'Hébertville. FÉDÉRATION
21: Bassin, Fatima, Havre-
Aubert. FÉDÉRATION 22:
Malartic, Sainte-Thérèse*

*d'Amos. FÉDÉRATION 24:
Saint-Sacrement, Saint-
Thuribe. FÉDÉRATION 25:
Saint-Bernard-sur-mer, Saint-
Émile, Saint-Laurent I.O.,
Saint-Pascal, Saint-Tite-des-
Caps.*

200

Le cheval

*FÉDÉRATION 5: Saint-
Sébastien. FÉDÉRATION 13:
Pointe-Claire, Saint-Poly-
carpe, Île Bizard.*

210

Les poissons

*FÉDÉRATION 1: Nouvelle,
Murdochville. FÉDÉRATION
4: Saint-Camille, Saint-
Charles, Saint-Cyprien,
Saint-Damien. FÉDÉRATION
8: Richmond, Rock Forest,
Saint-Claude. FÉDÉRATION
12: Christ-Roi-de-
Châteauguay. FÉDÉRATION
14: Saint-Michel, Ville-
Marie. FÉDÉRATION 16:
Saint-Antoine. FÉDÉRATION
19: Portneuf. FÉDÉRATION
20: Roberval, Saint-Augustin
d'Alma. FÉDÉRATION 21:
Lavernière. FÉDÉRATION 24:
Sainte-Christine-Auvergne,
Sainte-Geneviève. FÉDÉRA-
TION 25: Saint-Jérôme-de-
l'Auvergne, Baie Saint-Paul,
Baie Sainte-Catherine,
Sainte-Thérèse de Beauport.*

246

Les légumes

FÉDÉRATION 1: Maria. FÉDÉRATION 4: Saint-Gervais, Saint-Isidore, Saint-Lazare, Saint-Léon-de-Standon. FÉDÉRATION 6: Robertsonville. FÉDÉRATION 8: Saint-Élie-d'Orford, Saint-Jean-de-Coaticook. FÉDÉRATION 16: Saint-Benoit, Saint-Canut, Saint-Hermas, Saint-Sauveur-des-Monts, Sainte-Sophie, Sainte-Thérèse, Val-Morin. FÉDÉRATION 17: L'Assomption, Repentigny, Saint-Calixte, Saint-Charles-de-Mandeville. FÉDÉRATION 18: Breakeville,

Charny, Saint-Lambert, Saint-Louis-de-Lotbinière, Saint-Rédempteur. FÉDÉRATION 19: Forestville, Sacré-Cœur-Dubuc. FÉDÉRATION 20: Desbiens, Dolbeau, Ferland-Boileau. FÉDÉRATION 23: Authier-Nord.

312

Les salades

FÉDÉRATION 4: Saint-Malachie, Saint-Nazaire. FÉDÉRATION 6: Saint-Alphonse-de-Thetford, Saint-Ferdinand, Saint-Gérard-de-Wolfe, Saint-Jacques-de-Leeds, Saint-Janvier-Weedon. FÉDÉRATION 8: Sainte-Edwidge, Stoke, Waterville. FÉDÉRATION 12: Saint-Clément. FÉDÉRATION 15: Lucerne, Maniwaki. FÉDÉRATION 18: Sainte-Françoise. FÉDÉRATION 20: L'Anse-Saint-Jean, Lac Bouchette, Larouche. FÉDÉRATION 22: Joutel. FÉDÉRATION 23: Dupuy, Gallichan.

340

Les pâtes

FÉDÉRATION 3: Saint-Denis, Saint-Athanase, Saint-Aubert, Saint-Benoit-de-Packington, Saint-Alexandre. FÉDÉRATION 24: Notre-Dame-des-Anges.

354

Les céréales

FÉDÉRATION 1: Grande-Rivière. FÉDÉRATION 2: Trois-Pistoles. FÉDÉRATION 3: Berthier-sur-Mer, Dégelis.

366

Le pain

FÉDÉRATION 4: Saint-Odilon. FÉDÉRATION 5: Sainte-Marie-de-Beauce, Saint-Côme. FÉDÉRATION 6: Saint-Jean-Baptiste-Vianney, Saint-Noël. FÉDÉRATION 9: Acton-Vale, Belœil. FÉDÉRATION 15: Saint-Michel.

378

Les produits laitiers

FÉDÉRATION 4: Saint-Valier, Sainte-Claire,

Sainte-Germaine, Sainte-Hénédine, Sainte-Justine. FÉDÉRATION 6: Saint-Pierre-Baptiste. FÉDÉRATION 9: Chambly, Contre-cœur, Laflèche, La Providence, Longueuil. FÉDÉRATION 12: Saint-Timothée.

394

Les œufs

FÉDÉRATION 4: Sainte-Marguerite, Sainte-Rose, Sainte-Sabine. FÉDÉRATION 9: McMasterville, Saint-Bruno. FÉDÉRATION 12: Sainte-Agnès-de-Dundee, Sainte-Barbe, Sainte-Cécile-de-Valleyfield, Sainte-Martine. FÉDÉRATION 15: Perkins.

408

Le tofu, les noix et les graines

FÉDÉRATION 5: Beauce-ville, Lac Drolet. FÉDÉRATION 6: Vimy-Ridge-Mine. FÉDÉRATION 7: Aston-Jonction, Gentilly. FÉDÉRATION 9: Saint-Pie.

420

Les potages

FÉDÉRATION 6: Victoria-ville (Viny-Ridge-Mine). FÉDÉRATION 7: Aston-Jonction, Gentilly. FÉDÉRATION 9: Saint-Charles-

« Des goûts et des couleurs, il ne faut pas disputer »... On pourrait cependant discourir longuement sur le plaisir de déguster un feuilleté qui cède sous la fourchette, une viande parfaitement grillée et nappée d'une sauce onctueuse, ou une brioche odorante encore toute chaude. Et l'on aimerait bien, à l'instar des grands chefs, avoir en soi le don de combiner les goûts, les textures et les saveurs...

LA CUISINE

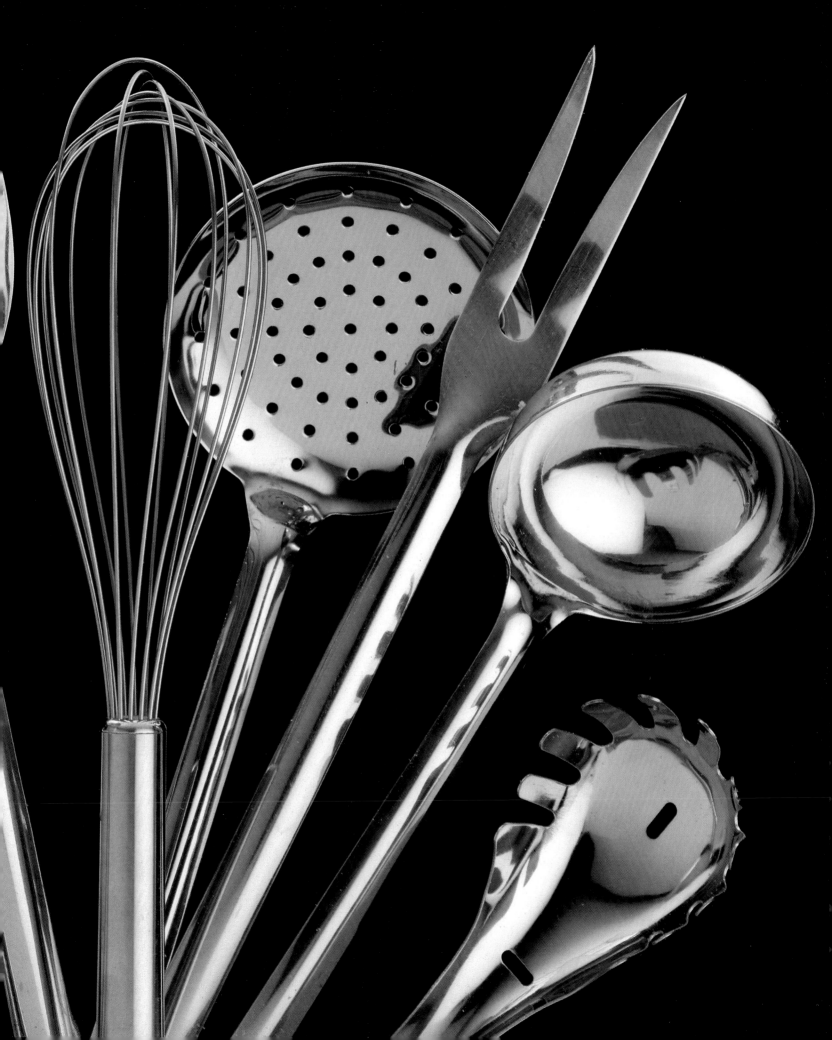

L'ALIMENTATION ET LA SANTÉ

Composition des aliments

Tous les aliments que nous consommons fournissent de l'énergie. Celle-ci est exprimée en kilojoules ou en calories. Les besoins en énergie diffèrent selon chaque individu d'après la taille, l'âge, le poids, le sexe, l'ossature et l'intensité de l'activité physique (par le sport ou le travail manuel).

Si une personne emmagasine plus d'énergie que nécessaire, elle verra sa masse corporelle augmenter. Dans le cas contraire, si elle mange en quantité moindre par rapport à ses besoins, les réserves de graisse seront utilisées et le poids diminuera. Tout est question d'équilibre.

Les aliments que nous mangeons renferment des glucides, des protéines, des lipides, des vitamines, des minéraux, des fibres alimentaires et de l'eau. Seuls les glucides, les protéines et les lipides sont énergétiques.

Glucides

Les glucides sont aussi connus sous le nom de sucres ou d'hydrates de carbone. Ils représentent la principale source d'énergie du corps humain. On les retrouve principalement dans les fruits et leur jus, les légumes, le lait, le yogourt, le pain, les céréales, le riz, les pâtes alimentaires, les pommes de terre et les légumineuses. D'autre part le sucre blanc, la cassonade, le miel, la mélasse, les sirops, les confitures, les bonbons et autres sucreries sont aussi d'importantes sources de glucides. Cependant, ces dernières ne contiennent à peu près pas de vitamines, de minéraux ou de fibres alimentaires; ce sont des aliments à très faible valeur nutritive.

Protéines

Les protéines sont utiles à la construction, à la réparation et au renouvellement des tissus de l'organisme. Elles forment des anticorps, éléments du sang permettant de lutter contre les infections. La principale source de protéines est constituée par les viandes, les volailles, les poissons et les œufs. Le lait et les produits laitiers ainsi que les noix, les graines et les légumineuses en fournissent aussi.

Lipides

Les lipides sont mieux connus sous l'appellation de matières grasses. Malgré leur apport énergétique élevé, les lipides favorisent l'absorption de substances essentielles à la santé telles les vitamines A, D, E et K. Les lipides amènent une sensation de satiété et aident à maintenir la température du corps.

Le cholestérol fait partie des lipides et est indispensable au bon fonctionnement de l'organisme. Le cholestérol a entre autres un rôle important à jouer dans la formation de la vitamine D et des hormones. De plus, il agit comme élément de structure des membranes cellulaires. Cependant, des quantités importantes de cholestérol sanguin peuvent à long terme causer le durcissement des artères et entraîner des maladies cardiovasculaires.

Voici quelques recommandations émises dans le but de diminuer les risques de développer des maladies cardiovasculaires:

- atteindre et maintenir un poids-santé

- cesser de fumer

- faire de l'exercice physique régulièrement

- augmenter la consommation de fibres alimentaires, surtout celles provenant des légumineuses, de l'orge, de l'avoine et des fruits

- diminuer l'apport total en matières grasses.

Où trouve-t-on les lipides ?

Dans les huiles, le beurre, la margarine, la graisse végétale et les viandes. Attention aux sources de graisses camouflées, par exemple dans les noix, les sauces, certains fromages, les charcuteries, les tartes, les gâteaux et les pâtisseries.

Vitamines et minéraux

Les vitamines et les minéraux sont des substances essentielles à la santé. L'apport en ces éléments doit être suffisant, car pour la plupart, l'organisme ne peut les fabriquer. On trouve vitamines et minéraux dans tous les aliments. Voyons les fonctions de quelques vitamines et minéraux.

Vitamine A

- Facilite la vision dans l'obscurité.
- Garde la peau et les muqueuses en bon état.
- Contribue au développement normal des os et des dents.

Vitamine B (thiamine, riboflavine et niacine):

- Aide l'organisme à utiliser l'énergie contenue dans les aliments.
- Favorise la croissance normale et l'appétit.
- Contribue au bon fonctionnement du système nerveux.

Vitamine C

- Aide à la guérison de plaies et maintient la santé des gencives.
- Garde les parois des vaisseaux sanguins en bonne condition.

Vitamine D

- Favorise l'utilisation du calcium et du phosphore pour la formation et le maintien de bons os et de dents saines.

Calcium

- Aide à la formation et au maintien de dents et d'os en santé.
- Favorise la coagulation normale du sang et la fonction normale du système nerveux.

Fer

- Entre dans la formation des globules rouges nécessaires au transport de l'oxygène.

Mariages santé

Calcium et vitamine D

L'absorption du calcium est favorisée par la prise de vitamine D. Pour cela, le lait demeure l'aliment idéal car il contient les deux éléments. Au Canada, le lait est obligatoirement enrichi de vitamine D. Le yogourt commercial et le fromage ne le sont pas.

Fer et vitamine C

Pour augmenter l'absorption du fer dans le foie par exemple, prendre au même repas un aliment riche en vitamine C. (Exemples : orange, pamplemousse, kiwi, cantaloup, fraises, jus de tomate ou brocoli).

Fibres alimentaires

Les fibres sont des composantes des végétaux n'étant pas digérées par l'organisme. Elles contribuent à la satiété, préviennent ou corrigent la constipation. Certains types de fibres, celles contenues dans les légumineuses, l'orge, l'avoine et les fruits sont connues pour aider à diminuer le taux de cholestérol sanguin. D'autres sources de fibres peuvent être retrouvées dans les légumes, les pains et les céréales de grains entiers.

Eau

Le corps humain renferme environ 65 % d'eau. Cette eau agit comme agent de transport pour les éléments nutritifs et aide à l'élimination des déchets de l'organisme. De plus l'eau contribue à maintenir la température corporelle.

Tous les aliments renferment un certain pourcentage d'eau. En règle générale, plus ce pourcentage est élevé, moins l'aliment sera énergétique.

Alcool

Les boissons alcoolisées contribuent à augmenter l'apport énergétique de façon importante malgré leur faible valeur nutritive. L'alcool est aussi reconnu pour stimuler l'appétit et peut occasionner une diminution de la capacité de concentration et de la vitesse des réflexes, surtout lorsqu'une personne est à jeun (en apéritif par exemple). L'abus d'alcool peut causer ou aggraver des dommages au niveau des nerfs, provoquer des ulcères ou encore une cirrhose (maladie chronique du foie). À long terme, l'abus de boissons alcoolisées peut remplacer des aliments plus nutritifs et mener à des problèmes d'ordre social et économique.

Tableau 1

Pourcentage d'eau et valeur énergétique de quelques aliments

Aliment	Quantité	Pourcentage d'eau	Kilojoules	Calories
Sucre	100 grammes	0,5	1611	385
Farine blanche tout usage	100 grammes	12	1523	364
Fromage cottage en crème	100 grammes	79	433	103
Céleri	100 grammes	94,7	65	16
Laitue pommée iceberg	100 grammes	95,9	53	13

Tableau 2

Composition de quelques boissons alcoolisées

Boissons	Quantité	Glucides (grammes)	Alcool (grammes)	Valeur énergétique (kilojoules)	(calories)
Vin rouge ou blanc sec (12 % alcool)	100 ml (3,5 onces)	0	9	260	63
Spiritueux (gin, rhum, vodka, whisky)	45 ml (1,5 once)	0	15	440	105
Bière régulière	340 ml (12 onces)	10 à 13	15	630	150
Bière légère	340 ml (12 onces)	8	11	460	110

Tableau 3

Valeur énergétique des composantes des aliments

Composantes des aliments	Kilojoules par gramme	Calories par gramme
Glucides	17	4
Protéines	17	4
Lipides	37	9
Alcool	29	7

Tableau 4

Principaux éléments nutritifs dans les groupes d'aliments

Éléments nutritifs	Groupes d'aliments			
	Lait et produits laitiers	Pains et céréales	Fruits et légumes	Viande, poisson, volaille et substituts
Glucides	✓	✓	✓	
Protéines	✓			✓
Lipides	✓			✓
Vitamine A	✓		✓	✓ (abats)
Vitamine B	✓	✓		✓
Vitamine C			✓	
Vitamine D	✓			
Fer		✓	✓	✓
Calcium	✓			
Eau	✓	✓	✓	✓

Une question de poids

Un grand nombre d'individus de poids normal sont insatisfaits de leur poids actuel et désirent maigrir. Ceci se rencontre tout particulièrement chez les femmes que nous devons bien comprendre. La publicité véhicule constamment cette image de la jeune femme mince et élancée. Mais, maigrir dans le but d'avoir la taille d'un mannequin n'est pas toujours réaliste. Certains en arrivent même à des pratiques diététiques dangereuses pour la santé.

Combien dois-je peser?

Selon un nouveau concept, le « poids-santé », il existe pour chaque individu une certaine étendue de poids convenables. Pour connaître si le poids actuel se situe dans la gamme des poids-santé, il s'agit de calculer l'Indice de Masse Corporelle (IMC). Cet indice s'applique autant aux hommes qu'aux femmes âgés de 20 à 65 ans. Avant 20 ans, il pourrait être applicable à la condition que la croissance soit terminée (à partir de 18 ans). L'IMC ne peut être utilisé dans le cas d'enfants, d'adolescents, de femmes enceintes ou de gens âgés de plus de 65 ans.

La calcul de l'Indice de Masse Corporelle permet aussi de déterminer les risques de développer des problèmes de santé associés à l'obésité ou à la maigreur excessive. Si l'IMC se situe à l'extérieur de la gamme des poids-santé, il serait recommandé de consulter un professionnel de la santé (diététiste) pour aider à modifier certaines habitudes de vie. Cependant, si l'IMC se situe à l'intérieur du poids-santé, tout va pour le mieux.

Indice IMC

(indice de masse corporelle)

- Choisissez votre taille (horizontal)
- Choisissez votre poids (vertical)
- Allez à l'intersection des deux
- Regardez dans quelle zone vous vous situez

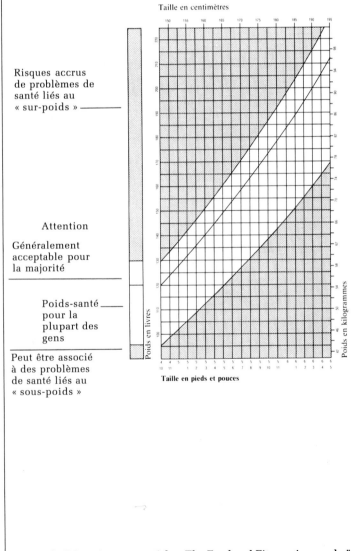

Taille en centimètres

Risques accrus de problèmes de santé liés au « sur-poids »

Attention

Généralement acceptable pour la majorité

Poids-santé pour la plupart des gens

Peut être associé à des problèmes de santé liés au « sous-poids »

Poids en livres

Poids en kilogrammes

Taille en pieds et pouces

«Tiré de "Managing your weight - The Food and Fitness Approach," Department of National Defence, Canada 1988»

Aliments diététiques

Un bon nombre de gens croient à tort qu'un aliment diététique est synonyme d'aliment pour maigrir. La consommation d'un aliment diététique ne mène pas nécessairement à une perte de poids, l'aliment en question n'étant pas toujours réduit en énergie.

Par définition, un aliment diététique est un produit dont on a modifié une ou plusieurs composantes (sucres, matières grasses, sel ou calories). Au Canada, une loi oblige les fabricants à étiqueter les produits diététiques de façon spécifique. On retrouve donc six catégories distinctes.

• Aliments à teneur réduite en glucides

Ils sont réduits en glucides (sucres) mais non en calories.

Exemples : Biscuits, bonbons, chocolat

• Aliments sans sucre

Ces aliments contiennent une quantité négligeable de sucre et un maximum d'une calorie par 100 ml.

Exemples : Boissons gazeuses sans sucre

• Aliments à teneur réduite en calories

Pour entrer dans cette catégorie, un aliment doit fournir au plus la moitié des calories que s'il n'était pas réduit.

Exemple : Poudings

• Aliments hypocaloriques

Ces aliments fournissent au maximum 15 calories par portion telle qu'indiqué sur l'étiquette.

Exemples : Confitures, gélatines

• Aliments hyposodiques

Cette catégorie d'aliments ne doit pas contenir plus de la moitié du sel présent dans l'aliment régulier.

Exemples : Beurre d'arachide, soupes, jus de tomates

• Aliments à teneur modifiée en lipides

Cette famille regroupe les aliments dont on a réduit la teneur en cholestérol.

Exemple : Egg Beaters

Ces quelques explications permettent de réaliser qu'un aliment diététique signifie beaucoup plus qu'un aliment pour maigrir. De plus, ces types d'aliments ne s'avèrent pas essentiels pour la perte de poids.

Tableau 5

Calcul de l'Indice de Masse Corporelle (IMC)

$$\text{IMC} = \frac{\text{Poids (kg)}}{\text{Taille}^2\text{(m)}}$$

Normes de poids-santé (20 ans à 65 ans)

	20	25	27	
Résultat de l'IMC				
Interprétation	Prédispose certains individus à développer des problèmes de santé	Poids-santé pour la majorité des gens	Peut amener certains individus à développer des problèmes de santé	Augmente les risques de développer des problèmes de santé

Gamme de poids acceptables

Un IMC entre 20 et 27 indique l'intervalle où la majorité des individus sont le moins susceptibles de développer des problèmes de santé tels l'hypertension, le diabète ou les maladies cardiovasculaires.

Et les aliments légers ?

Le terme léger n'est pas réglementé comme le sont les aliments diététiques. Actuellement, la loi oblige seulement à mentionner en quoi le produit a été allégé; texture, goût, matières grasses, calories... À noter que si seul le goût est léger, le produit en question n'aura pas une valeur énergétique réduite.

La seule façon de connaître les informations sur la valeur nutritive et de pouvoir comparer différents produits s'avère être la lecture des étiquettes. Attention! Quelquefois, il demeure plus avantageux d'acheter un produit régulier plutôt qu'un produit léger.

Comment équilibrer les menus ?

Pour s'assurer d'une bonne nutrition adéquate, il s'agit de manger tous les jours des aliments choisis dans ces groupes.

Lait et produits laitiers

- Enfants jusqu'à 11 ans, 2 à 3 portions
- Adolescents, 3 à 4 portions
- Femmes enceintes et qui allaitent, 3 à 4 portions
- Adultes, 2 portions

Exemples d'une portion:

- 250 ml (1 tasse) de lait
- 180 ml (3/4 tasse) de yogourt
- 45 g (1 1/2 once) de fromage cheddar ou de fromage fondu

Pains et céréales

- 3 à 5 portions à grains entiers ou enrichis

Exemples d'une portion:

- 1 tranche de pain
- 125 ml (1/2 tasse) de céréales cuites
- 180 ml (3/4 tasse) de céréales prêtes à servir
- 125 à 180 ml (1/2 à 3/4 tasse) de riz ou de pâtes alimentaires, après cuisson
- 1 muffin ou 1 petit pain

Fruits et légumes

- 4 à 5 portions (dont au moins 2 portions de légumes)

Exemples d'une portion:

- 125 ml (1/2 tasse) de légumes ou de fruits (frais, congelés ou en conserve)
- 125 ml (1/2 tasse) de jus (frais, congelé ou en conserve)
- 1 pomme de terre, carotte, tomate, pêche, pomme, orange ou banane, de grosseur moyenne

Viande, poisson, volaille et substituts

- 2 portions

Exemples d'une portion:

- 60 à 90 g (2 à 3 onces) de viande maigre, poisson, volaille ou foie, après cuisson
- 250 ml (1 tasse) de légumineuses cuites
- 60 g (2 onces) de fromage cheddar
- 2 œufs

Les aliments recommandés fournissent entre 4000 et 6000 kilojoules (entre 1000 et 1400 calories).

On suggère de choisir des aliments qui contiennent peu de gras, de sucre et de sel.

Marché santé et budget

- Planifier le menu en consultant les spéciaux de la semaine.
- Établir une liste d'aliments à la maison et la respecter une fois au supermarché.
- Lire les étiquettes des produits. Acheter des aliments non pas une marque de commerce ou un jeu à l'intérieur d'un bel emballage.
- Choisir des grands formats de préférence aux petits si vous avez de l'espace pour le rangement et prévoyez utiliser tout dans un bref délai.
- Acheter les fruits et les légumes frais selon les saisons. Sinon utilisez les fruits et les légumes surgelés ou en conserve.
- Pour réduire au minimum les achats impulsifs, éviter les visites impromptues au supermarché entre les jours de marché.
- Ne pas faire le marché lorsque vous avez faim.

Lecture des étiquettes

La liste des ingrédients apparaît sur tous les aliments renfermant plus d'une composante. C'est le cas des soupes, des biscuits, des céréales, etc. Cependant, l'emballage du jus d'orange 100 % pur, non sucré, ne comporte pas de liste d'ingrédients; le seul ingrédient est celui qui décrit le produit.

Selon la loi, la liste énonce en premier l'ingrédient présent en plus grande quantité, suivi du deuxième en quantité moindre et ainsi de suite jusqu'au dernier ingrédient, en ordre décroissant.

Si une personne est à la recherche du sucre, en plus des mots miel, cassonade, sirop de malt, sirop de maïs, mélasse... elle aura intérêt à rechercher les mots se terminant par OSE, ceux-ci représentent généralement une forme de sucre.

Exemples : Glucose, dextrose, fructose, lactose, maltose, saccharose, lévulose...

Il est intéressant de noter que toutes ces formes de sucre sont énergétiques (17 kilojoules ou 4 calories par gramme).

Si un individu doit éviter le sel, il aura intérêt à rechercher le mot SODIUM dans la lecture des étiquettes.

Trucs minceur

- Le lait écrémé ou partiellement écrémé peut remplacer le lait entier.
- Pourquoi ne pas essayer de remplacer la mayonnaise par du yogourt nature dans les trempettes et les salades.
- Choisir des fromages faits à partir de lait écrémé ou partiellement écrémé permettra de réduire leur valeur énergétique.
- Allez-y avec modération pour les plats cuisinés en grande friture ou ceux en sauce.
- Faites refroidir les bouillons et les sauces. Les matières grasses font surface et peuvent être enlevées.
- Contrairement à ce que la majorité des gens croit, la cuisine au vin n'est pas synonyme de surplus d'énergie. Habituellement les recettes demandent d'utiliser un vin sec. Lorsque porté à ébullition, l'alcool s'évapore. Il ne reste plus que le très peu d'énergie du vin sans l'alcool.

Mythes alimentaires

Le pamplemousse fait fondre les graisses.

Faux. Aucun aliment n'a cette propriété, même s'il est acide. De plus comment un aliment contenant des glucides peut-il faire maigrir ? La seule manière de perdre du poids est de diminuer l'apport énergétique en deçà des besoins de façon à brûler les réserves de graisses.

Le pain, les pommes de terre et les pâtes alimentaires doivent être éliminés de l'alimentation d'une personne désirant perdre du poids.

Faux. Ce sont plutôt l'abus de ces aliments ainsi que de leurs garnitures — beurre, margarine, confitures, sauces à la crème, crème sure — qui en font des aliments très énergétiques.

Par ailleurs, on ne devrait pas oublier que le pain, les pommes de terre et les pâtes alimentaires sont des sources importantes de vitamines et de minéraux.

Une banane remplace un steak.

Faux. Un fruit composé essentiellement de glucides ne peut remplacer une source de protéines et de matières grasses.

La gélatine durcit les ongles.

Faux. La gélatine est une protéine qui est digérée de la même manière que les protéines provenant d'autres sources. La gélatine n'agit donc pas directement au niveau des ongles.

Le fromage constipe.

Faux. C'est plutôt un manque de fibres alimentaires, d'eau et d'exercice physique qui peuvent être à l'origine de la constipation.

Le beurre et la margarine fournissent exactement la même quantité d'énergie.

Vrai. Cependant, la différence entre les deux réside principalement dans le fait que le beurre renferme du cholestérol et non la margarine.

Claire Robillard, dt.p.

LE MARIAGE DES GOÛTS

Qu'est-ce qu'on mange ? est plus qu'un simple livre de recettes; c'est aussi un guide !

En effet, cet ouvrage ouvre les portes sur tout un nouveau monde : le mariage des aliments. On se limite souvent strictement aux aliments que l'on connaît. Cependant, les supermarchés et les boutiques d'aliments naturels regorgent d'épices, de fines herbes, de fruits, de légumes de toutes sortes et même parfois de fleurs comestibles.

Non seulement nos yeux sont-ils séduits par toutes ces bonnes choses, mais notre odorat ne peut résister aux arômes qu'elles dégagent.

On se demande parfois comment les utiliser... Avez-vous déjà pensé qu'il pourrait être intéressant de les intégrer progressivement dans votre cuisine de tous les jours ?

Yuzy Bélisle

La mémoire des odeurs

En développant votre mémoire olfactive, vous serez capable de vous souvenir du goût des aliments simplement d'après leur odeur. Frottez, par exemple, entre votre pouce et votre index, une feuille d'une fine herbe de votre choix. Sentez-la bien, puis goûtez-la. Concentrez-vous sur ce que vous faites et recommencez plusieurs fois. Cet exercice vous permettra, en peu de temps, de reconnaître de mémoire le goût d'une herbe fine.

Apprenez aussi à connaître la texture des aliments et ensuite, prenez plaisir à imaginer des plats divers, voire des menus complets, en mariant goûts, textures, odeurs et formes.

Des aliments qui se complètent

Vous craignez peut-être de ne pas réussir votre recette... Vous vous posez mille et une questions sur certains aliments...

Pour vous aider dans votre « découverte des aliments », nous vous présentons, aux pages 26 et 27, une brève classification des grandes familles d'aliments en fonction de l'intensité de leur goût, en allant du plus faible au plus fort.

Parcourez cette liste, et essayez d'imaginer le goût, l'odeur et la texture de chacun des ingrédients. Explorez ensuite certaines combinaisons en tenant compte des notions qui suivent.

Le mariage des aliments

• Rehaussez une viande ou un poisson dont le goût est faible en l'accompagnant d'une sauce plus relevée, un légume au goût prononcé par une sauce délicate, etc.

Par exemple, rehaussez votre poulet, qui a un goût délicat, d'une sauce à l'estragon.

• N'hésitez pas, cependant, à jouer avec les dosages d'épices et de fines herbes selon vos préférences ou à augmenter la quantité d'épices lorsque vous préparez une spécialité d'un autre pays, si vous recherchez un goût authentique.

• Le porc, une viande au goût moyen, se marie très bien avec la mandarine qui a un goût légèrement acidulé, avec un soupçon de romarin qui a un goût fort ou avec beaucoup de persil dont le goût est faible.

• Le goût délicat du poisson gagnera à être relevé avec une pointe de moutarde, un peu d'oseille au goût légèrement amer ou une couche de champignons au goût subtil.

• Une purée de carottes gagnera à être rehaussée avec le goût relevé d'une pincée de sarriette, parfumée avec une noix de muscade râpée ou agrémentée d'une généreuse portion de courgettes coupées en dés.

Mélanges épices – fines herbes

• Les épices et les fines herbes servent à parfumer un plat ou à rehausser la saveur d'un aliment.

• Il est important de savoir doser la quantité d'épices et de fines herbes utilisées.

• Les épices et les fines herbes dont le goût est faible pourront être mélangées ensemble. Chacun des goûts, bien que très subtil, pourra être décelé dans un même plat.

• Les épices et les fines herbes dont le goût est fort se marieront moins bien avec des épices ou fines herbes au goût plus faible. Assurez-vous que le goût fort d'une épice ne masque pas le goût plus faible d'une autre épice.

Concentration de goût

• Lorsque vous utilisez deux aromates n'ayant pas la même concentration de goût, il est possible d'augmenter ou de diminuer le dosage de l'un d'eux afin d'obtenir une concentration de goût de même force pour chacun d'eux.

Ainsi, si vous utilisez environ 2 ml (1/2 c. à t.) d'estragon dans une sauce, il vous faudra deux fois plus de ciboulette, soit 5 ml (1 c. à t.) pour obtenir une concentration de goût de même force.

• Modifiez le dosage des épices et fines herbes utilisées d'après le plat ou l'accompagnement que vous désirez préparer.

Par exemple, une sauce doit avoir une concentration de goût plus forte qu'un potage. Ainsi, dans une sauce au persil, il faut deux fois plus de persil, dont la concentration de goût est faible, que dans un potage au persil. De même, si vous utilisez, dans une sauce, 1 ml (1/4 c. à t.) de romarin, une herbe au goût fort, vous n'en utiliserez qu'une petite pincée dans un potage.

Lorsque vous saurez reconnaître les aliments, les épices, les fines herbes et les aromates, il vous sera facile d'utiliser vos restes pour créer des plats délicieux, savoureux, appétissants, équilibrés et... variés. Vous pourrez ensuite, en toute confiance, imaginer, créer, innover... oser !

Voici quelques exemples de combinaisons inusitées qui ont fait leurs preuves. Essayez d'identifier leur concentration de goût et de vous imaginer le résultat :

Les viandes
• porc et mandarines
• veau et kiwi
• poulet et brie
• agneau et noix de pin
• bœuf et raifort

Les poissons
• poisson et moutarde
• poisson et poires
• poisson et oseille
• poisson et graines de céleri
• poisson et concombre

Les légumes
• purée de navets et pommes
• brocoli et fromage bleu
• avocat et coriandre
• épinards et pamplemousse
• carottes et miel

Les salades
• riz brun et pomme grenade
• cresson et pistaches
• endives et ail des bois
• frisée et fenouil
• macaroni et saumon fumé

Les épices et fines herbes
• 1/4 estragon, 1/2 basilic, 1/4 ail
• 1/3 origan, 1/3 coriandre, 1/3 sauge
• 1/2 fenouil, 1/4 gingembre, 1/4 muscade
• 1/2 poivre noir, 1/4 menthe, 1/4 citronnelle
• 1/4 ciboulette, 1/2 cerfeuil, 1/4 persil

Des trucs et des variantes

Si vous craignez d'innover ou si vous préférez suivre une recette, n'oubliez pas, en consultant *Qu'est-ce qu'on mange ?* de jeter un coup d'œil aux textes d'introduction ainsi qu'aux nombreuses variantes. Vous découvrirez rapidement qu'avec un petit rien, il est possible de transformer bien des recettes en des plats différents tant par le goût que par l'apparence. De plus, nous vous dévoilons certains petits trucs que vous apprécierez dès que vous les mettrez en pratique.

	NEUTRE	NEUTRE À FAIBLE	FAIBLE	FAIBLE À MOYEN
Épices et fines herbes			Persil Paprika • *Utiliser librement*	
Légumes	Laitue Iceberg • *Goût très fade*	Artichaut Aubergine Avocat Concombre Courge Courgette		Carotte Champignon Panais Pomme de terre Laitue Boston Laitue frisée Laitue romaine • *Goût plutôt fade*
Viandes			Veau	Poissons Poulet et dinde

MOYEN	MOYEN À FORT	FORT	FORT À TRÈS FORT	TRÈS FORT
Aneth Basilic Cerfeuil Ciboulette Marjolaine Origan Sauge • *Utilisez en fonction de l'intensité de goût désirée* (sucré) Cannelle Citronnelle Menthe Muscade Poivre rose Sucre • *Utilisez en petite ou moyenne quantité; peuvent atténuer l'amertume et l'acidité apportées par certains autres aliments.*		Anis Baies de genièvre Coriandre Cumin Curcuma Estragon Fenouil Laurier Romarin Safran Sarriette Thym • *Utilisez en petites quantités ces aromates qui pourraient masquer tous les autres goûts*	Ail Cayenne Clou de girofle Gingembre Poivre blanc, noir ou vert Poudre de chili ou piments broyés Raifort •*Utilisez en petites quantités ces aromates qui pourraient masquer tous les autres goûts et développer un goût amer*	
Navet Rougette Mâche • *Goût légèrement amer*	Asperge Betterave Brocoli Céleri Chou-fleur Choux de Bruxelles Fenouil Haricots jaunes ou verts Maïs (épi) Poireau Pois mange-tout Poivron Têtes de violon (Crosses de fougère) Tomate • *Goût de concentration moyenne à forte selon la fraîcheur et la saison*			Ail Échalote Oignon Piment Radis Raifort • *Goût spécifique un peu âcre, très relevé, de concentration très forte, qui sert souvent à rehausser le goût d'un mets* Chicorée Cresson Endive Scale Trévisse • *Goût amer à très amer* Oseille Épinard • *Goût spécifique*
Bœuf Porc	Cheval	Agneau	Gibier • *Goût spécifique à chaque espèce*	

Une touche PERSONNELLE

Aromates, épices, fines herbes et condiments sont tous des ingrédients qui servent à assaisonner les plats.

Dans le cadre de cet ouvrage, nous appelons aromate tout ingrédient utilisé pour assaisonner, saler ou sucrer une préparation ou pour en rehausser la saveur avant la cuisson. Lorsque ces mêmes ingrédients sont utilisés à table pour accompagner les plats, nous les appelons condiments.

Le monde des aromates ou condiments est riche et des plus variés. La plupart d'entre eux sont de source végétale. Nous les classons en six grandes familles : les épices, herbes et graines; les condiments acides; les condiments âcres; les condiments sucrés; les condiments gras et les condiments composés.

Les épices, cultivées de par le monde, peuvent vraiment modifier le goût d'un aliment. La plupart des fines herbes, fraîches ou déshydratées, confèrent aux plats un parfum subtil qui leur donne distinction et délicatesse. Les graines, que l'on retrouve souvent en cuisine exotique, ajoutent goût et texture aux préparations. Quant aux condiments, s'ils sont utilisés avec goût, ils sauront rehausser les mets les plus fades.

Apprenez à connaître les condiments et les aromates, et à mémoriser leur goût. Vous pourrez, dès lors, ajouter votre touche personnelle à vos recettes et transformer chacune d'elles en une multitude de plats nouveaux.

Les épices, les herbes et les graines

On retrouve, dans toutes les armoires de cuisine, clous de girofle, cannelle, sels divers, paprika et poudre de chili. Mais combien d'épices et de fines herbes inconnues nous surprendront tant par leur parfum délicat que par leur goût!

Paprika		Curry	
Fenouil	Menthe	Estragon	Cerfeuil
Poivre rose	Poivre noir	Poivre blanc	Poivre vert
Ciboulette		Oseille	
Clou de girofle	Sel	Safran	Muscade
Romarin	Sarriette	Thym	Sauge
Cannelle		Feuilles de laurier	
Basilic		Persil	

Les fines herbes, par exemple, nous offrent un imposant éventail d'arômes et de saveurs. Toutes ont un goût distinct qui, seul ou combiné, sollicitent nos papilles et notre odorat pour notre plus grand plaisir.

Les graines sont bien souvent mises de côté dans la cuisine occidentale. Cependant, dès que vous les aurez apprivoisées, vous vous joindrez probablement, vous aussi, à leur liste de fidèles amateurs.

Les condiments acides

La famille des condiments acides se compose essentiellement des différents vinaigres (aromatisés ou non), de jus d'agrumes (citron, lime, pamplemousse), de vin.

Les condiments âcres

Les condiments âcres se divisent en trois catégories : les végétaux d'assaisonnement (ail, échalote, oignon, poireau); les condiments proprement dits (moutarde, raifort, certains radis) et les condiments âcres et aromatiques (zeste de citron ou d'orange, cacao, café, poivres, gingembre).

Les condiments sucrés

Les condiments sucrés comprennent, bien entendu, le sucre et ses dérivés (cassonade, sucre glace, mélasse, caramel), mais aussi les divers sirops, les miels et les préparations aux fruits qui accompagnent certains mets (ketchup, chutneys, compote de pommes, gelée de canneberges).

Les condiments gras

Cette famille comporte plusieurs catégories : toutes les huiles, les beurres, les margarines ainsi que les graisses.

Les condiments composés

Pour celles qui ont vraiment peu de temps à consacrer à la cuisine, on retrouve, sur le marché, divers condiments préparés commercialement tels l'angostura, les sauces anglaise de type Worcestershire, soja, tamari, hoisin et aromatisée aux huîtres.

LES TECHNIQUES DE PRÉPARATION

Un petit air de restaurant... à votre table

Qu'est-ce qui distingue un grand chef d'un simple marmiton ? C'est bien souvent le soin que le premier apporte à la préparation des aliments d'accompagnement. Des pommes vapeur bien rondes, un filet mignon orné d'un morceau de tomate joliment découpé, une trempette accompagnée de légumes tranchés différemment, autant d'ingrédients qui, bien préparés, ajoutent au plaisir de servir et de consommer un repas.

Nul besoin d'un équipement coûteux ou d'innombrables heures de travail pour obtenir des résultats dont on se souviendra longtemps... Apprenez simplement l'abc de la coupe des fruits et des légumes, et vous verrez que vos assiettes prendront une tout autre allure ! En rectangle, en carré ou en rond, en tranches, en quartiers ou artistiquement tournés, vos fruits et légumes quitteront l'anonymat de leur coin d'assiette pour prendre la vedette et rehausser toute votre table.

Coupes rectangulaires

Les diverses coupes rectangulaires proposées pourront modifier la durée de la cuisson.

Le **bâtonnet** est un morceau de forme allongée, de 3 à 6 cm de longueur par 1 cm de côté.

La **jardinière** est un morceau de forme allongée, de 3 à 6 cm de longueur par 0,5 cm de côté. Il s'agit d'un bâtonnet coupé sur sa longueur.

La **paysanne** est un morceau de forme allongée, de 1 à 2 cm de longueur par 0,5 cm de côté. Il s'agit d'une jardinière coupée sur sa longueur à intervalles réguliers.

La **julienne** est un morceau de forme allongée, de 5 à 10 cm de longueur par 2 à 3 mm de largeur (approximativement le diamètre d'un spaguetti cuit).

Pour plus de fantaisie, les coupes rectangulaires peuvent être légèrement taillées en biais.

Légumes tournés

Pour préparer des légumes tournés, prenez l'extrémité d'un légume ou divisez-le en sections d'environ 5 cm (2 po) de longueur et de 2,5 cm (1 po) d'épaisseur.

À l'aide d'un couteau bien affilé, arrondissez le tronçon en effectuant 6 à 8 coupes pour lui donner la forme d'un fuseau.

Coupes carrées

Les **dés** sont des morceaux de forme carrée, de 2 mm à 1,5 cm de côté. On réserve néanmoins cette appellation aux plus grosses coupes, c'est-à-dire aux morceaux de 1,5 cm de côté.

La **macédoine** est composée de dés de 0,5 à 1 cm de côté. On l'obtient en taillant des bâtonnets ou des jardinières sur leur longueur, à intervalles réguliers.

La **brunoise** est composée de dés de 2 à 3 mm de côté. On l'obtient en taillant des juliennes sur leur longueur, à intervalles réguliers.

Tranches et quartiers

La **tranche** est la coupe transversale d'un aliment (par exemple, une tranche de concombre).

Le **quartier** est le morceau qui représente environ le quart d'un aliment ou la division naturelle d'un fruit (l'orange, par exemple).

Sphères

Les **sphères** sont de petits morceaux de forme ronde de différentes grosseurs. On les façonne à l'aide d'une cuillère parisienne. Les légumes durs (carotte, panais, navet) se prêtent aisément à cette coupe, de même que certains fruits à chair ferme comme la pomme, le melon et le cantaloup.

Selon leur taille, on a la **parisienne** (environ 2 cm), la **noisette** (environ 1,5 cm), la **perle** (environ 1 cm) et l'**olive** (forme ovale d'environ 2 par 1 cm).

Autres coupes

Le robot culinaire et le hachoir permettent d'obtenir diverses autres coupes. Ces appareils peuvent, notamment : émincer (couper en lamelles plus ou moins grosses), hacher (réduire en très petits morceaux), râper (réduire en poudre grossière ou en petits morceaux très minces), gaufrer (donner une forme plus ou moins ondulée).

LES TECHNIQUES DE CUISSON

Selon le mode de cuisson, chaque aliment réagit différemment. On peut fort bien faire bouillir du bœuf à ragoût mais il en va tout autrement du bifteck ! En sachant associer le bon mode de cuisson à chaque aliment, vous profiterez d'un précieux atout de chef. Et en connaissant bien les divers modes de cuisson possibles, vous vous offrirez autant d'occasions de varier le goût et l'apparence d'un plat.

Braiser

Le braisage consiste d'abord à bien saisir une viande afin de former une croûte sur toutes ses faces. Une fois cette étape terminée, retirez la viande de la casserole; dégraissez cette dernière, puis procédez au déglaçage (en versant une quantité de liquide correspondant à la mi-hauteur du morceau de viande). Remettez ensuite la viande dans la casserole; couvrez et faites mijoter lentement, en vous assurant que le liquide ne bout pas trop. Une faible vapeur enrobera ainsi l'aliment mis à cuire. Retournez-le fréquemment afin que toutes ses surfaces baignent à tour de rôle dans le liquide. Le four permet un braisage uniforme. Il est aussi possible de réussir un braisage sur la cuisinière si vous disposez d'une casserole à fond épais.

Cuire à la pression

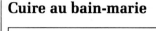
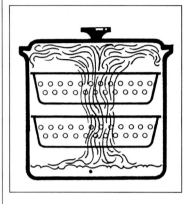

La cuisson à la pression s'effectue dans une casserole hermétiquement fermée, dont le couvercle peut être muni d'une soupape de pression. Cette technique permet de gagner du temps et de préserver les vitamines hydrosolubles (solubles dans l'eau) des aliments, puisque seule une petite quantité de liquide est nécessaire.

Cuire au bain-marie

Cette méthode de cuisson est essentiellement utilisée pour préparer des sauces délicates qui ne toléreraient pas une chaleur trop directe ou pour les réchauffer. Le bain-marie est également utilisé au four, pour la cuisson d'un grand nombre de mets à base d'œufs et/ou de crème (ou de ces deux ingrédients); pour ce faire, déposez le plat (casserole, ramequin ou moule) contenant le mets dans un récipient un peu plus grand, à demi rempli d'eau très chaude, mais non bouillante. Ce mode de cuisson est un peu plus long que les autres, mais il demande peu de surveillance et les risques de brûler une préparation sont beaucoup moins grands.

Blanchir

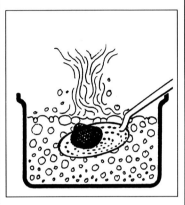

Pour blanchir un aliment, vous devez le plonger de 30 secondes à 4 minutes dans une eau bouillante légèrement salée, puis le faire tremper quelque temps dans une eau aussi froide que possible afin d'interrompre la cuisson. Le blanchiment vous permet d'amorcer la cuisson d'un aliment que vous continuerez d'apprêter plus tard. Cette technique culinaire est surtout utilisée pour préparer les légumes destinés à la congélation; le blanchiment empêche la décoloration de l'aliment.

Étuver

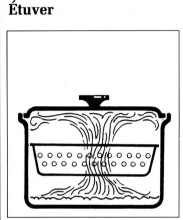

L'étuve, constituée d'un bain-marie dont la partie supérieure porte de grosses perforations, permet de faire cuire les aliments à la vapeur. Le couvercle empêche la chaleur de s'échapper. Si vous devez faire cuire de petites quantités de légumes, utilisez plutôt une marguerite. Aromatisez l'eau de cuisson d'épices ou de fines herbes de votre choix et/ou de légumes, de feuilles de céleri fanées, de queues de persil, etc. Tout au long de la cuisson, surveillez bien le niveau d'eau de la partie inférieure du bain-marie : s'il est trop élevé, les aliments entreront en contact avec l'eau et bouilliront tout simplement; s'il est trop bas, vous brûlerez votre casserole, et vos aliments auront un goût de brûlé.

Faire bouillir

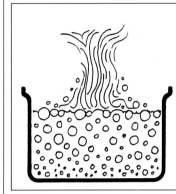

Dans la cuisson par ébullition, l'eau est la seule source de chaleur. Il importe donc qu'elle soit portée à forte ébullition, ce qui permettra aux pores d'une viande mise à bouillir de se resserrer, emprisonnant ainsi ses précieux sucs à l'intérieur. Par contre, un os ou une viande à bouillon sera plongé dans une eau encore froide, lui permettant de libérer un maximum de jus, de sucs et de saveur. La cuisson par ébullition convient tout aussi bien aux légumes qu'aux œufs, aux poissons et aux viandes.

Frire

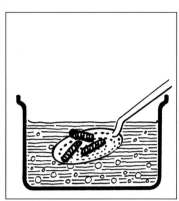

En plongeant un aliment dans un bain d'huile ou de graisse chauffé entre 100 et 260 ℃ (200 et 500 ℉), vous le ferez cuire uniformément sur toutes ses faces. Les aliments de consistance molle (les croquettes et les fondues parmesan, par exemple) doivent être frits à une température élevée afin qu'une croûte les recouvre rapidement, les empêchant de se déformer. D'autres aliments, tels les pommes de terre, doivent être cuits en deux bains successifs : le premier pour saisir, le second pour cuire en profondeur. Notez qu'il est préférable de choisir une température de cuisson aussi élevée que possible (vérifiez tout d'abord le point de fusion de la matière grasse utilisée) : plus une huile est chaude, moins l'aliment l'absorbe.

Glacer et gratiner

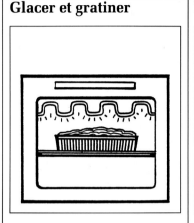

Un mets en sauce ou une préparation liée par une sauce peut être glacé, c'est-à-dire cuit au four de façon à ce que l'action de la chaleur le colore en surface. Pour accélérer ce processus, parsemez votre mets de quelques noisettes de beurre, de quelques gouttes d'huile, de mie de pain, de fromage râpé ou en fines tranches, ou même de plusieurs de ces ingrédients. Certains plats déjà en sauce seront complètement gratinés en même temps qu'ils cuiront. D'autres plats, déjà partiellement cuits seront tout simplement placés quelques instants sous le gril pour être colorés. Si la coloration se fait trop rapidement, recouvrez le plat d'une feuille de papier d'aluminium jusqu'à la fin de la cuisson.

Pocher

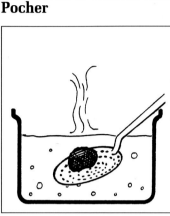

La plupart des aliments se prêtent assez bien au pochage, un mode de cuisson qui permet de cuire les aliments dans un liquide porté à une température juste en-dessous du point d'ébullition. Vous pourrez aromatiser ce liquide d'épices et/ou de fines herbes, ou le remplacer par un bouillon. Un truc : ajoutez quelques gouttes de vinaigre à l'eau avant de faire pocher les œufs. Le vinaigre accélère la coagulation du blanc de l'œuf.

Flamber

Dans la plupart des cas, un aliment est poché avant d'être flambé. Cette technique de cuisson consiste à jeter une petite quantité d'alcool dans un poêlon, pour ensuite le faire flamber. L'alcool s'évaporera, mais son arôme contribuera à donner un goût caractéristique au mets ainsi préparé.

Griller

Badigeonnés d'huile, de beurre ou d'un condiment quelconque, certains aliments tels les biftecks, les côtelettes et les darnes peuvent être cuits sur une grille (préalablement chauffée et huilée afin de bien saisir les aliments et de les empêcher de coller). Pour réussir les grillades, il importe de ne retourner la viande qu'une seule fois. Pour obtenir des grillades au « quadrillé » caractéristique, il suffit de les tourner d'un quart de tour pendant la cuisson. Vous pouvez également faire rôtir des aliments au four, sous le gril. Pour plus de détails, voir « Rôtir à la broche ». Asséchez soigneusement les pièces marinées avant de les faire griller, sinon elles bouilliront au lieu d'être bien saisies.

Rôtir à la broche

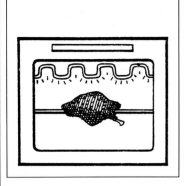

La viande cuite au four à la broche sera cuite uniformément. Vous pouvez ne faire chauffer que l'élément inférieur du four, ou faire aussi chauffer l'élément supérieur (gril). Si vous faites chauffer les deux éléments du four, vérifiez attentivement la cuisson et arrosez fréquemment la viande qui se colorera très rapidement. Si la coloration désirée est obtenue avant la fin de la cuisson, éteignez tout simplement l'élément supérieur et poursuivez la cuisson avec l'élément inférieur.

Rôtir au four

La meilleure façon de faire cuire un gros morceau de viande consiste à la soumettre à la chaleur sèche d'un four. Faites alors chauffer le four à une température très élevée. Entre-temps, faites chauffer une rôtissoire préalablement huilée, déposez la viande à l'intérieur et mettez-la au four. Après le premier quart de cuisson, diminuez la chaleur. Il est aussi possible de faire saisir la viande sur toutes ses faces dans une grande casserole, avant de la faire cuire au four. Pour obtenir une viande bien rôtie, arrosez-la une ou deux fois de son jus pendant la cuisson. Si de la vapeur se forme à l'intérieur du four, ouvrez occasionnellement la porte du four de quelques centimètres pendant quelques secondes.

Mariner

La marinade est autant une préparation à la cuisson qu'un mode de cuisson en soi. Elle est généralement composée d'un élément acide (vinaigre, vin ou jus d'agrume), d'un élément gras (huile) et d'ingrédients aromatiques (épices, herbes, légumes, alcool). Des aliments crus (fines tranches de poisson, de fruits de mer, de viande) peuvent cuire simplement en trempant quelques heures dans une marinade. Les morceaux plus gros seront attendris et parfumés par la marinade. Vous devez alors les éponger soigneusement avant de les soumettre à une chaleur intense.

Cuire aux micro-ondes

La cuisson au four à micro-ondes est un mode de cuisson très rapide. Les ondes produites par le four activent les molécules d'eau contenues dans les aliments, et ce mouvement provoque une chaleur qui suffit à les cuire.

LES TECHNIQUES DE CONSERVATION

Tout de suite après la récolte, la pêche ou l'abattage, l'aliment est sain et frais. Ces précieuses qualités sont fragiles; pour les préserver, deux mots-clés : hygiène et conservation.

Les usines de transformation des aliments sont soumises à de très strictes règles d'hygiène. Ces contrôles sont toutefois moins serrés à la maison. Pourtant, quelques règles de prudence suffisent pour empêcher la prolifération des bactéries :

- lavez-vous toujours les mains à l'eau chaude entre chaque étape de préparation;

- utilisez des ustensiles et des récipients propres pour chaque opération (par exemple, ne goûtez pas la sauce avec la cuillère qui sert à la remuer !);

- désinfectez toujours votre planche à découper ayant servi à préparer des aliments crus (utilisez de préférence une planche en polyéthylène);

- couvrez coupures et petites blessures d'un pansement imperméable;

- ne fumez jamais à proximité des aires de travail.

Diverses méthodes permettent de conserver la fraîcheur des aliments. Autrefois, on cherchait à prolonger la durée de conservation des aliments afin d'avoir encore de quoi manger en période de pénurie. De nos jours, les diverses techniques de conservation représentent plutôt le meilleur moyen d'avoir sous la main, en tout temps, les aliments dont on a besoin.

Divers procédés, naturels et industriels, permettent d'y arriver. Les procédés dits « naturels » font appel à certains additifs alimentaires : sucre (confitures), sel (charcuteries), vinaigre (marinades) alcool (fruits), huiles (poisson) et graisses clarifiées (pâtés).

Les procédés industriels font subir un traitement de courte ou de longue durée à l'aliment. Pensons, par exemple, à la déshydratation qui permet de conserver les légumes, les fines herbes et même certains poissons. Ou à la mise en conserve, qui consiste à stériliser contenants et aliments avant de mettre ces derniers sous vide. Le fumage, à chaud ou à froid, est également une méthode de conservation qui remonte à plusieurs siècles : de nos jours, elle est essentiellement réservée à certains aliments fins tels la viande, la volaille, les fruits de mer et les poissons.

La meilleure méthode de conservation des aliments est sans contredit la congélation. Ce procédé qui abaisse rapidement la température des aliments à-19 ºC ou moins préserve à la fois leurs qualités nutritives, leur couleur et leur saveur. La plupart des réfrigérateurs comprennent une section qui permet de procéder à la congélation « maison ». Pour bien protéger les aliments congelés, il suffit de garder quelques petits trucs à l'esprit :

- tentez de recréer le mieux possible un emballage sous vide (sans air); au besoin, aspirez l'air hors du sac avec une paille;

- utilisez un papier d'aluminium fort pour emballer les aliments que vous pensez garder trois semaines ou moins;

- utilisez des sacs de plastique spécialement conçus pour la congélation, ou dont l'attache permettra une fermeture hermétique pour les aliments que vous voulez garder plus longtemps;

- n'utilisez pas de pellicule plastique ordinaire : celle-ci se distend et perd son étanchéité lorsqu'elle est exposée au froid.

En milieu industriel, la congélation traditionnelle a, depuis quelque temps, été supplantée par la surgélation, méthode de congélation ultrarapide. Les aliments surgelés sont maintenus à une température de −30 à −40 ˚C. Ce procédé permet de préserver leurs qualités nutritives encore mieux que par la congélation.

La méthode de conservation la plus simple entre toutes — et la plus répandue en Amérique du Nord — reste la réfrigération. En conservant simplement les aliments au froid, on ralentit leur détérioration par les bactéries. Idéalement, un réfrigérateur indiquera une température inférieure à 8 ˚C et supérieure à −1 ˚C. La réfrigération est simple comme bonjour, et encore plus efficace lorsqu'on prend quelques précautions supplémentaires :

- laissez refroidir les aliments (à demi couverts) avant de les mettre au réfrigérateur ;

- mettez toujours les aliments dans des contenants de plastique hermétiques, ou veillez à bien les couvrir d'une feuille de papier d'aluminium (côté mat à l'intérieur), de papier ciré, ou d'une pellicule plastique.

Congélation

Pratique, la congélation ne représente pas pour autant le moyen miracle de conserver tous les aliments. Certains produits alimentaires réagissent en effet plutôt mal à l'entreposage sous zéro...

Laitue

Une laitue décongelée sera fade et molle.

Tomate, poivron et piment

Ces aliments perdront leur texture croquante. Cependant, ils pourront être utilisés dans les mets cuisinés.

Œufs

L'œuf non cuit se dilatera, et sa coquille éclatera. Cuit, il prendra une texture dure et caoutchouteuse. Il est cependant possible de congeler des œufs battus.

Mets épicés

Les assaisonnements, quels qu'ils soient, s'accentuent ou s'atténuent durant la congélation : il est donc préférable de rectifier l'assaisonnement après avoir réchauffé le plat.

Réfrigération

Combien de temps ?

Il ne suffit pas de sentir un aliment pour évaluer s'il est encore comestible ou non. Bien souvent, un aliment gâté conserve encore toute l'apparence d'un aliment sain. Quelques simples règles pourraient vous être utiles.

Les viandes

• Gros morceau

Retirez la viande de son emballage original et enveloppez-la hermétiquement, sans trop serrer (changez l'emballage et l'assiette tous les jours). Se gardera deux à trois jours.

• Viande en tranche (côtelette, bifteck, escalope)

Si possible, placez une feuille de papier ciré ou de papier de boucherie entre chaque tranche. Procédez ensuite comme pour un gros morceau de viande. Se conservera deux à trois jours.

• Viande hachée

Se conservera tout au plus un jour ou deux.

• Viandes transformées (saucisse, bacon, charcuterie)

Se conserveront cinq à six jours dans leur emballage d'origine.

Lorsqu'un paquet est ouvert, enveloppez soigneusement l'aliment d'une pellicule plastique. Se conservera deux à trois jours.

• Viandes cuites

Refroidies et emballées dans une pellicule plastique, se conserveront deux à trois jours.

La volaille

La volaille est souvent contaminée par une quantité plus ou moins importante de salmonelles. Pour éviter la propagation de cette bactérie, il importe de laver méticuleusement tout ce qui touche à la chair de volaille crue. À l'exception de cette précaution, la conservation de la volaille ne demande pas de soins particuliers.

Se conservera deux à trois jours sur une assiette enveloppée lâchement d'une pellicule plastique (changez l'emballage et l'assiette tous les jours); se gardera tout aussi longtemps une fois cuite, refroidie et couverte.

Le poisson

• Poisson cru

Une fois rincé à l'eau glacée et épongé, se gardera un à deux jours s'il est déposé dans une assiette puis recouvert d'une pellicule plastique. Renouvelez l'emballage après la première journée.

• Poisson cuit

Refroidi et recouvert d'une pellicule plastique, se conservera de deux à trois jours.

• Poisson fumé

Se conservera trois à cinq jours dans son emballage d'origine ou enveloppé d'une pellicule plastique.

Les fromages

Enveloppés dans deux épaisseurs de pellicule plastique, se conserveront deux à trois semaines.

Les œufs

Très sensibles aux odeurs et aux changements de température, ils préfèrent leur emballage d'origine. Se conservent deux semaines.

Laitues

Lavées, bien essorées et déposées dans un sac de plastique refermé sans faire le vide de son air (on crée ainsi une « serre froide » qui offre des conditions de conservation idéales pour ce type de produit). Se conserveront jusqu'à deux semaines.

Légumes-fleurs

Mis au réfrigérateur dans un contenant hermétique sans avoir été lavés, se conserveront environ cinq jours.

Légumes-racines

Lavés et bien asséchés, se conserveront deux semaines.

Fruits durs (pommes, poires, agrumes)

Se conserveront deux semaines dans un sac de plastique.

Fruits tendres (fraises, framboises, bleuets)

Étendus en une seule couche sur un plateau et couverts d'un essuie-tout, se garderont deux à trois jours.

LE POULET

Poules, dindes, oies, canards, poulets de Cornouailles... tous ces volatiles élevés pour leur chair appartiennent à la grande famille des volailles.

En fait, du chapon bien gras qui faisait écarquiller d'envie les yeux de Grand-mère à la frêle caille mise à la mode il y a quelques années, la volaille fait depuis longtemps partie de notre quotidien.

Il reste que, chez nous, c'est certainement le poulet qui représente le plus fidèlement sa lignée sur nos tables. Chaud ou froid, rôti ou sauté, entier ou en morceaux, en pâté, en sauce ou en ragoût, il se sert véritablement à toutes les sauces.

Le poulet peut se congeler facilement. Il est donc conseillé d'en avoir en réserve pour parer aux imprévus. Faites dégeler le poulet au réfrigérateur ou, si le temps presse, au four à micro-ondes.

Grâce à sa chair maigre, le poulet a bonne réputation. Les personnes soucieuses de leur santé et de leur poids prennent soin, avant de le consommer, d'en retirer la peau, riche en matières grasses.

Comment brider un poulet

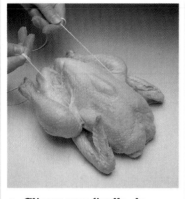

- *Glissez une ficelle de bonne longueur sous le poulet.*

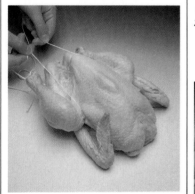

- *Ramenez-la entre les cuisses.*

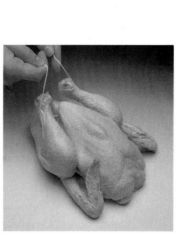

- *Croisez-la sous les extrémités des pilons.*

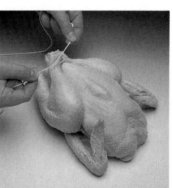

- *Contournez les extrémités des pilons ; croisez de nouveau la ficelle.*

- *Tournez le poulet.*

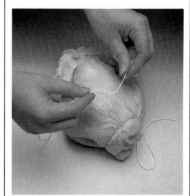

- *Encerclez le croupion.*

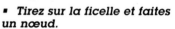

- *Tirez sur la ficelle et faites un nœud.*

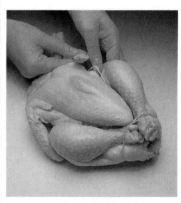

- *Glissez la pointe des ailes sous la ficelle entre les cuisses et la poitrine.*

Comment dépecer un poulet

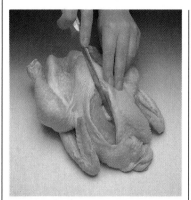

- *Entaillez le poulet au milieu du dos.*

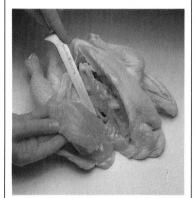

- *En gardant le couteau appuyé contre la carcasse, descendez doucement la lame et dégagez la poitrine.*

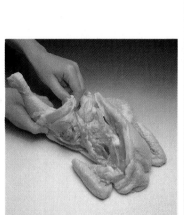

- *Dépliez la cuisse et brisez l'articulation.*

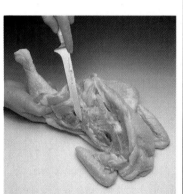

- *Placez la lame du couteau dans l'articulation et dégagez la cuisse.*

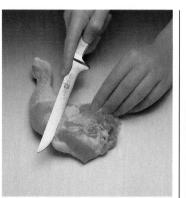

- *Taillez chaque cuisse en deux, en coupant la veine grasse située au-dessus de l'articulation.*

- *Vous obtenez ceci.*

- *Dégagez les ailes et coupez les pointes.*

- *Votre poulet désossé.*

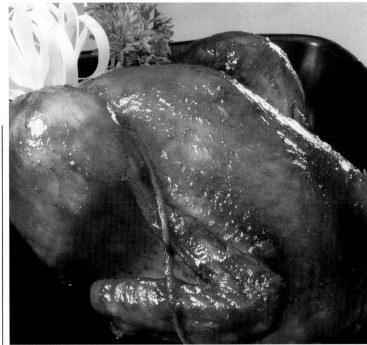

Poulet glacé au miel et à l'orange

Ce poulet a si fière allure qu'il peut figurer au menu d'une grande occasion. Servez-le entier, et disposez tout autour des quartiers de mandarines, fraîches ou en conserve.

4 portions	
1	poulet entier de 2 kg (4 1/2 lb)
30 ml	(2 c. à s.) huile ou beurre
	sel et poivre
1	pincée de thym
310 ml	(1 1/4 tasse) jus d'orange
30 ml	(2 c. à s.) zeste d'orange
5 ml	(1 c. à t.) sarriette
15 ml	(1 c. à s.) consommé de poulet
80 ml	(1/3 tasse) miel
10 ml	(2 c. à t.) jus de citron

■ Préchauffez le four à 175 °C (350 °F).

■ Bridez le poulet ; badigeonnez de beurre ou d'huile ; assaisonnez de sel, de poivre et de thym.

■ Placez dans une cocotte ou sur une plaque à rôtir ; faites dorer au four environ 45 minutes.

■ Entre-temps, dans un grand bol, mélangez les autres ingrédients.

■ Versez sur le poulet doré ; poursuivez la cuisson environ 1 heure en arrosant souvent.

■ À la fin de la cuisson, faites bouillir le jus de cuisson jusqu'à épaississement ; badigeonnez le poulet de cette sauce.

Poulet barbecue

On connaît déjà le poulet barbecue entier. Mais cette sauce peut aussi transformer en véritable délice les poitrines et les cuisses de poulet, les côtelettes et les petits rôtis de porc, même la viande hachée !

4 à 6 portions	
1	poulet de 1,8 kg à 2,7 kg (4 à 6 lb)
60 ml	(1/4 tasse) beurre
	sel et poivre
500 ml	(2 tasses) sauce barbecue
750 ml	(3 tasses) eau
30 ml	(2 c. à s.) huile
1	oignon, râpé
30 ml	(2 c. à s.) fécule de maïs
250 ml	(1 tasse) ketchup
75 ml	(5 c. à s.) cassonade
75 ml	(5 c. à s.) vinaigre
	sel et poivre
2 ml	(1/2 c. à t.) sauce anglaise

■ Préchauffez le four à 175 °C (350 °F).

■ Badigeonnez le poulet de beurre ; salez et poivrez ; placez dans une casserole.

■ Versez le sachet de sauce barbecue ; ajoutez 500 ml (2 tasses) d'eau ; couvrez.

■ Faites cuire au four, environ 1 h 45 ; arrosez régulièrement.

■ Dans un grand poêlon, faites chauffer l'huile ; faites revenir l'oignon ; ajoutez la fécule de maïs ; mélangez.

■ Ajoutez les autres ingrédients ; laissez mijoter 10 minutes.

■ Versez sur le poulet ; servez.

Poulet de Cornouailles en croûte de sel

Rien à craindre : malgré les apparences, votre poulet ne sera pas trop salé. Si vous préférez le canard au poulet de Cornouailles, augmentez tout simplement le temps de cuisson à 3 heures.

4 portions

4	poulets de Cornouailles
1	oignon, en quartiers
2 ml	(1/2 c. à t.) thym
4	gousses d'ail, non épluchées
1 kg	(2 1/4 lb) gros sel

■ Préchauffez le four à 220 °C (425 °F).

■ Dans chaque poulet de Cornouailles, placez un quartier d'oignon, une pincée de thym et une gousse d'ail. Bridez les poulets.

■ Dans une cocotte ou un plat creux allant au four, étalez une couche de gros sel. Déposez les poulets ; recouvrez entièrement de gros sel ; appuyez avec la main pour faire adhérer le sel.

■ Faites cuire au four 1 heure ; retirez du four. Brisez la croûte ; à l'aide d'un pinceau, enlevez le surplus de sel ; servez.

Poulet de Cornouailles rôti aux fines herbes

La chair de volaille a la finesse qu'il faut pour mettre en valeur le goût des fines herbes. En saison, utilisez des herbes fraîches et doublez leur quantité.

4 portions

4	poulets de Cornouailles
2	tranches de citron
1	oignon, tranché
1	carotte, en morceaux
125 ml	(1/2 tasse) feuilles de céleri
1 ml	(1/4 c. à t.) sarriette
	sel et poivre
398 ml	(14 oz) consommé, en conserve
30 ml	(2 c. à s.) persil frais, haché
5 ml	(1 c. à t.) estragon
250 ml	(1 tasse) yogourt nature

■ Préchauffez le four à 190 °C (375 °F).

■ Nettoyez les poulets ; asséchez ; frottez l'intérieur et l'extérieur avec les tranches de citron.

■ Dans chaque poulet, placez l'oignon, la carotte et les feuilles de céleri ; parsemez de sarriette ; salez et poivrez.

■ Bridez les poulets ; déposez dans une cocotte ; recouvrez la cocotte d'un papier d'aluminium préalablement graissé.

■ Faites cuire au four environ 40 minutes.

■ À la fin de la cuisson, retirez le papier d'aluminium ; dégraissez le fond de la cocotte ; ajoutez le consommé ; laissez réduire aux trois-quarts.

■ Incorporez les fines herbes et le yogourt nature ; mélangez ; rectifiez l'assaisonnement ; servez.

LES POITRINES

Poitrines de poulet pochées au bouillon basque

Pour faire changement, remplacez les poivrons par des poireaux.

4 portions	
15 ml	(1 c. à s.) beurre
1	oignon, émincé finement
1	poivron vert, émincé finement
1	poivron rouge, émincé finement
1	gousse d'ail, émincée
500 ml	(2 tasses) bouillon ou consommé de poulet
4	poitrines de poulet de 170 g (6 oz) chacune, désossées
1	pincée de thym
1	feuille de laurier
	sel et poivre
10 ml	(2 c. à t.) persil, haché

■ Dans une casserole de taille moyenne, faites fondre le beurre ; ajoutez l'oignon et les poivrons ; couvrez ; faites suer à feu doux. Ajoutez l'ail ; remuez ; versez le bouillon de poulet.

■ Déposez les poitrines de poulet dans la casserole ; amenez à ébullition.

■ Ajoutez le thym et le laurier ; salez et poivrez ; couvrez ; laissez cuire à feu doux environ 20 minutes.

■ À la fin de la cuisson, dressez les poitrines de poulet dans un plat de service. Garnissez chacune d'elle de poivrons et d'oignons ; arrosez de bouillon ; parsemez de persil ; servez.

Poitrines de poulet mascarade

De la volaille panée, sans aucune trace de friture : voilà bien une mascarade culinaire qui fera plaisir à ceux et celles qui surveillent leur alimentation !

4 portions	

Enrobage

6	tranches de bacon, cuites, hachées
60 ml	(1/4 tasse) oignon, haché
15 ml	(1 c. à s.) persil, haché
30 ml	(2 c. à s.) chapelure
2 ml	(1/2 c. à t.) basilic
	sel et poivre
4	poitrines de poulet de 170 g (6 oz) chacune
	sauce, au choix

■ Couvrez le fond d'une casserole de 1,25 cm (1/2 po) d'eau ; déposez la marguerite ; amenez à ébullition.

■ Entre-temps, dans un bol, mélangez les autres ingrédients pour obtenir une pâte.

■ Dépiautez les poitrines de poulet ; enrobez d'une mince couche de pâte ; garnissez d'une des huit garnitures de la page suivante ; déposez dans la marguerite ; laissez cuire environ 20 minutes.

■ Dressez dans un plat de service ; nappez de sauce.

8 garnitures irrésistibles pour poitrines de poulet mascarade

À gauche

Raisins, canneberges et maïs miniatures

- Placez les garnitures sur les poitrines de poulet enrobées de pâte et faites cuire.
- Laissez les raisins en petites grappes pour éviter qu'ils ne tombent.

Julienne et cresson

- Placez une julienne de carottes, navets et courgettes sur la poitrine de poulet enrobée de pâte ; salez et poivrez ; faites cuire.
- Après la cuisson, décorez d'un bouquet de cresson et de rondelles d'oignon cru.

Fruits divers

- Placez 1/2 abricot, 1 quartier de poire (arrosé de jus de citron) et 1 tranche de limette sur la poitrine de poulet enrobée de pâte ; saupoudrez de cari ; faites cuire.
- Après la cuisson, décorez de fruits de votre choix.

Crevettes et asperges

- Placez quelques crevettes et quelques pointes d'asperges sur la poitrine de poulet enrobée de pâte ; salez et poivrez ; déposez une noix de beurre ; faites cuire.
- Après la cuisson, garnissez d'une rondelle de citron et de feuilles de céleri.

À droite

Concombres et poivrons

- Émincez finement le concombre et le poivron. Placez sur la poitrine de poulet enrobée de pâte ; assaisonnez ; faites cuire.
- Après la cuisson, décorez de persil haché et de quartiers de mandarines.

Champignons, œufs et tomates

- Placez quelques champignons émincés, sautés au beurre, 2 rondelles d'œuf dur et une tranche de tomate sur la poitrine de poulet enrobée de pâte ; assaisonnez ; faites cuire.
- Après la cuisson, décorez de feuilles d'estragon.

En habit vert

- Faites cuire 30 secondes à la vapeur 4 feuilles de laitue. Sur la poitrine de poulet enrobée de pâte, déposez 1 tranche de jambon cuit et 1 tranche de fromage.
- Enveloppez le tout des feuilles de laitue ; faites cuire.

Thon, bacon et ciboulette

- Mélangez des quantités égales de bacon cuit, émietté, et de thon en flocons. Recouvrez-en la poitrine de poulet enrobée de pâte. Parsemez de ciboulette hachée ; faites cuire.
- Après la cuisson, décorez de sections de pamplemousse, pelées à vif.

45

Poitrines de poulet mignonnette

Ces poitrines de poulet (ainsi que le beurre qui les accompagne) peuvent être apprêtées la veille et cuites juste avant le repas.

4 portions

Beurre maître d'hôtel

30 ml	(2 c. à s.)	beurre
15 ml	(1 c. à s.)	persil
5 ml	(1 c. à t.)	jus de citron
2 ml	(1/2 c. à t.)	consommé de bœuf
4		poitrines de poulet de 170 g (6 oz) chacune, désossées
20 ml	(4 c. à t.)	grains de poivre noir, concassés
10 ml	(2 c. à t.)	grains de coriandre, concassés
10 ml	(2 c. à t.)	huile
15 ml	(1 c. à s.)	beurre
		sel et poivre

■ Au moins 1 heure à l'avance, préparez le beurre maître d'hôtel.

■ Dans un petit bol, laissez ramollir le beurre ; ajoutez tous les ingrédients ; mélangez. Procédez selon la technique illustrée à la page 384 pour façonner les rondelles de beurre.

■ Ensuite, dépiautez les poitrines de poulet ; enduisez légèrement chaque poitrine de poivre et de coriandre.

■ Dans un poêlon, faites chauffer l'huile et fondre le beurre ; déposez les poitrines de poulet ; laissez cuire à feu doux.

■ Dressez dans un plat de service ; recouvrez d'une rondelle de beurre maître d'hôtel ; servez.

Aplatissez légèrement les poitrines de poulet et laissez mariner 2 heures dans du jus de pêches. Retirez de la marinade. En vous servant de bandes de papier ciré pour masquer certaines parties des poitrines, saupoudrez tantôt de paprika et tantôt de poudre de cari. Faites cuire et servez garnies de pêches sautées au beurre.

Procédez selon la recette des poitrines de poulet mignonnette. Remplacez le beurre maître d'hôtel par un mélange de parmesan et de persil haché que vous ajouterez un peu avant la fin de la cuisson. Servez sur un lit de nouilles à la tomate.

Poitrines de poulet, sauce au yogourt et fines herbes

Vous pouvez servir ce mets accompagné de riz pilaf et d'un légume vert (têtes de violon, haricots verts, brocoli).

4 portions

4	poitrines de poulet de 170 g (6 oz) chacune, désossées
250 ml	(1 tasse) yogourt nature
60 ml	(1/4 tasse) crème sure
45 ml	(3 c. à s.) jus de limette
2 ml	(1/2 c. à t.) zeste de limette
2 ml	(1/2 c. à t.) origan
1 ml	(1/4 c. à t.) sel de céleri
1 ml	(1/4 c. à t.) poudre d'ail
1 ml	(1/4 c. à t.) coriandre
1 ml	(1/4 c. à t.) persil
1 ml	(1/4 c. à t.) thym
	sel et poivre

■ Préchauffez le four à 190 °C (375 °F).

■ Dépiautez les poitrines de poulet.

■ Graissez un plat allant au four ; déposez les poitrines ; réservez.

■ Dans un bol, mélangez tous les autres ingrédients ; badigeonnez les poitrines de poulet de ce mélange ; faites cuire au four 20 minutes ; retirez.

■ Retournez les poitrines de poulet ; nappez de sauce ; poursuivez la cuisson 15 minutes ou jusqu'à ce que la chair des poitrines soit cuite et tendre.

■ Recouvrez d'un papier d'aluminium ; placez au four ; attendez 10 minutes.

■ Retirez le papier d'aluminium ; déposez dans un plat de service ; servez.

Poitrines de poulet aux concombres et au jambon

Des têtes de violon, du brocoli ou tout autre légume vert ajouteront une note de couleur dans votre assiette.

4 portions

4	poitrines de poulet de 170 g (6 oz) chacune, désossées
	sel et poivre
30 ml	(2 c. à s.) huile
1	oignon, haché
2	gousses d'ail, émincées
500 ml	(2 tasses) bouillon de poulet
1	pincée de thym
1	concombre moyen, épépiné, tranché mince
3	jaunes d'œufs
30 ml	(2 c. à s.) lait
125 ml	(1/2 tasse) jambon cuit, en cubes
1	pincée de persil, haché

■ Préchauffez le four à 130 °C (275 °F).

■ Dépiautez les poitrines de poulet ; salez et poivrez.

■ Dans un poêlon, faites chauffer l'huile ; faites dorer les poitrines de poulet ; laissez cuire ; retirez du poêlon ; gardez au chaud.

■ Dégraissez le poêlon ; ajoutez l'oignon, l'ail, le bouillon et le thym ; amenez à ébullition ; réduisez le feu ; laissez mijoter environ 30 minutes.

■ Ajoutez le concombre ; laissez mijoter 5 minutes.

■ Dressez les poitrines de poulet et le mélange de légumes dans un plat de service ; gardez au chaud.

■ Dans un bol, battez les jaunes d'œufs et le lait ; versez dans le poêlon encore chaud ; faites chauffer en remuant, sans laisser bouillir.

■ Ajoutez les cubes de jambon ; versez sur les poitrines de poulet ; parsemez de persil ; décorez de demi-tranches de concombre ; servez.

* recette illustrée

Comment farcir les poitrines

Les poitrines farcies sont si faciles à préparer que vous choisirez sûrement d'en servir plus souvent. Elles constituent un mets si délicat que vos convives en seront tout à fait ravis !

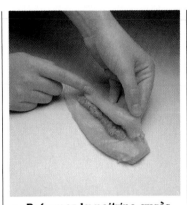

■ *Refermez la poitrine après l'avoir farcie.*

Par le dessus

■ *Fendez en deux sans compléter la coupe.*

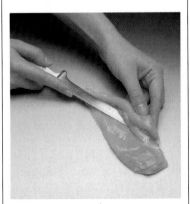

■ *Fendez sur l'épaisseur sans percer les côtés.*

Méthode Lucullus

■ *Taillez en trois sur l'épaisseur.*

■ *Étendez de la farce sur deux des tranches ; reconstituez la poitrine.*

Fermeture complète

■ *Poussez la pointe du couteau sur la longueur de la poitrine, sans ouvrir l'autre extrémité.*

■ *Fendez à l'horizontale vers la gauche puis vers la droite.*

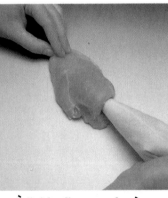

■ *À l'aide d'une poche à pâtisserie munie d'une douille, remplissez la cavité de farce.*

En portefeuille

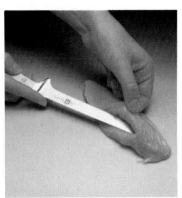

■ *Ouvrez sur l'épaisseur.*

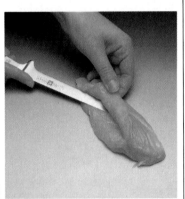

■ *Avec la pointe du couteau, agrandissez la cavité.*

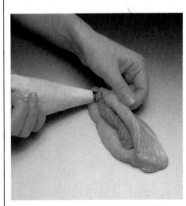

■ *Remplissez la cavité de farce. Refermez.*

Poitrines de poulet farcies

Un classique. Si vous préférez le goût de l'emmenthal ou du gruyère, faites-vous plaisir et gardez le cheddar pour une autre fois !

4 portions

4	poitrines de poulet de 170 g (6 oz) chacune, désossées
4	tranches de jambon
100 g	(3,5 oz) cheddar, râpé
45 ml	(3 c. à s.) farine
2	œufs, battus
	sel et poivre
125 ml	(1/2 tasse) chapelure
10 ml	(2 c. à t.) huile
30 ml	(2 c. à s.) beurre
	sauce à la crème de champignons, du commerce

■ Préchauffez le four à 160 °C (325 °F).

■ Dépiautez les poitrines de poulet ; fendez en portefeuille ; ouvrez ; étendez une tranche de jambon ; saupoudrez de cheddar ; refermez en appuyant bien.

■ Passez dans la farine puis dans les œufs ; salez et poivrez ; recouvrez de chapelure.

■ Dans un poêlon allant au four, faites chauffer l'huile et fondre le beurre ; faites dorer les poitrines de poulet des deux côtés ; terminez la cuisson au four environ 25 minutes.

■ Nappez d'une sauce à la crème de champignons ; servez.

* recette illustrée à gauche

Poitrines de poulet farcies aux épinards

Pour cette recette, nous recommandons la méthode dite de « fermeture complète » pour farcir les poitrines.

4 portions

4	poitrines de poulet de 170 g (6 oz) chacune, désossées
125 ml	(1/2 tasse) épinards, cuits, essorés
1	œuf
	sel et poivre
180 ml	(3/4 tasse) sauce tomate

■ Préchauffez le four à 205 °C (400 °F).

■ Dépiautez les poitrines de poulet ; retirez les filets mignons soudés sous les poitrines ; dénervez.

■ Au mélangeur, hachez finement les filets mignons de poulet et les épinards ; incorporez l'œuf ; salez et poivrez.

■ Pratiquez une entaille sur le dessus ou sur le côté des poitrines de poulet ; remplissez la cavité de farce.

■ Dans un plat allant au four, versez la sauce tomate ; déposez les poitrines de poulet farcies ; couvrez la casserole d'une feuille de papier d'aluminium.

■ Faites cuire au four environ 40 minutes.

■ Émincez les poitrines de poulet ; dressez en éventail dans un plat de service ; servez.

* recette illustrée à droite

LES POITRINES ÉMINCÉES

Taillé en languettes, le blanc de volaille se prête à mille combinaisons originales et appétissantes, comme en témoignent les huit variantes que nous vous proposons à la page suivante. Émincées, les poitrines se cuisent en un rien de temps, un avantage que vous apprécierez sans doute lorsque le temps vous manquera.

Vous n'avez pas de crème à portée de la main ? Remplacez-la par du lait condensé.

Émincé de blanc de poulet aux champignons

4 portions	
25 ml	(5 c. à t.) beurre
330 ml	(1 1/3 tasse) champignons, émincés
1 ml	(1/4 c. à t.) thym
5 ml	(1 c. à t.) jus de citron
20 ml	(4 c. à t.) huile végétale
450 g	(1 lb) blanc de poulet, dépiauté, en lanières
	sel et poivre
284 ml	(10 oz) crème de champignons, en conserve
250 ml	(1 tasse) crème à 35 %
20 ml	(4 c. à t.) persil

■ Dans un poêlon, faites fondre le beurre ; faites dorer les champignons émincés ; ajoutez le thym et le jus de citron ; mélangez ; réservez.

■ Dans un autre poêlon, faites chauffer l'huile ; faites dorer le poulet en lanières ; salez et poivrez ; retirez l'excédent de gras.

■ Ajoutez la crème de champignons et la crème à 35 % ; faites bouillir 1 minute à feu moyen ; rectifiez l'assaisonnement ; parsemez de persil ; servez.

AUX CREVETTES, TOMATES, AIL ET BASILIC

- Faites sauter le poulet avec 250 ml (1 tasse) de crevettes jusqu'à évaporation du jus de cuisson. Ajoutez 1 gousse d'ail hachée, 2 tomates coupées en dés et 1 ml (1/4 c. à t.) de basilic. Faites cuire quelques minutes.

AUX CONCOMBRES ET PALOURDES

- Faites sauter 250 ml (1 tasse) de concombres en julienne ; réservez. Faites sauter le poulet ; ajoutez 237 ml (8 oz) de palourdes égouttées et les concombres. Incorporez 125 ml (1/2 tasse) de crème et un peu de jus de palourdes. Faites cuire jusqu'à la consistance désirée.

AU CARI ET BANANES FRITES

- Saupoudrez le poulet de 15 ml (1 c. à s.) de cari ; faites sauter au beurre. Coupez des bananes en tranches épaisses, trempez dans l'œuf battu ; faites frire. Parsemez de 30 ml (2 c. à s.) de noix de coco grillée.

GRATINÉES AU CHEDDAR

- Mélangez 2 jaunes d'œufs avec 125 ml (1/2 tasse) de cheddar râpé. Déposez un peu de ce mélange sur le plat d'émincé de volaille aux champignons, saupoudrez d'un peu de paprika ; passez 1 minute sous le gril.

AUX PÊCHES, ANANAS ET AMANDES

- Faites sauter le poulet avec 80 ml (1/3 tasse) d'amandes. Ajoutez 125 ml (1/2 tasse) de pêches en quartiers et autant d'ananas avec un peu de jus.

À LA CRÈME DE TOMATES ET TORTELLINI

- Faites sauter le poulet au beurre ; ajoutez 375 ml (1 1/2 tasse) de tortellini cuits et 237 ml (8 oz) de crème de tomates.

À LA BIÈRE ET AUX OIGNONS

- Faites sauter le poulet au beurre ; ajoutez 180 ml (3/4 tasse) de bière ; faites épaissir à la fécule de maïs. Garnissez de rondelles d'oignons trempées dans la farine et frites.

AUX RAISINS ROUGES

- Faites sauter le poulet au beurre ; ajoutez 30 ml (2 c. à s.) de vin blanc et 125 ml (1/2 tasse) de raisins rouges. Laissez réduire un peu ; ajoutez 80 ml (1/3 tasse) de crème à 35 %.

LE POULET EN CUBES

Poitrines de poulet à la bière

Une saveur qui vous surprendra agréablement...

4 portions

45 ml	(3 c. à s.) beurre
250 ml	(1 tasse) carottes
180 ml	(3/4 tasse) céleri
250 ml	(1 tasse) oignons, en cubes
2	brins de romarin, frais
2 ml	(1/2 c. à t.) sel
2 ml	(1/2 c. à t.) poivre frais, moulu
675 g	(1 1/2 lb) poitrines de poulet, en cubes
341 ml	(1 bouteille) bière
30 ml	(2 c. à s.) consommé de poulet
45 ml	(3 c. à s.) crème sure
30 ml	(2 c. à s.) beurre
500 ml	(2 tasses) champignons

■ Préchauffez le four à 175 °C (350 °F).

■ Dans une cocotte allant au four, faites fondre le beurre ; ajoutez les légumes ; laissez cuire 5 minutes. Saupoudrez les poitrines de poulet de romarin, de sel et de poivre ; placez dans la cocotte ; entourez de légumes ; arrosez de consommé et de bière ; faites bouillir ; couvrez ; faites cuire au four 1 heure. Retirez du four ; divisez le poulet en 4 portions ; gardez au chaud.

■ Amenez les légumes et le jus de cuisson à ébullition ; incorporez la crème sure.

■ Dans un poêlon, faites fondre 30 ml (2 c. à s.) de beurre ; faites revenir les champignons ; ajoutez à la sauce ; versez sur les poitrines de poulet.

Pâté au poulet

Comme légumes, utilisez aussi des haricots verts.

4 portions

Sauce « veloutée »

60 ml	(1/4 tasse) beurre
60 ml	(1/4 tasse) farine
250 ml	(1 tasse) lait
375 ml	(1 1/2 tasse) bouillon de poulet
	sel et poivre
625 ml	(2 1/2 tasses) poitrines de poulet, cuites, en cubes
500 ml	(2 tasses) carottes, cuites, en cubes
284 ml	(14 oz) petits pois, en conserve
	pâte à tarte pour 2 abaisses

■ Préchauffez le four à 205 °C (400 °F).

■ Dans une casserole, faites fondre le beurre ; incorporez la farine ; ajoutez le lait en un filet mince ; remuez constamment.

■ Ajoutez le bouillon ; salez et poivrez ; amenez à ébullition ; réduisez le feu ; laissez mijoter environ 5 minutes.

■ Foncez un moule à tarte d'une abaisse ; garnissez d'un mélange de poitrines de poulet, de légumes et de sauce ; recouvrez d'une abaisse.

■ Faites cuire au four 40 minutes ou jusqu'à ce que la pâte soit bien dorée.

Brochettes de poulet

Ajoutez des tomates cerises ; servez sur un lit de riz ou avec des pommes de terre frites et une délicieuse salade verte. L'hiver, ce plat vous permettra de vous rapeler les merveilleux repas pris à une terrasse, quelques mois plus tôt.

4 portions

Marinade

125 ml	(1/2 tasse) huile
60 ml	(1/4 tasse) sauce soja
60 ml	(1/4 tasse) miel
30 ml	(2 c. à s.) jus de citron
5 ml	(1 c. à t.) zeste de citron
2 ml	(1/2 c. à t.) ail, émincé persil, haché
675 g	(1 1/2 lb) poitrines de poulet, en cubes
8 ou 16	pommes de terre, cuites ou en conserve
8	têtes de champignons
16	morceaux de poivrons rouges
16	morceaux de poivrons verts
16	quartiers d'oignons

■ Dans un gros bol, mélangez les ingrédients de la marinade ; incorporez les poitrines de poulet en cubes ; laissez macérer 4 à 6 heures ; remuez de temps en temps.

■ Enfilez les brochettes en alternant le poulet et les légumes.

■ Déposez sur un plateau allant au micro-ondes ; faites cuire à MOYEN-ÉLEVÉ, 10 à 12 minutes ; laissez reposer 5 minutes.

VARIANTES

- Faites cuire ces brochettes 7 à 8 minutes sur charbons de bois ; retournez à mi-cuisson.

- Substituez au poulet de la dinde, du lapin, du porc ou du bœuf.

- Faites cuire les pommes de terre dans un jus de tomates sucré au goût.

- Intercalez des demi-tranches de citron et d'orange sur la brochette.

LES ESCALOPES DE POULET

Les escalopes de poulet constituent un mets délicat. Elles sont parfois difficiles à trouver. Assurez-vous d'en avoir avant de planifier votre menu.

Comment façonner une escalope de poulet

- *Tranchez la poitrine en deux sur l'épaisseur.*

- *Placez les demi-poitrines sous une feuille de papier ciré ; aplatissez avec le revers d'un grand couteau ou à l'aide d'un marteau attendrisseur.*

Il nous arrive souvent de ne pas savoir quoi faire des blancs d'œufs une fois la recette terminée... Pourquoi ne pas les faire cuire, afin de les incorporer à une salade composée ?

Escalopes de poulet aux courgettes

4 portions	
60 ml	(4 c. à s.) beurre
2	courgettes, en rondelles sel et poivre
1 ml	(1/4 c. à t.) thym
4	escalopes de poulet de 125 g (1/4 lb) chacune farine assaisonnée
2	jaunes d'œufs, battus
90 ml	(6 c. à s.) chapelure
10 ml	(2 c. à t.) jus de citron
20 ml	(4 c. à t.) eau
30 ml	(2 c. à s.) parmesan, râpé

■ Dans un poêlon, faites chauffer 30 ml (2 c. à s.) de beurre ; faites sauter les courgettes ; salez, poivrez et saupoudrez de thym ; gardez au chaud.

■ Passez les escalopes de poulet dans la farine assaisonnée, puis dans les jaunes d'œufs et dans la chapelure.

■ Dans un autre poêlon, faites chauffer 30 ml (2 c. à s.) de beurre ; faites cuire les escalopes à feu doux ; retirez du poêlon ; placez dans une assiette ; gardez au chaud.

■ Dans le même poêlon, versez le jus de citron et l'eau ; remuez doucement ; versez sur les escalopes de poulet.

■ Dressez sur un lit de courgettes ; parsemez de parmesan ; servez.

Escalopes de poulet panées aux noix

Achetez des noix ha-chées : elles sont moins coûteuses et vous feront gagner du temps !

4 portions

Chapelure

125 ml	(1/2 tasse)	flocons de maïs
10 ml	(2 c. à t.)	persil
3 ml	(3/4 c. à t.)	poivre au citron
30 ml	(2 c. à s.)	noix de grenoble, hachées finement
4		escalopes de poulet de 115 g (1/4 lb) chacune
2		jaunes d'œufs, battus

■ Préparez la chapelure en mélangeant délicatement les céréales, le persil, le poivre au citron et les noix.

■ Passez les escalopes de poulet dans les jaunes d'œufs, puis dans le mélange de chapelure.

■ Dans un plat allant au micro-ondes, déposez les escalopes de poulet ; faites cuire à MOYEN, 2 minutes ; retournez les escalopes ; poursuivez la cuisson, 2 minutes.

■ Laissez reposer 5 minutes avant de servir.

Escalopes de poulet en roulades

Avec un riz sauvage et des carottes au miel, vous aurez tout un festin.

4 portions

Beurre assaisonné

15 ml	(1 c. à s.)	beurre
1		pincée de ciboulette
1		pincée de poudre d'ail
1		pincée de poivre noir

Chapelure

125 ml	(1/2 tasse)	flocons de maïs
15 ml	(1 c. à s.)	parmesan, râpé
5 ml	(1 c. à t.)	persil
5 ml	(1 c. à t.)	paprika
2		jaunes d'œufs, battus
8		escalopes de poulet de 60 g (2 oz) chacune

■ Préchauffez le four à 175 °C (350 °F).

■ Dans un petit bol, mélangez le beurre, la ciboulette, la poudre d'ail et le poivre ; fouettez pour obtenir un mélange homogène.

■ Dans un grand bol, mélangez les flocons de maïs, le parmesan, le persil et le paprika.

■ Déposez une noisette de beurre assaisonné sur chaque escalope ; roulez chaque escalope ; passez dans les jaunes d'œufs, puis dans la chapelure ; fixez à l'aide d'un cure-dents ; faites cuire au four 20 à 25 minutes.

LES AILES DE POULET

Boudées, oubliées, les ailes de poulet ont mieux à faire que de finir irrémédiablement leurs jours en bouillon ! Bien apprêtées, elles en surprennent plus d'un et donnent un petit air de fête au repas puisqu'elles se mangent avec les doigts.

Elles font fureur dans les parties et, de plus, elles sont à la portée de tous les portefeuilles.

Comment apprêter les ailes de poulet

• *N'utilisez que cette partie de l'aile.*

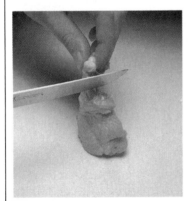

• *Coupez toute la chair autour de l'os.*
• *Retroussez la peau et la chair.*

• *Repliez complètement la chair sur elle-même tel qu'illustré ; l'aile est prête à cuire.*

Ailes de poulet frites

Pas besoin de sauce pour accompagner ces ailes croustillantes et parfaitement assaisonnées. Une salade de chou crémeuse complétera votre menu.

4 portions		
30 ml	(2 c. à s.)	huile végétale

Farine assaisonnée

250 ml	(1 tasse)	farine
2 ml	(1/2 c. à t.)	paprika
1 ml	(1/4 c. à t.)	sel d'ail
3 ml	(3/4 c. à t.)	gingembre
2 ml	(1/2 c. à t.)	basilic
2 ml	(1/2 c. à t.)	cari
1 ml	(1/4 c. à t.)	thym
2 ml	(1/2 c. à t.)	coriandre, concassée
		sel et poivre
20		ailes de poulet
3		œufs, battus
30 ml	(2 c. à s.)	lait
500 ml	(2 tasses)	chapelure

■ Dans une friteuse, faites chauffer l'huile à environ 190 – 205 °C (375 – 400 °F).

■ Dans un grand bol, mélangez les ingrédients de la farine assaisonnée.

■ Enrobez les ailes de poulet de farine assaisonnée.

■ Dans un bol, mélangez les œufs battus et le lait ; passez les ailes de poulet dans le mélange d'œufs, puis dans la chapelure.

■ Préchauffez le four à 175 °C (350 °F).

■ Faites frire environ 4 minutes.

■ Poursuivez la cuisson au four 10 à 15 minutes.

Ailes de poulet Taï-Pan

Le mets par excellence pour quiconque souhaite passer l'été hors de sa cuisine : il ne requiert pas de plat de cuisson, et on le mange avec les doigts ! À l'heure de la vaisselle, vous n'aurez qu'à laver les instruments de mesure et le bol ayant servi à faire mariner le poulet.

4 portions		

Marinade

20 ml	(4 c. à t.)	gingembre
30 ml	(2 c. à s.)	sauce soja
1		poivron rouge, en purée
60 ml	(1/4 tasse)	jus de citron
5 ml	(1 c. à t.)	sauce Tabasco
1 ml	(1/4 c. à t.)	thym
5 ml	(1 c. à t.)	menthe
125 ml	(1/2 tasse)	huile d'olive
15 ml	(1 c. à s.)	vinaigre de vin
900 g	(2 lb)	ailes de poulet
		sel et poivre

■ Dans un grand bol, mélangez tous les ingrédients de la marinade ; ajoutez les ailes de poulet ; couvrez ; laissez mariner 24 heures.

■ Allumez le barbecue.

■ Faites égoutter les ailes de poulet ; faites cuire au barbecue ; retournez souvent ; badigeonnez de marinade pendant la cuisson.

■ Salez et poivrez avant de servir.

Ailes de poulet au miel

Nul enfant ne résistera à l'attrait de ces ailes de poulet au parfum de miel. Les grands subiront le même sort ! (N'oubliez surtout pas les serviettes de table !)

4 portions	
30 ml	(2 c. à s.) huile sel et poivre
900 g	(2 lb) ailes de poulet
1	gousse d'ail, émincée
30 ml	(2 c. à s.) sauce soja
60 ml	(1/4 tasse) sauce brune, du commerce
80 ml	(1/3 tasse) miel
20 ml	(4 c. à t.) pâte de tomates
30 ml	(2 c. à s.) carotte, en julienne
5 ml	(1 c. à t.) persil, haché

■ Dans un grand poêlon, faites chauffer l'huile.

■ Salez et poivrez les ailes de poulet ; faites cuire à feu doux 15 minutes ; retournez 4 ou 5 fois pendant la cuisson.

■ Retirez les ailes de poulet du poêlon ; jetez le gras.

■ Ajoutez l'ail ; laissez cuire en remuant 20 secondes ; ajoutez les autres ingrédients.

■ Remettez les ailes de poulet dans la sauce ; couvrez ; laissez cuire à feu moyen, 5 minutes ; garnissez de carotte en julienne et de persil haché ; servez.

Ailes de poulet milanaise

Hachez quelques oeufs durs et garnissez-en votre plat.

4 portions	
30 ml	(2 c. à s.) huile végétale
900 g	(2 lb) ailes de poulet sel et poivre
2 ml	(1/2 c. à t.) thym
1	oignon, finement haché
180 ml	(3/4 tasse) carottes, en cubes
2	gousses d'ail, émincées
540 ml	(19 oz) de tomates, en conserve
250 ml	(1 tasse) sauce brune du commerce
30 ml	(2 c. à s.) persil, haché

■ Dans un grand poêlon, faites chauffer l'huile ; à feu moyen, faites cuire les ailes de poulet environ 5 minutes ; retournez quelques fois, pendant la cuisson ; assaisonnez de sel, de poivre et de thym.

■ Ajoutez l'oignon et les carottes ; faites cuire 3 minutes, en remuant ; ajoutez l'ail ; faites cuire 30 secondes.

■ Incorporez les tomates ; faites cuire à feu modéré, environ 10 minutes.

■ Préparez la sauce brune selon le mode d'emploi ; versez dans le poêlon ; couvrez ; poursuivez la cuisson environ 10 minutes.

■ Déposez les ailes de poulet et les légumes dans un plat de service ; arrosez de sauce ; parsemez de persil.

LES CUISSES DE POULET

La cuisse de poulet comprend deux sections : la partie supérieure, ou « haut de cuisse » et la partie inférieure, ou « pilon ». Nul ne s'entend pour dire laquelle est la meilleure !

Cuisses de poulet rôties

Cette recette toute simple se prête à de multiples variantes. Suivez nos suggestions, ou laissez filer votre imagination et apportez-y votre touche personnelle.

4 portions	
6	cuisses de poulet entières
45 ml	(3 c. à s.) beurre
	sel et poivre
	thym
125 ml	(1/2 tasse) eau chaude

■ Préchauffez le four à 175 °C (350 °F).

■ Nettoyez les cuisses de poulet.

■ Déposez une noisette de beurre sur chacune d'elles ; assaisonnez de sel, de poivre et de thym.

■ Dans une grosse casserole, déposez les cuisses de poulet ; faites cuire au four 20 à 25 minutes, ou jusqu'à ce qu'elles soient tendres.

■ Pendant la cuisson, arrosez périodiquement d'eau chaude additionnée d'un peu de beurre fondu ; retournez de temps en temps.

CUISSES DE POULET FRITES, AUX AMANDES

• Faites paner les cuisses à l'anglaise en les enrobant d'amandes émincées ; faites frire.

• Enveloppez de papier d'aluminium ; terminez la cuisson au four.

CUISSES DE POULET PERSILLADE

• Préchauffez le four à 205 °C (400 °F).

• Hachez 6 gousses d'ail ; ajoutez 45 ml (3 c. à s.) de persil, de la chapelure et quelques gouttes d'huile.

• Passez les cuisses de poulet dans ce mélange ; faites cuire au four, sans couvrir, 30 minutes, ou jusqu'à ce que les cuisses de poulet soient bien dorées ; couvrez ; poursuivez la cuisson 10 minutes.

CUISSES DE POULET GARNIES

• Faites rôtir les cuisses de poulet ; laissez refroidir.

• Garnissez de cerises, de tranches de mandarine, de morceaux de pêche et de quelques raisins verts.

• Nappez d'une fine couche de gélatine.

Cuisses de poulet
braisées,
aux rotini

Vous avez un reste de nouilles... Voici l'occasion de les servir à nouveau, sans qu'on vous en tienne rigueur.

4 portions	
30 ml	(2 c. à s.) huile
6	cuisses de poulet, entières
	sel et poivre
1	oignon, tranché
1	feuille de laurier
5 ml	(1 c. à t.) marjolaine
156 ml	(5 1/2 oz) de pâte de tomates
250 ml	(1 tasse) eau
500 ml	(2 tasses) rotini, cuits

■ Dans un grand poêlon, faites chauffer l'huile et fondre le beurre ; faites dorer les cuisses de poulet ; salez et poivrez.

■ Ajoutez l'oignon, la feuille de laurier et la marjolaine.

■ Dans un bol, diluez la pâte de tomates dans l'eau ; versez dans le poêlon ; couvrez ; laissez mijoter 20 minutes.

■ Incorporez les rotini ; laissez mijoter 10 minutes à feu doux ; servez.

* recette illustrée

Cuisses de poulet
Caraïbes

4 portions	
6	cuisses de poulet, entières
500 ml	(2 tasses) eau bouillante
15 ml	(1 c. à s.) poudre de chili
10 ml	(2 c. à t.) sel
1 ml	(1/4 c. à t.) poivre
1 ml	(1/4 c. à t.) cannelle
60 ml	(1/4 tasse) oignon, haché
15 ml	(1 c. à s.) huile
15 ml	(1 c. à s.) beurre
540 ml	(19 oz) ananas, avec le jus
250 ml	(1 tasse) raisins verts, sans pépins
2	bananes, tranchées sur la longueur
1	avocat
30 ml	(2 c. à s.) fécule de maïs
60 ml	(1/4 tasse) eau froide

■ Préchauffez le four à 190 °C (375 °F).

■ Lavez les cuisses de poulet ; déposez dans une grande cocotte en fonte ; ajoutez l'eau, la poudre de chili, le sel, le poivre, la cannelle et l'oignon.

■ Fermez hermétiquement la marmite ; laissez mijoter 30 minutes, ou jusqu'à ce que la viande soit tendre.

■ À la fin de la cuisson, retirez les cuisses de poulet ; laissez égoutter sur un papier essuie-tout ; passez le bouillon de cuisson au tamis ; réservez.

■ Dans la cocotte en fonte, faites chauffer l'huile et fondre le beurre ; faites brunir les cuisses de poulet ; réservez.

■ Faites égoutter les ananas ; gardez le jus.

■ Ajoutez du jus d'ananas coupé d'eau bouillante au bouillon pour obtenir 1 L (4 tasses) de liquide ; versez sur le poulet.

■ Déposez les cubes d'ananas sur les cuisses de poulet ; faites cuire au four, 10 minutes, en arrosant souvent pendant la cuisson.

■ Dressez les cuisses de poulet recouvertes de cubes d'ananas dans un plat de service ; garnissez de raisins, de bananes et d'avocat ; réservez.

■ Dans un petit bol, délayez la fécule de maïs dans l'eau froide ; ajoutez au liquide de cuisson ; sucrez au goût ; versez sur les cuisses de poulet.

Poulet tropical

La sauce aigre-douce ne fait pas partie de nos traditions culinaires nordiques, mais on la retrouve de plus en plus dans nos menus.

4 portions

1	poulet de 1,80 kg (4 lb), en morceaux
1	œuf, battu
125 ml	(1/2 tasse) farine
80 ml	(1/3 tasse) huile d'olive
540 ml	(19 oz) ananas, tranchés
	eau
80 ml	(1/3 tasse) miel
30 ml	(2 c. à s.) fécule de maïs
	sirop d'ananas
180 ml	(3/4 tasse) vinaigre de vin
15 ml	(1 c. à s.) sauce soja
1 ml	(1/4 c. à t.) gingembre, moulu
1	cube de concentré de volaille
1 ml	(1/4 c. à t.) poudre d'ail
1	poivron vert, en fines lanières
1	ananas frais (facultatif)

■ Préchauffez le four à 190 °C (375 °F).

■ Lavez et asséchez le poulet.

■ Dans un bol, mélangez l'œuf et la farine ; trempez les morceaux de poulet dans ce mélange.

■ Dans un grand poêlon, faites chauffer l'huile d'olive ; faites dorer les morceaux de poulet.

■ Dressez dans une lèchefrite peu profonde ; réservez.

■ Faites égoutter les ananas ; versez le sirop dans une tasse à mesurer ; ajouter suffisamment d'eau pour obtenir 310 ml (1 1/4 tasse) de liquide.

■ Dans une casserole, mélangez le miel, la fécule de maïs, le sirop d'ananas, le vinaigre, la sauce soja, le gingembre, le concentré de volaille et l'ail ; amenez à ébullition en remuant continuellement ; laissez bouillir 2 minutes ; versez sur le poulet.

■ Faites cuire au four sans couvrir, 30 minutes ; ajoutez les tranches d'ananas et le poivron vert ; poursuivez la cuisson 30 minutes, ou jusqu'à ce que le poulet soit tendre.

■ Servez dans des couronnes d'ananas, ou simplement sur assiette.

Comment façonner une couronne d'ananas

• *Tranchez la tête et le pied de l'ananas ; coupez la chair en tronçons.*

• *Évidez l'ananas sans abîmer l'écorce.*

Poulet aux olives et aux champignons

Si vous trouvez que vos olives sont trop salées, faites-les tremper environ 30 minutes dans de l'eau fraîche avant la cuisson.

4 portions	
30 ml	(2 c. à s.) beurre
225 g	(1/2 lb) champignons, émincés
	sel et poivre
30 ml	(2 c. à s.) persil, haché
30 ml	(2 c. à s.) huile
8	morceaux de poulet
30 ml	(2 c. à s.) oignon, haché
30 ml	(2 c. à s.) pâte de tomates
250 ml	(1 tasse) bouillon de poulet, du commerce
125 ml	(1/2 tasse) olives, dénoyautées

■ Dans un grand poêlon, faites fondre le beurre.

■ Faites sauter les champignons jusqu'à évaporation complète du liquide ; salez et poivrez ; parsemez de persil ; réservez.

■ Dans une cocotte, faites chauffer l'huile ; faites dorer les morceaux de poulet ; salez et poivrez.

■ Ajoutez l'oignon et la pâte de tomates ; faites cuire 2 minutes en mélangeant.

■ Ajoutez le bouillon de poulet et les olives ; faites mijoter à feu doux, 1 heure.

■ Placez les champignons au centre d'un plat de service ; disposez les morceaux de poulet autour ; arrosez de jus de cuisson.

Poulet à la moutarde

L'utilisation de moutarde préparée plutôt que de moutarde de Dijon donnera un poulet à la chair légèrement sucrée : c'est à essayer !

4 portions	
8	morceaux de poulet
15 ml	(1 c. à s.) moutarde de Dijon
15 ml	(1 c. à s.) huile
5 ml	(1 c. à t.) beurre
80 ml	(1/3 tasse) lait
	sel et poivre
180 ml	(3/4 tasse) crème à 35 %

■ Dépiautez les morceaux de poulet ; badigeonnez généreusement de moutarde.

■ Dans un grand poêlon, faites chauffer l'huile et fondre le beurre ; faites dorer les morceaux de poulet ; dégraissez le poêlon ; versez le lait ; assaisonnez.

■ Réduisez le feu au minimum ; laissez cuire le poulet jusqu'à ce que la chair se détache facilement.

■ Incorporez la crème ; faites chauffer quelques minutes.

61

LES CUISSES DÉSOSSÉES

Il est beaucoup plus simple qu'il n'en paraît de désosser des cuisses de volailles. Suivez bien nos instructions...

Technique pour désosser les cuisses de volaille

- Retroussez la peau en glissant les doigts entre la chair et la peau ; retirez la peau jusqu'au bout de la cuisse.

- À l'aide d'un couteau, sectionnez la chair et l'os de façon que la peau constitue une poche que vous pourrez ensuite farcir.

- Dégagez la chair des os ; retirez les tendons.

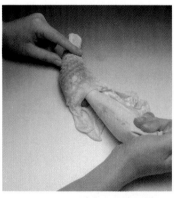

- Hachez la chair finement ; préparez la farce. À l'aide d'un sac à pâtisserie, remplissez la peau en pressant pour bien tasser la farce sous la peau.

- Repliez l'excédent de peau sous la cuisse farcie.

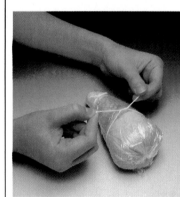

- Enveloppez la cuisse dans une pellicule plastique et ficelez.

- La cuisse farcie est prête à cuire.

Jambonnettes de poulet farcies aux fines herbes (recette de base)

4 portions	
4	cuisses de poulet, désossées

Farce

1	oignon
115 g	(1/4 lb) jambon, tranché
	sel et poivre
1	œuf
30 ml	(2 c. à s.) lait condensé
	eau bouillante
20 ml	(4 c. à t.) persil
5 ml	(1 c. à t.) ciboulette
90 ml	(6 c. à s.) chapelure
398 ml	(14 oz) crème de céleri, en conserve
398 ml	(14 oz) sauce tomate, en conserve
1 ml	(1/4 c. à t.) estragon

■ Préchauffez le four à 190 °C (375 °F).

■ Hachez finement l'oignon, le jambon et la chair des cuisses de poulet ; salez et poivrez ; incorporez l'œuf et le lait condensé.

■ Remplissez la cuisse de poulet de farce ; enveloppez d'une pellicule plastique ; fermez les extrémités et ficelez ; faites cuire dans l'eau bouillante 20 minutes.

■ Dans un plat allant au four, mélangez le persil, la ciboulette et la chapelure.

■ Retirez les cuisses de poulet de leur pellicule plastique ; placez dans la crème de céleri ; saupoudrez de chapelure ; faites cuire au four 15 minutes.

■ Tranchez en rondelles ; nappez de sauce tomate ; saupoudrez d'estragon ; servez.

6 farces pour jambonnettes de poulet

Aux crevettes

- Substituez au jambon de la recette de base, des crevettes. Ajoutez 15 ml (1 c. à s.) de pâte de tomates.

Au fromage

- Substituez au jambon de la recette de base, 90 g (6 c. à s.) de cheddar râpé.

Aux petits légumes

- Substituez au jambon de la recette de base, des carottes, du céleri, du navet jaune et des poivrons rouges coupés en petits dés ; faites cuire les légumes à l'eau bouillante salée ; laissez égoutter ; incorporez à la farce.

Aux épinards

- Substituez au jambon de la recette de base, 90 ml (6 c. à s.) d'épinards égouttés et hachés.

Aux câpres et aux olives

- Substituez au jambon de la recette de base, 80 ml (1/3 tasse) d'olives farcies et 25 g (1 oz) de câpres. Substituez de la crème de tomates à la crème de céleri.

Aux champignons

- Substituez au jambon de la recette de base, 90 g (6 c. à t.) de champignons hachés que vous ferez sauter avec quelques morceaux de bacon.

De gauche à droite, les jambonnettes farcies :
Aux crevettes ▪ Aux petits légumes ▪ Aux épinards ▪ Aux fines herbes (page 62) ▪ Aux câpres et aux olives ▪ Aux champignons

LE POULET HACHÉ

Farandole de poulet en pain pita

Cette préparation est idéale pour les pique-niques, mais elle doit être gardée au frais.

4 portions	
4	pains pita
450 g	(1 lb) poulet, cuit, haché
60 ml	(1/4 tasse) mayonnaise
2	avocats mûrs, en cubes
60 ml	(1/4 tasse) tomates, en cubes
10 ml	(2 c. à t.) jus de citron
15 ml	(1 c. à s.) persil
15 ml	(1 c. à s.) oignon, haché
1 ml	(1/4 c. à t.) sauce Tabasco
	sel et poivre

■ Dans le bol d'un robot culinaire, mélangez tous les ingrédients ; assaisonnez ; remplissez les pains pita.

■ Coupez un demi-avocat en fines tranches ; placez sur la farce ; garnissez de tranches de citron, de bouquets de persil, etc.

▪ **Les ingrédients dont vous aurez besoin.**

▪ *Dans le bol d'un robot culinaire, déposez tous les ingrédients.*

▪ *Hachez grossièrement les ingrédients (ne malaxez pas plus de 15 secondes).*

▪ *Garnissez les pains pita.*

8 façons de farcir les pains pita

1ère colonne

- Ajoutez 60 ml (1/4 tasse) de concombre en rondelles, 60 ml (1/4 tasse) d'oignon rouge, 10 ml (2 c. à t.) de menthe, 4 quartiers d'orange et des feuilles de céleri.

- Ajoutez 1 mangue en quartiers, 1 pomme en quartiers, 45 ml (3 c. à s.) de noix et 115 g (1/4 lb) de fromage feta.

- Ajoutez 60 ml (1/4 tasse) de légumes en julienne, 60 ml (1/4 tasse) de maïs, 1 courgette en rondelles et 60 ml (1/4 tasse) de riz.

- Ajoutez 2 œufs durs en rondelles ou hachés comme pour mimosa, 60 ml (1/4 tasse) de laitue émincée, 45 ml (3 c. à s.) de cornichons et 2 endives en feuilles garnies de quartiers d'oranges.

2e colonne

- Ajoutez 2 tomates en quartiers, du persil en bouquets, de la ciboulette, 60 ml (1/4 tasse) de chou rouge, 2 pommes en morceaux et 60 ml (1/4 tasse) de fromage cottage.

- Mélangez 60 ml (1/4 tasse) de mayonnaise, 1 avocat en purée, 4 oignons verts émincés, 60 ml (1/4 tasse) de poivron rouge, 60 ml (1/4 tasse) de fromage cottage et 60 ml (1/4 tasse) de fines herbes fraîches hachées.

- Remplissez les pains pita d'un mélange de 60 ml (1/4 tasse) de mayonnaise, 125 ml (1/2 tasse) de céleri, 60 ml (1/4 tasse) de radis, 250 ml (1 tasse) de poulet haché ou en flocons, et 60 ml (1/4 tasse) d'oignon rouge.

- Ajoutez 60 ml (1/4 tasse) de macédoine, 60 ml (1/4 tasse) de gruyère, 2 tomates et 60 ml (1/4 tasse) de laitue ciselée.

Côtelettes de poulet « Pojarsky »

Cette recette sera particulièrement réussie si vous hachez le poulet au hache-viande ; vous aurez ainsi une chair beaucoup plus fine que si vous l'aviez hachée à la main.

4 portions

Côtelettes de poulet

450 g	(1 lb)	poulet, cru, haché
1		oignon, haché
30 ml	(2 c. à s.)	persil frais, haché
90 ml	(6 c. à s.)	lait
180 ml	(3/4 tasse)	chapelure
2		œufs
2		gousses d'ail, émincées
		sel et poivre
2		œufs, battus
500 ml	(2 tasses)	chapelure
60 ml	(1/4 tasse)	beurre

■ Préchauffez le four à 190 °C (375 °F).

■ Dans un grand bol, mélangez tous les ingrédients servant à façonner les côtelettes de poulet ; ajoutez de la chapelure pour épaissir la pâte.

■ Façonnez en côtelettes selon la technique expliquée ci-contre. Placez au réfrigérateur ; laissez quelques heures.

■ Trempez les côtelettes dans les œufs ; enrobez de chapelure.

■ Dans un poêlon, faites fondre le beurre ; à feu très doux, faites cuire les côtelettes de poulet 3 minutes de chaque côté, jusqu'à ce qu'elles soient bien dorées.

■ Poursuivez la cuisson au four 30 minutes.

■ Servez avec une sauce à la crème de champignons.

▪ *Avec le mélange, formez une boulette d'environ 115 g (4 oz).*

▪ *Façonnez la boulette en forme de petite côtelette.*

Pain de poulet haché aux champignons

Cette précieuse recette vous permettra d'apprêter délicieusement vos restes de volaille. Congelez vos restes régulièrement, et préparez un pain de poulet dès que vous en avez suffisamment.

4 portions

30 ml	(2 c. à s.) beurre
250 ml	(1 tasse) champignons, coupés en quartiers
5 ml	(1 c. à t.) sel
2 ml	(1/2 c. à t.) poivre
1 kg	(2 1/4 lb) poulet cru, haché
60 ml	(1/4 tasse) mayonnaise
45 ml	(3 c. à s.) poivron vert, émincé
1	oignon, râpé
2	œufs
60 ml	(1/4 tasse) chapelure
250 ml	(1 tasse) soupe aux champignons, du commerce, non diluée

■ Préchauffez le four à 175 °C (350 °F).

■ Dans un poêlon, faites fondre le beurre ; faites sauter les champignons ; salez et poivrez ; réservez.

■ Dans un grand bol, mélangez les autres ingrédients ; versez la moitié du mélange dans un moule à pain.

■ Recouvrez de champignons sautés.

■ Versez l'autre moitié du mélange par-dessus les champignons ; faites cuire au four 1 heure ; servez.

Poulet roulé

Chacun pensera que vous avez passé des heures dans la cuisine. Le truc ? Préparez une grande quantité de crêpes à l'avance... et congelez-les !

4 portions

30 ml	(2 c. à s.) beurre
1	oignon, haché
250 ml	(1 tasse) céleri, en cubes
1/2	poivron rouge ou vert, en cubes
500 ml	(2 tasses) poulet cuit, haché
	sel et poivre
	assaisonnements pour volaille
375 ml	(1 1/2 tasse) sauce béchamel
8	crêpes, cuites
2 ml	(1/2 c. à t.) paprika

■ Préchauffez le four à 205 °C (400 °F).

■ Dans un poêlon, faites fondre le beurre ; faites revenir l'oignon, le céleri, le poivron et le poulet ; saupoudrez d'assaisonnements pour volaille ; salez et poivrez ; incorporez 125 ml (1/2 tasse) de sauce béchamel.

■ Étalez le mélange sur les crêpes ; roulez ; déposez les crêpes farcies dans un plat allant au four ; laissez dorer au four environ 20 minutes.

■ Retirez du four ; versez le reste de la sauce béchamel sur les crêpes ; saupoudrez de paprika.

■ Poursuivez la cuisson au four environ 30 minutes. Servez.

* recette illustrée

Baguette de volaille farcie

Le repas idéal pour une soirée de détente devant le téléviseur : on garde le tout au chaud, bien enrobé dans un papier d'aluminium, et chacun se sert lorsque l'appétit se pointe.

4 portions	
1	baguette
60 ml	(1/4 tasse) lait
45 ml	(3 c. à s.) beurre, mou
375 ml	(1 1/2 tasse) poulet cuit, haché
45 ml	(3 c. à s.) oignon, haché
5 ml	(1 c. à t.) ail, haché
3	œufs
60 ml	(1/4 tasse) fromage, râpé
1 ml	(1/4 c. à t.) thym sel et poivre

■ Préchauffez le four à 175 °C (350 °F).

■ Coupez la baguette en deux sur la longueur ; retirez un peu de mie de pain.

■ Faites tremper la mie de pain dans le lait ; réservez.

■ Beurrez l'intérieur des demi-baguettes ; faites légèrement griller au four.

■ Dans un bol, mélangez les autres ingrédients, y compris la mie de pain trempée.

■ Remplissez les demi-baguettes de ce mélange ; reformez la baguette ; enveloppez dans un papier d'aluminium.

■ Faites cuire au four 35 minutes.

■ Découpez en tranches ; servez chaud ou froid.

VARIANTES

• Mélangez un peu de sauce béchamel à 125 ml (1/2 tasse) d'épinards, cuits et essorés ; ajoutez au mélange.

• Ajoutez des moitiés d'œufs durs sur toute la longueur de la baguette ; faites cuire au four. Tranchez ; parsemez de cheddar râpé ; servez.

• Ajoutez sur la longueur de la baguette des bâtonnets de carottes et de blanc de poireau, cuits.

LES ABATS

Foies de poulet aux champignons

Servie en entrée sur de petits canapés, cette recette donnera de 6 à 8 portions. Assurez-vous de ne pas trop faire cuire les foies, qui perdraient alors toute leur tendreté.

4 portions	
8	tranches de bacon
450 g	(1 lb) foies de poulet, coupés en deux
225 g	(1/2 lb) champignons, tranchés
5 ml	(1 c. à t.) sel
1 ml	(1/4 c. à t.) poivre
2 ml	(1/2 c. à t.) marjolaine
15 ml	(1 c. à s.) farine
250 ml	(1 tasse) crème à 35 %
15 ml	(1 c. à s.) fines herbes

■ Dans un poêlon en fonte, chaud, faites frire le bacon jusqu'à ce qu'il soit bien croustillant ; laissez égoutter ; réservez.

■ Laissez environ 30 ml (2 c. à s.) de graisse de bacon dans le poêlon.

■ Ajoutez les foies de poulet et les champignons ; assaisonnez de sel, de poivre et de marjolaine ; laissez cuire à feu moyen 3 à 4 minutes.

■ Incorporez la farine ; remuez délicatement ; laissez cuire 30 secondes.

■ Ajoutez la crème ; faites cuire à feu doux jusqu'à épaississement.

■ Ajoutez le bacon ; servez sur des rôties ; garnissez de fines herbes.

Tout le monde n'aime pas le foie : parce que le bouillon aux tomates qu'elle contient atténue le goût caractéristique du foie, cette recette vous permettra d'apprivoiser votre famille !

4 portions	
15 ml	(1 c. à s.) huile d'olive
10	cœurs de poulet
10	gésiers de poulet
10	foies de poulet
	sel et poivre
2	gousses d'ail, émincées finement
2 ml	(1/2 c. à t.) origan
796 ml	(28 oz) de tomates, en conserve, écrasées
30 ml	(2 c. à s.) persil, haché
30 ml	(2 c. à s.) parmesan, râpé

■ Dans un poêlon en fonte, à feu vif, faites chauffer l'huile.

■ Faites revenir les abats ; réduisez le feu à moyen ; salez et poivrez ; mélangez pour assurer une cuisson uniforme ; laissez cuire 5 à 8 minutes.

■ Ajoutez les gousses d'ail et l'origan.

■ Versez les tomates écrasées et leur jus sur les abats ; à feu moyen, laissez mijoter 1/2 heure, ou jusqu'à évaporation complète du jus de tomates.

■ Saupoudrez de persil et de parmesan ; rectifiez l'assaisonnement ; servez.

* recette illustrée

LES BOUILLONS

On ne saurait comparer la saveur d'un bon bouillon maison à celui d'un produit du commerce, quelle que soit sa qualité.

Heureusement, rien n'est plus simple — et économique — que la préparation d'un bouillon de volaille. Notre recette vous permettra d'en préparer suffisamment pour en congeler une partie, en vue d'un prochain repas !

Bouillon de poulet de base

Si vous faites congeler le bouillon, faites-le tout d'abord refroidir. Vous le dégraisserez avant la congélation.

4 portions	
1	carcasse de poulet
250 ml	(1 tasse) restes de farce
2 L	(8 tasses) eau
1	oignon, coupé en deux
1	carotte, en rondelles
4	branches de céleri, en gros morceaux (avec feuilles)
2	gousses d'ail, non épluchées, écrasées
1	petit navet, épluché
1	tomate
5	brins de persil
1 ml	(1/4 c. à t.) thym
2 ml	(1/2 c. à t.) poivre
1	feuille de laurier
5 ml	(1 c. à t.) gros sel

■ Dans une grosse casserole, mélangez les ingrédients ; amenez à ébullition ; réduisez le feu ; laissez cuire environ 2 heures ; écumez pendant la cuisson pour obtenir un bouillon clair.

■ Passez le bouillon au tamis. Dégraissez en fin de cuisson.

■ Garnissez au goût. (Consultez la liste des variantes).

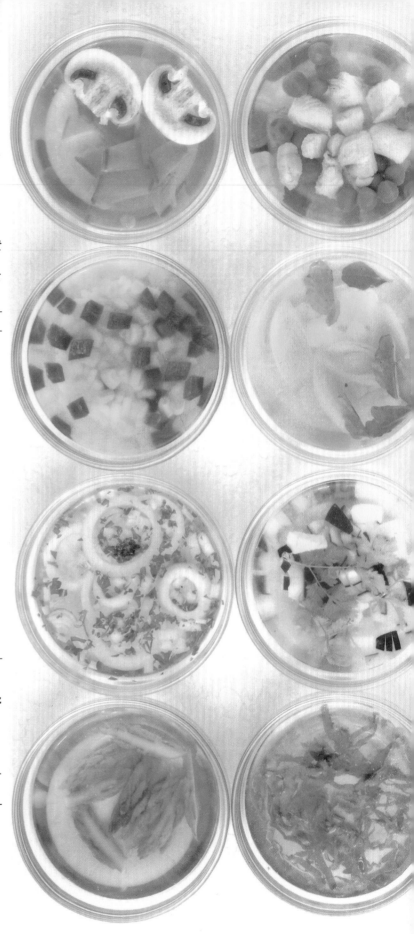

70

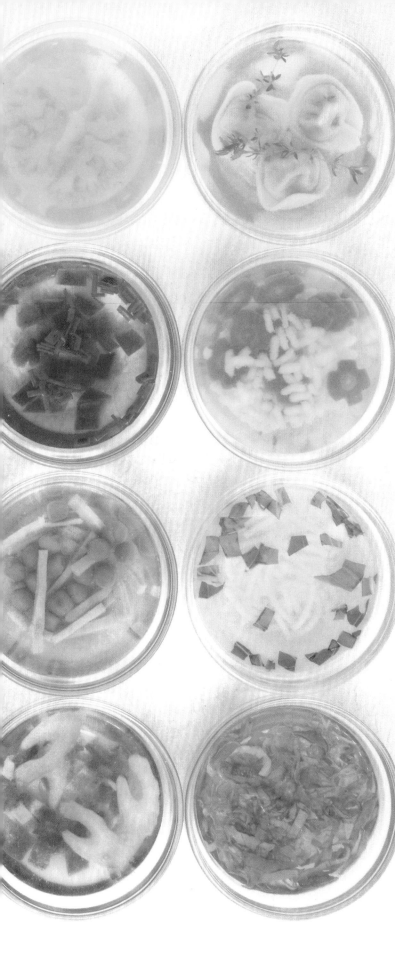

16 garnitures géniales pour agrémenter vos bouillons

1ère colonne

Pois des neiges et champignons

- Ajoutez au bouillon pendant la cuisson.

Maïs, poivrons rouges et riz

- Faites cuire 15 minutes dans le bouillon.

Rondelles d'oignons, persil et brocoli

- Faites cuire 5 minutes dans le bouillon.

Pointes d'asperges fraîches

- Faites cuire 7 minutes dans le bouillon.

2e colonne

Poulet et petits pois

- Ajoutez au bouillon.

Cresson, poireaux et navets

- Faites chauffer dans le bouillon.

Radis, rondelles d'œufs durs et cerfeuil

- Faites chauffer dans le bouillon.

Bacon et épinard

- Faites frire le bacon ; ajoutez avec les épinards au bouillon.

3e colonne

Fleurettes de chou-fleur

- Faites cuire le chou-fleur dans le bouillon ; saupoudrez de cari.

Tomates et ciboulette

- Ajoutez ces ingrédients tels quels au bouillon.

Petits pois et jambon

- Réchauffez dans le bouillon.

Bacon, céleri et tomate

- Faites frire le bacon avec des morceaux de céleri et de tomate ; ajoutez au bouillon.

4e colonne

Tortellini et thym

- Faites cuire 15 minutes dans le bouillon.

Rondelles de carottes et riz

- Faites cuire environ 15 minutes dans le bouillon.

Pistou

- Dans un petit bol, mélangez une gousse d'ail hachée, une grosse pincée de basilic et de l'huile d'olive ; faites chauffer 30 secondes dans une petite casserole ; ajoutez au bouillon avec quelques nouilles.

Feuilles de laitue

- Ajoutez une bonne quantité de feuilles de laitue au bouillon.

LA DINDE

La dinde tient son drôle de nom d'une méprise : la première fois qu'ils ont vu ce volatile en terre d'Amérique, les conquérants espagnols l'auraient appelé « poule d'Inde », puisqu'ils se croyaient toujours aux Indes !

Cet oiseau de basse-cour, déjà domestiqué au Mexique à l'époque des Aztèques, a quand même pris quelque temps avant de se retrouver, cuisiné, sur les tables d'Europe.

De nos jours, on sert tout autant le mâle que la femelle sous le nom de « dinde ». Le dindon a cependant une chair plus sèche, qu'il est préférable de barder afin qu'elle ne se dessèche pas davantage en cours de cuisson.

La dinde, qui figure traditionnellement à nos menus du temps des fêtes, est plutôt délaissée durant le reste de l'année. Pourtant, cette volaille se prête à de nombreuses préparations : son prix intéressant représente également une autre bonne raison d'explorer ses possibilités.

Dinde farcie

La grande vedette du jour de l'An est sans contredit la dinde farcie, qui trône au milieu de la table, fumante et rôtie à souhait, jusqu'à ce qu'on la découpe devant tous les convives. Il reste que ce délice traditionnel peut être servi tout au long de l'année : on peut alors l'apprêter de la façon traditionnelle, comme le suggère notre recette de base, mais aussi oser des variantes tout à fait délicieuses, si bien qu'il faudra sûrement moins qu'une année avant qu'on ne vous réclame de nouveau ce régal !

10 à 12 portions

60 ml	(1/4 tasse) beurre
3	oignons, hachés
450 g	(1 lb) porc en cubes
450 g	(1 lb) bœuf en cubes
500 ml	(2 tasses) riz, non cuit, instantané
500 ml	(2 tasses) céleri, haché
15 ml	(1 c. à s.) fines herbes
1	dinde de 4,5 à 5,4 kg (10 à 12 lb)
6	tranches de bacon
3	oignons, tranchés
6	tranches de lard
	sel et poivre
15 ml	(1 c. à s.) fines herbes
10 ml	(2 c. à t.) paprika

■ Préchauffez le four à 160 °C (325 °F).

■ Dans un grand poêlon, faites fondre le beurre ; faites revenir les oignons.

■ Incorporez la viande, le riz, le céleri et les fines herbes ; laissez cuire 15 à 20 minutes.

■ Remplissez la dinde de farce.

■ Foncez une rôtissoire d'une feuille de papier d'aluminium ; tapissez de tranches de lard ; déposez la dinde dans la rôtissoire.

■ Recouvrez de quelques tranches d'oignons et de tranches de bacon ; salez et poivrez ; saupoudrez de fines herbes et de paprika.

■ Faites cuire au four 20 à 30 minutes par 450 g (1 lb).

8 farces
inédites

Pour un meilleur résultat, hachez tous les légumes ou coupez-les en brunoise. Préparez la farce tel qu'indiqué à la recette ci-contre.

1ère colonne

Aux noix
- Noix de Grenoble, noix de coco râpée, amandes, riz sauvage et riz blanc.

Aux fruits
- Canneberges, riz, airelles, pruneaux, kiwi.

Du jardin
- Poireaux, oignons blancs, pommes de terre, céleri, carotte.

2e colonne

À la viande
- Tortellini cuits, petits pois, carottes, bœuf haché.

Vinaigrée
- Bacon, petits oignons, cornichons, persil, ail, œufs durs.

3e colonne

Au fromage
- Cheddar, parmesan, pain trempé dans du lait, oignons rouges, échalotes.

Aux tomates
- Tomates, bacon, pommes de terre, jambon, fines herbes.

Persillade
- Persil et ail hachés, pignons, navet, poivron rouge.

LES POITRINES

Escalope de dinde à la crème

Pour donner à l'escalope un petit goût de noix, panez avec un mélange un tiers noix et deux tiers chapelure ou moitié noix et moitié arachides.

4 portions	
4	escalopes de dinde
	farine assaisonnée
1	œuf, battu
250 ml	(1 tasse) chapelure
60 ml	(1/4 tasse) beurre
310 ml	(1 1/4 tasse) champignons
	sel et poivre
5 ml	(1 c. à t.) jus de citron
250 ml	(1 tasse) crème à 35 %

■ Passez les escalopes de dinde d'abord dans la farine assaisonnée, puis dans l'œuf ; enrobez ensuite de chapelure.

■ Dans un grand poêlon, faites fondre le beurre ; à feu doux, faites cuire les escalopes 3 minutes de chaque côté.

■ Retirez les escalopes du poêlon ; gardez au chaud.

■ Dans le même poêlon, faites sauter les champignons quelques minutes ; salez et poivrez ; ajoutez le jus de citron ; remuez délicatement.

■ Incorporez la crème ; faites cuire jusqu'à consistance onctueuse ; rectifiez l'assaisonnement ; versez sur les escalopes ; servez.

Nettoyez bien les champignons, en prenant soin de les exposer le moins possible à l'eau. Coupez la partie coriace des pieds.

Choisissez un pâté fin : la farce n'en sera que plus moelleuse.

4 portions	
4	tranches de bacon, émincées
375 ml	(1 1/2 tasse) champignons, hachés
	sel et poivre
2	tranches de pâté de foie
30 ml	(2 c. à s.) beurre
1	poitrine de dinde, dépiautée
1	pâte feuilletée ou brisée
3	tranches de jambon
1	jaune d'œuf
250 ml	(1 tasse) sauce brune, du commerce
	restes de farce (facultatif)

■ Préchauffez le four à 175 °C (350 °F).

■ Dans un poêlon, faites fondre le bacon ; faites suer les champignons jusqu'à évaporation complète du liquide ; salez et poivrez ; retirez du feu.

■ Ajoutez le pâté de foie ; mélangez ; hachez ; réservez au réfrigérateur.

■ Abaissez la pâte en un rectangle.

■ Dans un poêlon, faites fondre le beurre ; faites dorer la poitrine de dinde ; laissez refroidir ; déposez la poitrine de dinde sur la pâte ; recouvrez du mélange bacon-champignons, puis de jambon.

■ Humectez les quatre coins de la pâte ; refermez ; badigeonnez d'un jaune d'œuf.

■ Faites cuire au four environ 40 minutes.

■ Arrosez d'une sauce brune ; servez.

* recette illustrée

Poitrine de dinde glacée

Pour la présentation, jouez avec la couleur des agrumes ! Remplacez la moitié des citrons par des limettes, et décorez chaque portion de quartiers de mandarines.

6 portions

15 ml	(1 c. à s.) huile
15 ml	(1 c. à s.) beurre
2	poitrines de dinde, dépiautées, désossées
1	oignon, haché
6	citrons, tranchés mince
80 ml	(1/3 tasse) ketchup
80 ml	(1/3 tasse) eau
45 ml	(3 c. à s.) cassonade

■ Préchauffez le four à 175 °C (350 °F).

■ Dans un poêlon, faites chauffer l'huile et fondre le beurre ; faites dorer les poitrines ; placez dans un plat allant au four ; réservez.

■ Dans le même poêlon, faites revenir l'oignon ; versez sur les poitrines ; recouvrez de tranches de citron.

■ Dans un petit bol, mélangez le ketchup, l'eau et la cassonade ; versez ce mélange sur les poitrines ; faites cuire au four 45 minutes.

Dinde aux légumes gratinée

Votre plat aura meilleure apparence si vous utilisez du cheddar blanc plutôt que jaune. Le goût restera le même, puisque le cheddar jaune est tout simplement un cheddar auquel on a ajouté un colorant alimentaire.

4 portions

60 ml	(1/4 tasse) beurre
1	poitrine de dinde de 1 kg (2 1/4 lb)
250 ml	(1 tasse) brocoli, en fleurettes
250 ml	(1 tasse) chou-fleur, en fleurettes
1	poivron vert, tranché
284 ml	(10 oz) carottes naines
284 ml	(10 oz) maïs miniatures
375 ml	(1 1/2 tasse) sauce brune, du commerce
225 g	(8 oz) fromage cheddar, râpé

■ Préchauffez le four à 230 °C (450 °F).

■ Dans un poêlon, faites fondre le beurre à feu doux ; faites revenir les poitrines de dinde jusqu'à cuisson complète.

■ Dans une marguerite, faites cuire le brocoli, le chou-fleur et le poivron environ 10 minutes.

■ Dressez la dinde cuite au centre d'un plat allant au four ; disposez les légumes autour de la viande ; recouvrez de sauce brune ; parsemez de fromage râpé ; faites gratiner au four.

* recette illustrée

LES POITRINES ROULÉES

Roulée, la poitrine de dinde cuite au four reste tendre et juste assez juteuse, si on veille à l'arroser régulièrement en cours de cuisson.

Pour éviter de vous brûler sur les grilles du four en arrosant la volaille, utilisez une poire à jus, un ustensile de cuisine spécialement conçu pour faciliter cette opération.

Poitrine de dinde roulée

Si vous aimez la couleur du paprika, saupoudrez-en généreusement la dinde après la cuisson : vous offrirez en même temps à vos convives une bonne dose supplémentaire de vitamine C !

4 portions	
1	poitrine de dinde
5 ml	(1 c. à t.) jus de citron
	sel et poivre
1	pincée de paprika
45 ml	(3 c. à s.) beurre, ramolli
180 ml	(3/4 tasse) jus de fruits ou de légumes de la farce
30 ml	(2 c. à s.) sucre

■ Préchauffez le four à 220 °C (425 °F).

■ Ouvrez la poitrine (consultez la fiche technique à la page 48) ; réservez.

■ Dans un bol, mélangez les fruits ou les légumes ; arrosez de jus de citron.

■ Farcissez la poitrine du mélange.

■ Roulez et ficelez la poitrine ; salez, poivrez et saupoudrez de paprika.

■ Enduisez la poitrine de beurre ; faites cuire 10 minutes au four.

■ Réduisez la température du four à 175 °C (350 °F). Ajoutez le jus et le sucre ; faites cuire au four environ 60 minutes ; arrosez souvent.

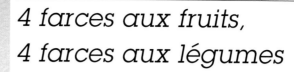

4 farces aux fruits, 4 farces aux légumes

Ananas et raisins secs

- Mélangez 250 ml (1 tasse) d'ananas en cubes, 60 ml (1/4 tasse) de raisins secs et 250 ml (1 tasse) de jus d'ananas.

Pêches et abricots

- Mélangez 180 ml (3/4 tasse) de pêches en conserve, 180 ml (3/4 tasse) d'abricots en conserve, 125 ml (1/2 tasse) de melon miel coupé en cubes et 180 ml (3/4 tasse) de jus d'orange passé au robot avec 60 ml (1/4 tasse) de pêches en conserve.

Pommes et mandarines

- Mélangez 1 pomme en cubes, 125 ml (1/2 tasse) de raisins verts, 125 ml de mandarines en conserve et 250 ml (1 tasse) jus de pomme.

Carottes et courgettes

- Mélangez 180 ml (3/4 tasse) de carottes en julienne, 180 ml (3/4 tasse) de courgettes en julienne et 250 ml (1 tasse) de bouillon de poulet additionné de 60 ml (1/4 tasse) de jus de tomates.

Aubergine, céleri et tomates

- Mélangez 60 ml (1/4 tasse) d'aubergines en cubes, 125 ml (1/2 tasse) de céleri en cubes, 60 ml (1/4 tasse) de tomates en cubes et 250 ml (1 tasse) de jus de tomates.

Poireaux et poivrons rouges

- Mélangez 125 ml (1/2 tasse) de poireau émincé, 125 ml (1/2 tasse) de poivron rouge en cubes et 250 ml (1 tasse) de jus de légumes.

Canneberges et rhubarbe

- Mélangez 180 ml (3/4 tasse) de canneberges, 180 ml (3/4 tasse) de rhubarbe, 125 ml (1/2 tasse) de cantaloup coupé en cubes et 250 ml (1 tasse) de jus de canneberges.

Asperges et champignons

- Mélangez 125 ml (1/2 tasse) d'asperges en conserve, 250 ml (1 tasse) de champignons blanchis et 250 ml (1 tasse) de bouillon de poulet.

LES CUISSES

Les cuisses de dinde sont doublement pratiques. Généralement vendues surgelées et emballées sous vide, elles peuvent être gardées au congélateur et dégelées juste au moment opportun : elles n'auront rien perdu de leur saveur. De plus, une seule cuisse de dinde constitue un morceau suffisamment nourrissant pour satisfaire deux personnes.

- *Assurez-vous que les rouelles soient bien colorées, l'oignon et l'ail bien dorés ; saupoudrez de farine ; ajoutez le jus de tomates.*

- *Après quatre minutes de cuisson, ajoutez le jus d'agrumes et les assaisonnements.*

Comme cette recette demande des cuisses de dinde découpées en rouelles (rondelles de chair), il est préférable d'acheter de la volaille fraîche, que vous ferez découper à la boucherie même.

4 portions	
20 ml	(4 c. à t.) huile végétale
900 g	(2 lb) rouelles de cuisse de dinde (coupées par le boucher)
	sel et poivre
1	pincée de thym
1	oignon, haché
2	gousses d'ail, émincées
60 ml	(1/4 tasse) farine
180 ml	(3/4 tasse) jus de tomates
90 ml	(6 c. à s.) jus d'orange
5 ml	(1 c. à t.) jus de citron
500 ml	(2 tasses) bouillon de poulet
1	feuille de laurier
2	pincées de poivre de cayenne

■ Préchauffez le four à 175 °C (350 °F).

■ Dans un poêlon, faites chauffer l'huile ; faites colorer chaque rouelle de dinde ; salez et poivrez ; parsemez de thym.

■ Ajoutez l'oignon ; faites dorer.

■ Ajoutez l'ail et faites cuire 1 minute.

■ Saupoudrez de farine ; mélangez ; laissez cuire 3 à 4 minutes.

■ Ajoutez les liquides et la feuille de laurier ; saupoudrez de poivre de cayenne ; faites cuire à feu doux 10 minutes.

■ Poursuivez la cuisson au four environ 60 minutes.

Cuisse de dinde
en cocotte

*Ce mets complet cuira
en moins de 30 minutes
au micro-ondes, le
temps que vous vous
détendiez un peu avant
le repas !*

4 portions

2	cuisses de dinde, entières
1	petit sachet de soupe à l'oignon instantanée
60 ml	(1/4 tasse) cassonade
60 ml	(1/4 tasse) sauce chili
284 ml	(10 oz) crème de champignons
125 ml	(1/2 tasse) eau
4	pommes de terre, tranchées mince
1	oignon, haché finement
3	branches de céleri, tranchées

■ Dans une grande casserole allant au four à micro-ondes, mélangez tous les ingrédients ; couvrez ; faites cuire 10 minutes à ÉLEVÉ.

■ Réduisez la température à MOYEN-ÉLEVÉ ; poursuivez la cuisson 20 minutes ; remuez à mi-cuisson ; laissez reposer 5 minutes, sans retirer le couvercle.

Cuisse de dinde
braisée

*Vous pouvez employer
diverses variétés de
pâte alimentaire :
coquillettes, bouclettes
ou spirales, par exem-
ple. Pour donner plus
de couleur à votre plat,
choisissez des pâtes de
blé entier.*

4 portions

30 ml	(2 c. à s.) huile
2	cuisses de dinde, entières
	sel et poivre
1	oignon, tranché
1	feuille de laurier
2 ml	(1/2 c. à t.) marjo-laine
237 ml	(8 oz) pâte de tomates, en conserve
250 ml	(1 tasse) eau
2 ml	(1/2 c. à t.) sel
250 ml	(1 tasse) macaroni, cuits

■ Dans un grand poêlon, faites chauffer l'huile ; faites dorer les cuisses de dinde sur toutes leurs faces.

■ Dégraissez le poêlon ; salez et poivrez.

■ Ajoutez l'oignon, la feuille de laurier et la marjolaine ; réservez.

■ Dans un bol, diluez la pâte de tomates dans l'eau ; versez dans le poêlon ; salez ; couvrez ; laissez mijoter 30 minutes.

■ Incorporez les macaroni ; poursuivez la cuisson 10 minutes.

Cuisse de dinde au rhum

Tandis que la dinde cuit, épluchez et lavez une dizaine de carottes moyennes, que vous déposerez au four dans une cocotte remplie de 1/2 tasse d'eau, 30 minutes avant la fin de la cuisson.

4 portions

60 ml	(1/4 tasse) jus d'orange
60 ml	(1/4 tasse) rhum
60 ml	(1/4 tasse) beurre, fondu
2 ml	(1/2 c. à t.) zeste d'orange râpé
2 ml	(1/2 c. à t.) sel
0,5 ml	(1/8 c. à t.) poivre
0,5 ml	(1/8 c. à t.) gingembre, moulu
1	gousse d'ail, émincée
2	cuisses de dinde, entières

■ Préchauffez le four à 175 °C (350 °F).

■ Dans un bol, mélangez tous les ingrédients, sauf les cuisses de dinde.

■ Badigeonnez généreusement les cuisses de dinde de ce mélange.

■ Dans un plat peu profond allant au four, déposez les cuisses de dinde, la peau sur le dessus.

■ Placez au four ; arrosez de temps en temps avec le reste du mélange ; laissez cuire 1 heure ou jusqu'à ce que la viande soit dorée et cuite à point.

Cuisse de dinde au bouquet d'herbes

À défaut de bouillon de poulet maison, utilisez du bouillon de poulet ou de légume du commerce. Ces produits étant très salés, n'utilisez alors qu'un quart de c. à thé de sel.

4 portions

30 ml	(2 c. à s.) huile
2	cuisses de dinde, entières
2 ml	(1/2 c. à t.) sel
2 ml	(1/2 c. à t.) poivre
1 ml	(1/4 c. à t.) cerfeuil
1 ml	(1/4 c. à t.) basilic
1 ml	(1/4 c. à t.) estragon
5 ml	(1 c. à t.) persil
1	gousse d'ail, émincée
2	échalotes françaises, émincées
500 ml	(2 tasses) bouillon de poulet

■ Préchauffez le four à 175 °C (350 °F).

■ Dans un grand poêlon, faites chauffer l'huile ; faites dorer les cuisses de dinde sur toutes leurs faces.

■ Incorporez les aromates et le bouillon ; amenez à ébullition.

■ Dans une cocotte allant au four, déposez les cuisses de dinde ; recouvrez de bouillon chaud ; faites cuire au four 45 minutes ; arrosez souvent.

* recette illustrée

Cuisse de dinde aux amandes

Vous pouvez faire votre propre chapelure : au fil des jours, gardez vos restes de pain, faites-les sécher, puis passez-les au mélangeur lorsque vous en avez suffisamment.

4 portions

Chapelure assaisonnée

125 ml	(1/2 tasse) amandes, hachées
125 ml	(1/2 tasse) chapelure
30 ml	(2 c. à s.) persil, haché
2 ml	(1/2 c. à t.) sel
1 ml	(1/4 c. à t.) poivre
1	œuf, légèrement battu
125 ml	(1/2 tasse) lait
2	cuisses de dinde, entières
60 ml	(1/4 tasse) farine
	jus de 2 citrons
8	tranches de citron
30 ml	(2 c. à s.) amandes, effilées

■ Préchauffez le four à 175 °C (350 °F).

■ Dans un bol, mélangez les 5 premiers ingrédients ; réservez.

■ Dans un autre bol, mélangez le lait et l'œuf ; réservez.

■ Passez les cuisses de dinde dans la farine puis dans le mélange d'œuf et de lait ; enrobez de chapelure assaisonnée.

■ Déposez dans un plat huilé, allant au four ; placez au four ; laissez cuire environ 1 heure ou jusqu'à ce que le liquide qui s'écoulera lorsque vous les piquerez soit clair.

■ Arrosez de jus de citron 4 fois pendant la cuisson.

■ Garnissez de tranches de citron et d'amandes effilées ; servez.

Cuisse de dinde aux pruneaux

Ce mets a si belle apparence qu'il convient de le présenter sur un plat de service et de découper les portions à table. Faute de menthe, utilisez de l'estragon frais.

4 portions

2	cuisses de dinde, entières
500 ml	(2 tasses) jus de pruneaux
	sel et poivre
30 ml	(2 c. à s.) huile
250 ml	(1 tasse) bouillon de poulet
24	pruneaux, dénoyautés
8	feuilles de menthe, fraîches
5 ml	(1 c. à t.) poivre rose, en grains

■ Préchauffez le four à 175 °C (350 °F).

■ Dans un bol, placez les cuisses de dinde ; arrosez de jus de pruneaux ; laissez macérer 15 minutes.

■ Laissez égoutter, réservez le jus.

■ Dans un poêlon allant au four, faites chauffer l'huile ; faites saisir les cuisses de dinde ; salez et poivrez. Faites cuire au four 45 minutes.

■ Entre-temps, dans une casserole, mélangez le bouillon de poulet et le jus de pruneaux réservé ; amenez à ébullition ; réservez.

■ Quinze minutes après le début de la cuisson, arrosez de la moitié du mélange liquide ; 15 minutes plus tard, répétez l'opération.

■ À la fin de la cuisson, tranchez ; nappez du jus de cuisson ; garnissez de pruneaux, de feuilles de menthe et de poivre rose.

* recette illustrée

Émincé de blanc de volaille à la crème de brocoli

Si vous évitez habituellement de servir les tiges de brocoli comme mets d'accompagnement, parez-les et gardez-les au congélateur afin de les utiliser dans la recette qui suit.

4 portions	
310 ml	(1 1/4 tasse) bouillon de poulet
90 ml	(6 c. à s.) oignon, haché
1	gousse d'ail, hachée
310 ml	(1 1/4 tasse) brocoli, en fleurettes
125 ml	(1/2 tasse) crème à 35 %
45 ml	(3 c. à s.) beurre
450 g	(1 lb) émincé de dinde
	sel et poivre

■ Dans une casserole, amenez le bouillon de poulet à ébullition ; ajoutez l'oignon, l'ail, le brocoli et la crème à 35 % ; laissez bouillir 10 minutes.

■ Passez ce mélange à la moulinette ; au besoin, faites cuire jusqu'à consistance désirée.

■ Dans un poêlon, faites fondre le beurre ; à feu vif, faites sauter l'émincé de dinde ; salez et poivrez.

■ Dégraissez le poêlon ; ajoutez la crème de brocoli ; laissez cuire à feu doux 2 minutes.

■ Retirez du feu ; rectifiez l'assaisonnement. Servez.

Fricassée de dinde en cubes à la fondue de poireaux

Assurez-vous de faire « suer » les légumes à feu moyen. Vous éviterez ainsi qu'ils prennent une coloration qui nuirait à l'apparence du plat.

4 portions	
15 ml	(1 c. à s.) huile
30 ml	(2 c. à s.) beurre
450 g	(1 lb) blanc de dinde, en cubes
	sel et poivre
250 ml	(1 tasse) poireaux, émincés finement
20 ml	(4 c. à t.) farine
125 ml	(1/2 tasse) bouillon de poulet
2 ml	(1/2 c. à t.) estragon
90 ml	(6 c. à s.) tomates, en cubes
1	brin d'estragon frais

■ Dans un poêlon, faites chauffer l'huile et fondre le beurre.

■ Faites dorer la dinde ; salez et poivrez.

■ Ajoutez les poireaux émincés ; faites suer à feu moyen environ 5 minutes en remuant, jusqu'à évaporation complète du liquide ; saupoudrez de farine ; remuez doucement 30 secondes.

■ Ajoutez le bouillon de poulet et l'estragon ; faites cuire quelques minutes, jusqu'à consistance désirée. Rectifiez l'assaisonnement.

■ Versez dans une assiette de service ; décorez de quelques tomates en cubes ; garnissez d'estragon frais.

* recette illustrée

Bouchées de dinde

Ce mets appétissant peut également être préparé avec un reste de poulet.

4 portions	
30 ml	(2 c. à s.) beurre
60 ml	(1/4 tasse) farine
500 ml	(2 tasses) lait
30 ml	(2 c. à s.) sherry
5 ml	(1 c. à t.) oignon, râpé
1 ml	(1/4 c. à t.) basilic
1 ml	(1/4 c. à t.) graines de céleri
1	pincée de poivre de cayenne
1 L	(4 tasses) dinde, cuite, en morceaux
	sel et poivre
60 ml	(1/4 tasse) parmesan
60 ml	(1/4 tasse) emmenthal
6	tranches de pain

■ Préchauffez le four à 205 °C (400 °F).

■ Dans le haut d'un bain-marie, faites fondre le beurre ; incorporez la farine ; versez le lait en mince filet tout en remuant ; laissez cuire jusqu'à épaississement.

■ Ajoutez le sherry, l'oignon, le basilic, les graines de céleri, le poivre de cayenne et la dinde ; salez et poivrez ; poursuivez la cuisson 15 minutes.

■ Ajoutez le parmesan et l'emmenthal ; remuez pour faire fondre les fromages ; réservez.

■ Retirez la croûte des tranches de pain ; aplatissez les tranches de pain à l'aide d'un rouleau à pâte ; beurrez ; déposez dans des moules à muffins pour façonner de jolis paniers.

■ Faites dorer au four.

■ Remplissez du mélange de dinde ; servez.

* recette illustrée

Pâté de cuisse de dinde

Juste avant de mettre le pâté au four, badigeonnez la pâte d'un blanc d'œuf légèrement battu, avec un pinceau alimentaire. Vous obtiendrez ainsi une pâte bien dorée.

4 portions	
30 ml	(2 c. à s.) huile
2	carottes, en cubes
1	pomme de terre, en cubes
1	pied de brocoli, en fleurettes
1	branche de céleri, en cubes
2	oignons, émincés
398 ml	(14 oz) champignons, en morceaux
500 ml	(2 tasses) bouillon de poulet
2	cuisses de dinde, cuites, désossées
250 ml	(1 tasse) blanc de dinde, cuite, en cubes
15 ml	(1 c. à s.) fécule de maïs
2	abaisses de pâte

■ Préchauffez le four à 175 °C (350 °F).

■ Dans un grand poêlon, faites chauffer l'huile ; faites revenir tous les légumes.

■ Ajoutez le bouillon de poulet ; laissez mijoter environ 20 minutes.

■ Incorporez la dinde ; réservez.

■ Dans un bol, délayez la fécule de maïs dans un peu de bouillon de poulet ; ajoutez au bouillon pour épaissir.

■ Foncez un moule à tarte d'une abaisse ; garnissez de mélange ; garnissez d'une abaisse ; pincez les bords pour sceller.

■ Faites cuire au four 30 minutes, ou jusqu'à ce que la pâte soit dorée.

Pour bien des gens,
« viande » est synonyme
de « viande rouge », lire
« bœuf ». Si bien que, traditionnellement, rôtis,
biftecks, ragoûts, boulettes
et autres mets au bœuf se
retrouvent quotidienne-
ment sur de nombreuses
tables québécoises.

Il y a quelques années, on
a légèrement boudé le
bœuf, lui reprochant sa
richesse en matières
grasses. Cette infidélité fut
brève, car le bœuf figure de
nouveau au menu des
repas sains et équilibrés :
les éleveurs de bovins ont
en effet fait des efforts et
des recherches con-
sidérables pour offrir une
viande aussi maigre que
possible aux cuisinières
soucieuses de la santé de
leur famille.

LE BŒUF

Comment préparer un tournedos

Comment émincer le bœuf

- *Ouvrez en papillon et façonnez en médaillon.*

- *Coupez une pièce de filet en un morceau de 180 g (6 oz).*

- *Coupez le morceau en deux dans le sens de l'épaisseur en prenant soin de ne pas trancher jusqu'au fond.*

- *Taillez une barde de lard ou utilisez une tranche de bacon de la même largeur que le médaillon.*
- *Ceinturez le médaillon.*
- *Maintenez la ceinture en place à l'aide d'un cure-dents.*

Comment émincer des languettes de bœuf

- *Choisissez de préférence une coupe dans le bœuf sans trop de nervures de gras.*
- *Taillez une tranche d'environ 1 cm (1/2 po) d'épaisseur.*

- *Taillez ensuite la tranche en languettes d'égale largeur. Pour obtenir des languettes plus petites, taillez chaque languette en deux.*

Comment couper le bœuf en cubes

- *Taillez une tranche de bœuf d'environ 2,5 cm (1 po) d'épaisseur.*
- *Coupez cette tranche en languettes aussi larges qu'épaisses.*
- *Coupez ensuite les languettes en cubes.*

COMMENT FARCIR UN FILET MIGNON

COMMENT PRÉPARER UNE ENTRECÔTE

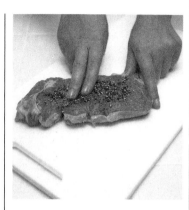

- *Taillez un morceau de filet d'environ 150 g (5 oz).*

- *Posez-le à plat et pratiquez une incision dans le sens de l'épaisseur.*

- *À l'aide d'une cuillère ou d'une poche à pâtisserie munie d'une douille, insérez la farce au fond de la cavité.*

- *Pour bien enrober de poivre ou de tout autre ingrédient, déposez l'entrecôte à plat.*

- *Posez l'entrecôte bien à plat.*

- *Découpez l'excédent de gras sur le côté et enlevez le gras du talon de l'entrecôte.*

- *Répartissez le poivre uniformément sur l'entrecôte.*

- *Pressez à l'aide de vos doigts pour que le poivre s'incruste dans la viande.*

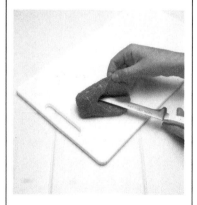

- *Répartissez la farce également.*

- *Refermez à l'aide d'un cure-dents.*

- *Avec la pointe du couteau, agrandissez l'intérieur de la cavité en prenant soin de ne pas percer les parois.*

- *Sur le côté gras de l'entrecôte, pratiquez de petites incisions aux 2.5 cm (1 po) pour l'empêcher de friser pendant la cuisson.*

COMMENT FAIRE BRAISER LE BŒUF EN CUBES

COMMENT MARQUER LE BŒUF

- *Dans de l'huile ou du beurre chaud, faites colorer le bœuf en cubes sur toutes les faces.*

- *Déglacez et mouillez.*

- *Ajoutez les légumes et faites bien colorer.*

- *Faites cuire au four à 205 °C (400 °F) 15 minutes ou jusqu'à tendreté.*

- *Saupoudrez de farine.*

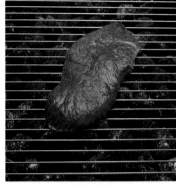

- *Déposez la pièce de viande en biais sur le gril.*

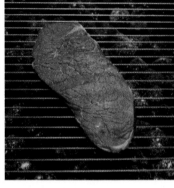

- *Tournez la pièce de viande d'un quart de tour.*

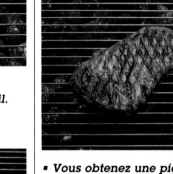

- *Vous obtenez une pièce de viande quadrillée.*

COMMENT POÊLER UN STEAK

• *Faites saisir la viande dans de l'huile ou du beurre chaud.*

• *Pour une cuisson médium, retournez la viande lorsque le sang perle.*

• *Assaisonnez et déglacez.*

LES 4 STADES DE CUISSON D'UN STEAK

Il est tout à la fois très facile et très difficile de bien réussir la cuisson d'un bifteck. Si l'on tient compte des différents éléments qui peuvent modifier le résultat final, comme cuisinière, poêle utilisée, épaisseur du morceau de viande, vous devez, bien entendu, faire preuve d'une certaine habileté. Il existe cependant certaines règles que vous pouvez suivre.

Pour un bifteck de 225 g (8 oz) et de 2,5 cm (1 po) d'épaisseur, sur feu vif :

Très saignant ou bleu : faites saisir le bifteck environ 1 minute de chaque côté. La viande sera dorée en surface, cuite sur une mince couche et très rouge à l'intérieur.

Saignant : faites saisir le bifteck environ 2 minutes de chaque côté. La viande sera dorée en surface, cuite sur une mince couche et très rouge, voire saignante au centre.

À point : faites cuire un bifteck environ 3 à 4 minutes de chaque côté. La viande sera bien dorée en surface et le centre conservera une teinte rose.

Bien cuit : faites cuire le bifteck environ 5 minutes de chaque côté. La viande sera cuite en totalité et uniformément. Cependant, ce mode de cuisson n'est guère recommandé, car la viande perd toute sa saveur.

CUISSON « TRÈS SAIGNANT OU BLEU »

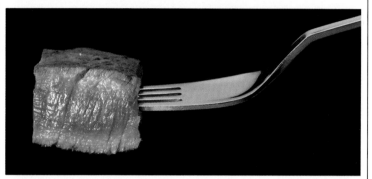

CUISSON « SAIGNANT »

CUISSON « À POINT »

CUISSON « BIEN CUIT »

LES BIFTECKS

Ce sont les troupes anglaises qui, après la bataille de Waterloo, ont introduit le bifteck — ou le beefsteak — sur le continent européen. Depuis, cette modeste tranche de bœuf et ses multiples préparations ont su séduire plus d'un palais !

Bleu, saignant ou à point, nappé d'une irrésistible sauce au poivre ou servi simplement poêlé à côté d'une portion de frites, le bifteck se retrouve aujourd'hui tout à fait couramment sur nos tables.

Bifteck au poivre minute

C'est un grand jour ? Préparez cette recette en utilisant plutôt des entrecôtes ou des biftecks d'aloyau.

4 portions

10 ml	(2 c. à t.) poivre noir, du moulin
4	biftecks d'intérieur de ronde ou de surlonge, de 1,25 cm (1/2 po) d'épaisseur
30 ml	(2 c. à s.) beurre
15 ml	(1 c. à s.) sauce anglaise
5 ml	(1 c. à t.) jus de citron
2 ml	(1/2 c. à t.) sel de céleri
1/2	gousse d'ail, émincée
45 ml	(3 c. à s.) eau

■ Saupoudrez une feuille de papier ciré de poivre noir ; passez les biftecks dans le poivre ; appuyez pour que le poivre adhère bien à la viande.

■ Dans un bol, mélangez ensemble les autres ingrédients.

■ Dans un poêlon, faites fondre le beurre ; faites saisir vos biftecks d'un côté ; retournez ; badigeonnez la surface déjà cuite d'un peu de mélange.

■ Quand les deux surfaces sont bien saisies, versez dans le poêlon le reste du mélange ; faites cuire au degré de cuisson désiré.

■ Nappez les biftecks de sauce ; servez.

■ Pour plus de sauce, après avoir retiré les biftecks, versez dans le poêlon 125 ml (1/2 tasse) de bouillon de bœuf ; laissez réduire de moitié.

8 façons de compléter la cuisson du bifteck au poivre

- Au moment de retourner le bifteck, ajoutez 2 gousses d'ail émincées et laissez-les bien colorer.

- Faites revenir 4 échalotes françaises coupées en fines tranches et ajoutez-les au moment de retourner la viande.

- Au moment de retourner la viande, ajoutez 250 ml (1 tasse) de champignons en morceaux.

- Faites revenir 1/2 poireau émincé très finement et ajoutez-le au moment de retourner la viande.

- Juste avant de verser le mélange liquide, ajoutez 60 ml (1/4 tasse) de tomate en cubes et substituez 15 ml (1 c. à s.) de jus de tomates au jus de citron.

- Au moment de retourner le bifteck, ajoutez 60 ml (1/4 tasse) de poivrons de couleurs variées, coupés en cubes.

- Combinez du poivre vert ou du poivre rose au poivre noir.

- Pour une sauce plus riche, ajoutez 30 ml (2 c. à s.) de crème à 35 % au mélange liquide.

Bifteck aux champignons de saison

Pressée ? Utilisez des champignons en conserve. Sinon, essayez pleurotes ou champignons chinois.

4 portions	
125 ml	(1/2 tasse) beurre fondu
4	biftecks d'aloyau de 4 cm (1 1/2 po) d'épaisseur
250 ml	(1 tasse) champignons frais, tranchés
60 ml	(1/4 tasse) sauce pour bifteck
	sel et poivre

■ Préchauffez le four à gril (broil) 10 minutes avant la cuisson.

■ Dans une petite casserole, faites fondre le beurre à feu doux.

■ Entre-temps déposez les biftecks sur une grille ; arrosez avec le tiers du beurre fondu.

■ Placez la grille à 10 cm (4 po) du gril.

■ Après 5 minutes de cuisson, retournez les biftecks ; arrosez d'un autre tiers de beurre fondu ; laissez cuire 5 minutes.

■ Retirez du four ; arrosez du dernier tiers de beurre fondu.

■ Recouvrez de champignons ; arrosez de sauce pour bifteck ; salez et poivrez.

■ Remettez les biftecks au four 3 minutes pour une viande cuite à point.

■ Ajustez le temps de cuisson d'après le degré de cuisson désiré.

Substituez de la moutarde à la sauce pour bifteck

Substituez du ketchup à la sauce pour bifteck

Entrecôte grillée au fromage

Bifteck de ronde ou de surlonge feront tout aussi bien l'affaire pour la préparation de cette recette. Personnalisez-la en garnissant les entrecôtes de votre fromage préféré : cheddar, mozzarella ou même roquefort.

4 portions

4	entrecôtes de 225 g (8 oz) chacune
5 ml	(1 c. à t.) épices pour bifteck
20 ml	(4 c. à t.) huile d'arachide
2 ml	(1/2 c. à t.) sauce anglaise
5 ml	(1 c. à t.) parmesan râpé
170 g	(6 oz) gruyère ou emmenthal, tranché

■ Allumez le barbecue 20 minutes avant la cuisson.

■ Incisez le gras des entrecôtes à tous les 5 cm (2 po) ; pour les empêcher de « friser ».

■ Dans un petit bol, mélangez le reste des ingrédients, à l'exception des fromages.

■ Badigeonnez généreusement les entrecôtes de sauce ; déposez sur le barbecue.

■ Faites cuire selon le degré de cuisson désiré ; badigeonnez de sauce de temps en temps. Retournez une seule fois pendant la cuisson.

■ Trois minutes avant la fin de la cuisson, parsemez de parmesan ; recouvrez de tranches d'emmenthal ; laissez fondre légèrement le fromage ; servez.

Bavette de bœuf au persil frit

Attention : la bavette est un bifteck qui se cuit bleu ou mi-saignant. Une cuisson plus longue lui ferait perdre sa tendreté. Pour varier, utilisez du persil italien.

4 portions

4	biftecks de bavette de bœuf de 170 g (6 oz) chacun
15 ml	(1 c. à s.) huile d'arachide
5 ml	(1 c. à t.) beurre sel et poivre
250 ml	(1 tasse) huile d'arachide
250 ml	(1 tasse) persil en bouquets, séché

■ Dans un poêlon, faites saisir les biftecks de bavette à l'huile fumante ; ajoutez le beurre ; salez et poivrez.

■ Retirez les biftecks ; laissez reposer 3 minutes avant de servir.

■ Entre-temps, dans une petite casserole à fond épais, faites chauffer l'huile jusqu'à ce que de petites bulles se forment lorsque vous y plongez une cuillère de bois.

■ Jetez le persil en bouquets dans l'huile chaude ; laissez environ 20 secondes. Retirez ; déposez sur les biftecks.

■ Pour obtenir un jus de cuisson, déglacez la poêle que vous avez utilisée pour la cuisson de la bavette avec 125 ml (1/4 de tasse) d'eau ou avec un mélange d'eau et de bouillon de bœuf.

■ Servez avec un beurre à la tomate.

LES FILETS

Roi des coupes de bœuf, le filet mignon fond dans la bouche et invite le plaisir à se prolonger. Le filet mignon a sa place à toute grande occasion où bien manger et raffinement ont rendez-vous !

Cette recette simple comme bonjour se prête à d'innombrables variantes. Vous pouvez, par exemple, ajouter de l'estragon, de la ciboulette ou même quelques graines de sésame plutôt que du persil aux galettes de beurre. La purée de tomates peut aussi remplacer le raifort.

Quelques gouttes d'huile de sésame, ajoutées à l'huile de cuisson, rehausseront également la saveur.

4 portions	
125 ml	(1/2 tasse) beurre doux
30 ml	(2 c. à s.) raifort dans du vinaigre
10 ml	(2 c. à t.) persil, haché
	quelques gouttes de sauce anglaise
4	filets mignons de 115 g (4 oz) chacun
30 ml	(2 c. à s.) huile d'arachide
	sel et poivre

■ Dans un bol, faites ramollir le beurre ; incorporez le raifort, le persil et la sauce anglaise.

■ Façonnez ce beurre en 4 petites galettes ; placez au réfrigérateur 20 minutes avant la cuisson.

■ Entaillez chaque filet mignon dans le sens de l'épaisseur pour créer une cavité.

■ Dans un poêlon, faites saisir les filets mignons à l'huile fumante ; assaisonnez au goût au moment de les retourner.

■ À la fin de la cuisson, retirez ; insérez les petites galettes de beurre dans les cavités ; laissez fondre les galettes 1 minute ; servez.

Bœuf en croûte, micro-ondes

Grâce à quelques trucs des temps modernes, cette version micro-ondes d'un grand classique se prépare illico. Pour varier, remplacez le pâté de foie par un pâté de campagne. Vous pouvez aussi ajouter un légume en conserve — rondelles de carottes ou d'asperges — avant de refermer le feuilleté.

4 portions

4	timbales surgelées
4	filets mignons de 2,5 cm (1 po) d'épaisseur
115 g	(4 oz) pâté de foie gras
	sel et poivre
30 ml	(2 c. à s.) beurre fondu
10 ml	(2 c. à t.) sauce soja
1	jaune d'œuf

■ Faites décongeler les timbales ; à l'aide d'un rouleau à pâte, amincissez et étendez en forme carrée ; jetez une fine pluie de farine sur la pâte pour l'empêcher de coller.

■ Placez 30 g (1 oz) de pâté de foie au centre de l'abaisse ; déposez le filet mignon sur le pâté de foie ; salez et poivrez.

■ Emballez le tournedos de pâte feuilletée ; badigeonnez de beurre fondu.

■ Mélangez la sauce soja, le jaune d'œuf et le beurre ; badigeonnez la surface de la croûte de ce mélange.

■ Déposez les filets mignons ainsi garnis sur une claie ; faites cuire à MOYEN ÉLEVÉ 3 à 4 minutes ; à mi-cuisson, faites pivoter le plat d'un demi-tour.

■ *Placez le pâté de foie, puis le filet mignon au centre de l'abaisse.*

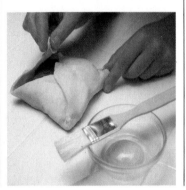

■ *Emballez le tournedos et badigeonnez la croûte.*

97

LES TOURNEDOS

Servez un tournedos, cette tranche de filet de bœuf tendre à souhait, et vous ferez incontestablement le bonheur des amateurs de bœuf.

La saveur du tournedos classique peut être relevée par un cortège de sauces : aux échalotes, aux deux poivres, à l'estragon ou autre, choisissez celle qui s'agence le mieux avec le reste de votre menu.

4 portions	
4	tournedos de 115 g (4 oz) chacun
30 ml	(2 c. à s.) huile d'arachide
	sel et poivre

■ Préchauffez le four à 175 °C (350 °F).

■ Dans un poêlon, faites chauffer l'huile. Faites cuire les tournedos 3 minutes de chaque côté en prenant soin de les faire rouler sur eux-mêmes au moment de les retourner ; assaisonnez.

■ Placez les tournedos au four ; laissez cuire quelques minutes jusqu'au degré de cuisson désiré.

■ Réservez le poêlon pour préparer la sauce d'accompagnement de votre choix.

Tournedos aux épinards

Les légumes vous semblent toujours trop longs à cuire ? Ici, ils sont prêts en 30 secondes !

4 portions	
4	tournedos ou morceaux de filet mignon
4	bardes de bacon
450 g	(1 lb) épinards frais, équeutés, ou décongelés
10 ml	(2 c. à t.) huile d'olive
10 ml	(2 c. à t.) huile d'arachide ou de tournesol
	sel et poivre
10 ml	(2 c. à t.) oignon, haché
60 ml	(1/4 tasse) olives, tranchées
60 ml	(1/4 tasse) vermouth blanc

■ Préchauffez le four à 175 °C (350 °F).

■ Faites blanchir quelques feuilles d'épinards ; laissez refroidir ; épongez.

■ Pliez les feuilles sur elles-mêmes afin qu'elles soient de la même largeur que les bardes de bacon.

■ Entourez les tournedos des feuilles d'épinards pliées, puis de bardes de bacon ; ficelez en prenant soin de ne pas laisser dépasser les épinards.

■ Dans un poêlon, faites chauffer le mélange d'huile ; faites saisir les tournedos environ 4 minutes de chaque côté. Faites rouler les tournedos sur le côté pour faire griller la barde de bacon.

■ Retirez les tournedos du poêlon ; salez et poivrez ; réduisez le feu au minimum.

■ Déposez les tournedos sur une claie ou sur une assiette à tarte ; placez au four.

■ Dans le même poêlon, jetez le reste des épinards, les oignons et les olives ; remuez constamment.

■ Après 30 secondes, versez le vermouth sur le mélange ; retirez le poêlon du feu.

■ Retirez les tournedos du four.

■ Déficelez les tournedos ; dressez dans une assiette ; accompagnez des légumes au vermouth ; servez.¨

* recette illustrée

Dans le sens des aiguilles d'une montre, les sauces : à la tomate, aux échalotes, à la crème de Brie, aux deux poivres, à la moutarde, aux petits oignons, aux amandes grillées et à l'estragon.

À la moutarde

- Faites revenir sans coloration 5 ml (1 c. à t.) d'oignon haché fin.

- Ajoutez 125 ml (1/2 tasse) de bouillon de bœuf ; laissez réduire de moitié.

- Réduisez le feu et ajoutez 30 ml (2 c. à s.) de moutarde de Dijon ; mélangez bien.

- Ajoutez ensuite 15 ml (1 c. à s.) de crème à 35 % et faites cuire 2 minutes, sans laisser bouillir.

À la crème de brie

- Procédez comme pour la sauce à la moutarde en substituant à la moutarde 45 ml (3 c. à s.) de brie (sans la croûte) et en augmentant la quantité de crème à 60 ml (1/4 tasse).

À la tomate

- Faites revenir sans coloration 5 ml (1 c. à t.) d'oignon haché fin.

- Ajoutez 125 ml (1/2 tasse) de bouillon de bœuf ; laissez réduire de moitié.

- Réduisez le feu et incorporez 30 ml (2 c. à s.) de pâte de tomates.

- Ajoutez ensuite 15 ml (1 c. à s.) de crème à 35 % et faites cuire 2 minutes, sans laisser bouillir.

8 sauces gourmet

Aux échalotes

- Faites revenir sans coloration trois échalotes françaises émincées.

- Déglacez avec 15 ml (1 c. à s.) de vinaigre de vin ; laissez réduire presque à sec.

- Ajoutez 125 ml (1/4 tasse) de bouillon de bœuf et laissez réduire de moitié.

- Ajoutez 5 ml (1 c. à t.) de beurre manié (mélange à parts égales de beurre et de farine utilisé pour lier les sauces) et mélangez bien. Laissez mijoter 2 minutes.

À l'estragon

- Procédez comme pour la sauce aux échalotes en substituant aux échalotes 5 ml (1 c. à t.) d'oignon haché et 1 ml (1/4 c. à t.) d'ail haché.

- Au moment de déglacer, ajoutez 2 ml (1/2 c. à t.) d'estragon haché.

Aux amandes grillées

- Faites dorer 30 ml (2 c. à s.) d'amandes effilées dans 10 ml (2 c. à t.) de beurre ; réservez.

- Dans le même poêlon, faites mousser 60 ml (1/4 tasse) de beurre ; ajoutez le jus de 1/2 citron et les amandes colorées. Garnissez de persil haché.

Aux petits oignons

- Procédez comme pour la sauce aux échalotes en substituant aux échalotes 12 oignons de semence coupés en deux et 5 ml (1 c. à t.) d'oignon haché fin.

Aux deux poivres

- Procédez comme pour la sauce aux échalotes en substituant aux échalotes 5 ml (1 c. à t.) d'oignon haché et 1 ml (1/4 c. à t.) d'ail haché.

- Au moment de déglacer, ajoutez 1 ml (1/4 c. à t.) de poivre noir broyé et 1 ml (1/4 c. à t.) de poivre vert.

COMMENT FARCIR ET FAIRE CUIRE LE RÔTI

Qui n'a pas connu la tradition du bon rôti du dimanche, qui embaumait la cuisine longtemps avant qu'arrive l'heure du repas ? Il n'existe aucune raison pour que cette belle tradition se perde : il est si facile de préparer un rôti tendre et juteux !

Comment farcir le rôti

■ *Pratiquez une incision latérale sur toute la longueur du rôti, sans ouvrir les extrémités.*

■ *Ouvrez la cavité.*

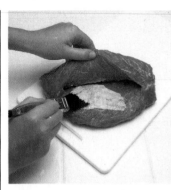

■ *Badigeonnez l'intérieur de moutarde forte.*

■ *Farcissez au goût.*

■ *À l'aide d'une aiguille à brider, cousez la cavité.*

■ *Si vous préférez, ficelez la cavité.*

Comment faire cuire le rôti

■ *Préchauffez le four à 205 ⁰C (400 ⁰F).*

■ *Dans l'huile chaude, faites colorer le rôti sur toutes ses faces.*

■ *Lorsque bien coloré, assaisonnez.*

■ *Dressez la viande dans un plat allant au four ; enfournez.*

■ *Calculez 15 à 20 minutes de cuisson par livre, dépendant du degré de cuisson désiré.*

■ *Pour un bon jus de cuisson, ajoutez, 20 minutes avant la fin de la cuisson, des petits légumes et du bouillon de bœuf.*

Rosbif au jus

Se prépare en un clin d'œil, sans qu'il soit nécessaire de sortir mille et un ustensiles de cuisine. Pour gagner du temps, préparez la farine assaisonnée en grande quantité et gardez-la dans un récipient hermétique jusqu'au jour où vous ferez votre prochain rôti. Vous n'aurez alors qu'à enfariner la viande et à la glisser au four !

8 portions	
Farine assaisonnée	
500 ml	(2 tasses) farine
30 ml	(2 c. à s.) sel
15 ml	(1 c. à s.) sel de céleri
15 ml	(1 c. à s.) poivre
30 ml	(2 c. à s.) moutarde sèche
60 ml	(1/4 tasse) paprika
30 ml	(2 c. à s.) poudre d'ail
5 ml	(1 c. à t.) gingembre
2 ml	(1/2 c. à t.) thym
2 ml	(1/2 c. à t.) basilic
2 ml	(1/2 c. à t.) origan
1	rosbif d'aloyau de 2 kg (4,4 lb), avec ou sans l'os
250 ml	(1 tasse) bouillon de bœuf

■ Mélangez les ingrédients de la farine assaisonnée ; conservez dans un pot hermétiquement fermé.

■ Préchauffez le four à 230 °C (450 °F).

■ Enfarinez le rosbif d'aloyau ; déposez-le dans un plat muni d'une grille ; faites cuire au four 20 minutes ; diminuez la température du four à 205 °C (400 °F).

■ Laissez cuire 10 minutes par 450 g (1 lb) pour une viande saignante ; 15 minutes pour une viande cuite à point ; 20 minutes pour une viande bien cuite.

■ Vingt minutes avant la fin de la cuisson, arrosez la viande de bouillon de bœuf.

■ Si vous préférez, vous pouvez utiliser une autre partie tendre de bœuf, préparée par votre boucher. Notez qu'un gros rosbif aura plus de goût qu'un petit rosbif.

Rôti farci à l'ail des bois

L'ail des bois était un condiment méconnu jusqu'à tout récemment. D'un goût plus suave que celui de l'ail ordinaire, on dirait une échalote au bulbe jaunâtre. À la belle saison, on peut le trouver nature dans les marchés en plein air. Autrement, l'ail des bois se vend en conserve, dans les supermarchés.

8 portions

1	rôti de bœuf de 1,5 à 2 kg (3 à 4 lb), roulé, sans os
60 ml	(1/4 tasse) moutarde forte
45 ml	(3 c. à s.) persil, haché
30 ml	(2 c. à s.) ail des bois, émincé
	sel et poivre
45 ml	(3 c. à s.) huile d'arachide
500 ml	(2 tasses) bouillon de bœuf
250 ml	(1 tasse) eau

■ Préchauffez le four à 200 °C (400 °F).

■ Apprêtez le rôti de manière à le farcir, soit en retirant la ficelle soit en pratiquant une entaille au centre sur toute la longueur pour former une grande cavité.

■ Badigeonnez généreusement la cavité de moutarde forte ; parsemez de persil ; ajoutez l'ail des bois ; assaisonnez.

■ Refermez le rôti à l'aide d'une ficelle ; prenez soin de ne pas laisser déborder la garniture car elle pourrait brûler.

■ Dans un poêlon allant au four, faites chauffer l'huile ; faites saisir le rôti sur toutes ses faces.

■ Mettez le poêlon au four ; calculez un temps de cuisson de 15 minutes par 450 g (1 lb).

■ À la fin du temps de cuisson, retirez le rôti du four. Dressez dans un plat de service.

■ Enlevez la graisse du poêlon. À feu moyen, déglacez le poêlon avec le bouillon de bœuf et l'eau ; laissez réduire de moitié ; servez avec le rôti de bœuf.

VARIANTES

- Substituez à la moutarde forte 30 ml (2 c. à s.) de pâte tomates et 30 ml (2 c. à s.) de sauce chili.

- Substituez du basilic au persil.

- Substituez de l'ail à l'ail des bois.

Rôti de bœuf marchand de vin

En cuisine, vin rouge et bœuf forment un couple parfait, le bouquet de l'un se mariant agréablement à la saveur de l'autre.

Nul besoin de choisir un grand cru comme vin de cuisson. Évitez toutefois d'utiliser les vins de bas de gamme, qui contiennent trop souvent une grande quantité de produits chimiques.

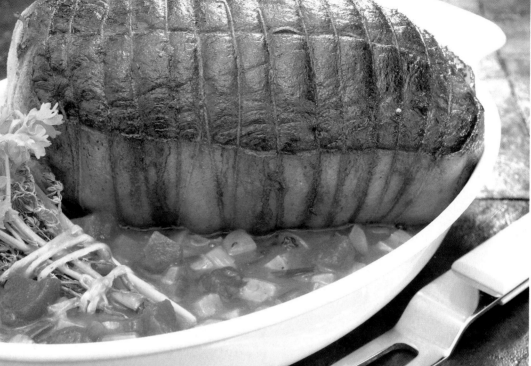

8 portions

15 ml	(1 c. à s.) beurre
60 ml	(1/4 tasse) carotte, hachée finement
60 ml	(1/4 tasse) oignon, haché finement
60 ml	(1/4 tasse) poireau, haché finement
60 ml	(1/4 tasse) céleri, haché finement
15 ml	(1 c. à s.) farine
125 ml	(1/2 tasse) vin rouge sec
750 ml	(3 tasses) bouillon de bœuf
15 ml	(1 c. à s.) huile de maïs
1	rôti de bœuf de 900 g à 1,4 kg (2 à 3 lb), roulé, sans os
	sel et poivre

Bouquet garni composé de :

1	pincée de thym
1	feuille de laurier
2	pincées de poivre, en grain
2	pincées de persil

■ Dans un poêlon, faites fondre le beurre ; faites revenir la carotte, l'oignon, le poireau et le céleri ; ajoutez la farine ; remuez continuellement 1 minute.

■ Déglacez le poêlon au vin ; laissez réduire de moitié.

■ Ajoutez le bouillon de bœuf ; laissez réduire du tiers ; réservez.

■ Dans une casserole à fond épais à peine plus grand que le rôti de bœuf, faites chauffer l'huile.

■ Faites saisir le rôti de bœuf sur toutes ses faces ; assaisonnez.

■ Versez la sauce dans la casserole et laissez mijoter 1 heure à demi couvert.

■ Ajoutez le bouquet garni 15 minutes avant la fin de la cuisson.

■ Retirez le rôti ; recouvrez-le d'un papier d'aluminium ; laissez reposer 10 minutes ; tranchez.

■ Si vous désirez une sauce plus onctueuse, passez le liquide et les légumes à la moulinette en prenant soin d'en retirer, auparavant, la feuille de laurier.

TRUCS

Pour épargner du temps,

- faites cuire les légumes d'accompagnement dans la casserole de cuisson de la viande;

- substituez une sauce commerciale en sachet à la sauce de la recette.

LES CÔTES LEVÉES

Côtes levées à la moutarde

Pour plus de saveur, remplacez l'eau par du jus de tomates additionné de 2 ml (1/2 c. à t.) de sucre.

4 portions

900 g	(2 lb) côtes de bœuf
45 ml	(3 c. à s.) farine
15 ml	(1 c. à s.) moutarde sèche
30 ml	(2 c. à s.) huile
1	feuille de laurier
1	pincée de thym
	sel et poivre
250 ml	(1 tasse) eau chaude
125 ml	(1/2 tasse) vin rouge
30 ml	(2 c. à s.) moutarde en grain

■ Enrobez chaque côte de bœuf du mélange de farine et de moutarde sèche.

■ Dans un poêlon, faites chauffer l'huile ; faites revenir les côtes de bœuf quelques-unes à la fois.

■ Placez dans une cocotte ; assaisonnez de feuilles de laurier, de thym, de sel et de poivre.

■ Versez l'eau, le vin et la moutarde en grain sur les côtes de bœuf ; laissez mijoter à feu doux 1 heure en remuant de temps en temps.

* recette illustrée

Côtes levées aigres-douces à l'ail

La sauce soja peut être remplacée par de la sauce tamari moins riche en sodium.

4 portions

125 ml	(1/2 tasse) ketchup
125 ml	(1/2 tasse) cassonade
30 ml	(2 c. à s.) vinaigre
125 ml	(1/2 tasse) eau
2	gousses d'ail
30 ml	(2 c. à s.) soja
30 ml	(2 c. à s.) poivre de cayenne
2 ml	(1/2 c à t.) cumin
15 ml	(1 c. à s.) huile
900 g	(2 lb) côtes de bœuf
	sel et poivre

■ Préchauffez le four à 175 °C (350 °F).

■ Dans une casserole, faites cuire les huit premiers ingrédients.

■ Entre-temps, dans un poêlon faites chauffer l'huile ; faites revenir les côtes de bœuf ; salez et poivrez.

■ Déposez dans un plat allant au four ; recouvrez de sauce ; faites cuire 1h15 en remuant souvent.

Côtes levées à la sauce barbecue

Riz brun et macédoine de légumes ou encore pommes de terre au four et salade verte peuvent accompagner ce plat de viande.

---

4 portions

Marinade

125 ml	(1/2 tasse) ketchup
250 ml	(1 tasse) eau
15 ml	(1 c. à s.) sucre
5 ml	(1 c. à t.) sel
20	grains de poivre
1	pincée de sarriette
4	gousses d'ail, émincées
2	oignons, tranchés finement
45 ml	(3 c. à s.) sauce soja
900 g	(2 lb) côtes levées de bœuf

■ Dans un bol, mélangez les ingrédients de la marinade.

■ Dans un grand plat allant au micro-ondes, déposez les côtes de bœuf ; recouvrez de marinade ; laissez macérer 24 heures au réfrigérateur en remuant 2 ou 3 fois.

■ Retirez les côtes de bœuf ; réservez.

■ Faites bouillir la marinade 5 minutes à ÉLEVÉ.

■ Ajoutez les côtes de bœuf et laissez cuire 30 minutes à MOYEN.

■ Remuez ; poursuivez la cuisson 30 minutes à MOYEN ou jusqu'à ce que la viande soit tendre.

* recette illustrée, côtes du haut

Côtes levées sauce au miel

À défaut d'autocuiseur, faites cuire ce plat au four, à 160 °C (325 °F).

---

4 portions

---

45 ml	(3 c. à s.) huile
900 g	(2 lb) côtes levées de bœuf
2	oignons, coupés finement
	sel et poivre
250 ml	(1 tasse) eau

Sauce au miel

125 ml	(1/2 tasse) miel
30 ml	(2 c. à s.) sauce soja
60 ml	(1/4 tasse) sauce aigre-douce
125 ml	(1/2 tasse) eau
125 ml	(1/2 tasse) sauce chili
2	gousses d'ail, émincées

■ Dans l'autocuiseur, faites chauffer l'huile ; faites revenir les côtes de bœuf quelques-unes à la fois pendant quelques minutes.

■ Dans un poêlon, faites blondir les oignons ; mélangez aux côtes de bœuf ; salez et poivrez.

■ Ajoutez l'eau ; scellez le couvercle ; faites cuire 25 minutes. Éteignez le feu ; laissez la pression diminuer d'elle-même.

■ Dans un bol, mélangez tous les ingrédients de la sauce ; versez sur les côtes de bœuf; laissez mijoter 10 minutes.

■ Servez sur un lit de riz blanc.

* recette illustrée, côtes du bas

LE BŒUF EN CUBES

Le temps presse ? L'autocuiseur réduira la cuisson de moitié : 45 minutes !

4 portions	
15 ml	(1 c. à s.) huile de maïs
125 ml	(1/2 tasse) carottes, coupées en cubes
24	oignons de semence
125 ml	(1/2 tasse) céleri, tranché
30 ml	(2 c. à s.) farine
450 g	(1 lb) bœuf, en cubes

Assaisonnement

15 ml	(1 c. à s.) purée de tomates
1 ml	(1/4 c. à t.) thym
1 ml	(1/4 c. à t.) poivre
1 ml	(1/4 c. à t.) sel
2	gousses d'ail, émincées
1	feuille de laurier
500 ml	(2 tasses) bouillon de bœuf
60 ml	(1/4 tasse) vin rouge sec
250 g	(1/2 lb) champignons frais, tranchés

■ Dans une cocotte, faites chauffer l'huile ; faites revenir les carottes, les oignons et le céleri ; réservez.

■ Enfarinez les cubes de bœuf ; ajoutez aux légumes ; faites rissoler la viande sur toutes ses faces.

■ Incorporez les ingrédients d'assaisonnement.

■ Arroser de bouillon et de vin jusqu'à hauteur de viande. S'il manque du liquide, ajoutez un peu d'eau ; couvrez ; laissez mijoter 1h30.

■ Vingt minutes avant la fin de la cuisson, ajoutez les champignons.

Longuement mijotée, la viande de bœuf devient merveilleusement tendre. Pour ne rien perdre de la délicieuse sauce aux tomates qui l'accompagne, servez le bœuf en cubes avec du riz ou des pommes de terre.

Bœuf en cubes aux tomates

4 portions	
15 ml	(1 c. à s.) huile
15 ml	(1 c. à s.) beurre
450 g	(1 lb) bœuf, en cubes
398 ml	(14 oz) soupe aux tomates, en conserve
398 ml	(14 oz) tomates en conserve
180 ml	(3/4 tasse) céleri, haché
398 ml	(14 oz) champignons, en conserve
2 ml	(1/2 c. à t.) gingembre
15 ml	(1 c. à s.) sauce anglaise
30 ml	(2 c. à s.) cassonade
45 ml	(3 c. à s.) vinaigre
	sel d'ail, au goût
	sel et poivre

■ Préchauffez le four à 175 °C (350 °F).

■ Dans un grand poêlon, faites chauffer l'huile et fondre le beurre ; faites saisir le bœuf en cubes ; retirez du poêlon ; réservez dans une casserole allant au four.

■ Dégraissez ; ajoutez les autres ingrédients ; amenez à ébullition.

■ Versez sur le bœuf en cubes ; faites cuire au four 1 heure ; dressez dans un plat de service.

* recette illustrée

Brochettes de bœuf à la polynésienne

À la belle saison, fuyez la cuisine et préparez cette recette au barbecue.

4 portions	

Marinade

398 ml	(14 oz) morceaux d'ananas, en conserve
60 ml	(1/4 tasse) cassonade
60 ml	(1/4 tasse) vinaigre
15 ml	(1 c. à s.) sauce soja
450 g	(1 lb) bœuf, en cubes
16	champignons
1	poivron vert, en seize
16	tomates miniatures
30 ml	(2 c. à s.) fécule de maïs
30 ml	(2 c. à s.) eau froide

■ Préchauffez le four à 175°C (350 °F).

■ Mélangez tous les ingrédients de la marinade; versez sur le bœuf en cubes ; laissez mariner 6 à 8 heures au réfrigérateur.

■ Retirez le bœuf en cubes et les morceaux d'ananas ; réservez la marinade.

■ Enfilez la viande sur les brochettes en alternant avec les champignons, les morceaux d'ananas et le poivron vert ; enfilez une tomate miniature à chaque extrémité.

■ Faites cuire vos brochettes au four.

■ Délayez la fécule de maïs dans l'eau ; faites chauffer la marinade ; incorporez la fécule de maïs délayée ; laissez épaissir quelques minutes.

* recette illustrée

Sauté de filet mignon

Cette recette est la préférée des hommes ! Vrai ou faux ?

4 portions	

15 ml	(1 c. à s.) huile
15 ml	(1 c. à s.) beurre
450 g	(1 lb) filet mignon, en gros cubes
12	oignons de semence, blanchis
12	têtes de champignons sel et poivre
1	pincée de thym
60 ml	(1/4 tasse) vin blanc
125 ml	(1/2 tasse) bouillon de bœuf
5 ml	(1 c. à t.) beurre manié (moitié beurre, moitié farine)
1	pincée de persil, haché finement

■ Dans un poêlon en fonte, faites chauffer l'huile et fondre le beurre ; faites saisir les filets mignons.

■ Incorporez les oignons et les champignons ; salez et poivrez ; parsemez de thym.

■ Déglacez le poêlon au vin blanc ; laissez réduire de moitié.

■ Ajoutez le bouillon de bœuf et le beurre manié ; remuez jusqu'à l'obtention d'une sauce lisse.

■ Parsemez de persil ; servez.

LE BŒUF ÉMINCÉ

Bœuf Stroganoff

Truc minceur : remplacez la crème sure par du yogourt.

8 portions

900 g	(2 lb) filet de bœuf
45 ml	(3 c. à s.) farine
2 ml	(1/2 c. à t.) sel
1 ml	(1/4 c. à t.) poivre
45 ml	(3 c. à s.) graisse végétale
3	oignons, en fines rondelles
125 ml	(1/2 tasse) jus de tomates
284 ml	(10 oz) consommé de bœuf, en conserve
2 ml	(1/2 c. à t.) sucre
125 ml	(1/2 tasse) crème sure
250 g	(1/2 lb) champignons, tranchés
45 ml	(3 c. à s.) vin de Bourgogne (facultatif)

■ Coupez la viande en fines lanières ; enrobez de farine additionnée de sel et de poivre ou de farine assaisonnée.

■ Dans un poêlon faites fondre la graisse végétale ; faites revenir la viande et les oignons.

■ Ajoutez le jus de tomates, le consommé de bœuf et le sucre.

■ Réduisez le feu et laissez mijoter jusqu'à ce que la viande soit tendre.

■ Incorporez la crème sure, les champignons et le vin ; faites chauffer sans laisser bouillir.

Sukiyaki

Assurez-vous de bien laver les feuilles d'épinard : remplissez l'évier d'eau fraîche, et secouez-y les épinards.

4 portions

45 ml	(3 c. à s.) huile végétale
1	oignon moyen, tranché
4	gros champignons, tranchés
450 g	(1 lb) bœuf, émincé
225 g	(1/2 lb) épinards frais
250 ml	(1 tasse) de céleri, coupé en biais
4	échalotes
60 ml	(1/4 tasse) sauce soja
284 ml	(10 oz) consommé de bœuf, en conserve
30 ml	(2 c. à s.) sucre

■ Dans un poêlon, faites chauffer l'huile ; faites revenir l'oignon.

■ Ajoutez les champignons et le bœuf ; laissez cuire 2 minutes.

■ Ajoutez les épinards ; laissez cuire 1 minute.

■ Ajoutez le céleri ; laissez cuire 1 minute.

■ Taillez les échalotes en fines lanières sur la longueur ; ajoutez au mélange.

■ Incorporez la sauce soja ; laissez cuire 1 minute.

■ Versez le consommé sur le mélange ; ajoutez le sucre ; laissez mijoter 2 minutes ; servez.

* recette illustrée

Émincé de bœuf aux poivrons

Vous pouvez préparer cette recette avec un reste de rosbif.

8 portions	
30 ml	(2 c. à s.) huile végétale
900 g	(2 lb) bœuf, en lanières de 1,5 cm (1/2 po) de largeur
1	oignon, en cubes
60 ml	(1/4 tasse) sauce soja
60 ml	(1/4 tasse) sucre
	sel et poivre
1 ml	(1/4 c. à t.) gingembre
2	poivrons verts, en lanières
4	tomates, en quartiers
60 ml	(1/4 tasse) eau
250 ml	(1 tasse) fèves germées (facultatif)

■ Dans un poêlon, faites chauffer l'huile ; faites revenir le bœuf en lanières.

■ Ajoutez l'oignon, la sauce soja, le sucre, le sel, le poivre, le gingembre, les poivrons verts, les tomates et l'eau ; faites cuire 15 minutes.

■ Incorporez les fèves germées, si désiré, en tout dernier ou servez ce plat dans des poivrons évidés et blanchis, tel qu'illustré.

* recette illustrée

Bœuf aux champignons

Ce mets complet peut être très économique si vous remplacez l'intérieur de ronde par du bœuf haché mi-maigre.

4 portions	
15 ml	(1 c. à s.) beurre
450 g	(1 lb) intérieur de ronde, en fines lanières
	sel et poivre
4	pommes de terre, en cubes
4	carottes, en allumettes
284 ml	(10 oz) crème de champignons, en conserve
250 ml	(1 tasse) eau

■ Dans un poêlon, faites fondre le beurre ; faites revenir le bœuf en lanières.

■ Déposez dans un plat allant au micro-ondes ; ajoutez les pommes de terre ; remuez ; recouvrez de carottes ; réservez.

■ Dans un bol, mélangez la crème de champignon et l'eau ; versez sur les carottes ; assaisonnez.

■ Faites cuire au micro-ondes, à ÉLEVÉ, 10 minutes.

■ Surveillez la cuisson ; remuez ; poursuivez la cuisson 10 minutes.

Bœuf mariné

Il suffit de planifier ses menus pour servir de délicieux plats faits de viande marinée : on fait mariner un jour, on déguste le lendemain ! Autre avantage : parce qu'elle détend les fibres de la chair, la marinade rend plus tendres tous les morceaux de coupe économique.

Bifteck à la bière

Bier hier ! Avec du bœuf à la bière au menu, il ne manque qu'un peu de choucroute pour faire une petite fête à l'allemande ! Pourquoi ne pas accompagner le tout d'une belle bière blonde ?

4 portions

Marinade

237 ml	(8 oz)	bière
60 ml	(1/4 tasse)	huile
30 ml	(2 c. à s.)	vinaigre de cidre
1		oignon, tranché finement
2		gousses d'ail, émincées
1		feuille de laurier
1 ml	(1/4 c. à t.)	thym
2 ml	(1/2 c. à t.)	sel
2 ml	(1/2 c. à t.)	poivre
4		tranches de bifteck de palette, de ronde ou de côtes croisées de 2 cm (3/4 po) d'épaisseur
15 ml	(1 c. à s.)	huile
4		tranches de bacon, en morceaux
2		oignons, tranchés finement
		persil, haché

■ Dans un grand bol, mélangez tous les ingrédients de la marinade.

■ À l'aide d'une fourchette, piquez plusieurs fois les biftecks.

■ Déposez les biftecks dans un plat ; versez la marinade ; couvrez ; placez au réfrigérateur ; laissez mariner 8 heures ou toute une nuit.

■ Faites égoutter les biftecks ; épongez ; réservez la marinade.

■ Dans un poêlon, faites saisir la viande à l'huile fumante ; au moment de la retourner, ajoutez le bacon et les oignons ; gardez au chaud.

■ Dans une casserole, à feu vif, laissez réduire la marinade du tiers.

■ Versez sur les biftecks ; garnissez de persil.

Bifteck de flanc

Avec le gril, pas besoin d'huile ni de beurre. Cette technique minceur donne un mets suffisamment léger pour qu'on puisse l'accompagner d'une délicieuse sauce parfumée au vin rouge.

4 portions

Marinade

180 ml	(3/4 tasse) vin rouge sec
1	gousse d'ail, émincée
2 ml	(1/2 c. à t.) origan
2 ml	(1/2 c. à t.) sel
1 ml	(1/4 c. à t.) poivre
4	tranches de bifteck de flanc ou d'intérieur de ronde de 2,5 cm (1 po) d'épaisseur
15 ml	(1 c. à s.) fécule de maïs
30 ml	(2 c. à s.) eau froide

■ Préchauffez le four à gril (broil).

■ Dans un grand bol, mélangez tous les ingrédients de la marinade.

■ À l'aide d'une fourchette, piquez plusieurs fois les biftecks.

■ Déposez dans un plat ; versez la marinade ; couvrez ; placez au réfrigérateur ; laissez mariner 18 à 24 heures en retournant la viande 2 ou 3 fois.

■ Faites égoutter les biftecks ; réservez la marinade.

■ Faites griller les biftecks 5 à 6 minutes de chaque côté pour obtenir une viande cuite à point.

■ Entre-temps, dans une casserole, délayez la fécule de maïs et l'eau froide ; incorporez la marinade ; faites chauffer jusqu'à ce que la sauce épaississe.

■ Versez sur les biftecks.

TRUCS

• Pour faire mariner la viande, placez-la dans un récipient hermétique. Pour bien l'enduire, renversez le récipient 2 ou 3 fois.

• Pour une sauce plus riche, ajoutez 45 ml (3 c. à s.) de crème à 35 % à la sauce.

DIFFÉRENTES FORMES DE BŒUF HACHÉ

Élément miracle par excellence, le bœuf haché a dépanné plus d'une cuisinière. On peut en faire provision et le congeler en petites portions.

Boulettes, pains de viande, farces ... le bœuf haché se prête à quantité de préparations qui feront autant d'agréables surprises à votre famille.

Dans les supermarchés, on trouve du bœuf haché maigre, mi-maigre et ordinaire. Dans la plupart des recettes de mets apprêté, il est préférable d'utiliser du bœuf haché mi-maigre : le bœuf haché ordinaire rend une trop grande quantité de gras à la cuisson, tandis que le bœuf haché maigre donne souvent des plats qui manquent de tendreté... faute de gras !

Recette de base pour boulettes

Personne ne se lasse d'une recette de base, lorsqu'on peut l'accompagner de garnitures délicieuses et innovatrices. Nous vous en proposons 25...

4 portions

450 g	(1 lb) bœuf haché
1	œuf
15 ml	(1 c. à s.) oignon, haché
1 ml	(1/4 c. à t.) ail, haché
	sel et poivre
2 ml	(1/2 c. à t.) sauce anglaise
15 ml	(1 c. à s.) huile

■ Mélangez les 6 premiers ingrédients ; façonnez en boulettes (4 boulettes pour un degré de cuisson bleu ou saignant ; 5 boulettes pour un degré de cuisson médium à bien cuit).

■ Faites saisir à feu vif dans l'huile ; à mi-cuisson, réduisez le feu. Calculez 1 minute de chaque côté pour obtenir un degré de cuisson bleu ; 1 1/2 minute de chaque côté pour un degré de cuisson saignant ; 2 minutes de chaque côté pour un degré de cuisson médium et 3 minutes de chaque côté pour un degré de cuisson bien cuit.

25 petits délices

1ère colonne

Raisins rouges, raisins verts et radis

Sauce tomate et ciboulette

Moutarde de Dijon et moutarde en grains

Champignons de Paris émincés et persil

Olives et fromage

2e colonne

Pleurotes entiers marinés et graines de sésame

Choux vert et rouge hachés finement et marinés

Luzerne et oignons rouges

Kiwi et estragon

Raifort et gingembre émincé

3e colonne

Betteraves tranchées et coriandre

Fondue aux poireaux

Aubergines en cubes

Oranges et poivre rose

Oignons blancs et rouges tranchés

4e colonne

Cantaloup et estragon

Anchois et câpres

Poivrons de 2 ou 3 couleurs

Échalotes vertes en éventail

Cornichons et oignons de semence

5e colonne

Tomates et basilic

Sauce pour bifteck et cerfeuil

Céleri et safran

Radis rouges et blancs et romarin

Courgettes émincées et chou-fleur en fleurettes

Vous pouvez ajouter à chacune de ces variantes différents fromages râpés

Hamburger aux légumes

Le hamburger est signe de fête pour les petits comme pour les grands. Farci de légumes frais, il sera également un gage de santé !

4 portions	
450 g	(1 lb) bœuf haché
1	œuf
1 ml	(1/4 c. à t.) sauce anglaise
	sel et poivre
125 ml	(1/2 tasse) oignon, haché
125 ml	(1/2 tasse) poivron, haché
125 ml	(1/2 tasse) céleri, haché

Première méthode

■ Dans un grand bol, mélangez le bœuf haché, l'œuf et la sauce anglaise ; salez et poivrez ; incorporez les légumes.

■ Faites saisir à feu vif ; réduisez le feu à mi-cuisson.

Deuxième méthode

■ Dans un grand bol, mélangez le bœuf, l'œuf, la sauce anglaise, le sel et le poivre. Façonnez en petits pâtés minces.

■ Placez les légumes entre deux pâtés ; scellez.

■ Faites saisir à feu vif ; réduisez le feu à mi-cuisson.

* recette illustrée

Hamburger aux oignons

Il suffit de quelques ingrédients courants, dosés juste comme il se doit, pour que le hamburger ne soit vraiment plus banal...

4 portions	
450 g	(1 lb) bœuf, haché
1	œuf
2 ml	(1/2 c. à t.) sauce anglaise
	sel et poivre
1	petit sachet de soupe à l'oignon instantanée
1	gousse d'ail, émincée

■ Dans un grand bol, mélangez le bœuf haché, l'œuf, la sauce anglaise, la soupe à l'oignon et l'ail ; salez et poivrez.

■ Faites saisir à feu vif ; réduisez le feu à mi-cuisson.

Super steak tartare

Chose certaine, le steak tartare a ses incondi-tionnels : on aime ou on n'aime pas !

Rappelez-vous qu'il doit être préparé avec du bœuf haché de pre-mière qualité, d'une fraîcheur absolue.

4 portions

284 g	(10 oz) bœuf haché, ultra maigre, extrêmement frais
2	jaunes d'œufs
15 ml	(1 c. à s.) oignon, haché
2 ml	(1/2 c. à t.) câpres, hachées
2	filets d'anchois, hachés
5 ml	(1 c. à t.) cornichons surs, hachés
1 ml	(1/4 c. à t.) sel
1 ml	(1/4 c. à t.) poivre noir, broyé
4	gouttes de sauce Tabasco
5 ml	(1 c. à t.) sauce anglaise

- Mélangez tous les ingré-dients ; façonnez en pâtés.

- Accompagnez de frites et de mayonnaise.

Bœuf en marguerite

Intrigant et savoureux, le bœuf en marguerite fera jaser... Pourtant, il s'agit d'un plat tout simple, tant par ses ingrédients que par son mode de préparation.

4 portions

30 ml	(2 c. à s.) huile
450 g	(1 lb) bœuf haché, maigre
1	oignon, coupé finement
60 ml	(1/4 tasse) ketchup
1 ml	(1/4 c. à t.) sel d'ail
1 ml	(1/4 c. à t.) poivre
180 ml	(3/4 tasse) crème de champignons, en conserve

Pâte

560 ml	(2 1/4 tasses) farine
30 ml	(2 c. à s.) poudre à pâte
2 ml	(1/2 c. à t.) sel
5 ml	(1 c. à t.) poudre de cari
80 ml	(1/3 tasse) graisse végétale
80 ml	(1/3 tasse) lait

- Préchauffez le four à 205 °C (400 °F).

- Dans un poêlon, faites chauffer l'huile ; faites reve-nir le bœuf haché et l'oignon ; retirez l'excédent de gras.

- Ajoutez le ketchup, le sel d'ail, le poivre et la crème de champignons ; laissez refroidir.

- Dans un grand bol, mé-langez les ingrédients de la pâte ; pétrissez ; abaissez la pâte en un carré de 30 cm (12 po) de côté.

- Étendez le mélange de viande sur la pâte ; roulez la pâte ; appuyez pour bien sceller. Coupez en 8 tranches de 4 cm (1 1/2 po).

- Dans un plat rond, graissé, allant au four, déposez 7 tranches autour du plat et une tranche au milieu.

- Faites cuire au four 20 à 25 minutes ; servez chaud ; arrosez d'une sauce brune ou d'une sauce aux champi-gnons.

117

Petits pains fourrés

Un traiteur garnirait ces petits pains d'olives, de cornichons ou de poivron vert ou rouge en lamelles.

Faites-en autant !

24 petits pains

45 ml	(3 c. à s.) huile
1	gros oignon, haché finement
1,4 kg	(3 lb) bœuf haché
284 ml	(10 oz) soupe de poulet « gumbo » en conserve
125 ml	(1/2 tasse) sauce chili ou ketchup
10 ml	(2 c. à t.) moutarde sel et poivre
24	petits pains à salade

■ Préchauffez le four à 175 °C (350 °F).

■ Dans un poêlon, faites chauffer l'huile ; faites revenir l'oignon ; incorporez le bœuf haché ; laissez bien cuire.

■ Ajoutez les autres ingrédients ; mélangez ; laissez mijoter à feu doux 1 heure ou jusqu'à ce que le liquide soit presque totalement réduit ; laissez refroidir.

■ Taillez les petits pains en deux, sur la longueur ; garnissez du mélange de viande ; enveloppez dans du papier d'aluminium.

■ Faites réchauffer au four 20 minutes avant de servir.

Pâté aux épinards

Rehaussez la saveur de ce plat en assaisonnant la viande d'épices italiennes.

Pour obtenir un mets encore plus nourrissant, ajoutez, entre la viande et les épinards, une couche de 500 ml (2 tasses) de riz cuit.

4 portions

225 g	(8 oz) pâte feuilletée, décongelée
15 ml	(1 c. à s.) huile
450 g	(1 lb) bœuf haché, maigre
1	oignon, haché
125 ml	(1/2 tasse) champignons, tranchés
1	gousse d'ail, hachée persil, haché, au goût
5 ml	(1 c. à t.) huile
1	paquet d'épinards frais de 237 ml (8 oz)

■ Préchauffez le four à 220 °C (425 °F).

■ Foncez une assiette à tarte d'environ 25 cm (10 po) de diamètre avec la moitié de la pâte.

■ Dans un poêlon, faites chauffer l'huile ; faites revenir la viande ; réservez.

■ Dans le même poêlon, faites revenir l'oignon, les champignons et l'ail ; incorporez la viande ; saupoudrez de persil ; réservez.

■ Dans un autre poêlon, faites chauffer 5 ml (1 c. à t.) d'huile ; faites revenir les épinards.

■ Étendez d'abord la viande dans la pâte à tarte, puis les épinards ; recouvrez d'une abaisse de pâte feuilletée.

■ Faites cuire au four 20 minutes ; réduisez la température du four à 175 °C (350 °F) ; poursuivez la cuisson 15 minutes.

Poivrons farcis

Il vous reste un peu de bacon ? Déposez-en une demi-tranche sur chaque poivron avant la cuisson.

4 portions

15 ml	(1 c. à s.) huile
450 g	(1 lb) bœuf haché
180 ml	(3/4 tasse) riz, cuit
1	oignon, haché
1	gousse d'ail, émincée
500 ml	(2 tasses) tomates, en morceaux
30 ml	(2 c. à s.) sauce anglaise
	sel et poivre
250 ml	(1 tasse) cheddar doux, râpé
4 à 6	poivrons verts

■ Préchauffez le four à 175 °C (350 °F).

■ Dans un poêlon faites chauffer l'huile ; faites revenir le bœuf haché.

■ Ajoutez le riz, l'oignon, l'ail, les tomates, la sauce anglaise, le sel et le poivre ; laissez mijoter 10 minutes.

■ Incorporez 180 ml (3/4 tasse) de cheddar.

■ Coupez le tiers des poivrons sur la hauteur ; évidez ; salez l'intérieur.

■ Remplissez du mélange de viande ; faites cuire au four 25 minutes.

■ Trois minutes avant la fin de la cuisson, ajoutez le reste du fromage et laissez gratiner quelques minutes sous le gril.

* recette illustrée

Courgettes farcies

Après avoir évidé les courgettes, gardez leur chair : taillée en cubes, on l'ajoutera à un potage.

4 portions

30 ml	(2 c. à s.) huile
450 g	(1 lb) bœuf haché
1	gros oignon, coupé finement
1	carotte, râpée
1	poivron vert, coupé finement
2 ou 3	tomates fraîches, tranchées
1	pincée de persil frais
1	pincée de ciboulette
1	échalote, hachée finement
	poivre
2	courgettes moyennes, non pelées, coupées en deux sur la longueur
1	gousse d'ail, émincée
284 ml	(10 oz) crème de tomates, en conserve
125 ml	(1/2 tasse) mozzarella, râpé

■ Dans un poêlon, faites chauffer 15 ml (1 c. à s.) d'huile ; faites revenir le bœuf haché ; retirez du poêlon ; réservez.

■ Dans le même poêlon, versez 15 ml (1 c. à s.) d'huile ; faites sauter oignon, carotte et poivron ; réduisez le feu ; ajoutez la viande, la crème de tomates, les tomates et les assaisonnements ; laissez mijoter quelques minutes ; réservez.

■ Évidez les courgettes de la moitié de leur chair ; remplissez du mélange de viande ; recouvrez de mozzarella râpé ou tranché.

■ Faites chauffer quelques minutes sous le gril ; servez.

* recette illustrée

Gâteau renversé à la viande

Augmentez la valeur alimentaire de ce repas complet en ajoutant quelques cuillerées de germe de blé naturel au mélange de viande cuite.

4 portions

30 ml	(2 c. à s.) beurre
1	oignon, haché finement
500 ml	(2 tasses) bœuf haché
284 ml	(10 oz) soupe aux tomates, en conserve
	sel et poivre

Pâte

375 ml	(1 1/2 tasse) farine
15 ml	(1 c. à s.) poudre à pâte
1	pincée de sel
5 ml	(1 c. à t.) paprika
5 ml	(1 c. à t.) sel de céleri
60 ml	(1/4 tasse) beurre
250 ml	(1 tasse) lait

■ Préchauffez le four à 230 °C (450 °F).

■ Dans un poêlon, faites fondre le beurre ; faites revenir l'oignon ; ajoutez le bœuf haché ; faites revenir quelques minutes.

■ Ajoutez la soupe aux tomates ; faites chauffer jusqu'à ébullition et laissez mijoter 10 minutes ; retirez du feu ; réservez.

■ Dans un grand bol, mélangez les ingrédients de la pâte jusqu'à l'obtention d'un mélange homogène ; étendez la pâte.

■ Dans un plat rond, peu profond, allant au four, versez le mélange de bœuf et de soupe aux tomates ; recouvrez avec l'abaisse.

■ Faites cuire au four 20 minutes.

■ Renversez dans un plat de service ; servez.

VARIANTES

- **Recouvrez le mélange de bœuf et de soupe aux tomates, de tranches de fromage ou de jambon fumé.**

- **Déposez quelques feuilles d'épinards frais, blanchis, entre la viande et la pâte.**

Pain de viande simple

Vous obtiendrez un pain de viande plus léger et plus écono-mique en remplaçant le lait frais par une même quantité de lait écrémé en poudre, reconstitué.

8 portions

375 ml	(1 1/2 tasse) pain, en cubes
250 ml	(1 tasse) lait
900 g	(2 lb) bœuf haché
125 ml	(1/2 tasse) céleri, haché
125 ml	(1/2 tasse) carottes, râpées
1	oignon, haché
1	œuf
15 ml	(1 c. à s.) raifort, préparé
10 ml	(2 c. à t.) sel
1 ml	(1/4 c. à t.) poivre

■ Préchauffez le four à 190 °C (375 °F).

■ Dans un grand bol, com-binez le pain et le lait ; laissez reposer 5 minutes ; incorporez les autres ingré-dients.

■ Versez dans un plat peu profond, allant au four ; incisez la surface en 8 por-tions.

■ Faites cuire au four 1 heure.

* recette illustrée

Pain de viande à l'ancienne

Ni vu ni connu : cette recette toute simple contenant du gruau vous permet d'offrir aux vôtres un repas riche en précieuses fibres alimentaires.

8 portions

900 g	(2 lb) bœuf haché
60 ml	(1/4 tasse) gruau
10 ml	(2 c. à t.) sel
1 ml	(1/4 c. à t.) poivre
1	pincée de sarriette
125 ml	(1/2 tasse) oignon, haché
1	œuf, battu
60 ml	(1/4 tasse) lait
10 ml	(2 c. à t.) sauce anglaise

■ Préchauffez le four à 190 °C (375 °F).

■ Dans un grand bol, com-binez le bœuf haché, le gruau, les assaisonnements et l'oignon.

■ Dans un autre bol, mélan-gez l'œuf, le lait et la sauce anglaise ; incorporez au premier mélange.

■ Versez dans un moule à pain de 22 x 12 cm (9 x 5 po) ; faites cuire au four 1 heure ; servez avec une sauce de votre choix.

Boulettes de bœuf et bacon

Si vous utilisez un produit du commerce plutôt qu'un bouillon maison, pensez à ne saler que légèrement les boulettes. Un jus de légumes peut remplacer le jus de tomates.

4 portions

675 g	(1 1/2 lb) bœuf haché
125 ml	(1/2 tasse) gruau d'avoine
1	oignon, haché
	sel et poivre
1 ml	(1/4 c. à t.) moutarde en poudre
1/2	tranche de bacon par boulette
15 ml	(1 c. à s.) beurre
250 ml	(1 tasse) jus de tomates, de bouillon de bœuf ou de volaille

■ Préchauffez le four à 175 °C (350 °F).

■ Mélangez le bœuf haché, le gruau d'avoine, l'oignon, le sel, le poivre et la moutarde en poudre ; façonnez en boulettes.

■ Entourez chaque boulette d'une demi-tranche de bacon ; fixez à l'aide d'un cure-dents taillé à la dimension.

■ Dans un poêlon, faites fondre le beurre ; faites dorer les boulettes.

■ Dégraissez le poêlon ; versez le jus de tomates ou le bouillon de bœuf ou de volaille.

■ Dans un plat allant au four, versez le mélange ; faites cuire au four 45 minutes.

■ Ajoutez du liquide au besoin pendant la cuisson.

Boulettes de viande des îles du Pacifique

Si le budget le permet, mettez un peu de couleur en ajoutant du poivron rouge.

4 portions

675 g	(1 1/2 lb) bœuf haché
30 ml	(2 c. à s.) huile
1	gousse d'ail, hachée finement
30 ml	(2 c. à s.) fécule de maïs
125 ml	(1/2 tasse) cassonade
5 ml	(1 c. à t.) sel
15 ml	(1 c. à s.) sauce soja
80 ml	(1/3 tasse) vinaigre blanc
250 ml	(1 tasse) bouillon de bœuf
330 ml	(1 1/3 tasse) eau bouillante
330 ml	(1 1/3 tasse) riz à cuisson rapide
250 ml	(1 tasse) poivron vert, tranché

■ Façonnez le bœuf haché en 24 petites boulettes.

■ Dans un poêlon, faites chauffer l'huile ; faites revenir l'ail ; faites dorer les boulettes.

■ Dans un bol, combinez la fécule de maïs, la cassonade, le sel, la sauce soja, le vinaigre et le bouillon ; versez sur les boulettes ; faites chauffer jusqu'à ce que le mélange épaississe ; gardez au chaud.

■ Dans une casserole, versez l'eau bouillante, le riz et le poivron vert ; couvrez ; laissez mijoter 10 minutes ou jusqu'à ce que le riz soit tendre.

■ Dressez les boulettes dans un plat de service ; accompagnez de riz.

Boulettes de viande en sauce vite faite

Si vous le préférez, remplacez le riz par des pâtes alimentaires partiellement cuites.

4 portions	
675 g	(1 1/2 lb) bœuf haché
30 ml	(2 c. à s.) huile
1	oignon moyen, haché
284 ml	(10 oz) champignons tranchés en conserve
30 ml	(2 c. à s.) farine
	persil, haché
	sel et poivre
10 ml	(2 c. à t.) sauce anglaise
284 ml	(10 oz) crème de champignons, en conserve
375 ml	(1 1/2 tasse) bouillon de bœuf
375 ml	(1 1/2 tasse) riz à cuisson rapide

- Façonnez le bœuf haché en petites boulettes.

- Dans un poêlon, faites chauffer l'huile, faites dorer les boulettes.

- Ajoutez l'oignon et les champignons ; faites sauter à feu doux; incorporez la farine, le persil, le sel et le poivre.

- Dans un bol, mélangez la sauce anglaise à la crème de champignons ; versez sur la viande ; amenez à ébullition.

- Dans un autre bol, mélangez le bouillon et le riz.

- Dans le poêlon, disposez les boulettes à l'extérieur du cercle ; versez le riz au centre ; amenez le tout à ébullition ; couvrez ; laissez mijoter 5 minutes. Servez.

Bœuf avec fromage

Tendres et agréables à l'œil, ces boulettes-surprises sont ce qu'il y a de mieux pour utiliser vos restes de fromage. Utilisez celui de votre choix.

4 portions	
450 g	(1 lb) bœuf haché
1	oignon, haché finement
12	cubes de 2 cm (3/4 po) d'épaisseur de fromage mozzarella ou cheddar
250 ml	(1 tasse) riz à cuisson rapide, non cuit
284 ml	(10 oz) soupe aux tomates, en conserve
284 ml	(10 oz) jus de tomates, en conserve

- Préchauffez le four à 175 °C (350 °F).

- Combinez le bœuf haché et l'oignon ; assaisonnez au goût ; façonnez 12 boulettes.

- Au centre de chaque boulette, insérez un cube de fromage ; roulez les boulettes dans le riz.

- Dans un plat allant au four, déposez les boulettes ; arrosez de soupe aux tomates ; recouvrez avec le reste de riz.

- Faites cuire au four 45 minutes ; ajoutez l'autre moitié du jus de tomates, au besoin.

Tacos au bœuf

Pour un véritable repas à la mexicaine, déposez, au centre de la table, de petits ramequins contenant du fromage râpé, de la crème sure et de la sauce piquante à tacos.

4 portions

30 ml	(2 c. à s.) beurre
450 g	(1 lb) bœuf haché
1	oignon moyen, haché finement
1	gousse d'ail, émincée
237 ml	(8 oz) sauce tomate, en conserve
10 ml	(2 c. à t.) poudre chili
2 ml	(1/2 c. à t.) sel
4	tacos de 15 ou 17 cm (6 ou 7 po)
4	feuilles de laitue, ciselées

■ Dans un poêlon, faites fondre le beurre ; faites revenir le bœuf haché, l'oignon et l'ail.

■ Incorporez la sauce tomate, la poudre chili et le sel ; laissez cuire environ 3 minutes.

■ Sur un papier essuie-tout humecté, déposez un tacos ; recouvrez d'un autre papier essuie-tout humecté ; répétez avec chacun des tacos.

■ Au micro-ondes, faites cuire les tacos, ainsi recouverts, 30 secondes à ÉLEVÉ. (Des coquilles pré-formées sont aussi disponibles dans le commerce.)

■ Déposez un peu de laitue hachée dans chaque taco ; recouvrez du mélange de bœuf haché ; servez.

Chili con carne

Le chili con carne « viande aux piments » est typique de l'Amérique latine. Pour lui donner encore plus le goût du Sud, augmentez la quantité de poudre de chili.

4 portions

10 ml	(2 c. à t.) huile
5 ml	(1 c. à t.) beurre
450 g	(1 lb) bœuf, haché
2	oignons moyens, hachés finement
125 ml	(1/2 tasse) céleri haché
284 ml	(10 oz) tomates, en conserve
284 ml	(10 oz) haricots rouges, égouttés, en conserve
	sel et poivre
15 ml	(1 c. à s.) moutarde
10 ml	(2 c. à t.) poudre de chili
5 ml	(1 c. à t.) paprika
5 ml	(1 c. à t.) sel d'ail

■ Dans un grand poêlon, faites chauffer l'huile et fondre le beurre ; faites cuire, à feu doux, le bœuf, les oignons et le céleri.

■ Ajoutez les autres ingrédients.

■ Laissez mijoter à feu doux 25 à 30 minutes.

■ Servez bien chaud.

Bœuf bien garni

Variez la présentation en gardant les saucisses entières, disposées tout autour du plat de cuisson : mélangez alors la sauce dans un autre bol et versez-la sur le mélange.

4 portions	
12	saucisses de bœuf fumées
125 g	(8 oz) bœuf haché
1	oignon, en morceaux
1	poivron vert, en morceaux
2	branches de céleri, coupées en morceaux
15 ml	(1 c. à s.) vinaigre
284 ml	(10 oz) champignons, en conserve
284 ml	(10 oz) crème de tomates, en conserve
125 ml	(1/2 tasse) sauce chili
125 ml	(1/2 tasse) ketchup
15 ml	(1 c. à s.) cassonade

■ Préchauffez le four à 175 °C (350 °F).

■ Taillez les saucisses en rondelles d'environ 1,25 cm (1/2 po) d'épaisseur.

■ Dans un bol, mélangez les légumes ; incorporez les autres ingrédients.

■ Dans un plat allant au four, versez le mélange ; faites cuire 20 à 30 minutes ; servez avec du riz.

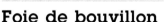

Foie de bouvillon

Un aliment aussi riche en fer que le foie devrait figurer plus souvent à nos menus.

4 portions	
450 g	(1 lb) foie, en tranches minces
125 ml	(1/2 tasse) lait

Farine assaisonnée

250 ml	(1 tasse) farine
	sel et poivre
2 ml	(1/2 c. à t.) marjolaine
2 ml	(1/2 c. à t.) thym
2 ml	(1/2 c. à t.) basilic
5 ml	(1 c. à t.) persil
15 ml	(1 c. à s.) beurre
15 ml	(1 c. à s.) huile
250 ml	(1 tasse) oignon, émincé
1 ml	(1/4 c. à t.) sauce anglaise
1	pincée de sel d'ail

■ Faites tremper le foie 15 minutes dans le lait ; laissez égoutter.

■ Préparez la farine assaisonnée en mélangeant tous les ingrédients ; enfarinez les tranches de foie.

■ Dans un poêlon, faites fondre le beurre ; faites revenir le foie jusqu'à ce que l'intérieur soit rosé.

■ Simultanément, dans un autre poêlon, faites chauffer l'huile ; faites sauter les oignons ; assaisonnez de sauce anglaise et de sel d'ail.

■ Dressez le foie dans un plat de service ; nappez de sauce ; servez.

Mieux que toute autre viande, le veau se prête à des préparations délicates.

Au Québec, le veau de lait est certes le plus populaire, mais il cède petit à petit du terrain au veau de grain, qui a de nombreux atouts de son côté.

On apprécie particulièrement la chair pâle, presque blanche du veau de lait. Sa saveur peu prononcée joue également en sa faveur. Cependant, ce jeune animal n'a pas vraiment eu le temps d'engraisser ; par conséquent, sa chair maigre est un peu sèche.

Le veau de grain, pour sa part, est un animal un peu plus âgé que le veau de lait : il a été sevré, puis nourri au grain. Ces quelques mois d'élevage supplémentaires lui permettent de prendre du poids : un morceau de veau de grain est donc un peu plus gros qu'un morceau de veau de lait. Pour la même raison, la chair du veau de grain est moins maigre — et donc plus tendre — que celle du veau de lait.

LE VEAU

LES ESCALOPES

Cette mince tranche de viande blanche appelée « escalope » a inspiré tant de cuisiniers qu'on ne saurait compter toutes les façons traditionnelles de l'apprêter. L'Italie figure certes en tête de liste de ses fervents amateurs : les scaloppine italiennes, servies en saltimbocca ou en petites piccata, sont apprêtées en autant de versions qu'il existe de familles italiennes !

Compte tenu que leur chair est un peu sèche, les escalopes sont souvent cuisinées en sauce. Servies panées — en Wiener Schnitzel ou à la milanaise, par exemple — elles sont également délicieuses.

Technique et confection des escalopes

- *Prenez des petits morceaux de veau de 90 à 150 g (3 à 5 oz) chacun.*
- *Déposez-les entre deux épaisseurs de papier ciré ou de papier de boucherie.*

- *À l'aide d'un marteau attendrisseur, martelez la surface des tranches ou des morceaux de veau. À défaut d'un marteau attendrisseur, utilisez le fond d'une bouteille, une petite casserole ou la surface plate d'un grand couteau.*

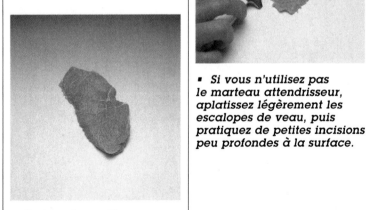

- *Si vous n'utilisez pas le marteau attendrisseur, aplatissez légèrement les escalopes de veau, puis pratiquez de petites incisions peu profondes à la surface.*

Un secret ? C'est le repas idéal lorsqu'il y a quelqu'un à impressionner ...

4 portions	
15 ml	(1 c. à s.) beurre
1	oignon, haché finement
500 ml	(2 tasses) mie de pain, pressée
1	œuf, légèrement battu
	sel et poivre
1	pincée de fines herbes, au goût
125 ml	(1/2 tasse) restes de viande, cuite, hachée (facultatif)
4	escalopes de veau de 115 g (1/4 lb) chacune
2	tranches de bacon
284 ml	(10 oz) tomates, en conserve

- Dans un poêlon, faites fondre le beurre ; faites revenir l'oignon ; ajoutez la mie de pain ; retirez du feu ; laissez refroidir.

- Ajoutez l'œuf ; assaisonnez de sel, de poivre et de fines herbes ; incorporez les restes de viande.

- Salez et poivrez les escalopes de veau ; répartissez le mélange sur chacune d'elles ; roulez ; ficelez ; enfarinez légèrement.

- Dans un poêlon, faites fondre le bacon ; ajoutez les paupiettes de veau ; faites dorer ; réduisez le feu.

- Ajoutez les tomates ; couvrez ; laissez mijoter à feu doux 30 minutes ; servez.

Escalopes de veau à l'italienne

Pour un plat authentiquement italien, garnissez d'olives noires ou vertes.

4 portions

2 ml	(1/2 c. à t.) sel
1 ml	(1/4 c. à t.) poivre
15 ml	(1 c. à s.) farine
4	escalopes de veau de 115 g (1/4 lb) chacune
60 ml	(1/4 tasse) beurre
60 ml	(1/4 tasse) vin blanc
2 ml	(1/2 c. à t.) persil
2 ml	(1/2 c. à t.) origan
2 ml	(1/2 c. à t.) basilic
125 ml	(1/2 tasse) sauce tomate

■ Dans un grand plat, mélangez les trois premiers ingrédients ; enfarinez les escalopes de veau.

■ Dans un poêlon, faites fondre le beurre ; faites revenir les escalopes de veau 4 minutes de chaque côté ; gardez au chaud.

■ Déglacez le poêlon au vin blanc ; ajoutez les épices et la sauce tomate ; laissez mijoter sans couvrir, environ 10 minutes ; versez sur la viande ; servez.

* recette illustrée

Escalopes de veau au cheddar

La sauce proposée peut être remplacée par une sauce tomate relevée, qui se mariera fort bien au goût caractéristique du cheddar.

4 portions

4	escalopes de veau de 170 g (6 oz) chacune
	sel et poivre
30 ml	(2 c. à s.) farine
1	œuf, légèrement battu
125 ml	(1/2 tasse) chapelure
80 ml	(1/3 tasse) cheddar doux, râpé
15 ml	(1 c. à s.) huile
15 ml	(1 c. à s.) beurre
500 ml	(2 tasses) champignons
125 ml	(1/2 tasse) bouillon de bœuf
1	petit bouquet de persil, haché

■ Préchauffez le four à 150 °C (300 °F).

■ Aplatissez les escalopes de veau ; salez et poivrez.

■ Dans des bols individuels, versez la farine, l'œuf battu et un mélange de chapelure et de cheddar.

■ Trempez les escalopes de veau dans la farine, dans l'œuf, puis dans le mélange de chapelure et de cheddar.

■ Dans un grand poêlon, faites chauffer l'huile et fondre le beurre ; faites cuire les escalopes de veau ; retirez du poêlon ; gardez au chaud.

■ Dans le même poêlon, faites sauter les champignons ; retirez du feu ; gardez au chaud.

■ Versez ensuite le bouillon de bœuf ; amenez à ébullition ; laissez mijoter 2 à 3 minutes ; rectifiez l'assaisonnement.

■ Dressez les escalopes de veau dans un plat de service ; couvrez de champignons ; nappez de sauce ; garnissez d'un bouquet de persil ; servez.

LES NOISETTES

Les noisettes sont de petits morceaux de veau de 60 à 90 g (2 à 3 oz) chacun, plus ou moins aplatis. Il faut habituellement compter 2 ou 3 noisettes par personne.

Modifiez la sauce en ajoutant une cuillerée de purée de tomates au bouillon, avant de le faire réduire.

4 portions	
45 ml	(3 c. à s.) farine
8	noisettes de veau de 60 g (2 oz) chacune
10 ml	(2 c. à t.) huile végétale
15 ml	(1 c. à s.) beurre
	sel et poivre
375 ml	(1 1/2 tasse) champignons
60 ml	(1/4 tasse) vin blanc
60 ml	(1/4 tasse) bouillon de veau ou de bœuf
60 ml	(1/4 tasse) crème à 35 %
5 ml	(1 c. à t.) persil, haché

- Préchauffez le four à 150 °C (300 °F).

- Enfarinez les noisettes de veau.

- Dans un poêlon, faites chauffer l'huile et fondre le beurre ; faites saisir les noisettes de veau ; réduisez le feu ; poursuivez la cuisson jusqu'à ce que la viande soit rosée à l'intérieur ; salez et poivrez.

- Ajoutez les champignons ; laissez cuire à feu doux.

- Retirez les noisettes de veau ; dressez dans un plat de service allant au four ; gardez au chaud.

- Déglacez le poêlon au vin blanc ; remuez ; laissez réduire presque à sec.

- Incorporez le bouillon ; laissez bouillir jusqu'à ce que la sauce soit réduite de moitié ; rectifiez l'assaisonnement.

- Ajoutez la crème ; versez sur les noisettes de veau ; garnissez de persil ; servez.

Noisettes de veau aux graines de sésame

Ne hachez pas les graines de sésame au mélangeur ; broyez-les plutôt grossièrement. Sinon, elles seront réduites en fine poussière et vous perdrez le plaisir de les sentir craquer sous la dent.

4 portions

15 ml	(1 c. à s.) farine
8	noisettes de veau de 60 g (2 oz) chacune
1	œuf, légèrement battu
30 ml	(2 c. à s.) chapelure
15 ml	(1 c. à s.) graines de sésame, hachées
10 ml	(2 c. à t.) huile d'arachide
4	gouttes d'huile de sésame
15 ml	(1 c. à s.) beurre
	sel et poivre
60 ml	(1/4 tasse) bouillon de bœuf
	jus de 1/2 citron

■ Préchauffez le four à 150 °C (300 °F).

■ Enfarinez les noisettes de veau ; trempez dans l'œuf ; passez dans un mélange de chapelure et de graines de sésame.

■ Dans un poêlon, faites chauffer les huiles et fondre le beurre.

■ Faites saisir les noisettes de veau des deux côtés ; salez et poivrez ; gardez au chaud.

■ Dans le même poêlon, faites chauffer le bouillon de bœuf et le jus de citron ; remuez doucement.

■ Dressez les noisettes de veau dans un plat de service ; nappez de sauce.

VARIANTES

• Substituez des noix aux graines de sésame.

• Arrosez les noisettes de veau de votre jus de fruits préféré additionné de jus de citron ; garnissez de petits morceaux de fruits frais tel qu'illustré ci-contre.

LES MÉDAILLONS

De forme ronde ou ovale, les médaillons sont plus épais que les noisettes. Ils pèsent entre 120 et 180 g (4 et 6 oz) chacun. On les sert habituellement poêlés ou sautés.

Médaillons farcis à la viande

Prenez soin de hacher finement les morceaux de bacon et de jambon composant la farce. Plus fine, la garniture ainsi obtenue sera plus agréable au palais.

4 portions

Farce

125 ml	(1/2 tasse) bacon, en morceaux
125 ml	(1/2 tasse) jambon, cuit, haché
125 ml	(1/2 tasse) bouillon de poulet
	sel et poivre
4	médaillons de filet de veau de 2,5 cm (1 po) d'épaisseur chacun
30 ml	(2 c. à s.) sauce à bifteck, du commerce
30 ml	(2 c. à s.) beurre, fondu
5 ml	(1 c. à t.) huile

■ Préchauffez le four à gril (broil).

■ Dans un poêlon, faites saisir le bacon et le jambon ; remuez délicatement.

■ Dégraissez ; ajoutez une petite quantité de bouillon ; laissez mijoter 4 minutes ; ajoutez le reste du bouillon ; amenez à ébullition ; faites bouillir 1 minute ; salez et poivrez.

■ Taillez une cavité dans le côté des médaillons de veau ; remplissez de farce ; refermez avec un cure-dents ; badigeonnez de sauce à bifteck et de beurre fondu.

■ Déposez sur une claie légèrement huilée ; faites griller à 15 cm (6 po) du feu environ 4 minutes de chaque côté.

■ Arrosez au besoin avec le fond de cuisson.

VARIANTES DE FARCE

• Dans un poêlon, faites fondre 5 ml (1 c. à t.) de beurre ; ajoutez 375 ml (1 1/2 tasse) d'épinards équeutés et nettoyés ; remuez ; salez et poivrez.

• Remplissez chaque cavité de légumes en conserve, tels que carottes, haricots ou maïs.

• Remplissez chaque cavité de fruits en purée ; garnissez de feuilles de menthe.

Médaillons aux 3 poivres

Poivre noir, poivre vert et poivre rose rehaussent la présentation d'un plat. Si, de plus, les crevettes sont de partie, vous pouvez avoir la certitude de ravir vos convives !

4 portions

1	sachet de nouilles orientales, aux crevettes
1	sachet de sauce aux 3 poivres
4	tranches de veau de 115 g (4 oz) chacune
60 ml	(1/4 tasse) sauce à bifteck, du commerce
30 ml	(2 c. à s.) beurre, fondu
	sel et poivre
12	petites crevettes (facultatif)

■ Apprêtez les nouilles et la sauce aux 3 poivres selon le mode d'emploi ; gardez au chaud.

■ Taillez le veau en forme de médaillons ; pratiquez de fines entailles horizontales et verticales sur les deux faces ; badigeonnez de sauce à bifteck.

■ Dans un poêlon, faites fondre le beurre ; faites saisir les médaillons de veau ; réduisez le feu ; salez et poivrez ; laissez cuire 3 à 4 minutes.

■ Dressez dans un plat de service sur un nid de nouilles orientales ; recouvrez de sauce aux 3 poivres ; garnissez de petites crevettes ; servez.

Médaillons aux fines herbes et aux asperges

Un doigt de vin, une touche de crème... il ne manque que la complicité des fines herbes, et vous aurez rapidement préparé un délice dont vous garderez jalousement la recette.

4 portions

60 ml	(1/4 tasse) vin blanc
1	pincée de marjolaine
1	pincée de thym
1	pincée d'origan
1	pincée de basilic
1	sachet de soupe aux asperges
8	tranches de veau de 60 g (2 oz) chacune
	sel et poivre
45 ml	(3 c. à s.) farine
30 ml	(2 c. à s.) beurre
30 ml	(2 c. à s.) crème à 35 %

■ Préchauffez le four à 150 °C (300 °F).

■ Dans un poêlon, à feu moyen, faites chauffer le vin blanc et les fines herbes ; laissez réduire le liquide aux trois-quarts ; gardez au chaud.

■ Préparez la soupe aux asperges selon le mode d'emploi.

■ Taillez le veau en forme de médaillons ; salez et poivrez ; enfarinez.

■ Dans un autre poêlon, faites fondre le beurre ; faites saisir les médaillons de veau ; retirez du feu ; gardez au chaud.

■ Déglacez le poêlon au vin chaud ; ajoutez la soupe aux asperges ; remuez doucement.

■ Versez la crème ; remuez doucement ; rectifiez l'assaisonnement.

■ Dressez les médaillons de veau dans un plat de service ; nappez de sauce ; servez.

LES CÔTELETTES

Couramment servies en France, les côtelettes de veau figurent plus rarement à nos menus. Elles sont pourtant faciles à trouver et à apprêter : la cuisson sous le gril, entre autres, leur convient parfaitement. Pesant entre 240 à 300 g (8 à 10 oz) chacune, elles sont un peu plus grosses que les côtelettes de porc ; elles peuvent néanmoins y être substituées dans la plupart des recettes de côtelettes de porc.

Intrigante, la câpre est tout simplement le bouton floral d'une plante appelée « câprier ». Conservée dans du vinaigre ou de la saumure, elle développe un goût aigrelet qui relève les sauces.

4 portions

Marinade

341 ml	(1 bouteille) bière brune
60 ml	(1/4 tasse) huile végétale
30 ml	(2 c. à s.) sauce soja
4	côtelettes de veau sel et poivre
30 ml	(2 c. à s.) beurre manié
60 ml	(1/4 tasse) câpres au vinaigre

■ Allumez le barbecue ; huilez la grille.

■ Dans un plat, mélangez les ingrédients de la marinade.

■ Deux heures avant la cuisson, faites mariner les côtelettes de veau.

■ Faites égoutter les côtelettes de veau ; épongez ; faites griller 4 minutes de chaque côté. Après 2 minutes de cuisson, tournez d'un quart de tour ; salez et poivrez.

■ Entre-temps, dans une petite casserole, faites chauffer à feu doux la moitié de la marinade ; incorporez le beurre manié ; remuez 3 minutes à l'aide d'un fouet.

■ Versez la sauce dans un plat de service ; déposez les côtelettes de veau sur la sauce ; décorez de câpres.

Côtelettes de veau aux oignons

Ajoutez une touche de couleur en utilisant un oignon rouge.

4 portions

15 ml	(1 c. à s.) huile
30 ml	(2 c. à s.) beurre
4	côtelettes de veau
1	petite gousse d'ail, émincée
1	oignon, tranché finement
	sel et poivre
60 ml	(1/4 tasse) vin blanc
80 ml	(1/3 tasse) crème à 15 %

■ Préchauffez le four à 150 °C (300 °F).

■ Dans un poêlon à fond épais, faites chauffer l'huile et fondre le beurre ; faites revenir les côtelettes de veau environ 6 minutes de chaque côté. Ajoutez l'ail et l'oignon ; faites suer ; salez et poivrez ; retirez les côtelettes ; gardez au chaud.

■ À feu vif, déglacez le poêlon au vin blanc ; laissez réduire de moitié ; ajoutez la crème ; laissez cuire 2 à 3 minutes en remuant constamment. Versez sur les côtelettes ; servez aussitôt.

VARIANTES

• **Substituez à l'oignon des poivrons vert et rouge, taillés en lanières.**

• **Substituez au vin blanc 125 ml (1/2 tasse) de bouillon et/ou à la crème 15 ml (1 c. à s.) de crème sure.**

Côtelettes de veau faciles

Avec du thym frais, ces côtelettes seront encore meilleures ! Utilisez-en alors 1 c. à thé. S'il vous reste quelques brins de thym frais, hachez-les et conservez-les dans l'huile, au réfrigérateur.

4 portions

15 ml	(1 c. à s.) sauce anglaise
5 ml	(1 c. à t.) huile végétale
1 ml	(1/4 c. à t.) thym
4	côtelettes de veau
	sel et poivre
4	tranches de bacon, coupées en quatre

■ Préchauffez le four à gril (broil).

■ Dans un petit bol, versez les 3 premiers ingrédients.

■ Badigeonnez légèrement les côtelettes de veau de ce mélange ; déposez sur une claie ; placez au four à 15 cm (6 po) du gril ; faites griller 2 minutes de chaque côté ; salez et poivrez.

■ Étendez le bacon sur les côtelettes de veau ; placez sous le gril ; laissez environ 6 minutes ; badigeonnez de marinade au besoin.

LES RÔTIS

Rôti de longe de veau

Ce n'est pas sans raison que cette recette traditionnelle soit toujours populaire de nos jours : elle est imbattable ! Elle ne requiert pourtant que des ingrédients qu'on trouve dans tout garde-manger.

6 à 10 portions

30 ml	(2 c. à s.) beurre
30 ml	(2 c. à s.) graisse végétale
	sel et poivre
1	oignon, émincé
5 ml	(1 c. à t.) marjolaine
5 ml	(1 c. à t.) sarriette
10 ml	(2 c. à t.) moutarde sèche
1	longe de veau de 1,4 à 2,3 kg (3 à 5 lb)

■ Préchauffez le four à 220 °C (425 °F).

■ Dans un bol, mélangez le beurre et la graisse végétale ; salez et poivrez.

■ Ajoutez l'oignon émincé ; assaisonnez de marjolaine, de sarriette et de moutarde.

■ Enrobez la longe de veau de ce mélange.

■ Faites cuire au four, sans couvrir, 15 minutes par livre. Arrosez 3 à 4 fois pendant la cuisson ; garnissez d'asperges ; servez.

Légèrement piquante, la sauce au citron éveille agréablement les papilles. En saison, remplacez le citron par des mandarines ou des clémentines et décorez le rôti avec leurs minuscules quartiers.

6 portions

45 ml	(3 c. à s.) huile végétale
1	épaule de veau de 1,4 kg (3 lb) désossée, roulée
3	oignons, hachés
	jus de 2 citrons
	zeste de 1 citron
500 ml	(2 tasses) bouillon de poulet
	cerfeuil, au goût
	thym, au goût
1	feuille de laurier
	sel et poivre
60 ml	(1/4 tasse) beurre manié
125 ml	(1/2 tasse) crème à 15 %

■ Préchauffez le four à 220 °C (425 °F).

■ Dans une cocotte allant au four, faites chauffer l'huile ; faites saisir le veau sur toutes ses faces.

■ Ajoutez les oignons, le jus et le zeste d'un citron, le bouillon de poulet et les assaisonnements ; remuez légèrement ; couvrez ; faites cuire au four 1 1/4 heure.

■ Entre-temps, préparez un beurre manié.

■ À la fin de la cuisson, retirez le rôti de veau de la cocotte ; éteignez le four ; gardez au chaud.

■ Déposez la cocotte sur un rond chaud ; incorporez le beurre manié au jus de cuisson ; ajoutez le jus de l'autre citron ; remuez jusqu'à ce que la sauce devienne lisse.

■ Ajoutez la crème ; faites cuire à feu doux sans laisser bouillir ; rectifiez l'assaisonnement.

■ Dressez le rôti de veau dans un plat de service ; nappez de sauce ; servez.

VARIANTES

• **Garnissez le rôti de veau de quelques variétés d'agrumes.**

• **Substituez au jus et au zeste de citron du jus de tomates et des tomates.**

* recette illustrée

Veau tendre aux 3 sels

Les pommes de terre, les carottes, tous les légumes s'imprégneront de la saveur du veau.

6 portions	
30 ml	(2 c. à s.) beurre
1	rôti de veau de 1,4 kg (3 lb)
250 ml	(1 tasse) eau
1	pincée de sel
1	pincée de sel d'ail
1	pincée de sel d'oignon
250 ml	(1 tasse) bouillon de bœuf
250 ml	(1 tasse) pommes de terre, en cubes
250 ml	(1 tasse) carottes, en cubes
250 ml	(1 tasse) chou chinois, en lanières

■ Dans l'autocuiseur, faites fondre le beurre ; faites brunir le rôti de veau sur toutes ses faces ; versez l'eau ; saupoudrez des 3 sels ; scellez le couvercle ; laissez cuire à feu moyen 1 heure.

■ Ouvrez l'autocuiseur ; arrosez de bouillon de bœuf ; ajoutez les pommes de terre, les carottes et le chou chinois ; scellez le couvercle ; laissez cuire 15 minutes.

■ Rectifiez l'assaisonnement ; servez chaud.

Variantes

• Substituez au sel d'ail des fines herbes.

• Incorporez une variété de légumes, tels que brocoli, haricots jaunes ou verts, chou, oignons, champignons et céleri.

Rôti de veau farci

Tranchez le morceau de veau fumant sur la table : l'arôme de la farce aux pommes mettra vos convives en appétit.

6 à 10 portions	
45 ml	(3 c. à s.) beurre

Farce aux pommes

500 ml	(2 tasses) mie de pain, en cubes
1	oignon, haché finement
3	branches de céleri, en cubes
2	pommes, en cubes
2 ml	(1/2 c. à t.) persil, haché
1 ml	(1/4 c. à t.) marjolaine
1 ml	(1/4 c. à t.) thym
1	rôti de veau de 1,4 à 2,3 kg (3 à 5 lb), désossé

■ Préchauffez le four à 205 °C (400 °F).

■ Dans un grand poêlon, faites fondre le beurre. Incorporez tous les ingrédients de la farce ; faites cuire à feu doux 10 minutes ; laissez refroidir.

■ Remplissez la cavité du rôti de veau de farce ; refermez avec une brochette ou une ficelle.

■ Déposez dans une rôtissoire ; faites cuire, sans couvrir, environ 20 minutes par livre.

Variante

• Vous pouvez utiliser cette farce aux pommes pour farcir d'autres viandes.

LE VEAU EN CUBES

Veau à la crème de champignons

Quelqu'un n'aime pas les champignons ? Utilisez alors une crème d'asperges, de tomates, de chou-fleur ou de brocoli.

4 portions

450 g	(1 lb) veau, en cubes
30 ml	(2 c. à s.) huile végétale
60 ml	(1/4 tasse) céleri, tranché
60 ml	(1/4 tasse) oignon, tranché
60 ml	(1/4 tasse) carotte, en cubes
1	gousse d'ail, émincée
60 ml	(1/4 tasse) sherry, porto ou vin rouge
142 ml	(5 oz) crème de champignons, en conserve
125 ml	(1/2 tasse) eau
	sel et poivre
60 ml	(1/4 tasse) crème sure
2 ml	(1/2 c. à t.) persil, haché

■ Dans un grand poêlon, faites saisir les cubes de veau dans l'huile fumante ; faites revenir les légumes et l'ail ; retirez l'excès d'huile.

■ Déglacez le poêlon au sherry, au porto ou au vin rouge ; laissez réduire de moitié ; ajoutez la crème de champignons et l'eau ; salez et poivrez ; amenez à ébullition.

■ Réduisez le feu à moyen ; couvrez ; laissez mijoter 40 minutes ; retirez du feu. Incorporez la crème sure ; remuez doucement.

■ Dressez dans un plat de service ; parsemez de persil ; servez.

Cette recette qui se congèle et se réchauffe très bien fera le bonheur de ceux qui ont su apprivoiser le duo congélateur-micro-ondes.

■ Préchauffez le four à 190 °C (375 °F).

■ Dans une casserole allant au four, faites chauffer l'huile ; faites revenir l'oignon et saisir le veau en cubes ; ajoutez le poireau, la carotte et le poivron ; arrosez de bouillon ; couvrez ; laissez cuire au four 40 minutes.

■ À la fin de la cuisson, ajoutez le riz, les petits pois, le chou-fleur, la pomme de terre et le navet ; salez et poivrez ; couvrez ; poursuivez la cuisson au four 15 minutes.

* recette illustrée

4 portions

15 ml	(1 c. à s.) huile
1	oignon, tranché
450 g	(1 lb) veau, en cubes
250 ml	(1 tasse) poireau, en rondelles
125 ml	(1/2 tasse) carotte, en tronçons
125 ml	(1/2 tasse) poivron vert ou rouge, en lanières
1 L	(4 tasses) bouillon de bœuf, chaud
60 ml	(1/4 tasse) riz
180 ml	(3/4 tasse) petits pois, frais ou surgelés
180 ml	(3/4 tasse) chou-fleur, en fleurettes
125 ml	(1/2 tasse) pomme de terre, en cubes
125 ml	(1/2 tasse) navet, en cubes
	sel et poivre
	persil, haché
1	pincée d'estragon

Ragoût au cidre de pomme

Pour célébrer ce repas à la mode montérégienne, n'hésitez pas à l'arroser... de cidre!

4 portions

45 ml	(3 c. à s.) farine
5 ml	(1 c. à t.) sel
1 ml	(1/4 c. à t.) poivre
1 ml	(1/4 c. à t.) thym
450 g	(1 lb) veau, en cubes
30 ml	(2 c. à s.) huile végétale
250 ml	(1 tasse) cidre
60 ml	(1/4 tasse) eau
15 ml	(1 c. à s.) vinaigre
2	carottes, en cubes
2	pommes de terre, en cubes
1	oignon, tranché
1	branche de céleri, tranchée
1	pomme, épluchée, en cubes

■ Dans un grand bol, combinez la farine, le sel, le poivre et le thym.

■ Enfarinez le veau en cubes.

■ Dans une cocotte en fonte, faites saisir le veau en cubes dans l'huile fumante ; dégraissez.

■ Versez le cidre, l'eau et le vinaigre ; amenez à ébullition ; remuez de temps en temps pendant la cuisson. Réduisez la chaleur au minimum ; couvrez ; laissez cuire environ 30 minutes, ou jusqu'à ce que la viande soit tendre.

■ Incorporez les légumes et la pomme ; laissez cuire environ 15 minutes, ou jusqu'à ce que les légumes soient cuits.

Veau en cubes, sauce barbecue

Faites mijoter la sauce tandis que se termine la cuisson du veau.

4 portions

Sauce barbecue

10 ml	(2 c. à t.) huile
125 ml	(1/2 tasse) oignon, haché
125 ml	(1/2 tasse) céleri, coupé en biais
1	gousse d'ail, émincée
15 ml	(1 c. à s.) cassonade
15 ml	(1 c. à s.) moutarde douce
142 ml	(5 oz) soupe aux tomates, en conserve
125 ml	(1/2 tasse) eau
5 ml	(1 c. à t.) vinaigre blanc
2 ml	(1/2 c. à t.) thym et romarin, mélangés
1	pincée de poudre de chili
	sel et poivre
15 ml	(1 c. à s.) huile
450 g	(1 lb) veau en cubes

■ Préchauffez le four à 190 °C (375 °F).

■ Dans un poêlon faites chauffer l'huile ; faites suer l'oignon, le céleri et l'ail.

■ Ajoutez la cassonade, la moutarde, la soupe aux tomates, l'eau et le vinaigre ; remuez doucement ; incorporez les épices ; laissez mijoter 10 minutes ; retirez du feu ; réservez.

■ Dans un autre poêlon, faites saisir le veau en cubes dans l'huile fumante.

■ Dans un plat allant au four, déposez la viande ; recouvrez de sauce ; faites cuire au four, à demi couvert, environ 20 minutes.

LES ÉMINCÉS DE VEAU

Émincé de veau chasseur

Les émincés de veau constituent des mets peu coûteux. Ceux-ci sont généralement complets, puisque légumes et sauce sont habituellement mis à cuire avec la viande. Il suffit alors d'accompagner l'émincé de pommes de terre, de riz, de pâtes ou de vol-au-vent.

Champignons, oignon, tomate et vin : voici réunis tous les éléments indispensables à la préparation d'un veau chasseur digne de ce nom.

■ Préchauffez le four à 150 °C (300 °F).

■ Enfarinez le veau en lanières.

■ Dans un poêlon, faites chauffer l'huile ; faites saisir le veau en lanières ; retirez du poêlon ; gardez au chaud.

■ Dans le même poêlon, faites fondre le beurre ; faites suer l'oignon, le poireau et les champignons.

■ Ajoutez le veau en lanières ; faites sauter à feu vif.

■ Déglacez au vin rouge ; laissez réduire de moitié ; versez la tomate et le bouillon de bœuf ; salez et poivrez ; amenez à ébullition ; laissez mijoter à feu doux, 25 minutes.

■ Parsemez de persil ; servez.

VARIANTES

• Ajoutez des légumes verts, tels que petits pois, fleurettes de brocoli et choux de Bruxelles coupés en deux ; versez un peu de crème sur le mélange.

• Substituez au bouillon de bœuf 250 ml (1 tasse) de jus de tomates.

4 portions	
30 ml	(2 c. à s.) farine
450 g	(1 lb) veau, en lanières
15 ml	(1 c. à s.) huile végétale
15 ml	(1 c. à s.) beurre
60 ml	(1/4 tasse) oignon, haché
60 ml	(1/4 tasse) poireau, émincé
125 ml	(1/2 tasse) champignons, émincés
60 ml	(1/4 tasse) vin rouge
125 ml	(1/2 tasse) tomate, concassée
375 ml	(1 1/2 tasse) bouillon de bœuf
	sel et poivre
15 ml	(1 c. à s.) persil, haché

Émincé de veau des neiges

Les pois mange-tout ressemblent à des haricots verts charnus. Comme ils cuisent très vite, on se contente souvent de les faire sauter légèrement. Ici, ils sont cuits dans une sauce béchamel.

4 portions

450 g	(1 lb) veau, en lanières
15 ml	(1 c. à s.) huile végétale
1	gousse d'ail, émincée
60 ml	(1/4 tasse) oignon, haché
60 ml	(1/4 tasse) vin blanc
125 ml	(1/2 tasse) sauce béchamel
125 ml	(1/2 tasse) bouillon de poulet
60 ml	(1/4 tasse) pois mange-tout, coupés en biais
	sel et poivre
60 ml	(1/4 tasse) crème à 15 %

■ Préchauffez le four à 150 °C (300 °F).

■ Dans un poêlon, faites saisir le veau en lanières dans l'huile fumante ; retirez du poêlon ; gardez au chaud.

■ Dans le même poêlon, faites suer l'ail et l'oignon ; dégraissez ; déglacez au vin blanc ; laissez réduire de moitié.

■ Ajoutez la sauce béchamel et le bouillon de poulet ; remuez doucement ; ajoutez les pois ; assaisonnez ; laissez mijoter 20 minutes.

■ Retirez du feu ; ajoutez la crème.

■ Dressez le veau en lanières dans un plat de service ; arrosez de sauce ; servez.

VARIANTES

• En même temps que l'ail et l'oignon, ajoutez 125 ml (1/2 tasse) de pomme de terre et 60 ml (1/4 tasse) de carotte, en petits cubes.

• Substituez au bouillon de poulet, du bouillon de bœuf.

• Saupoudrez les languettes de veau de 125 ml (1/2 tasse) de fromage râpé ; faites gratiner.

• Servez dans des vol-au-vent ou en plat gratiné (voir ci-contre).

LE VEAU HACHÉ

Boulettes de veau en sauce épicée

Le veau haché est moins gras que le porc haché et d'une saveur plus délicate que le bœuf haché. Pour varier, utilisez-le dans l'une ou l'autre de vos recettes nécessitant de la viande hachée.

8 portions

30 ml	(2 c. à s.) beurre
1 kg	(2 1/4 lb) veau, haché
60 ml	(1/4 tasse) chapelure
1	gousse d'ail, émincée
10 ml	(2 c. à t.) moutarde préparée
0,5 ml	(1/8 c. à t.) poivre blanc

Sauce épicée

156 ml	(5 1/2 oz) pâte de tomates, en conserve
180 ml	(3/4 tasse) eau
125 ml	(1/2 tasse) vinaigre de vin
60 ml	(1/4 tasse) jus de citron
30 ml	(2 c. à s.) sauce anglaise
125 ml	(1/2 tasse) cassonade, tassée
5 ml	(1 c. à t.) moutarde sèche
5 ml	(1 c. à t.) sel
1 ml	(1/4 c. à t.) poudre de chili

■ Dans un plat de 17 x 34 cm (7 x 13 po) allant au micro-ondes, déposez le beurre ; placez au micro-ondes ; faites cuire 1 minute à MOYEN ou jusqu'à ce que le beurre soit ramolli ; retirez.

■ Dans un grand bol, combinez tous les ingrédients (sauf ceux de la sauce épicée) ; façonnez 18 boulettes de 2,5 cm (1 po) de diamètre.

■ Déposez les boulettes dans l'assiette de beurre fondu ; recouvrez d'une feuille de papier ciré.

■ Faites cuire à MOYEN, 8 minutes ; faites égoutter les boulettes.

■ Dans un grand bol, mélangez tous les ingrédients de la sauce ; versez sur les boulettes de veau ; recouvrez d'une feuille de papier ciré ; poursuivez la cuisson à MOYEN 8 à 12 minutes, ou jusqu'à ce que les boulettes de viande soient bien cuites.

■ Couvrez ; laissez reposer 5 minutes ; servez.

Côtelettes miniatures

Dépourvues d'os, ces côtelettes miniatures feront la joie des enfants. Servez-les avec des épinards ou du maïs en grains et vous aurez une assiette des plus appétissantes.

4 portions

Boulettes

450 g	(1 lb) veau, haché
	sel et poivre
1	pincée de cari
60 ml	(1/4 tasse) mie de pain
60 ml	(1/4 tasse) ketchup
2 ml	(1/2 c. à t.) poudre de chili
15 ml	(1 c. à s.) huile végétale
15 ml	(1 c. à s.) beurre
250 ml	(1 tasse) riz, cuit

■ Dans un grand bol, mélangez les ingrédients des boulettes ; façonnez en boulettes, puis en petites côtelettes.

■ Dans un poêlon, faites chauffer l'huile et fondre le beurre ; faites cuire les côtelettes ; retirez du poêlon ; gardez au chaud.

■ Dans le gras de cuisson, faites revenir le riz ; rectifiez l'assaisonnement.

■ Dressez les côtelettes dans un plat de service sur des petits îlots de riz.

VARIANTES

• Substituez au veau du bœuf ou un mélange de veau et de bœuf.

• Accompagnez d'une sauce aux tomates ou d'une sauce espagnole.

Chou farci

Si vous préférez servir ce mets en portions individuelles, défaites le chou en feuilles. Blanchissez les feuilles de chou, puis farcissez-les de viande avant de les rouler et de les refermer, à l'aide d'un cure-dents.

4 portions

1	chou cru moyen
30 ml	(2 c. à s.) beurre
1	oignon moyen, haché
500 ml	(2 tasses) veau haché, cuit
250 ml	(1 tasse) riz, cuit
1	pincée de sel de céleri
1	pincée de sarriette
	sel et poivre

■ Taillez une calotte sur le dessus du chou ; évidez le chou.

■ Dans un poêlon, faites fondre le beurre ; faites sauter l'oignon.

■ Ajoutez le veau, le riz, le sel de céleri et la sarriette ; mélangez ; salez et poivrez.

■ Remplissez le chou de ce mélange ; replacez la calotte ; déposez le chou sur un coton fromage ; nouez les extrémités ; réservez.

■ Dans une marmite, versez 9 cm (3 1/2 po) d'eau ; amenez à ébullition ; salez.

■ Déposez le chou dans la marmite ; réduisez le feu ; faites pocher à feu doux 35 minutes.

■ Retirez le chou ; laissez égoutter sur un papier essuie-tout.

■ Servez avec une sauce tomate.

VARIANTES

• Ajoutez des champignons frais et du parmesan à la farce.

• Faites pocher le chou dans un bouillon de bœuf additionné d'un peu de jus de légumes.

• Farcissez des poivrons ou des tomates au lieu du chou tel qu'illustré ci-contre.

LES OSSO BUCO

Osso Buco classique

Ce sont les jarrets de veau non désossés qui donnent son nom à l'osso buco (traduction littérale : « os à trou »). Braisés au bouillon, les morceaux de veau sont ensuite aromatisés à l'oignon et à la tomate.

4 portions

45 ml	(3 c. à s.) huile
900 g	(2 lb) jarret de veau, en rouelles
30 ml	(2 c. à s.) oignon, haché
1 L	(4 tasses) bouillon de bœuf
15 ml	(1 c. à s.) pâte de tomates
1	feuille de laurier
1	pincée de thym
10 ml	(2 c. à t.) persil
	sel et poivre
30 ml	(2 c. à s.) beurre manié

■ Dans une cocotte, faites chauffer l'huile ; faites saisir les jarrets de veau ; ajoutez les oignons hachés ; mélangez.

■ Incorporez la pâte de tomates ; mouillez avec le bouillon de bœuf ; assaisonnez de laurier, de thym et de persil ; salez et poivrez. Laissez mijoter environ 1 heure.

■ Dressez la viande dans un plat de service ; gardez au chaud. Liez la sauce avec le beurre manié ; rectifiez l'assaisonnement ; versez sur la viande ; servez.

Le mot « rouelle » désigne une épaisse tranche de viande en forme de roue.

4 portions

900 g	(2 lb) jarret de veau, en rouelles
45 ml	(3 c. à s.) huile
15 ml	(1 c. à s.) oignon, haché
1	gousse d'ail, émincée
15 ml	(1 c. à s.) pâte de tomates
30 ml	(2 c. à s.) farine
500 ml	(2 tasses) bouillon de bœuf
500 ml	(2 tasses) bouillon de volaille
1	feuille de laurier
1	pincée de romarin
1 ml	(1/4 c. à t.) poivre noir, moulu
1 ml	(1/4 c. à t.) muscade
10 ml	(2 c. à t.) persil
	sel
4	endives, coupées en deux
125 ml	(1/2 tasse) champignons, émincés

■ Dans une cocotte, faites chauffer l'huile ; faites saisir les jarrets de veau ; ajoutez l'oignon et l'ail ; mélangez.

■ Incorporez la pâte de tomates et la farine.

■ Mouillez avec les deux bouillons ; assaisonnez de laurier, de romarin, de poivre, de muscade, de persil et de sel ; laissez mijoter environ 1 heure.

■ À mi-cuisson, ajoutez les endives ; 15 minutes avant la fin de la cuisson, ajoutez les champignons ; rectifiez l'assaisonnement ; servez.

* recette illustrée

Comment préparer et faire cuire les rognons

■ Enlevez la petite peau transparente qui recouvre les rognons. Posez-les bien à plat, à l'envers, et retirez la graisse à l'aide d'un couteau pointu.

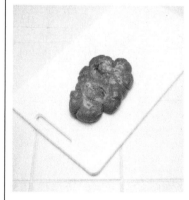

■ Après avoir retiré le plus de graisse possible, les rognons devraient avoir la même apparence que ceux de l'illustration. Vous pouvez les farcir, puis les ficeler ou les faire cuire tels quels.

■ Faites saisir à l'huile fumante une des faces des rognons.

■ Retournez-les et faites cuire au four à 205 °C (400 °F), environ 5 minutes.

■ Entre-temps, dans un autre poêlon, faites suer des oignons et de l'ail hachés. Ajoutez du bouillon de bœuf et laissez réduire de moitié.

■ Incorporez de la moutarde en grains et mélangez.

■ Au sortir du four, nappez les rognons de cette sauce.

Foie et rognons marinés

Assurez-vous de bien assécher les abats avec un linge propre avant de les enfariner et de les faire sauter dans l'huile fumante.

4 portions

Marinade

180 ml	(3/4 tasse) jus de tomates
45 ml	(3 c. à s.) jus de citron
45 ml	(3 c. à s.) huile
45 ml	(3 c. à s.) oignon, haché
2	feuilles de laurier, émiettées

450 g	(1 lb) abats

■ Dans un bol, mélangez le jus de tomates, le jus de citron, l'huile, l'oignon et le laurier ; versez sur les abats ; laissez au réfrigérateur au moins 12 heures.

■ Asséchez les abats ; enfarinez ; réservez.

■ Dans un poêlon, faites revenir dans l'huile fumante.

145

Foie de veau à l'orange

Le foie de veau est le plus savoureux de tous. Sa chair rose pâle reste moelleuse après la cuisson.

4 portions	
4	tranches de foie de veau
20 ml	(4 c. à t.) moutarde douce
45 ml	(3 c. à s.) farine
30 ml	(2 c. à s.) huile
	sel
	jus de 3 oranges
45 ml	(3 c. à s.) beurre
45 ml	(3 c. à s.) curaçao
1	orange sans pépins, tranchée finement

■ Préchauffez le four à 150 °C (300 °F).

■ Badigeonnez les tranches de veau de moutarde douce ; enfarinez.

■ Dans un poêlon, faites saisir dans l'huile fumante, 3 minutes de chaque côté ; salez.

■ Dressez dans un plat de service allant au four ; gardez au chaud.

■ Dans le même poêlon, versez le jus d'orange ; ajoutez le beurre et le curaçao ; laissez bouillir 3 minutes.

■ Versez sur les tranches de foie de veau ; amenez à ébullition ; garnissez de fines tranches d'orange.

Foie de veau Romano

Le yogourt permet de créer une sauce à la fois crémeuse et légère.

4 portions	
30 ml	(1 c. à s.) huile d'arachide
125 ml	(1/2 tasse) oignon, haché
2	gousses d'ail, émincées
80 ml	(1/3 tasse) vin blanc sec
80 ml	(1/3 tasse) jus de tomates
30 ml	(2 c. à s.) farine
2 ml	(1/2 c. à t.) moutarde sèche
450 g	(1 lb) foie de veau, tranché
	sel et poivre
125 ml	(1/2 tasse) yogourt nature, maigre
45 ml	(3 c. à s.) romano, râpé
	persil frais, haché

■ Préchauffez le four à 150 °C (300 °F).

■ Dans un poêlon, faites chauffer 15 ml (1 c. à s.) d'huile ; faites suer les oignons et l'ail ; dégraissez ; ajoutez le vin et le jus de tomates ; laissez mijoter 4 minutes ; gardez au chaud.

■ Mélangez la farine et la moutarde sèche ; passez les tranches de foie de veau dans ce mélange.

■ Dans un autre poêlon, faites chauffer 30 ml (2 c. à s.) d'huile ; faites saisir le foie de veau ; salez et poivrez ; gardez au chaud.

■ Dans un bol, mélangez le yogourt au reste de farine et de moutarde sèche ; versez dans la sauce tomate ; laissez cuire à feu doux 3 à 4 minutes.

■ Faites cuire le foie de veau dans ce mélange 5 minutes.

■ Saupoudrez de romano ; garnissez de persil ; servez.

Rognons aux échalotes confites

Attention : ne pas confondre «échalotes françaises» et «oignons verts».

4 portions

450 g	(1 lb) rognons entiers, nettoyés
30 ml	(2 c. à s.) huile d'arachide
5 ml	(1 c. à t.) huile végétale
15 ml	(1 c. à s.) beurre
60 ml	(1/4 tasse) échalotes françaises, émincées
15 ml	(1 c. à s.) porto ou vin rouge
2 ml	(1/2 c. à t.) miel
15 ml	(1 c. à s.) vinaigre de vin ou vinaigre de cassis
125 ml	(1/2 tasse) bouillon de bœuf
	sel et poivre

■ Préchauffez le four à 175 °C (350 °F).

■ Dans un poêlon en fonte allant au four, faites saisir les rognons sur trois faces dans l'huile d'arachide fumante.

■ Retournez la face non saisie dans l'huile ; placez le poêlon au four 5 minutes.

■ Dans un autre poêlon, faites chauffer l'huile végétale et fondre le beurre ; faites suer les échalotes ; versez le porto, le miel et le vinaigre de vin ; laissez réduire presque à sec.

■ Ajoutez le bouillon de bœuf ; salez et poivrez ; laissez réduire le liquide du tiers ; retirez du feu.

■ Sortez les rognons du four ; laissez reposer 2 à 3 minutes.

■ Tranchez à 1 cm (1/2 po) d'épaisseur ; dressez dans un plat de service ; nappez de sauce ; parsemez d'échalotes.

Rognons à la moutarde à l'ancienne

La moutarde à l'ancienne, aux graines grossièrement concassées, est aussi appelée «moutarde de Meaux».

4 portions

450 g	(1 lb) rognons entiers, nettoyés
30 ml	(2 c. à s.) huile d'arachide
15 ml	(1 c. à s.) beurre
1	gousse d'ail, émincée
15 ml	(1 c. à s.) oignon, haché
45 ml	(3 c. à s.) vinaigre de vin
125 ml	(1/2 tasse) bouillon de bœuf
20 ml	(4 c. à t.) moutarde en grains
5 ml	(1 c. à t.) persil, haché
	sel et poivre

■ Préchauffez le four à 175 °C (350 °F).

■ Dans un poêlon en fonte, faites saisir les rognons sur trois faces dans l'huile fumante.

■ Retournez la face non saisie dans l'huile ; placez au four 5 minutes.

■ Dans un autre poêlon, faites fondre le beurre ; faites revenir l'ail et l'oignon.

■ Déglacez au vinaigre de vin ; laissez réduire de moitié.

■ Ajoutez le bouillon de bœuf ; laissez réduire du tiers ; retirez du feu ; ajoutez la moutarde ; remuez délicatement.

■ Retirez les rognons du four ; imprégnez de sauce ; assaisonnez ; parsemez de persil ; servez.

147

L'AGNEAU

Printemps et agneau vont de pair. Nombreuses sont d'ailleurs les nations dont le menu pascal est traditionnellement composé d'un rôti d'agneau.

Nos supermarchés offrent surtout de l'agneau de Nouvelle-Zélande surgelé, découpé en gigot, en épaule ou en côtelettes, ou apprêté en saucisses.

Les éleveurs québécois proposent également un agneau de très grande qualité, vendu en coupes fraîches. Nourri au grain plutôt qu'à l'herbe, l'agneau du Québec arrive plus rapidement à maturité que son homologue d'Océanie. Abattu plus jeune, il offre par conséquent une chair plus tendre et plus maigre. L'agneau constitue une industrie encore jeune au Québec, mais les éleveurs commencent à structurer davantage leurs activités et leur produit sera de plus en plus présent dans les épiceries, au cours des prochaines années.

LES MÉDAILLONS

Les médaillons sont des morceaux de forme ronde ou ovale, détaillés dans une pièce de viande. Non seulement agréables au goût parce que leur cuisson légère les garde tendres, ces petits morceaux de viande désossée permettent également de préparer des plats de fort belle présentation.

Le cresson de terre — ou de jardin — se vend en botte, au rayon des verdures de la plupart des supermarchés. Dans les épiceries fines, on trouve également du cresson de fontaine, cultivé dans l'eau.

4 portions

4	longes d'agneau, désossées
30 ml	(2 c. à s.) beurre
	sel et poivre
1	pincée de thym
1	botte de cresson
2	tomates, en petits cubes
1	gousse d'ail, émincée
125 ml	(1/2 tasse) jus de tomates
5 ml	(1 c. à t.) jus de citron

■ Préchauffez le four à 130 °C (275 °F).

■ Découpez chaque longe d'agneau en 4 médaillons ; aplatissez légèrement.

■ Dans un poêlon, faites fondre le beurre ; faites revenir les médaillons environ 2 minutes de chaque côté ; assaisonnez de sel, de poivre et de thym. Retirez du poêlon ; gardez au chaud.

■ Dans le beurre de cuisson, ajoutez le cresson, les tomates et l'ail ; laissez mijoter 30 secondes en remuant. Ajoutez les jus de tomates et de citron ; poursuivez la cuisson environ 1 minute.

■ Rectifiez l'assaisonnement ; nappez les médaillons de sauce ; garnissez d'un petit bouquet de cresson.

VARIANTES

- **Substituez au cresson des épinards, de la laitue ou du chou coupé en julienne.**

- **Substituez au jus de tomates un coulis de courgette préparé ainsi : dans 30 ml (2 c. à s.) de beurre, faites cuire une courgette émincée et un peu d'ail ; passez au mélangeur.**

- **Substituez au cresson et à la tomate une fine julienne de concombre étuvé au beurre et quelques feuilles de menthe.**

Médaillon d'agneau bergère

Le parfum de l'ail se marie merveilleuse-ment bien à la saveur de l'agneau.

4 portions

45 ml	(3 c. à s.) beurre
1	poivron rouge, émincé
1	poivron vert, émincé
1	oignon, émincé
	sel et poivre
4	gousses d'ail, émincées
125 ml	(1/2 tasse) lait
4	longes d'agneau, désossées
	thym et romarin, au goût

■ Dans un poêlon, faites fondre le beurre ; faites revenir la moitié des poivrons (rouge et vert) et l'oignon ; salez et poivrez ; mélangez ; faites cuire à feu doux environ 7 minutes.

■ Ajoutez l'ail ; versez le lait ; mélangez ; poursuivez la cuisson à feu doux 10 minutes. Passez au mélangeur jusqu'à consistance lisse ; réservez.

■ Faites blanchir le reste des poivrons à l'eau bouillante salée, 3 minutes ; égouttez ; réservez.

■ Découpez chaque longe d'agneau en 4 médaillons ; aplatissez légèrement.

■ Dans un poêlon, faites fondre le beurre ; faites cuire les médaillons d'agneau ; assaisonnez de sel, de poivre, de thym et de romarin.

■ Dressez les médaillons dans le plat de service ; gardez au chaud.

■ Dans le gras de cuisson, faites revenir les poivrons blanchis, environ 1 minute ; versez sur les médaillons ; nappez de sauce ; servez.

VARIANTES

• Substituez aux poivrons des échalotes. Dressez le tout sur un lit de petits croûtons frits au beurre (voir ci-contre).

• Substituez au lait du bouillon ou du consommé. Garnissez le fond de votre plat d'une rosace de concombres émincés, blanchis 2 minutes.

• Substituez aux poivrons émincés des poivrons en petits cubes ; disposez en étages ; garnissez de morceaux de céleri légèrement enfarinés et frits.

LES FILETS

Casserole de filets d'agneau provençale

En décorant ce plat d'olives noires ou vertes dénoyautées, vous lui ajouterez une note typiquement provençale.

4 portions

10 ml	(2 c. à t.) huile d'olive
30 ml	(2 c. à s.) beurre
12	filets d'agneau
	sel et poivre
1	pincée de thym
1	pincée de romarin
20	oignons de semence
5 ml	(1 c. à t.) sucre
6	gousses d'ail, émincées
30 ml	(2 c. à s.) persil
1	tomate, en dés
125 ml	(1/2 tasse) bouillon
10 ml	(2 c. à t.) jus de citron
60 ml	(1/4 tasse) chapelure

■ Préchauffez le four à gril (broil).

■ Dans un poêlon, faites chauffer l'huile et fondre le beurre ; faites dorer les filets d'agneau ; assaisonnez de sel, de poivre, de thym et de romarin ; retirez du poêlon ; gardez au chaud.

■ Dans le gras de cuisson, faites dorer à feu modéré les oignons de semence et le sucre. Ajoutez l'ail, le persil et la tomate ; poursuivez la cuisson 1 minute.

■ Incorporez le bouillon et le jus de citron ; poursuivez la cuisson jusqu'à réduction du liquide aux trois-quarts.

■ Dressez les filets dans un plat allant au four ; nappez de sauce ; soupoudrez de chapelure ; faites dorer sous le gril ; servez.

Ajoutez une aubergine pelée, que vous aurez préalablement coupée en cubes et fait dégorger et vous obtiendrez une délicieuse ratatouille niçoise.

Certains ajoutent aussi une pomme de terre en morceaux.

4 portions

30 ml	(2 c. à s.) beurre
12	filets d'agneau
	sel et poivre
1	courgette, en dés
60 ml	(1/4 tasse) oignon, haché
1	poivron rouge, en dés
1	petite carotte, en dés
1	tomate, en dés
3	gousses d'ail, émincées
1	pincée de thym
1	feuille de laurier
180 ml	(3/4 tasse) jus de tomates
20 ml	(4 c. à t.) persil, haché

■ Dans un poêlon, faites fondre le beurre ; faites revenir les filets d'agneau.

■ Retirez du poêlon ; salez et poivrez.

■ Dans le gras de cuisson, ajoutez les légumes, l'ail, le thym et le laurier ; assaisonnez ; laissez cuire jusqu'à évaporation complète du liquide.

■ Ajoutez le jus de tomates ; poursuivez la cuisson à feu modéré 5 minutes.

■ A la fin de la cuisson, placez les filets d'agneau dans la ratatouille 1 minute afin de les réchauffer.

■ Dressez les filets d'agneau dans un plat de service ; nappez de ratatouille ; saupoudrez de persil.

* recette illustrée

LES BIFTECKS

Bifteck de gigot d'agneau mariné

Vous pouvez remplacer le gingembre en poudre par 1/2 c. à thé de gingembre frais, râpé.

4 portions

4	gousses d'ail, émincées
4	tranches de gigot

Marinade

45 ml	(3 c. à s.) huile d'olive
5	feuilles de menthe, ciselées
125 ml	(1/2 tasse) vin blanc sec
1	pincée de thym
1	pincée de gingembre
	sel et poivre
5 ml	(1 c. à t.) poivre noir, concassé

■ Préchauffez le four à gril (broil).

■ Piquez d'ail les tranches de gigot.

■ Dans un bol, mélangez les ingrédients de la marinade ; ajoutez les tranches de gigot ; laissez mariner environ 6 heures ; retournez de temps en temps.

■ Dressez sur une plaque de cuisson ; placez sous le gril ; laissez cuire environ 6 minutes de chaque côté.

■ Avant de servir, badigeonnez légèrement de marinade.

La marinade parfume délicatement la viande.

Rappelez-vous que les meilleures huiles d'olive sont celles qui ont été pressées à froid.

4 portions

Marinade

30 ml	(2 c. à s.) huile d'olive
16	échalotes françaises, émincées
5 ml	(1 c. à t.) estragon
10 ml	(2 c. à t.) basilic, émincé
5 ml	(1 c. à t.) persil, haché
1	pincée de thym
	sel et poivre
4	tranches de gigot
30 ml	(2 c. à s.) beurre

■ Huit heures à l'avance, dans un petit bol, mélangez les ingrédients de la marinade ; recouvrez-en les biftecks de gigot et laissez mariner au réfrigérateur.

■ Dans un poêlon, faites fondre le beurre ; faites cuire à feu modéré les tranches de gigot marinées environ 4 à 6 minutes de chaque côté.

■ Avant de servir, badigeonnez légèrement de marinade.

* recette illustrée

LES GIGOTS

Le gigot correspond à la cuisse arrière de l'agneau. Ce morceau est à son meilleur lorsqu'on le fait rôtir. Grâce à la graisse qui l'entoure, il suffit de le badigeonner légèrement d'un corps gras pour que sa chair ne s'assèche pas pendant la cuisson.

Comment désosser et farcir un gigot

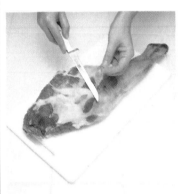

- *Dégraissez le gigot en ne laissant qu'une mince couche de gras.*

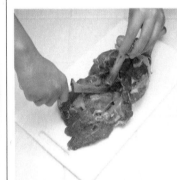

- *Retournez le gigot et, à l'aide d'un couteau pointu, dégagez l'os.*

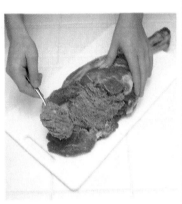

- *Le premier os étant retiré, dégagez la tête du second os.*

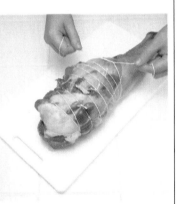

- *Avec la pointe du couteau, dégagez progressivement l'os, sans déchirer la viande.*

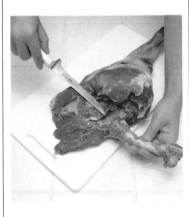

- *Retirez le deuxième os.*

- *Remplissez la cavité de farce.*

- *Repliez et ficelez.*

- *Coupez le manche du gigot. Il est maintenant prêt à cuire.*

3 farces exotiques pour le gigot

Au poulet et champignons

- Dans un bol, mélangez 450 g (1 lb) de poulet haché, 1 oignon haché, 250 ml (1 tasse) de champignons en quartiers, 3 gousses d'ail émincées, 2 œufs et 60 ml (1/4 tasse) de persil haché.

- Salez et poivrez.

- Remplissez la cavité du gigot de ce mélange ; ficelez.

Aux fines herbes

- Badigeonnez l'intérieur du gigot de 45 ml (3 c. à s.) de moutarde de Dijon.

- Mélangez 5 ml (1 c. à t.) d'estragon, 5 ml (1 c. à t.) de basilic, 15 ml (1 c. à s.) de persil, 15 ml (1 c. à s.) de menthe et 4 gousses d'ail ; hachez ; incorporez 1 œuf ; salez et poivrez.

- Farcissez le gigot de ce mélange ; ficelez.

Aux fruits et à la menthe

- Mélangez 60 ml (1/4 tasse) de poires en conserve, 60 ml (1/4 tasse) de pêches en conserve et 125 ml (1/2 tasse) de framboises surgelées ; laissez bien égoutter ; ajoutez 15 ml (1 c. à s.) de menthe hachée.

- Farcissez le gigot de ce mélange ; ficelez.

Gigot d'agneau farci

Il est préférable de faire dégeler le gigot au réfrigérateur.

8 portions

450 g	(1 lb) veau, haché
1	oignon, haché
125 ml	(1/2 tasse) chapelure
60 ml	(1/4 tasse) lait
4	gousses d'ail, émincées
80 ml	(1/3 tasse) persil, haché
2	œufs
1	gigot d'agneau de 2 kg (4 1/2 lb), désossé
60 ml	(1/4 tasse) beurre
	sel et poivre
1	pincée de thym
250 ml	(1 tasse) consommé de bœuf

■ Préchauffez le four à 230 °C (450 °F).

■ Dans un bol, mélangez le veau, l'oignon, la chapelure, le lait, l'ail, le persil et les œufs. Farcissez le gigot de ce mélange ; ficelez.

■ Badigeonnez de beurre ; faites dorer au four environ 10 minutes. Réduisez la température du four à 175 °C (350 °F).

■ Assaisonnez de sel, de poivre et de thym ; incorporez le consommé.

■ Faites cuire le gigot 60 minutes ; arrosez souvent.

■ Retirez le gigot du four ; découpez en tranches fines ; gardez au chaud.

■ Laissez réduire le jus de cuisson ; versez sur les tranches de gigot.

■ Servez avec des légumes variés et des pommes de terre rissolées.

155

Gigot d'agneau boulangère

Les pommes de terre s'imbiberont des délicieux sucs libérés lors de la cuisson.

8 portions	
1	gigot d'agneau de 2 kg (4 1/2 lb)
	sel et poivre
1	pincée de thym
30 ml	(2 c. à s.) huile
30 ml	(2 c. à s.) beurre
500 ml	(2 tasses) oignons, émincés
750 ml	(3 tasses) pommes de terre, émincées
500 ml	(2 tasses) fond blanc (volaille ou consommé)
125 ml	(1/2 tasse) persil, haché

■ Préchauffez le four à 220 °C (425 °F).

■ Désossez et ficelez le gigot ; assaisonnez de sel, de poivre et de thym.

■ Dans une cocotte allant au four, faites chauffer l'huile et fondre le beurre ; faites revenir le gigot.

■ Réduisez la température du four à 175 °C (350 °F) ; faites cuire le gigot environ 30 minutes.

■ Ajoutez les oignons et les pommes de terre ; mouillez avec le fond blanc ; amenez à ébullition ; poursuivez la cuisson environ 30 minutes. Rectifiez l'assaisonnement

■ À la fin de la cuisson, découpez le gigot en fines tranches. Parsemez les pommes de terre de persil haché ; vérifiez l'assaisonnement.

Gigot d'agneau à l'ail

Le gigot entier est plus difficile à découper que le gigot désossé, mais son goût est beaucoup plus raffiné.

8 portions	
1	gigot d'agneau de 2 kg (4 1/2 lb), non désossé
20 ml	(4 c. à t.) moutarde de Dijon
20 ml	(4 c. à t.) concentré de tomates
	sel et poivre
1	pincée de thym
1	pincée de romarin
6	gousses d'ail, blanchies 5 minutes
24	oignons de semence
15 ml	(1 c. à s.) sucre
20 ml	(4 c. à t.) jus de citron
250 ml	(1 tasse) consommé

■ Préchauffez le four à 230 °C (450 °F).

■ Badigeonnez le gigot d'agneau de moutarde et de concentré de tomates ; assaisonnez de sel, de poivre, de thym et de romarin ; faites dorer le gigot d'agneau au four.

■ Réduisez la température du four à 175 °C (350 °F) ; poursuivez la cuisson environ 60 minutes. À mi-cuisson, ajoutez l'ail, les oignons, le sucre et le jus de citron.

■ Aux trois-quarts de la cuisson, incorporez le consommé. Terminez la cuisson en arrosant.

■ Retirez le gigot d'agneau du four ; découpez en tranches fines ; gardez au chaud.

■ Laissez réduire le jus de cuisson ; versez sur les tranches de gigot.

Roulé d'agneau

Juste avant de servir, n'oubliez pas de retirer les cure-dents!

4 portions

15 ml	(1 c. à s.) moutarde, préparée
8	tranches de rôti d'agneau, cuit
45 ml	(3 c. à s.) beurre
1	petit oignon, émincé
250 ml	(1 tasse) champignons, en conserve
250 ml	(1 tasse) soupe aux tomates, en conserve
	sel et poivre
20 ml	(4 c. à t.) persil
2 ml	(1/2 c. à t.) fines herbes

■ Badigeonnez de moutarde chaque tranche de rôti d'agneau.

■ Dans un poêlon, faites fondre le beurre ; faites sauter l'oignon et les champignons ; salez et poivrez ; répartissez entre les tranches d'agneau.

■ Roulez chaque tranche ; rabattez les extrémités ; fixez avec des cure-dents.

■ Versez la soupe aux tomates dans une cocotte ; ajoutez les roulés d'agneau, le persil et les fines herbes ; laissez mijoter environ 5 à 10 minutes.

VARIANTES

• Substituez à la soupe aux tomates, une soupe aux asperges et, aux champignons, des asperges en conserve.

• Substituez à la soupe aux tomates, une crème de champignons.

LES LONGES

Comment désosser une longe d'agneau

- *Glissez la lame du couteau entre les os et la chair. Continuez toujours contre les os sous la longe.*

- *Dégagez la longe.*

- *Parez la longe en retirant le gras et le tendon.*

Comment farcir une longe d'agneau

- *Enfoncez la lame d'un couteau fin au centre de la longe parée, d'un côté d'abord.*

- *Enfoncez la lame de l'autre côté ; élargissez légèrement la fente pour former une cavité.*

- *Avec un sac à pâtisserie muni d'une douille, remplissez la cavité de farce.*

- *Étalez la farce uniformément à l'intérieur de la cavité en appuyant avec la main.*

Comment tailler une longe pour la rouler

- *Coupez la longe sur l'épaisseur, à la moitié de sa hauteur et ouvrez-la en portefeuille.*

- *Farcissez la longe.*

- *Refermez la longe, roulez et ficelez.*

158

Roulade d'agneau aux noisettes

Vous trouverez facilement des noisettes (avelines) en sachet dans toute les épiceries, au rayon des ingrédients pour la pâtisserie.

4 portions

4	longes d'agneau, désossées
60 ml	(1/4 tasse) beurre
1	oignon, émincé
30	noisettes, hachées
1	carotte, en julienne
1	gousse d'ail, émincée
	sel et poivre
1	pincée de thym
	sauce au poivre vert
30 ml	(2 c. à s.) persil, haché

■ Préchauffez le four à 190 °C (375 °F).

■ Ouvrez les longes d'agneau en portefeuille.

■ Dans un poêlon, faites fondre la moitié du beurre ; faites revenir l'oignon, les noisettes, la carotte et l'ail ; assaisonnez de sel, de poivre et de thym ; faites cuire environ 3 minutes.

■ Répartissez le mélange entre les longes d'agneau ; roulez ; ficelez.

■ Dans le poêlon, faites fondre le reste du beurre ; faites dorer les roulades d'agneau.

■ Faites cuire au four environ 15 minutes ; laissez reposer 5 minutes avant de trancher.

■ Dressez dans un plat de service ; nappez de sauce au poivre vert ; parsemez de persil ; servez.

VARIANTE

• Accompagnez de concombres aux fines herbes et à la menthe tel qu'illustré ci-contre.

Les carrés

Comment parer un carré d'agneau

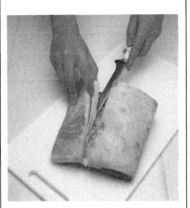

- Incisez la peau à mi-hauteur des os. Enlevez le gras des côtes.

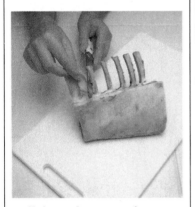

- Enlevez le gras entre chaque os. Grattez chacun des os pour qu'il soit bien lisse.

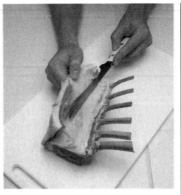

- Enlevez une bonne partie du gras sur la viande.

- Retirez le nerf le long de la longe. Le carré paré est prêt à cuire.

En parant le carré d'agneau avant sa cuisson, vous faciliterez son découpage lors du service.

4 portions	
115 g	(1/4 lb) blanc de poulet, cru, haché
15 ml	(1 c. à s.) basilic, haché
15 ml	(1 c. a s.) persil, haché
1	gousse d'ail, émincée
1	œuf
30 ml	(2 c. à s.) crème à 35 %
30 ml	(2 c. à s.) beurre
2	carrés d'agneau, parés sel et poivre
1	pincée de thym sauce à l'ail et à la tomate

- Préchauffez le four à 220 °C (425 °F).

- Dans un petit bol, mélangez le poulet, le basilic, le persil et l'ail ; incorporez l'œuf.

- Ajoutez la crème petit à petit ; mélangez ; salez et poivrez.

- Avec un couteau à lame fine, formez une cavité en transperçant la viande du côté droit, puis du côté gauche.

- Remplissez la cavité de farce à l'aide d'un sac à pâtisserie muni d'une douille.

- Dans une cocotte allant au four, faites fondre le beurre ; faites revenir les carrés d'agneau à feu vif ; assaisonnez de sel, de poivre et de thym. Faites cuire au four 20 minutes.

- Servez avec une sauce à l'ail et à la tomate.

Carré d'agneau garni

Les lardons sont des petits morceaux de lard maigre qu'on fait revenir pour accompagner certains plats.

4 portions

30 ml	(2 c. à s.) beurre
2	carrés d'agneau, parés
	sel et poivre
1	pincée de thym
115 g	(1/4 lb) lardons, fumés
20	oignons de semence
227 ml	(8 oz) champignons, en conserve
4	pommes de terre, moyennes, tranchées
1	gousse d'ail, émincée
30 ml	(2 c. à s.) persil

■ Préchauffez le four à 175 °C (350 °F).

■ Dans une cocotte, faites fondre le beurre ; faites dorer les carrés d'agneau ; assaisonnez de sel, de poivre et de thym ; ajoutez les lardons et les légumes.

■ Faites cuire au four, à découvert, environ 30 minutes ; arrosez de temps en temps avec le jus de cuisson.

■ Retirez du four ; dressez dans un plat de service ; gardez au chaud.

■ Dégraissez le jus de cuisson ; ajoutez l'ail et le persil ; mélangez ; versez sur les carrés d'agneau ; servez.

La persillade est un assaisonnement à base de fines herbes, de persil haché, d'ail et d'huile parfois additionné de mie de pain ou de chapelure.

4 portions

30 ml	(2 c. à s.) beurre
2	carrés d'agneau, parés
	sel et poivre
	thym et romarin
1	feuille de laurier, émiettée
60 ml	(1/4 tasse) chapelure
10 ml	(2 c. à t.) huile d'olive
30 ml	(2 c. à s.) persil, haché
2	gousses d'ail, émincées
250 ml	(1 tasse) eau

■ Préchauffez le four à 230 °C (450 °F).

■ Dans un poêlon, faites fondre le beurre ; faites dorer les carrés d'agneau à feu vif.

■ Dans un bol, mélangez les épices ; assaisonnez les carrés d'agneau de ce mélange.

■ Faites cuire au four environ 15 minutes ; retournez à mi-cuisson.

■ Dans un autre bol, mélangez la chapelure, l'huile, le persil et l'ail.

■ À la fin de la cuisson, couvrez le côté gras des carrés d'agneau du mélange de chapelure. Faites colorer au four ; dressez dans un plat de service ; gardez au chaud.

■ Dégraissez le jus de cuisson ; ajoutez l'eau ; laissez réduire de moitié ; versez sur les carrés d'agneau découpés ; servez.

* recette illustrée

VARIANTES

• Ajoutez 30 ml (2 c. à s.) de parmesan à la chapelure pour donner une touche italienne aux carrés d'agneau.

• Apprêtez le carré d'agneau de la même façon que le gigot d'agneau boulangère (voir recette).

• Avant la cuisson, badigeonnez les carrés d'un mélange d'une portion de moutarde pour deux portions de concentré de tomates.

• Substituez à l'huile d'olive du bacon haché. En fin de cuisson, parsemez de cheddar râpé ; faites gratiner légèrement.

LES CÔTELETTES

Côtelettes d'agneau piquantes

Dosez la poudre de cari pour obtenir un plat plus ou moins épicé, selon les préférences de votre famille.

4 portions

12	côtelettes d'agneau
45 ml	(3 c. à s.) huile végétale
10 ml	(2 c. à t.) poudre de cari
1	oignon moyen, haché
125 ml	(1/2 tasse) bouillon de bœuf ou eau
1 ml	(1/4 c. à t.) gingembre
1 ml	(1/4 c. à t.) moutarde sèche
2 ml	(1/2 c. à t.) sel
60 ml	(1/4 tasse) crème à 15 %

■ Enlevez le surplus de gras des côtelettes d'agneau.

■ Dans un poêlon, faites chauffer l'huile ; faites rissoler l'oignon sans le laisser brunir et ajoutez le cari.

■ Ajoutez les côtelettes d'agneau ; faites dorer.

■ Incorporez le bouillon de bœuf ou l'eau ; assaisonnez ; couvrez ; laissez mijoter à feu doux jusqu'à ce que la viande soit tendre, mais juteuse (20 à 25 minutes).

■ Faites chauffer la crème ; versez lentement sur les côtelettes ; mélangez sans laisser bouillir.

■ Dressez dans un plat de service ; servez.

Le safran, la plus chère de toutes les épices, est meilleur en filets. Ces filets sont les stigmates desséchés des crocus ou fleur de safran. Cette épice donne une belle couleur dorée aux plats.

4 portions

12	côtelettes d'agneau
20 ml	(4 c. à t.) sauce soja
45 ml	(3 c. à s.) vinaigre
15 ml	(1 c. à s.) sauce anglaise
15 ml	(1 c. à s.) concentré de tomates
80 ml	(1/3 tasse) beurre
750 ml	(3 tasses) eau
	sel
1	pincée de safran
1	grosse carotte, épluchée, tranchée finement
375 ml	(1 1/2 tasse) riz à grains longs
250 ml	(1 tasse) champignons, tranchés
250 ml	(1 tasse) petits pois, cuits
	persil, haché

■ Épongez les côtelettes d'agneau.

■ Dans un bol, mélangez la sauce soja, le vinaigre, la sauce anglaise et le concentré de tomates.

■ Badigeonnez un côté des côtelettes d'agneau de ce mélange ; laissez reposer 30 minutes ; retournez ; badigeonnez l'autre côté ; laissez reposer 30 minutes.

■ Dans un poêlon, faites fondre 30 ml (2 c. à. s.) de beurre ; faites griller les côtelettes d'agneau 10 à 15 minutes ; retournez pendant la cuisson ; arrosez du mélange de sauce soja.

■ Amenez l'eau à ébullition ; salez ; ajoutez le safran et la carotte ; versez le riz ; laissez cuire 15 à 20 minutes ; laissez égoutter ; rincez à l'eau froide.

■ Dans une casserole, faites fondre le reste de beurre ; faites revenir les champignons ; ajoutez les petits pois et le riz ; faites bien réchauffer.

■ Dressez le riz dans un plat de service chaud ; déposez les côtelettes d'agneau sur le riz ; garnissez de persil haché.

* recette illustrée

Côtelettes d'agneau panées

Attention ! faites cuire vos côtelettes d'agneau à feu doux : sinon, la panure qui les enrobe se colorera bien avant qu'elles ne soient à point.

4 portions

Beurre à l'ail

60 ml	(1/4 tasse) beurre
4	gousses d'ail, émincées
5 ml	(1 c. à t.) jus de citron
15 ml	(1 c. à s.) persil, haché
12	côtelettes d'agneau
250 ml	(1 tasse) farine, assaisonnée
2	œufs, battus
250 ml	(1 tasse) chapelure
30 ml	(2 c. à s.) huile végétale
20 ml	(4 c. à t.) persil, haché

■ Dans un bol, mélangez tous les ingrédients du beurre à l'ail ; réservez.

■ Passez les côtelettes d'agneau dans la farine, dans les œufs, puis dans la chapelure.

■ Dans un poêlon, faites chauffer l'huile ; faites cuire les côtelettes d'agneau à feu doux, environ 6 minutes de chaque côté.

■ Dressez dans un plat de service ; arrosez de beurre à l'ail fondu ; parsemez de persil.

Côtelettes d'agneau, sauce à la menthe

On ne saurait véritablement connaître les plaisirs que peut offrir l'agneau sans y avoir goûté arrosé d'une délicieuse sauce à la menthe.

4 portions

Sauce à la menthe

60 ml	(1/4 tasse) eau
15 ml	(1 c. à s.) cassonade
60 ml	(1/4 tasse) feuilles de menthe fraîches, hachées très finement
	sel et poivre
60 ml	(1/4 tasse) vinaigre de cidre
60 ml	(1/4 tasse) huile végétale
12	côtelettes d'agneau
30 ml	(2 c. à s.) huile végétale

■ Dans une casserole, versez l'eau ; ajoutez la cassonade ; mélangez ; amenez à ébullition ; réservez.

■ Dans un bol, mélangez la menthe, le sel et le poivre ; incorporez le mélange d'eau et de cassonade, le vinaigre de cidre et l'huile végétale ; laissez macérer 30 minutes.

■ Badigeonnez les côtelettes d'agneau de sauce à la menthe.

■ Dans un poêlon, faites chauffer l'huile ; faites cuire les côtelettes d'agneau à feu moyen, environ 10 minutes de chaque côté ; badigeonnez souvent de sauce pendant la cuisson.

■ Salez juste avant de servir.

Les cubes

Carbonnade d'agneau à la bière

La carbonnade, une spécialité flamande, est normalement faite de tranches de boeuf cuites à la bière. Mais personne ne contestera le bien-fondé de notre variante à l'agneau !

4 portions	
2	pommes de terre, en cubes
60 ml	(1/4 tasse) beurre
15 ml	(1 c. à s.) oignon, émincé
60 ml	(1/4 tasse) farine
341 ml	(1 bouteille) bière brune
500 ml	(2 tasses) agneau cuit, en cubes
	sel et poivre
5 ml	(1 c. à t.) persil, haché

■ Au four ou au micro-ondes, faites cuire les pommes de terre ; laissez refroidir.

■ Dans une casserole, faites fondre le beurre ; faites revenir l'oignon ; ajoutez la farine ; mélangez.

■ Versez la bière en remuant constamment ; laissez mijoter à feu doux, 2 à 3 minutes.

■ Ajoutez la viande et les pommes de terre ; salez et poivrez.

■ Laissez mijoter jusqu'à ce que le liquide soit réduit de moitié ; parsemez de persil.

Vous connaissez certainement la moussaka, cette recette grecque qui marie si bien la saveur de l'agneau et celle de l'aubergine ! Nous vous suggérons d'essayer notre version moderne tellement plus rapide à préparer.

4 portions	
450 g	(1 lb) agneau, en cubes
348 ml	(14 oz) tomates, en conserve, hachées
170 ml	(6 oz) concentré de tomates
2 ml	(1/2 c. à t.) gingembre, moulu
1 ml	(1/4 c. à t.) cannelle, moulue
4	brins de ciboulette, hachés
30 ml	(2 c. à s.) persil frais
	sel et poivre
4 à 8	tranches d'aubergine
60 ml	(1/4 tasse) beurre, fondu
125 ml	(1/2 tasse) crème sure

■ Préchauffez le four à gril (broil).

■ Dans un bol de 2 L (8 tasses) allant au micro-ondes, mélangez l'agneau, les tomates, le concentré de tomates, le gingembre, la cannelle, la ciboulette et le persil ; salez et poivrez.

■ Couvrez d'un papier ciré ; faites cuire au micro-ondes à MÉDIUM, 8 à 9 minutes.

■ Retirez du four ; remuez ; couvrez de nouveau d'un papier ciré ; poursuivez la cuisson à MÉDIUM, 5 à 6 minutes, jusqu'à ce que la sauce épaississe et que l'agneau soit tendre. Retirez du four ; laissez reposer.

■ Badigeonnez les tranches d'aubergine de beurre fondu ; déposez sur une plaque allant au four ; faites dorer sous le gril ; retournez ; faites dorer à nouveau.

■ Dressez les tranches d'aubergine grillées dans un plat de service chaud ; recouvrez du mélange d'agneau ; garnissez de crème sure.

* recette illustrée

Fricassée d'agneau du lendemain

Des champignons, une sauce à la crème ... plus jamais on ne se plaindra de vous voir servir des restes.

---
4 portions
---

227 ml	(8 oz) crème de champignons, en conserve
125 ml	(1/2 tasse) lait, ou crème légère
227 ml	(8 oz) champignons, en morceaux, en conserve
500 ml	(2 tasses) agneau, cuit, en cubes
30 ml	(2 c. à s.) persil, haché

■ Allongez la crème de champignons avec le lait ou la crème légère.

■ Ajoutez les morceaux de champignons et l'agneau en cubes ; faites réchauffer sans laisser bouillir environ 6 à 7 minutes.

■ Saupoudrez de persil haché ; servez.

Brochettes d'agneau mariné

Une vraie recette de chiche-kebab !

---
4 portions

Marinade

1	oignon
60 ml	(1/4 tasse) huile
30 ml	(2 c. à s.) jus de citron
1	feuille de laurier
1 ml	(1/4 c. à t.) thym
	sel et poivre
675 g	(1 1/2 lb) épaule d'agneau, dégraissée, en cubes
2	oignons, en quartiers
8	tomates miniatures
2	poivrons verts, en cubes
16	champignons entiers
2	tranches d'ananas, coupées en huit
8	tranches de bacon, coupées en deux, roulées

■ Dans un bol, mélangez les ingrédients de la marinade ; ajoutez l'agneau en cubes ; laissez mariner au réfrigérateur 2 à 3 heures ; remuez de temps en temps.

■ Préchauffez le four à gril (broil).

■ Enfilez les cubes d'agneau sur les brochettes en alternant avec les légumes, les morceaux d'ananas et le bacon.

■ Faites griller au four ; tournez et arrosez de marinade pendant la cuisson.

■ Servez sur un lit de riz.

L'AGNEAU HACHÉ

Agneau en croûte

Le plaisir des yeux contribue largement au succès d'un repas. Cet agneau en croûte, si facile à préparer, ravira toute votre famille.

4 portions

30 ml	(2 c. à s.) beurre
450 g	(1 lb) agneau, haché
1	oignon, haché
125 ml	(1/2 tasse) riz
375 ml	(1 1/2 tasse) bouillon de boeuf, chaud
60 ml	(1/4 tasse) persil, haché
	sel et poivre
2 ml	(1/2 c. à t.) sauge
1 ml	(1/4 c. à t.) moutarde sèche
1	pincée de cannelle
1	miche de pain croûté
	sauce tomate

■ Préchauffez le four à 160 °C (325 °F).

■ Dans une casserole, faites fondre le beurre ; faites légèrement brunir l'agneau, l'oignon et le riz.

■ Ajoutez le bouillon, le persil, le sel, le poivre, la sauge, la moutarde et la cannelle ; amenez à ébullition ; laissez mijoter 20 minutes, ou jusqu'à ce que le liquide soit entièrement absorbé.

■ Enlevez une calotte d'environ 2 cm (3/4 po) d'épaisseur de pain croûté ; retirez la mie de pain à l'intérieur de la miche en laissant tout autour une épaisseur de 1,25 cm (1/2 po).

■ Remplissez l'intérieur de la miche du mélange d'agneau; recouvrez de la calotte.

■ Enveloppez dans une feuille de papier d'aluminium épais ; faites cuire au four 20 à 30 minutes.

■ Découpez en tranches épaisses ; nappez de sauce tomate.

■ Préchauffez le four à 175 °C (350 °F).

■ Dans un grand bol, mélangez tous les ingrédients ; formez des boulettes ; aplatissez.

■ Dressez sur une plaque allant au four ; placez au four sur la grille du centre ; faites cuire 5 minutes de chaque côté.

■ Servez sur des petits pains de mie grillés et beurrés avec des garnitures de votre choix.

* recette illustrée

Pourquoi ne pas remplacer les traditionnels «relish et ketchup» par un chutney à la mangue ou à l'ananas, par exemple.

4 ou 6 portions

450 g	(1 lb) agneau, haché
5 ml	(1 c. à t.) cari
2 ml	(1/2 c. à t.) sel d'oignon
2 ml	(1/2 c. à t.) sel
1 ml	(1/4 c. à t.) poivre
1	oeuf
180 ml	(3/4 tasse) chapelure

Petits rouleaux
d'agneau haché

*Utilisez de la mie de
pain blanc ou complet.*

6 portions	
675 g	(1 1/2 lb) agneau, haché
250 ml	(1 tasse) mie de pain
1	œuf, légèrement battu
250 ml	(1 tasse) sauce tomate ou crème de tomates
5 ml	(1 c. à t.) moutarde sèche
	sel et poivre
2	gros cornichons à l'aneth
15 ml	(1 c. à s.) huile
5 ml	(1 c. à t.) beurre
227 ml	(8 oz) crème de céleri
60 ml	(1/4 tasse) jus des cornichons à l'aneth
15 ml	(1 c. à s.) persil

■ Préchauffez le four à 175 °C (350 °F).

■ Mélangez l'agneau, la mie pain, l'œuf, la sauce tomate, la moutarde, le sel et le poivre.

■ Coupez les cornichons sur la longueur en tranches fines ; entourez un peu de mélange d'agneau d'une tranche de cornichon pour former un petit rouleau ; recommencez cette opération plusieurs fois.

■ Dans un poêlon, faites chauffer l'huile et fondre le beurre ; faites revenir les rouleaux d'agneau ; dressez dans un plat allant au four.

■ Dans un bol, mélangez la crème de céleri, le jus des cornichons et le persil ; versez sur les rouleaux ; faites cuire au four environ 25 minutes.

Cigares au chou
à l'agneau

Si vous salez votre eau, elle atteindra plus rapidement le point d'ébullition.

4 portions	
8	feuilles de chou
450 g	(1 lb) agneau, haché
1	oignon, émincé
	sel et poivre
2 ml	(1/2 c. à t.) thym
45 ml	(3 c. à s.) riz

Sauce

30 ml	(2 c. à s.) beurre
30 ml	(2 c. à s.) farine
30 ml	(2 c. à s.) tomates, en cubes
250 ml	(1 tasse) jus de tomates
	sel et poivre
1	feuille de laurier

■ Dans une casserole d'eau bouillante salée, blanchissez les feuilles de chou, environ 5 minutes ; laissez égoutter, puis refroidir.

■ Dans un bol, mélangez l'agneau, l'oignon, le sel, le poivre, le thym et le riz.

■ Déposez 15 ml (1 c. à s.) de ce mélange sur chaque feuille de chou; roulez ; réservez.

■ Dans une casserole, faites fondre le beurre ; ajoutez la farine ; laissez cuire quelques instants.

■ Ajoutez les tomates et le jus de tomates ; salez et poivrez ; amenez à ébullition.

■ Incorporez les cigares au chou et la feuille de laurier ; couvrez ; laissez mijoter 1 heure.

« Tout se mange, dans le cochon », dit le dicton. Pour l'homme, le porc a toujours constitué une source alimentaire essentielle. En effet, grâce au travail des bouchers et des charcutiers, chaque partie du cochon, du bout des oreilles aux pieds, est utilisée en cuisine. Même les abats !

Le porc satisfait les appétits les plus exigeants, qu'il s'agisse d'un odorant rôti de porc à l'ail, de côtelettes cuites au barbecue sous le soleil, de cubes joyeusement enfilés en brochettes, d'un appétissant jambon glacé ou de cretons de campagne...

LE PORC

LES CARRÉS

Le porc, avec ou sans l'os, convient pour un rôti ou un plat braisé.

Le carré de porc est meilleur lorsqu'il est rôti avec l'os, mais vous pouvez demander à votre boucher de le désosser et de le rouler.

Comment piquer un carré de porc

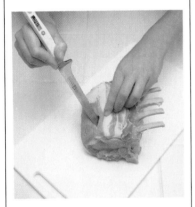

▪ **À l'aide d'un petit couteau pointu, pratiquez de petites incisions sur le rôti.**

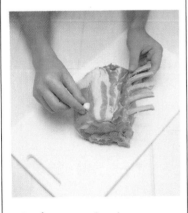

▪ **Insérez une demi-gousse d'ail dans chaque incision.**

Pommes de terre, carottes et navets sont typiques de la région flamande. Vous pouvez aussi ajouter quelques rondelles de saucisson que vous aurez fait cuire à l'étuvée avec quelques feuilles de chou vert.

6 portions	
2 kg	(4 1/2 lb) longe de porc, avec os
1	gousse d'ail, en fines lamelles
30 ml	(2 c. à s.) huile végétale
	sel et poivre
2	oignons moyens, en quartiers
125 ml	(1/2 tasse) de bière
125 ml	(1/2 tasse) pomme de terre, en cubes
125 ml	(1/2 tasse) carotte, en cubes
125 ml	(1/2 tasse) navet, en cubes
15 ml	(1 c. à s.) beurre manié (facultatif)

■ Faites de petites entailles dans la longe de porc ; insérez l'ail.

■ Dans un poêlon, faites chauffer l'huile ; faites saisir la longe du porc sur toutes ses faces ; salez et poivrez.

■ Ajoutez les oignons et la bière ; couvrez ; faites cuire à feu doux environ 45 minutes, ou jusqu'à ce que la longe de porc soit presque tendre ; ajoutez du liquide au besoin pendant la cuisson.

■ Ajoutez les légumes ; couvrez ; poursuivez la cuisson environ 15 minutes, ou jusqu'à ce que la viande et les légumes soient cuits ; incorporez le beurre manié si vous désirez lier la sauce.

Carré de porc glacé aux canneberges

Les canneberges entières se vendent au comptoir des fruits surgelés, dans la plupart des épiceries.

6 portions

2 kg	(4 1/2 lb) de longe de porc, avec os
80 ml	(1/3 tasse) cassonade
80 ml	(1/3 tasse) mélasse
60 ml	(1/4 tasse) vinaigre
125 ml	(1/2 tasse) eau
1 ml	(1/4 c. à t.) clou de girofle, moulu
1 ml	(1/4 c. à t.) cannelle, moulue
500 ml	(2 tasses) canneberges

■ Préchauffez le four à 220 °C (425 °F).

■ Déposez la longe de porc dans un plat allant au four, le côté gras sur le dessus ; faites saisir au four.

■ Diminuez la température du four à 180 °C (350 °F) ; faites cuire 15 minutes par livre.

■ Dans une casserole, mélangez la cassonade, la mélasse, le vinaigre, l'eau et les épices ; amenez à ébullition. Ajoutez les canneberges ; laissez mijoter 15 minutes ; passez au tamis pour obtenir une sauce onctueuse.

■ Arrosez la longe de porc de sauce ; augmentez la température du four à 220 °C (425 °F) ; laissez cuire environ 15 minutes ; arrosez de temps en temps.

■ Retirez du four ; laissez reposer 10 minutes ; tranchez.

VARIANTE

Glacé aux noix de Grenoble

• **Procédez comme pour le carré de porc glacé au canneberges en omettant les canneberges.**

• **Lorsque vous arroserez la viande de sauce, parsemez le carré de porc de 60 ml (1/4 tasse) de noix de Grenoble concassées.**

Les côtelettes

Côtelettes de porc cendrillon

Les enfants raffoleront de ces côtelettes de porc au léger goût d'orange. Leur présentation originale leur mettra l'eau à la bouche !

4 portions

30 ml	(2 c. à s.) huile
8	côtelettes de porc de 1,25 cm (1/2 po) d'épaisseur chacune
1 ml	(1/4 c. à t.) poivre
1	petit sachet de soupe à l'oignon instantanée
8	tranches d'orange, pelées
250 ml	(1 tasse) jus d'orange

■ Dans un poêlon, faites chauffer l'huile ; faites revenir les côtelettes de porc ; poivrez.

■ Versez le sachet de soupe à l'oignon sur les côtelettes de porc ; déposez une tranche d'orange sur chacune d'elles ; arrosez de jus d'orange ; amenez à ébullition ; couvrez ; laissez mijoter 30 minutes, ou jusqu'à ce que les côtelettes de porc soient bien tendres.

Côtelettes de porc au miel

Si le miel s'est cristallisé dans son bocal, faites-le réchauffer quelques minutes au micro-ondes. Vérifiez toutes les 30 secondes s'il a atteint la consistance désirée.

4 à 6 portions

8	côtelettes de porc de 2 cm (3/4 po) d'épaisseur chacune
	sel d'ail et poivre
15 ml	(1 c. à s.) huile
15 ml	(1 c. à s.) beurre
60 ml	(1/4 tasse) miel liquide
60 ml	(1/4 tasse) vin blanc ou cidre

■ Préchauffez le four à 175 °C (350 °F).

■ Dégraissez les côtelettes de porc ; assaisonnez de sel d'ail et de poivre.

■ Dans un poêlon, faites chauffer l'huile et fondre le beurre ; faites revenir les côtelettes de porc quelques minutes ; déposez dans un plat allant au four ; ajoutez 30 ml (2 c. à s.) de miel liquide ; couvrez d'un papier d'aluminium ; faites cuire au four 20 minutes.

■ Arrosez avec le reste de miel ; recouvrez ; poursuivez la cuisson 15 minutes.

■ Ajoutez le vin blanc ou le cidre ; poursuivez la cuisson sans couvrir, 10 minutes.

Dîner de côtelettes de porc

Vous pouvez remplacer la moitié des carottes par des rutabagas.

4 portions

45 ml	(3 c. à s.) beurre
2	oignons moyens, coupés en six
6	pommes de terre, coupées en huit
6	carottes moyennes, coupées en rondelles
	sel et poivre
8	côtelettes de porc de 1,25 cm (1/2 po) d'épaisseur chacune
1	sachet de chapelure pour porc
	persil

■ Préchauffez le four à 220 °C (425 °F).

■ Dans un poêlon, faites fondre le beurre ; faites sauter les légumes ; salez et poivrez.

■ Déposez dans un plat allant au four ; couvrez d'un papier d'aluminium ; faites cuire au four 15 minutes.

■ Entre-temps, dégraissez les côtelettes de porc ; enrobez de chapelure en suivant le mode d'emploi.

■ Dans le poêlon ayant servi à la cuisson des légumes, faites saisir les côtelettes d'un seul côté, 1 minute.

■ Déposez ce côté sur les légumes ; poursuivez la cuisson au four, sans couvrir, jusqu'à ce que les côtelettes de porc soient tendres ; parsemez de persil.

Côtelettes de porc, sauce aux champignons

Pour un peu plus de fantaisie, tranchez les pommes de terre avec la lame ondulée du hache-légumes.

4 portions

	sel et poivre
8	côtelettes de porc de 1,25 cm (1/2 po) d'épaisseur chacune
30 ml	(2 c. à s.) beurre
4	pommes de terre, tranchées mince
284 ml	(10 oz) crème de champignons
8	noisettes de beurre
	chapelure

■ Préchauffez le four à 175 °C (350 °F).

■ Salez et poivrez les côtelettes de porc.

■ Dans un poêlon, faites fondre le beurre ; faites saisir les côtelettes de porc.

■ Déposez dans un plat allant au four ; ajoutez les pommes de terre et la crème de champignons ; parsemez de noisettes de beurre et d'un peu de chapelure ; faites cuire au four 30 minutes.

LES CÔTELETTES FARCIES

Les côtelettes farcies feront le bonheur des petits budgets. En effet, une seule de ces côtelettes satisfera un appétit moyen. De plus, leur goût raffiné en surpendra plus d'un !

Côtelettes de porc papillons

Si le temps presse, garnissez les côtelettes d'une tranche de fromage. Mais si vous avez envie d'exercer vos talents de cordon-bleu, essayez une des recettes de farce proposées.

4 portions	
4	côtelettes de porc de 2,5 cm (1 po) d'épaisseur chacune
	sel et poivre
15 ml	(1 c. à s.) sauce anglaise
15 ml	(1 c. à s.) huile d'arachide
1	tranche de fromage ou farce, au choix

■ Préchauffez le four à 190 °C (375 °F).

■ Dégraissez les côtelettes de porc ; fendez chacune d'elles dans l'épaisseur presque jusqu'à l'os pour former une cavité ; salez et poivrez l'intérieur de la cavité ; badigeonnez les deux côtés des côtelettes de porc de sauce anglaise.

■ Dans un poêlon, faites chauffer l'huile d'arachide ; à feu vif, faites saisir les côtelettes de porc 2 minutes de chaque côté.

■ Garnissez les cavités de farce ; faites cuire au four environ 15 à 20 minutes.

8 variantes pour les côtelettes papillons

Aux tomates et au parmesan

- Mélangez ensemble 2 grosses tomates épépinées, coupées en cubes, 15 ml (1 c. à s.) de purée de tomates ou de ketchup, 20 ml (4 c. à t.) de parmesan, 1 pincée de basilic, sel et poivre.

Aux petites crevettes

- Passez au mélangeur 125 ml (1/2 tasse) de petites crevettes, 5 ml (1 c. à t.) d'échalotes, 15 ml (1 c. à s.) de sauce chili, sel et poivre.

- Ajoutez 4 à 5 petites crevettes entières par côtelette.

  N.B. Ajoutez 5 ml (1 c. à t.) de raifort sans vinaigre pour relever la farce.

Persillade

- Passez au mélangeur 250 ml (1 tasse) de persil et 2 ml (1/2 c. à t.) d'ail ; salez et poivrez ; ajoutez 5 ml (1 c. à t.) d'huile d'olive ; remuez délicatement.

  N.B. Ajoutez 5 ml (1 c. à t.) de relish pour une petite touche sucrée.

À la mousse de jambon

- Passez au mélangeur 15 ml (1 c. à s.) de moutarde préparée, 125 ml (1/2 tasse) de jambon cuit, 1 ml (1/4 c. à t.) d'ail ; sel et poivre.

Au roquefort

- Mélangez 60 ml (1/4 tasse) de roquefort ou de bleu émietté et 15 ml (1 c. à s.) de beurre ramolli ; sel et poivre.

  N.B. Combinez au roquefort un fromage plus doux pour obtenir un goût moins prononcé.

Aux poivrons et aux épinards

- Dans un poêlon, faites fondre 15 ml (1 c. à s.) de beurre ; faites revenir 60 ml (1/4 tasse) de poivrons (vert, rouge et jaune), en petits cubes ; ajoutez 15 ml (1 c. à s.) de vin blanc ; incorporez 375 ml (1 1/2 tasse) d'épinards équeutés ; remuez jusqu'à ce que les épinards soient tombés ; salez et poivrez.

Aux choux de Bruxelles et au bacon

- Faites blanchir 125 ml (1/2 tasse) de choux de Bruxelles, 4 minutes ; laissez égoutter ; coupez en deux.

- Dans un poêlon, faites suer 4 tranches de bacon en morceaux ; ajoutez les choux de Bruxelles ; faites sauter quelques minutes ; rectifiez l'assaisonnement.

Au pâté de foie, au cognac et à l'estragon

- À l'aide d'une fourchette, faites ramollir 125 ml (1/2 tasse) de pâté de foie ; incorporez 5 ml (1 c. à t.) de cognac, brandy ou autre liqueur ; ajoutez 1 pincée d'estragon haché ; salez et poivrez.

LES CÔTES LEVÉES

Côtes levées à l'ananas

Les côtes levées deviennent tellement populaires que certains établissements en font leur spécialité. Sachez les préparer vous-mêmes ; elles seront sûrement autant appréciées qu'au restaurant !

4 portions

125 ml	(1/2 tasse) jus d'ananas
125 ml	(1/2 tasse) sirop de maïs
30 ml	(2 c. à s.) sauce soja
2 ml	(1/2 c. à t.) sel
1,4 kg	(3 lb) petites côtes de porc

■ Préchauffez le four à 205 °C (400 °F).

■ Dans un grand bol profond, mélangez les quatre premiers ingrédients ; ajoutez la viande ; laissez mariner environ 1 heure ; retournez de temps en temps.

■ Faites cuire au four 1 heure ou jusqu'à ce que la viande soit tendre ; retournez quelques fois et badigeonnez de marinade pendant la cuisson.

Côtes levées Teriyaki

Servez ces côtes levées avec du riz gluant que vous trouverez dans les épiceries orientales.

4 portions

1,4 kg	(3 lb) côtes levées
60 ml	(1/4 tasse) sauce soja
125 ml	(1/2 tasse) oignon, tranché
30 ml	(2 c. à s.) cassonade, tassée
1	gousse d'ail, émincée
5 ml	(1 c. à t.) gingembre, moulu
2 ml	(1/2 c. à t.) sel
15 ml	(1 c. à s.) sherry
750 ml	(3 tasses) jus d'abricot ou jus d'orange
25 ml	(5 c. à t.) fécule de maïs
30 ml	(2 c. à s.) eau

■ Préchauffez le four à 205 °C (400 °F).

■ Coupez les côtes levées en deux sur la largeur ; séparez en morceaux de 7,5 cm (3 po) ; déposez dans une cocotte de 4 L (3 pintes)

■ Dans un bol, mélangez la sauce soja, l'oignon, la cassonade, l'ail, le gingembre, le sel, le sherry et le jus Versez sur les côtes levées ; couvrez ; faites cuire à feu moyen 1 heure ; retournez toutes les 20 minutes. Entre-temps, délayez la fécule de maïs dans l'eau ; réservez.

■ Dressez les côtes levées dans un plat de service ; gardez au chaud. Dégraissez la sauce ; ajoutez la fécule de maïs délayée. Faites cuire à feu vif, en remuant, 5 à 6 minutes, ou jusqu'à ce que la sauce épaississe. Versez sur les côtes levées.

Côtes levées, sauce barbecue

Remplacez le ketchup par de la sauce chili.

4 portions

1,4 kg	(3 lb) côtes levées
45 ml	(3 c. à s.) graisse de bacon ou huile
1	gousse d'ail
3	oignons, émincés
250 ml	(1 tasse) ketchup
125 ml	(1/2 tasse) vinaigre de cidre
5 ml	(1 c. à t.) cari
5 ml	(1 c. à t.) paprika
1 ml	(1/4 c. à t.) poudre de chili (facultatif)
45 ml	(3 c. à s.) cassonade
2 ml	(1/2 c. à t.) sel
1	pincée de poivre
2 ml	(1/2 c. à t.) moutarde sèche

■ Préchauffez le four à 205 °C (400 °F).

■ Découpez les côtes levées en morceaux.

■ Dans un poêlon, faites fondre la graisse de bacon ou faites chauffer l'huile ; faites dorer l'ail ; retirez l'ail ; réservez. Faites revenir les côtes levées.

■ Dans un plat allant au four, déposez les côtes levées, l'ail et les oignons.

■ Dans un bol, mélangez tous les autres ingrédients ; versez sur les côtes levées ; couvrez ; faites cuire au four 1 heure, ou jusqu'à ce que la viande soit tendre.

Côtes levées « souvenir »

Ne craignez pas de laisser mariner longuement les côtes levées : elles n'en seront que plus parfumées.

4 portions

1,4 kg	(3 lb) côtes levées
60 ml	(1/4 tasse) pâte de tomates
60 ml	(1/4 tasse) sauce soja
2	gros oignons, émincés
60 ml	(1/4 tasse) soupe aux tomates
500 ml	(2 tasses) bouillon de poulet
1 ml	(1/4 c. à t.) sel
1 ml	(1/4 c. à t.) poivre

■ Préchauffez le four à 205 °C (400 °F).

■ Mélangez tous les ingrédients ; laissez mariner 12 heures.

■ Versez dans un plat allant au four ; faites cuire au four 1 heure ; servez.

LES ESCALOPES

Escalopes de porc poivrées, à la vodka

Une sauce toute simple donne beaucoup de caractère à ces escalopes. Cette sauce peut également accompagner des biftecks.

4 portions

4	escalopes de porc
1 ml	(1/4 c. à t.) sel
30 ml	(2 c. à s.) grains de poivre, grossièrement écrasés
15 ml	(1 c. à s.) beurre
125 ml	(1/2 tasse) champignons, émincés finement
45 ml	(3 c. à s.) vodka
80 ml	(1/3 tasse) crème à 35 %

■ Préchauffez le four à 150 °C (300 °F).

■ Salez les escalopes de porc ; enrobez de poivre.

■ Dans un poêlon, faites fondre le beurre ; faites saisir les escalopes de porc des deux côtés ; dressez dans un plat de service ; gardez au chaud.

■ Dans le même poêlon, faites revenir les champignons environ 3 minutes ; déglacez à la vodka ; ajoutez la crème ; faites cuire à feu doux en remuant sans laisser bouillir, jusqu'à l'obtention d'une consistance onctueuse. Versez sur les escalopes de porc ; servez.

Assurez-vous de ne faire cuire que légèrement ces délicates tranches de viande.

4 portions

125 ml	(1/2 tasse) yogourt nature
10 ml	(2 c. à t.) moutarde de Dijon
15 ml	(1 c. à s.) farine
5 ml	(1 c. à t.) sucre
450 g	(1 lb) porc (filet, longe ou noix), en tranches de 2 cm (3/4 po) d'épaisseur
	sel et poivre
15 ml	(1 c. à s.) beurre
125 ml	(1/2 tasse) bouillon de légumes
3	échalotes, émincées

* recette illustrée

■ Préchauffez le four à 130 °C (275 °F).

■ Dans un bol, mélangez le yogourt, la moutarde, la farine, et le sucre ; réservez.

■ Placez les tranches de porc entre deux pellicules de plastique ; aplatissez à 0,5 cm (1/4 po) d'épaisseur ; salez et poivrez.

■ Dans un poêlon, faites fondre le beurre. A feu moyen, faites brunir légèrement les escalopes de porc ; dressez dans un plat de service ; gardez au chaud.

■ Dans le même poêlon, ajoutez le bouillon ; incorporez le mélange de yogourt à l'aide d'un fouet jusqu'à l'obtention d'une consistance onctueuse ; versez sur les escalopes de porc ; garnissez d'échalotes émincées.

Escalopes de porc épicées

La saveur du porc se marie très bien à celle des fruits. En saison, décorez le plat avec quelques framboises fraîches.

4 portions	
60 ml	(1/4 tasse) farine
4	escalopes de porc de 1 cm (3/8 po) d'épaisseur chacune
30 ml	(2 c. à s.) huile
	sel et poivre
3 ml	(3/4 c. à t.) moutarde sèche
2 ml	(1/2 c. à t.) clou de girofle
1	pincée de piment de la Jamaïque
2 ml	(1/2 c. à t.) cannelle
60 ml	(1/4 tasse) vinaigre
3	gros oignons, tranchés à 1,25 cm (1/2 po) d'épaisseur
5 ml	(1 c. à t.) fécule de maïs
250 ml	(1 tasse) eau chaude
60 ml	(1/4 tasse) confiture de framboises

■ Préchauffez le four à 175 °C (350 °F).

■ Enfarinez les escalopes de porc. Dans un poêlon, faites chauffer l'huile ; faites saisir les escalopes de porc des 2 côtés ; déposez dans un plat allant au four.

■ Dans un bol, mélangez le sel, le poivre, la moutarde, les épices et le vinaigre ; versez sur les escalopes de porc ; recouvrez de rondelles d'oignon ; faites cuire au four environ 45 minutes.

■ Entre-temps, délayez la fécule de maïs dans 125 ml (1/2 tasse) d'eau chaude.

■ Dressez les escalopes de porc et les oignons dans un plat de service chaud ; écumez le jus de cuisson ; ajoutez la fécule de maïs délayée ; mélangez ; incorporez la confiture de framboises et le reste de l'eau chaude. Nappez les escalopes de porc ; servez.

Escalopes de porc aux pruneaux

Remplacez la gelée de groseilles par de la gelée d'abricots.

4 portions	
20	pruneaux
125 ml	(1/2 tasse) vin blanc
45 ml	(3 c. à s.) farine
4	escalopes de porc
15 ml	(1 c. à s.) beurre
	sel et poivre
15 ml	(1 c. à s.) gelée de groseilles
250 ml	(1 tasse) crème à 15 %

■ La veille, dans un bol, faites tremper les pruneaux dans le vin.

■ Préchauffez le four à 130 °C (275 °F).

■ Enfarinez les escalopes de porc.

■ Dans un poêlon, faites fondre le beurre ; faites revenir les escalopes de porc ; salez et poivrez ; laissez cuire environ 5 à 6 minutes ; retirez du poêlon ; gardez au chaud.

■ Dans une casserole, amenez à ébullition le vin blanc et les pruneaux ; laissez mijoter à feu doux environ 30 minutes ; faites égoutter les pruneaux ; réservez.

■ Faites réduire le jus de moitié ; incorporez la gelée de groseilles ; diminuez le feu ; ajoutez la crème ; faites cuire en remuant 3 minutes, sans laisser bouillir.

■ Versez sur les escalopes de porc ; garnissez de pruneaux ; servez.

LES NOISETTES

Noisettes de porc Waldorf

La salade Waldorf, composée notamment de morceaux de pomme et de demi - noix de Grenoble est à la base de cette recette. L'utilisation de pomme, de calvados et de crème fraîche rappelle aussi la cuisine normande.

4 portions

450 g	(1 lb) filet de porc
15 ml	(1 c. à s.) huile d'arachide
15 ml	(1 c. à s.) beurre
4	échalotes françaises, émincées
1	pomme, pelée, tranchée
60 ml	(1/4 tasse) demi - noix de Grenoble
30 ml	(2 c. à s.) brandy ou calvados
	sel et poivre
80 ml	(1/3 tasse) crème à 35 %

■ Préchauffez le four à 130 °C (275 °F).

■ Coupez les filets de porc en tranches de 1 cm (1/2 po) d'épaisseur.

■ Dans un poêlon, faites chauffer l'huile et fondre le beurre ; faites sauter les noisettes de porc ; dressez dans un plat de service ; gardez au chaud.

■ Dans le même poêlon, faites revenir les échalotes, la pomme et les noix ; déglacez au brandy, salez et poivrez. Ajoutez la crème ; faites cuire à feu doux en remuant sans laisser bouillir, jusqu'à l'obtention d'une consistance onctueuse. Versez sur les noisettes de porc ; servez.

En saison, remplacez les abricots par de petites pêches fraîches, pelées et tranchées en quartiers.

4 portions

700 g	(1 1/2 lb) longe de porc
2	gousses ail, émincées
	sel et poivre
45 ml	(3 c. à s.) beurre
15 ml	(1 c. à s.) farine
125 ml	(1/2 tasse) lait
80 ml	(1/3 tasse) crème sure
30 ml	(2 c. à s.) confiture d'abricots
15 ml	(1 c. à s.) brandy (facultatif)
2	abricots, tranchés

* recette illustrée

■ Coupez la longe de porc en noisettes de 1 cm (1/2 po).

■ Dans un plat, mélangez l'ail, le sel et le poivre ; enrobez les noisettes de porc de ce mélange.

■ Dans un poêlon, faites fondre la moitié du beurre ; faites revenir les noisettes de porc ; retirez ; réservez.

■ Dans le même poêlon, faites fondre le reste du beurre ; ajoutez la farine ; mélangez bien ; versez le lait ; faites cuire en remuant jusqu'à épaississement. Incorporez les noisettes de porc ; couvrez ; laissez mijoter 10 minutes.

■ Ajoutez la crème sure, la confiture d'abricots et le brandy. Amenez à ébullition ; retirez du feu au premier bouillon.

■ Dressez les noisettes de porc dans un plat de service ; nappez de sauce ; garnissez de tranches d'abricots.

Noisettes de porc enrobées

Rappelez-vous que les viandes panées doivent cuire à feu doux, sinon leur enrobage brunira trop rapidement. Si tel est le cas, terminez la cuisson au four (ou deux minutes, au micro-ondes).

4 portions

450 g	(1 lb) noisettes de porc (8)
	enrobage au choix
15 ml	(1 c. à s.) huile
15 ml	(1 c. à s.) beurre
	sel et poivre

■ Enrobez les noisettes de porc du mélange de votre choix ; appuyez pour faire adhérer le mélange à la viande.

■ Dans un poêlon, faites chauffer l'huile et fondre le beurre. À feu doux, faites cuire les noisettes de porc ; salez et poivrez.

Variantes

Enrobage tout en verdure

- **Faites blanchir 4 grandes feuilles de laitue romaine ou frisée, ou du chou chinois 2 à 3 minutes ; faites égoutter ; épongez.**

- **Dans un poêlon, faites chauffer l'huile et fondre le beurre ; faites cuire les noisettes de porc. Aux trois-quarts de la cuisson, salez et poivrez.**

- **Retirez du poêlon ; enveloppez de feuilles de laitue (ou de chou) ; faites revenir 30 secondes de chaque côté.**

- **Badigeonnez les noisettes de porc de sauce tomate ou de ketchup ; aromatisez au goût avant de les envelopper de feuilles de laitue (voir ci-dessus).**

Aux graines de sésame

- **Réduisez en poudre 30 ml (2 c. à s.) de graines de sésame ; ajoutez 30 ml (2 c. à s.) de graines de sésame entières (voir ci-contre).**

- **Substituez aux graines de sésame des graines de pavot, de céleri, de fenouil ou d'aneth.**

Farine et paprika

- **Mélangez 30 ml (2 c. à s.) de paprika doux à 30 ml (2 c. à s.) de farine.**

- **Trempez les noisettes de porc dans un œuf battu avant de les enrober de ce mélange.**

LES FILETS

Filet de porc au vermouth

Vous comptez les calories ? Oubliez la crème sure et optez plutôt pour le yogourt.

4 portions

4	petits filets de porc
15 ml	(1 c. à s.) huile
15 ml	(1 c. à s.) beurre
1	grosse gousse d'ail, émincée
	poivre noir, grossièrement concassé
60 ml	(1/4 tasse) vermouth blanc sec
60 ml	(1/4 tasse) bouillon de poulet
10 ml	(2 c. à t.) fécule de maïs
15 ml	(1 c. à s.) vermouth blanc
125 ml	(1/2 tasse) crème sure

■ Préchauffez le four à 175 °C (350 °F).

■ Dans un poêlon, faites chauffer l'huile et fondre le beurre ; faites saisir les filets de porc ; déposez dans une cocotte allant au four ; ajoutez l'ail, le poivre, 60 ml (1/4 tasse) de vermouth et le bouillon de poulet ; couvrez ; faites cuire au four 30 minutes. Retirez les filets de porc ; gardez au chaud.

■ Dans un bol, délayez la fécule de maïs dans 15 ml (1 c. à s.) de vermouth ; réservez.

■ Passez le jus de cuisson au tamis ; dégraissez ; ajoutez la fécule de maïs délayée ; faites cuire, en remuant, jusqu'à l'obtention d'une consistance onctueuse.

■ Sans cesser de remuer, incorporez la crème sure ; laissez réchauffer ; servez avec les filets de porc.

Une viande farcie au menu, et chacun pense à un événement spécial. Pourtant, vous n'aurez pas consacré plus de temps qu'à l'ordinaire à la préparation de votre repas.

4 portions

2	filets de porc de 350 g (3/4 lb) chacun
1	citron, coupé en deux
30 ml	(2 c. à s.) beurre
1	oignon, haché finement
250 ml	(1 tasse) chapelure, bien tassée
5 ml	(1 c. à t.) feuilles de sauge, émiettées
	zeste de 1/2 citron, râpé
2 ml	(1/2 c. à t.) sel
1 ml	(1/4 c. à t.) poivre
	farine
1	œuf
2	tranches de bacon, en morceaux
15 ml	(1 c. à s.) beurre manié
375 ml	(1 1/2 tasse) bouillon de bœuf

■ Préchauffez le four à 175 °C (350 °F).

■ Fendez chaque filet sur la longueur sans les séparer complètement ; ouvrez ; frottez de citron ; réservez.

■ Dans un poêlon, faites fondre le beurre ; à feu moyen, faites suer l'oignon.

■ Retirez du feu ; ajoutez la chapelure, la sauge, le zeste de citron, le sel et le poivre ; mélangez ; incorporez l'œuf.

■ Déposez la farce à l'intérieur du filet ; recouvrez d'un filet ; ficelez ; enfarinez légèrement.

■ Dans une cocotte allant au four, faites fondre les morceaux de bacon ; faites dorer le filet de porc farci des deux côtés ; couvrez ; faites cuire au four 40 minutes.

■ Retirez le filet de porc de la cocotte ; dressez dans un plat de service ; gardez au chaud.

■ Ajoutez au jus de cuisson 15 ml (1 c. à s.) de beurre manié ; mélangez ; incorporez le bouillon de bœuf ; laissez réduire de moitié ou jusqu'à l'obtention d'une consistance lisse ; servez en saucière avec les filets de porc farcis.

* recette illustrée

Filet de porc
aux raisins

Faites tremper les raisins dès le matin. Vous n'aurez qu'à les faire égoutter une fois l'heure du repas venue.

4 portions

125 ml	(1/2 tasse) raisins secs
500 ml	(2 tasses) eau chaude
45 ml	(3 c. à s.) farine
450 g	(1 lb) filet de porc
30 ml	(2 c. à s.) huile
	sel et poivre
15 ml	(1 c. à s.) beurre
3	échalotes françaises, hachées
125 ml	(1/2 tasse) vin rouge
250 ml	(1 tasse) bouillon de bœuf
60 ml	(1/4 tasse) crème à 15 %
15 ml	(1 c. à s.) persil, haché

■ Préchauffez le four à 175 °C (350 °F).

■ Faites gonfler les raisins dans l'eau chaude 1 heure ; faites égoutter ; réservez.

■ Enfarinez les filets de porc.

■ Dans un poêlon, faites chauffer l'huile ; faites saisir les filets de porc enfarinés ; salez et poivrez ; retirez du feu ; gardez au chaud.

■ Dans un autre poêlon, faites fondre le beurre ; faites revenir les échalotes et les raisins égouttés ; déglacez au vin rouge ; laissez réduire de moitié dans le poêlon.

■ Versez le bouillon de bœuf ; amenez à ébullition ; ajoutez les filets de porc ; laissez mijoter 4 minutes.

■ Incorporez la crème ; diminuez le feu au minimum ; parsemez de persil haché.

Retirez les filets de porc ; tranchez ; dressez dans un plat de service ; nappez de sauce ; garnissez de raisins.

Filet de porc au
blanc de poireau

Ayez soin de bien laver les poireaux !

4 portions

90 ml	(6 c. à s.) beurre
2	blancs de poireaux, émincés
125 ml	(1/2 tasse) oignons, émincés
45 ml	(3 c. à s.) céleri, émincé
375 ml	(1 1/2 tasse) chapelure
2 ml	(1/2 c. à t.) sarriette, fraîche
1 ml	(1/4 c. à t.) sel
1 ml	(1/4 c. à t.) poivre
675 g	(1 1/2 lb) filets de porc
2	gousses d'ail, émincées
60 ml	(1/4 tasse) cognac
500 ml	(2 tasses) bouillon de bœuf
	sel et poivre

■ Préchauffez le four à 175 °C (350 °F).

■ Dans un poêlon allant au four, faites fondre 30 ml (2 c. à s.) de beurre ; faites suer les poireaux, la moitié des oignons et le céleri ; retirez du feu ; ajoutez la chapelure et les assaisonnements ; laissez refroidir.

■ Coupez les filets sur la longueur sans les séparer ; aplatissez légèrement.

■ Déposez la farce refroidie sur un côté des filets ; repliez ; fixez à l'aide de brochettes ou de cure-dents.

■ Dans le même poêlon, faites fondre 30 ml (2 c. à s.) de beurre ; faites revenir le reste des oignons, l'ail et les filets de porc ; ajoutez le cognac et le bouillon de bœuf ; salez et poivrez ; faites cuire au four sans couvrir, 30 à 40 minutes ; arrosez plusieurs fois pendant la cuisson.

LES RÔTIS

Comment désosser un carré ou une longe de porc

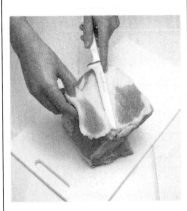

■ *Retirez l'excédent de gras recouvrant le bout des os.*

■ *Glissez votre couteau entre la viande et les os en vous appuyant sur les os.*

■ *Lorsque le côté sera dégagé, continuez à glisser votre couteau en vous appuyant cette fois sur l'os plat ; dégagez complètement la viande des os.*

■ *Retirez le gras et les nerfs pour donner une belle apparence au rôti.*

■ *Le rôti est prêt à cuire.*

Comment farcir et rouler un rôti de porc

■ *Pour ouvrir en portefeuille, pratiquez une incision tout le long du rôti, sans le couper complètement.*

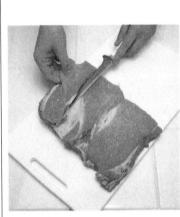

■ *Pratiquez une autre incision afin d'ouvrir complètement le rôti.*

■ *Farcissez le rôti.*

■ *Roulez le rôti, ficelez ou fixez à l'aide d'une brochette.*

Rôti de porc «sans souci»

Environ 20 minutes avant la fin de la cuisson, ajoutez des légumes (pommes de terre entières, carottes et petits pois surgelés) dans la cocotte.

4 à 6 portions

30 ml	(2 c. à s.) huile végétale
1,4 kg	(3 lb) rôti de porc
	sel et poivre
500 ml	(2 tasses) sauce barbecue, du commerce
250 ml	(1 tasse) eau
60 ml	(1/4 tasse) vin rouge
15 ml	(1 c. à s.) moutarde forte
1	pincée de romarin
1	pincée de thym
1	pincée de muscade
15 ml	(1 c. à s.) persil, haché
1	feuille de laurier

■ Dans un poêlon, faites chauffer l'huile ; faites saisir le rôti de porc sur toutes ses faces ; salez et poivrez.

■ Déposez le rôti de porc dans une cocotte en fonte pas trop grande ; réservez.

■ Dans un bol, mélangez tous les autres ingrédients ; versez sur le rôti de porc ; amenez à ébullition ; diminuez le feu ; laissez mijoter à demi-couvert environ 1 h 15.

■ Retirez le rôti de porc ; laissez reposer 10 minutes ; tranchez.

Rôti de porc à l'ananas

Un peu d'exotisme à table ... pourquoi pas ?

4 à 6 portions

45 ml	(3 c. à s.) huile d'arachide
1,4 kg	(3 lb) rôti de porc
227 ml	(8 oz) ananas, en morceaux
300 ml	(1 1/4 tasse) eau
30 ml	(2 c. à s.) mélasse
5 ml	(1 c. à t.) moutarde sèche
	sel et poivre
30 ml	(2 c. à s.) fécule de maïs
250 ml	(1 tasse) bouillon de poulet
15 ml	(1 c. à s.) vinaigre de vin

■ Préchauffez le four à 220 °C (425 °F).

■ Dans un poêlon allant au four, faites chauffer l'huile ; faites saisir le rôti de porc sur toutes ses faces.

■ Laissez égoutter les ananas en réservant le jus.

■ Dans un bol, mélangez le jus d'ananas à l'eau ; incorporez la mélasse, la moutarde, le sel et le poivre ; versez sur le rôti de porc ; couvrez ; faites cuire au four 1 heure ; arrosez toutes les 15 minutes. Retirez le couvercle pour les 15 dernières minutes de cuisson.

■ Dressez le rôti de porc dans un plat de service ; gardez au chaud.

■ Dans un bol, délayez la fécule de maïs dans le bouillon de poulet ; réservez. Dégraissez le jus de cuisson ; ajoutez le vinaigre et la fécule de maïs délayée ; portez à ébullition en remuant sans cesse ; ajoutez les morceaux d'ananas ; rectifiez l'assaisonnement ; versez sur les tranches de rôti de porc.

* recette illustrée

Les herbes aromatiques utilisées pour parfumer le rôti de porc sont innombrables. Basilic, menthe, sauge, chacune transmet son arôme distinct à la viande lentement mise à cuire.

Rôti de porc farci

Les surprises que peut receler un rôti de porc farci n'ont de limites que celles de votre imagination. Nous vous proposons quatre recettes de farce avec lesquelles vous pourrez apprêter notre recette de base. Vous n'aurez ensuite qu'à vous en inspirer pour faire vos propres créations culinaires !

4 à 6 portions

1,4 kg	(3 lb) rôti de porc, désossé, roulé
	sel et poivre
30 ml	(2 c. à s.) huile d'arachide

■ Préchauffez le four à 205 °C (400 °F).

■ Ouvrez le rôti de porc ; aplatissez légèrement ; salez et poivrez l'intérieur ; remplissez d'une farce de votre choix ; roulez et ficelez le rôti de porc en prenant soin de bien fermer les extrémités.

■ Dans un poêlon allant au four, faites chauffer l'huile ; à feu vif, faites saisir le rôti de porc farci sur toutes ses faces ; salez et poivrez ; faites cuire au four 20 minutes par 450 g (1 lb).

■ Retirez du four ; laissez reposer 10 minutes ; tranchez.

186

4 farces surprises

Pignons, ail et basilic

- Dans un poêlon, faites fondre 15 ml (1 c. à s.) de beurre ; faites sauter 250 ml (1 tasse) de pignons ; ajoutez 15 ml (1 c. à s.) d'ail émincé et 30 ml (2 c. à s.) de purée de basilic ou 15 ml (1 c. à s.) de basilic haché ; salez et poivrez ; laissez refroidir avant de farcir le rôti.

Framboises et menthe

- Dans un poêlon, faites fondre 15 ml (1 c. à s.) de beurre ; faites suer 15 ml (1 c. à s.) d'oignon haché, 5 ml (1 c. à t.) d'ail émincé et 30 ml (2 c. à s.) de poireau ou de céleri émincé.

- Déglacez le poêlon avec 60 ml (1/4 tasse) de vinaigre de framboises ou de vinaigre de vin ; laissez réduire de moitié.

- Ajoutez 250 ml (1 tasse) de framboises fraîches ou surgelées, non sucrées ; mélangez bien ; salez et poivrez.

- Lorsque les framboises commencent à se défaire, retirez du feu ; ajoutez 10 ml (2 c. à t.) de feuilles de menthe hachées ; laissez refroidir avant de farcir le rôti.

Pois chiches, ail des bois et persil

- Faites égoutter 398 ml (14 oz) de pois chiches. Dans un poêlon, faites fondre 15 ml (1 c. à s.) de beurre ; faites sauter les pois chiches ; ajoutez 10 ml (2 c. à t.) d'ail des bois émincé et 30 ml (2 c. à s.) de persil haché ; salez et poivrez ; laissez refroidir avant de farcir le rôti.

Fonds d'artichauts et pâté de foie

- Faites égoutter 398 ml (14 oz) de fonds d'artichauts; faites blanchir 3 minutes ; rafraîchissez sous l'eau froide ; laissez égoutter ; hachez.

- Dans un bol, à l'aide d'une fourchette, ramollissez 125 ml (1/2 tasse) de pâté de foie ; étalez à l'intérieur du rôti de porc ; recouvrez des fonds d'artichauts ; roulez ; ficelez ; faites cuire suivant la recette de base.

LES JAMBONS

Le jambon occupait déjà la place d'honneur à la table des empereurs romains. Il n'est pas surprenant que, de nos jours, il soit entouré de tous les égards.

Bien que le vrai jambon soit tiré de la cuisse du porc, l'épaule de porc fumée peut s'apprêter de la même façon. Rien n'empêche, toutefois, que ces deux coupes du porc se prêtent fort bien aux mêmes préparations.

Différentes variétés de jambon

Jambon à la bière

Avec la pointe d'un couteau, tracez un damier sur la surface du jambon pour agrémenter son apparence.

10 à 12 portions

2,3 kg	(5 lb) jambon dans l'épaule
20	clous de girofle entiers
250 ml	(1 tasse) mélasse
10 ml	(2 c. à t.) moutarde sèche
5 ml	(1 c. à t.) poivre
250 ml	(1 tasse) bière
1	gros oignon, en quartiers

■ Préchauffez le four à 230 °C (450 °F).

■ Enlevez la couenne du jambon ; piquez le jambon de clous de girofle ; foncez une lèchefrite d'une grande feuille de papier d'aluminium ; déposez le jambon au milieu.

■ Dans un bol mélangez la mélasse, la moutarde, le poivre et la bière ; versez sur le jambon ; ajoutez les quartiers d'oignon.

■ Enveloppez le jambon dans le papier d'aluminium ; scellez ; faites cuire au four 15 minutes par 450 g (1 lb) ; servez chaud ou froid.

Jambon à l'autocuiseur

Si vous avez des feuilles de céleri au réfrigérateur, c'est le moment ou jamais d'en faire bon usage : placées avec les autres ingrédients dans l'autocuiseur, elles ajouteront de la saveur au jambon.

4 à 6 portions

1,4 kg	(3 lb) jambon, désossé, non cuit
500 ml	(2 tasses) lait
60 ml	(1/4 tasse) mélasse ou cassonade
5 ml	(1 c. à t.) moutarde sèche
3	clous de girofle entiers
1	gros oignon, en quartiers

■ Placez tous les ingrédients dans l'autocuiseur ; scellez le couvercle ; faites cuire 30 minutes. Retirez le jambon lorsqu'il est tiède ; laissez refroidir complètement avant de servir.

VARIANTE

Jambon à la cocotte

• Placez tous les ingrédients dans une cocotte en fonte ; couvrez ; laissez mijoter lentement, 1 h 30 ; laissez le jambon refroidir dans son jus.

Cubes de jambon, sauce aigre-douce

Une sauce légèrement sucrée où se mêlent les arômes délicats du romarin et de la coriandre.

10 à 12 portions

45 ml	(3 c. à s.) beurre
750 ml	(3 tasses) jambon, en cubes
1	oignon, haché
2	gousses d'ail, hachées
284 ml	(10 oz) abricots, en conserve
60 ml	(1/4 tasse) vinaigre de vin
180 ml	(3/4 tasse) bouillon de bœuf
180 ml	(3/4 tasse) bouillon de poulet
	sel et poivre
1 ml	(1/4 c. à t.) romarin
2 ml	(1/2 c. à t.) coriandre
5 ml	(1 c. à t.) miel

■ Dans un poêlon, faites fondre le beurre ; faites revenir le jambon, l'oignon et l'ail.

■ Ajoutez le sirop des abricots et le vinaigre de vin ; laissez réduire des deux-tiers.

■ Mouillez des bouillons de bœuf et de poulet ; assaisonnez de sel, de poivre, de romarin et de coriandre ; ajoutez le miel et les abricots coupés en deux.

■ Laissez mijoter 20 minutes ; servez

Jambon tranché, au four

Procurez-vous des tranches d'ananas en conserve, vendues dans leur jus. S'il manque un peu de jus d'ananas, ajoutez du jus d'orange

4 portions

4	grandes tranches de jambon de 2,5 cm (1 po) d'épaisseur chacune
15 ml	(1 c. à s.) moutarde préparée
8	tranches d'ananas
250 ml	(1 tasse) jus d'ananas
	sel et poivre

■ Préchauffez le four à 205 °C (400 °F).

■ Badigeonnez les tranches de jambon de moutarde ; déposez dans un plat allant au four ; couvrez de tranches d'ananas ; arrosez de jus ; salez et poivrez ; couvrez ; faites cuire au four, 30 minutes.

■ Dix minutes avant la fin de la cuisson, retirez le couvercle.

Bouchées au jambon et au porc

Lors d'une occasion spéciale, remplacez la cassonade par du miel liquide, et la moutarde sèche par de la moutarde à l'ancienne.

4 à 6 portions

Boulettes

340 g	(3/4 lb) jambon, haché
340 g	(3/4 lb) porc mi-maigre, haché
375 ml	(1 1/2 tasse) chapelure
180 ml	(3/4 tasse) lait
2	œufs, battus
1	pincée de sel

Sauce

375 ml	(1 1/2 tasse) cassonade
180 ml	(3/4 tasse) eau
125 ml	(1/2 tasse) vinaigre
15 ml	(1 c. à s.) moutarde sèche

■ Préchauffez le four à 160 °C (325 °F).

■ Dans un bol, mélangez tous les ingrédients des boulettes ; façonnez en petites boulettes ; déposez dans un plat peu profond allant au four ; réservez.

■ Dans un bol, mélangez tous les ingrédients de la sauce ; versez sur les boulettes ; faites cuire au four 40 minutes ; arrosez souvent pendant la cuisson.

■ Si désiré, à l'aide d'un cure-dents, piquez une olive sur chaque boulette.

Pâté de jambon

Pour obtenir une croûte bien dorée, badigeonnez la pâte d'oeuf battu.

4 portions

284 ml	(10 oz) crème de champignons
125 ml	(1/2 tasse) lait
15 ml	(1 c. à s.) beurre
1	oignon, haché
60 ml	(1/4 tasse) poivron vert, en lanières
750 ml	(3 tasses) jambon, haché
	sel et poivre
	pâte à tarte brisée ou feuilletée

■ Préchauffez le four à 205 °C (400 °F).

■ Dans un bol, diluez la crème de champignons dans le lait ; réservez.

■ Dans un poêlon, faites fondre le beurre ; faites revenir l'oignon et le poivron en lanières ; ajoutez la crème de champignons diluée et le jambon ; mélangez ; salez et poivrez ; réservez.

■ Roulez la pâte en forme ovale d'environ 20 cm x 32 cm (8 po x 12 po).

■ Déposez le mélange de jambon au centre ; repliez en forme de demi-lune ; pincez les extrémités pour bien sceller ; faites cuire au four 35 à 40 minutes.

LES CUBES

Brochettes de porc minceur

Pour éviter que les champignons se brisent lorsque vous les embrochez, faites-les auparavant tremper une heure dans l'eau froide.

4 portions

250 ml	(1 tasse) vin blanc
125 ml	(1/2 tasse) bouillon de poulet
450 g	(1 lb) porc, en cubes
16	champignons
1	poivron vert, coupé en seize
1	ananas, en morceaux
1	gros oignons, coupé en seize

■ Préchauffez le four à gril (broil).

■ Dans un bol, mélangez le vin blanc et le bouillon de poulet ; ajoutez le porc en cubes ; laissez mariner 3 heures.

■ Épongez le porc en cubes. Enfilez les brochettes en alternant le porc en cubes, les champignons, le poivron, l'ananas et l'oignon.

■ Faites cuire sous le gril 20 minutes ; badigeonnez de marinade après 10 minutes de cuisson.

Ragoût d'autrefois

Cette recette est particulièrement appréciée par temps froid...

4 portions

1 L	(4 tasses) bouillon de poulet
500 ml	(2 tasses) porc, cuit, en cubes
250 ml	(1 tasse) brun de poulet
1	pincée d'épices mélangées (romarin, muscade, cannelle, sarriette, thym, persil)
30 ml	(2 c. à s.) farine grillée

■ Dans une casserole, versez le bouillon de poulet ; ajoutez le porc en cubes et le poulet ; laissez bouillir 30 minutes ; ajoutez les épices.

■ Ajoutez un peu de farine grillée pour épaissir le bouillon.

Porc en cubes, sauce à la crème

Servez ce plat en sauce sur des nouilles aux oeufs. En remplaçant 125 ml (1/2 tasse) de crème par une quantité égale de yogourt, vous créerez une toute nouvelle recette.

4 portions

15 ml	(1 c. à s.) huile
15 ml	(1 c. à s.) beurre
675 g	(1 1/2 lb) de porc, en cubes
125 ml	(1/2 tasse) vin blanc
250 ml	(1 tasse) crème à 15 %
1/2	oignon rouge, coupé en trois
	sel et poivre
1 ml	(1/4 c. à t.) muscade
30 ml	(2 c. à s.) chapelure
	persil haché

■ Dans un poêlon, faites chauffer l'huile et fondre le beurre ; faites revenir le porc en cubes ; retirez du poêlon ; gardez au chaud.

■ Déglacez le poêlon au vin blanc ; laissez réduire de moitié. Ajoutez la crème et l'oignon rouge ; assaisonnez de sel, de poivre et de muscade ; faites chauffer à feu doux en remuant.

■ Dressez le porc en cubes dans un plat de service ; nappez de sauce à la crème ; parsemez de persil.

* recette illustrée

Variante

• **Préchauffez le four à 175 °C (350 °F). Couvrez d'endives le fond d'un plat allant au four ; déposez le porc en cubes; versez la sauce à la crème ; saupoudrez de chapelure ; couvrez d'un papier d'aluminium ; faites cuire au four 20 à 25 minutes.**

Porc en cubes, au four

Si vous désirez initier un enfant aux joies de la cuisine, ne manquez pas de commencer en lui enseignant cette recette tout à fait délicieuse et des plus faciles à exécuter!

4 portions

Farine assaisonnée

60 ml	(1/4 tasse) farine
1	pincée de thym
1	pincée de moutarde sèche
1	pincée de sel d'oignon
1	pincée de sel d'ail
	poivre moulu
450 g	(1 lb) porc, en cubes de 1,25 cm (1/2 po)

Sauce

250 ml	(1 tasse) ketchup
375 ml	(1 1/2 tasse) eau
45 ml	(3 c. à s.) cassonade

■ Dans un bol, mélangez les ingrédients de la farine assaisonnée.

■ Préchauffez le four à 175 °C (350 °F).

■ Enrobez le porc en cubes de farine assaisonnée ; déposez dans un plat allant au four ; réservez.

■ Dans un bol, mélangez les ingrédients de la sauce ; versez sur le porc en cubes.

■ Faites cuire au four 45 minutes.

LES ÉMINCÉS

Porc en lanières, sauce aigre-douce

Agrémenterz cette recette en ajoutant une boîte de maïs en conserve, 20 minutes avant la fin de la cuisson.

8 portions	
30 ml	(2 c. à s.) huile
900 g	(2 lb) porc, en lanières
1	gousse d'ail, émincée
1	oignon, haché
1	courgette, émincée
1	poivron vert, en cubes
1	poivron rouge, en cubes
341 ml	(12 oz) sauce aigre-douce, en conserve

■ Préchauffez le four à 175 °C (350 °F).

■ Dans un poêlon, faites chauffer l'huile. Faites revenir le porc en lanières et l'ail environ 5 minutes.

■ Ajoutez l'oignon, la courgette, les poivrons vert et rouge ; faites sauter 2 minutes ; versez dans un plat allant au four. Incorporez la sauce aigre-douce.

■ Faites cuire au four 30 minutes, ou jusqu'à ce que la viande soit tendre.

Servez ce plat complet avec des pâtes alimentaires ou du riz. Si vous n'avez pas de sherry (aussi appelé «xérès»), utilisez du porto.

■ Dans un plat, étalez le porc en lanières ; ajoutez le sucre, la fécule de maïs, le sherry et la sauce soja ; mélangez.

■ Dans un poêlon en fonte, faites chauffer l'huile ; faites revenir les haricots verts et l'oignon, 1 minute ; ajoutez les épis de maïs et la moitié du liquide de la boîte ; couvrez ; laissez cuire 1 minute. Faites égoutter les légumes ; jetez le liquide ; dressez dans un plat.

■ Faites égoutter le porc en lanières ; réservez la marinade.

■ Faites réchauffer le poêlon ; ajoutez de l'huile ; faites dorer la moitié du porc en lanières ; retirez du poêlon ; ajoutez au mélange de légumes.

■ Faites dorer le reste du porc en lanières ; remettez le mélange de légumes et de viande dans le poêlon ; ajoutez la marinade réservée ; salez ; faites réchauffer en remuant pour bien mélanger.

* recette illustrée

6 portions	
675 g	(1 1/2 lb) porc, en fines lanières
5 ml	(1 c. à t.) sucre
15 ml	(1 c. à s.) fécule de maïs
30 ml	(2 c. à s.) sherry
45 ml	(3 c. à s.) sauce soja
45 ml	(3 c. à s.) huile
398 ml	(14 oz) haricots verts, en conserve
1	oignon moyen, émincé
398 ml	(14 oz) épis de maïs miniatures, en conserve
2 ml	(1/2 c. à t.) sel

Chop Suey
au porc

Si vous le pouvez, remplacez les fèves germées en conserve par des fèves germées fraîches, vendues en sachet.

4 portions	
5 ml	(1 c. à t.) fécule de maïs
60 ml	(1/4 tasse) eau
45 ml	(3 c. à s.) huile végétale
450 g	(1 lb) porc, en lanières
125 ml	(1/2 tasse) céleri, en cubes
2	oignons moyens, tranchés
398 ml	(14 oz) fèves germées, en conserve, rincées à l'eau froide, égouttées
	sel et poivre
125 ml	(1/2 tasse) eau
45 ml	(3 c. à s.) sauce soja

■ Dans un bol, délayez la fécule de maïs dans 60 ml (1/4 tasse) d'eau ; réservez.

■ Dans un poêlon, faites chauffer l'huile ; faites revenir le porc en lanières, le céleri et les oignons ; ajoutez les fèves germées ; salez et poivrez ; mélangez.

■ Ajoutez 125 ml (1/2 tasse) d'eau et la sauce soja ; couvrez ; faites cuire 5 minutes.

■ Incorporez la fécule de maïs délayée ; couvrez ; laissez cuire 1 minute.

Émincé de porc
à la chinoise

Un invité arrive sans avertir ? Ajoutez des petites crevettes en conserve, pour allonger la recette.

4 portions	
15 ml	(1 c. à s.) beurre
1	œuf, battu
15 ml	(1 c. à s.) huile
450 g	(1 lb) porc, en lanières
30 ml	(2 c. à s.) poivron vert, en lanières
1/2	poivron rouge, en lanières
4	échalotes, émincées
2 ml	(1/2 c. à t.) gingembre, râpé
1	boîte de riz à la chinoise
250 ml	(1 tasse) fèves germées, égouttées
15 ml	(1 c. à s.) sauce soja
60 ml	(1/4 tasse) champignons, tranchés
2 ml	(1/2 c. à t.) poudre d'ail

■ Dans un poêlon, faites fondre le beurre ; faites cuire l'œuf battu ; laissez refroidir ; émiettez ; réservez.

■ Dans un autre poêlon, faites chauffer l'huile ; faites revenir le porc en lanières ; ajoutez les poivrons vert et rouge, les échalotes et le gingembre ; diminuez le feu ; laissez cuire 5 minutes.

■ Entre-temps, préparez une boîte de riz frit à la chinoise selon le mode d'emploi ; ajoutez les fèves germées, la sauce soja, les champignons et la poudre d'ail ; mélangez ; incorporez l'œuf.

■ Dressez dans un plat de service ; recouvrez de l'émincé de porc aux légumes.

LE PORC HACHÉ

Porc haché parmentier

Cette recette vous rappellera notre pâté chinois traditionnel, à peu de choses près...

4 portions	
30 ml	(2 c. à s.) huile
450 g	(1 lb) porc, haché
150 ml	(3/4 tasse) oignons, hachés
250 ml	(1 tasse) carottes, en cubes
125 ml	(1/2 tasse) céleri, en cubes
2 ml	(1/2 c. à t.) thym
750 ml	(3 tasses) eau
	sel et poivre
6	grosses pommes de terre, émincées
60 ml	(1/4 tasse) bouillon de bœuf

■ Dans un poêlon, faites chauffer l'huile ; faites revenir le porc haché et les oignons ; versez dans une casserole ; ajoutez les carottes, le céleri, le thym et l'eau ; laissez mijoter 10 minutes à feu moyen ; salez et poivrez.

■ Ajoutez les pommes de terre et le bouillon de bœuf ; faites cuire 15 minutes, ou jusqu'à ce que les pommes de terre soient cuites.

Boulettes de porc bavaroises

Pour bien faire les choses, servez ces boulettes avec une bière mousseuse!

4 portions	
450 g	(1 lb) porc, haché
60 ml	(1/4 tasse) chapelure
1	œuf, légèrement battu
60 ml	(1/4 tasse) eau
125 ml	(1/2 tasse) oignon, haché
10 ml	(2 c. à t.) raifort
5 ml	(1 c. à t.) sel
15 ml	(1 c. à s.) ketchup
1 ml	(1/4 c. à t.) poivre
5	tranches de bacon

■ Dans un bol, mélangez tous les ingrédients, sauf le bacon ; façonnez en boulettes de 3 cm (1 1/4 po) de diamètre.

■ Dans un poêlon, faites cuire les tranches de bacon ; conservez la graisse pour faire cuire les boulettes de porc ; retirez le bacon ; émiettez-le ; réservez.

■ Dans le même poêlon, faites cuire les boulettes de porc ; parsemez de bacon ; servez.

Pâté chinois

Vous voulez savourer un bon repas chaud dès votre retour ? Préparez ce mets à l'avance, en remettant à la dernière minute l'étape de la cuisson au four.

4 portions

1 L	(4 tasses) pommes de terre en purée
540 ml	(19 oz) maïs en crème, en conserve
450 g	(1 lb) reste de porc, cuit, haché
3 à 4	noisettes de beurre

■ Préchauffez le four à 175 °C (350 °F).

■ Dans une casserole, faites cuire les pommes de terre ; réduisez en purée.

■ Dans une petite casserole, faites réchauffer le maïs en crème.

■ Dans un plat allant au four, déposez successivement des couches de purée, de maïs en crème et de porc haché ; terminez par une couche de purée de pommes de terre.

■ Parsemez de noisettes de beurre ; faites cuire au four 15 minutes.

* recette illustrée

VARIANTES

• **Substituez au maïs en crème 540 ml (19 oz) d'asperges en conserve émincées.**

• **Substituez au maïs en crème 500 ml (2 tasses) de compote de pommes ; garnissez de petites tranches de pomme sautées au beurre.**

Boulettes de porc en sauce

Vous recevez ? Préparez des miniboulettes que vous servirez en amuse-gueule.

4 portions

450 g	(1 lb) porc, haché
225 g	(1/2 lb) bœuf, haché
125 ml	(1/2 tasse) oignon, haché
2 ml	(1/2 c à t.) graines de céleri
5 ml	(1 c. à t.) farine
1	œuf, battu
5 ml	(1 c. à t.) sel
30 ml	(2 c. à s.) huile

Sauce

796 ml	(28 oz) tomates
142 ml	(5 oz) de pâte de tomates
125 ml	(1/2 tasse) oignon, haché
2 ml	(1/2 c. à t.) sel d'ail ou ail émincé
5 ml	(1 c. à t.) sucre
250 ml	(1 tasse) eau
	sel et poivre

■ Préchauffez le four à 175 °C (350 °F).

■ Mélangez les 7 premiers ingrédients. Façonnez en petites boulettes d'environ 3,25 cm (1 1/2 po) de diamètre.

■ Dans un poêlon, faites chauffer l'huile ; faites cuire les boulettes de porc 8 à 10 minutes ; dressez dans un plat allant au four ; réservez.

■ Dans un bol, mélangez les ingrédients de la sauce ; versez sur les boulettes de porc ; couvrez ; faites cuire au four 1 heure.

Roulé au porc haché

Vous pouvez aussi servir ces rouleaux vite faits avec une touche de ketchup ou de sauce tomate.

4 portions	
2	tranches de bacon
675 g	(1 1/2 lb) porc maigre, haché
8	biscuits soda, émiettés
	sel et poivre
1	œuf, battu
125 ml	(1/2 tasse) lait
	farine

Sauce aux épinards

125 ml	(1/2 tasse) crème
60 ml	(1/4 tasse) épinards, équeutés, blanchis
1/2	gousse d'ail, hachée
	sel et poivre

■ Préchauffez le four à 175 °C (350 °F).

■ Hachez le bacon à la moulinette ; ajoutez le porc haché et les biscuits soda ; salez et poivrez.

■ Ajoutez l'œuf et le lait ; mélangez. Roulez dans la farine ; façonnez en rouleaux.

■ Déposez dans une lèche-frite ; faites cuire au four 15 minutes ; couvrez d'un papier graissé ; poursuivez la cuisson 30 minutes.

■ Entre-temps, dans une casserole, mélangez tous les ingrédients de la sauce ; amenez à ébullition ; laissez réduire du tiers ; passez au mélangeur ; servez avec les rouleaux.

Porc haché au chou de grand-mère

Avec des pommes vapeur, ce plat traditionnel vous rappellera la table toute simple du bon vieux temps !

4 portions	
30 ml	(2 c. à s.) huile
675 g	(1 1/2 lb) porc, haché
1	oignon, haché finement
284 ml	(10 oz) crème de tomates, en conserve
1	chou, en lanières
284 ml	(10 oz) eau
	sel et poivre

■ Préchauffez le four à 175 °C (350 °F).

■ Dans un poêlon, faites chauffer l'huile ; faites revenir le porc haché et l'oignon.

■ Dans un bol, diluez la crème de tomates dans l'eau.

■ Dans un plat allant au four, déposez successivement des couches de porc haché et de lanières de chou ; versez la crème de tomates diluée ; couvrez ; faites cuire au four 45 à 60 minutes ; servez.

Pain de viande aux pignons

À défaut de biscuits soda, utilisez de la chapelure.

8 portions	
900 g	(2 lb) porc, haché
125 ml	(1/2 tasse) pignons, hachés
125 ml	(1/2 tasse) céleri, émincé
125 ml	(1/2 tasse) carotte, râpée
125 ml	(1/2 tasse) champignons, tranchés
250 ml	(1 tasse) soupe aux tomates, concentrée
375 ml	(1 1/2 tasse) biscuits soda, émiettés
10 ml	(2 c. à t.) persil
125 ml	(1/2 tasse) parmesan, râpé
1 ml	(1/4 c. à t.) thym
45 ml	(3 c. à s.) pâte de tomates
	sel et poivre

■ Préchauffez le four à 175 °C (350 °F).

■ Dans un bol, mélangez tous les ingrédients ; façonnez en pain.

■ Déposez dans un plat allant au four ; faites cuire au four 50 minutes.

Foie de porc

Asséchez bien les morceaux de foie avant de les enfariner.

4 portions	
450 g	(1 lb) foie de porc, en petites lanières
60 ml	(1/4 tasse) lait
75 ml	(5 c. à s.) farine
8	tranches de bacon, en morceaux de 2,5 cm (1 po)
1	gros oignon, coupé grossièrement
156 ml	(5,5 oz) pâte de tomates
60 ml	(1/4 tasse) eau froide
2 ml	(1/2 c. à t.) épices à bifteck barbecue
2 ml	(1/2 c. à t.) poivre

■ Dans un bol profond, étalez le foie de porc ; couvrez de lait ; placez au réfrigérateur ; laissez tremper 2 à 4 heures. Retirez le foie de porc ; épongez ; enfarinez.

■ Dans un poêlon, faites cuire le bacon ; retirez du poêlon ; épongez à l'aide d'un essuie-tout ; réservez.

■ Dans le même poêlon, à feu moyen, faites revenir le foie de porc et l'oignon en remuant avec une cuillère de bois. Ajoutez la pâte de tomates et l'eau ; mélangez ; assaisonnez d'épices à bifteck barbecue et de poivre ; parsemez de bacon ; servez.

LE CHEVAL

Bien des gens éprouvent encore certaines réticences à servir du cheval, « la plus noble conquête de l'homme ».

Pourtant, le cheval fait partie des mœurs culinaires de nombreuses nations — Angleterre, Allemagne, France — et sa viande est appelée à se faire de plus en plus présente sur nos tables.

L'intérêt de consommer du cheval ? Parlons tout d'abord de goût. Plus rouge que le bœuf, la chair de cheval est reconnue pour sa tendreté. Elle est également moins riche en calories (environ 94 calories pour 100 g, contre 156 pour le bœuf maigre). De plus, cette viande coûte un peu moins cher que le bœuf. Voilà de bien bonnes raisons de découvrir cette délicieuse viande.

Les biftecks

Quoi de plus facile à faire cuire qu'un bifteck? Un peu de beurre, une légère touche d'huile, un bon poêlon, et faites saisir rapidement. Le reste du repas dépend de votre imagination... et des ressources de votre garde-manger !

Préparez une sauce rapide en jetant quelques légumes dans le jus de cuisson, auquel vous ajouterez un bouillon, consommé, vin ou tout autre liquide de votre choix. Il ne manque que les pommes de terre et une bonne salade.

Ne piquez pas les biftecks mis à cuire... vous vous assurerez ainsi que les précieux sucs resteront prisonniers à l'intérieur !

4 portions	
30 ml	(2 c. à s.) beurre
4	tranches de surlonge de 225 g (8 oz) chacune
500 ml	(2 tasses) consommé
250 ml	(1 tasse) tomates en conserve, en dés
1	gousse d'ail, émincée
3	échalotes, émincées sel et poivre
16	champignons, en quartiers
5 ml	(1 c. à t.) jus de citron

■ Préchauffez le four à 160 °C (325 °F).

■ Dans un poêlon, faites fondre le beurre ; faites saisir les biftecks en évitant de les piquer ; réservez.

■ Dans une casserole, versez le consommé ; ajoutez les tomates, l'ail et les échalotes ; salez et poivrez. Faites cuire à feu moyen ; laissez réduire de moitié. Ajoutez les champignons et le jus de citron.

■ Versez sur les biftecks ; faites cuire au four 10 minutes.

Variante

• Substituez aux champignons des choux de Bruxelles en quartiers et des poivrons en lanières.

Entrecôte de cheval aux fines herbes, grillée

Servez avec des pommes de terre que vous aurez faites cuire au four juste avant de préparer les entrecôtes.

4 portions	
4	entrecôtes de cheval de 225 g (8 oz) chacune
60 ml	(1/4 tasse) huile d'olive
1 ml	(1/4 c. à t.) romarin, haché
1 ml	(1/4 c. à t.) thym, haché
1 ml	(1/4 c. à t.) cerfeuil, haché
2 ml	(1/2 c. à t.) persil, haché
2 ml	(1/2 c. à t.) ail, émincé
	sel et poivre

■ Préchauffez le four à gril (broil).

■ Pratiquez des incisions dans le gras des entrecôtes tous les 5 cm (2 po) pour les empêcher de «friser».

■ Dans un bol, mélangez l'huile, les fines herbes et l'ail ; badigeonnez les entrecôtes des deux côtés.

■ Faites cuire sous le gril ; tournez d'un quart de tour à mi-cuisson ; badigeonnez souvent de mélange aux fines herbes ; salez et poivrez.

Bavette de cheval aux deux moutardes

Le mot «moutarde» vient de l'expression «moût ardent», pour «piquant». C'est pourquoi on l'utilise généralement avec prudence...

4 portions	
30 ml	(2 c. à s.) huile végétale
4	bavettes de cheval de 200 g (7 oz) chacune
15 ml	(1 c. à s.) moutarde forte
15 ml	(1 c. à s.) moutarde en grains
	sel et poivre
10 ml	(2 c. à t.) échalotes, hachées
45 ml	(3 c. à s.) vinaigre de vin
250 ml	(1 tasse) bouillon de bœuf
5 ml	(1 c. à t.) persil, haché

■ Préchauffez le four à 130 °C (275 °F).

■ Dans un poêlon, faites chauffer l'huile ; faites saisir les bavettes des 2 côtés ; déposez dans un plat allant au four ; badigeonnez légèrement de moutarde forte et de moutarde en grains ; salez et poivrez ; gardez au chaud dans le four.

■ Dans le même poêlon, faites revenir les échalotes ; déglacez au vinaigre de vin ; laissez réduire presque à sec ; mouillez avec le bouillon de bœuf ; laissez réduire du tiers.

■ Ajoutez 5 ml (1 c. à t.) de chacune des 2 moutardes, mélangez bien ; retirez du feu.

■ Ajoutez le persil ; versez sur les bavettes.

LES FILETS

Servez à vos invités un délicieux filet de cheval sans annoncer vos couleurs. Ils seront tous surpris de la tendreté de ce «boeuf» et vous demanderont sûrement l'adresse de votre boucher.

4 portions

15 ml	**(1 c. à s.) huile végétale**
4	**filets mignons de 170 g (6 oz) chacun**
	sel et poivre
30 ml	**(2 c. à s.) beurre**
2	**échalotes françaises, hachées**
225 g	**(1/2 lb) champignons frais, émincés**
30 ml	**(2 c. à s.) poivre vert, en grains**
60 ml	**(1/4 tasse) crème à 35 %**
15 ml	**(1 c. à s.) poivre noir, en grains, moulu**
5 ml	**(1 c. à t.) ciboulette, hachée**

■ Préchauffez le four à 130 °C (275 °F).

■ Dans une sauteuse, faites chauffer l'huile ; faites saisir les filets mignons à feu moyen-vif 2 minutes ; retournez ; salez et poivrez ; poursuivez la cuisson 6 minutes.

■ Déposez les filets dans un plat ; gardez au chaud dans le four.

■ Dans la sauteuse, faites fondre le beurre ; ajoutez les échalotes et les champignons ; laissez cuire à feu moyen 3 à 4 minutes en remuant de temps en temps.

■ Dans un bol, versez la crème ; incorporez le poivre vert en l'écrasant ; ajoutez le poivre noir et la ciboulette.

■ Versez ce mélange dans la sauteuse ; faites cuire à feu moyen-vif 3 à 4 minutes ; assaisonnez au goût ; poursuivez la cuisson 2 minutes.

■ Versez sur les filets mignons ; servez immédiatement.

Filets mignons de cheval

Par son appellation et sa tendreté, le filet mignon a tout pour séduire. De plus, il jouit d'un atout supplémentaire de taille : il cuit en quelques minutes sans la moindre éclaboussure !

4 portions	
15 ml	(1 c. à s.) huile
30 ml	(2 c. à s.) beurre
2	gousses d'ail, émincées
398 ml	(14 oz) tomates, en conserve
15 ml	(1 c. à s.) persil, haché
4	filets mignons de cheval de 140 g (5 oz) chacun

■ Dans un plat allant au four à micro-ondes, versez l'huile ; ajoutez le beurre et l'ail ; placez au four à micro-ondes à ÉLEVÉ, 2 minutes. Incorporez les tomates et le persil ; faites cuire à ÉLEVÉ 3 minutes ; remuez une fois pendant la cuisson.

■ Diminuez l'intensité à MOYEN-ÉLEVÉ ; ajoutez les filets mignons ; faites cuire au goût (5 à 6 minutes pour une viande cuite à point, 9 à 10 minutes pour une viande bien cuite).

Tournedos de cheval

La viande de cheval s'imprègnera des saveurs de la marinade et saura bien les conserver à la cuisson au micro-ondes.

4 portions	

Marinade

75 ml	(5 c. à s.) sauce soja
2	gousses d'ail, émincées
45 ml	(3 c. à s.) huile d'olive
4	filets de cheval de 115 g (4 oz) chacun
4	tranches de bacon (ou bardes de lard)

Sauce

30 ml	(2 c. à s.) fécule de maïs
30 ml	(2 c. à s.) eau
30 ml	(2 c. à s.) cognac
500 ml	(2 tasses) thé
250 ml	(1 tasse) champignons, émincés
	échalotes ou persil, hachés

■ Dans un grand plat, mélangez tous les ingrédients de la marinade ; déposez les filets de cheval ; laissez mariner à la température de la pièce au moins 4 heures.

■ Faites égoutter les filets de cheval ; asséchez bien ; réservez.

■ Dans un plat allant au four à micro-ondes, versez le reste de la marinade ; entourez les filets de tranches de bacon ou de lard ; placez au four à micro-ondes sur une grille surélevée ; faites cuire à MOYEN-ÉLEVÉ, 4 minutes pour une viande cuite à point, 8 minutes pour une viande bien cuite. Retirez ; gardez au chaud.

■ Dans un bol, délayez la fécule de maïs dans l'eau.

■ Ajoutez à la marinade le cognac, le thé et la fécule de maïs délayée ; faites cuire 4 minutes ; remuez à mi-cuisson ; incorporez les champignons.

■ Garnissez d'échalotes ou de persil hachés.

LES RÔTIS

Belle-maman, le patron ou la cousine venue de loin ne resteront pas indifférents au fumet de ce délicieux rôti de cheval. Pour limiter votre consommation de matières grasses, faites cuire le rôti dans une cocotte munie d'une grille.

En flamand, «witloof» signifie «endive». Ce légume typique de la cuisine belge est traditionnellement servi braisé.

4 portions	
45 ml	**(3 c. à s.) huile d'arachide**
30 ml	**(2 c. à s.) beurre**
1	**rôti de cheval de 1,4 kg (3 lb)**
	sel et poivre
500 ml	**(2 tasses) bouillon de bœuf**
2 ml	**(1/2 c. à t.) muscade**
1	**gousse d'ail, émincée**
10 ml	**(2 c. à t.) persil, haché**
6	**endives, coupées en deux**

■ Préchauffez le four à 205 °C (400 °F).

■ Dans une cocotte, faites chauffer l'huile et fondre le beurre ; faites saisir le rôti sur toutes ses faces ; salez et poivrez ; faites cuire au four 15 minutes par 450 g (1 lb) pour une viande saignante.

■ Après 15 minutes de cuisson, ajoutez le bouillon de bœuf, la muscade, l'ail et le persil ; poursuivez la cuisson.

■ Après 25 minutes, plongez les endives dans le jus de cuisson pour les faire braiser.

■ À la fin de la cuisson, laissez reposer le rôti 10 minutes ; tranchez ; dressez dans un plat de service avec les endives ; arrosez de jus de cuisson.

Rôti de cheval à la bourguignonne ou sauce madère

Préparez votre sauce avec le jus de cuisson du rôti : quel délice!

8 portions

45 ml	(3 c. à s.) poivre noir, écrasé
1	rôti de cheval de 1,4 kg (3 lb)
45 ml	(3 c. à s.) huile d'arachide
250 ml	(1 tasse) bouillon de bœuf

Sauce bourguignonne

15 ml	(1 c. à s.) beurre
1	gros oignon rouge, émincé
250 ml	(1 tasse) champignons, émincés
15 ml	(1 c. à s.) farine
125 ml	(1/2 tasse) bouillon de viande
125 ml	(1/2 tasse) vin rouge sel et poivre bouquet garni

■ Préchauffez le four à 205 °C (400 °F).

■ Poivrez le rôti ; badigeonnez d'huile.

■ Dans une cocotte, faites saisir le rôti sur toutes ses faces à l'huile fumante ; faites cuire au four 15 minutes par 450 g (1 lb) pour une viande saignante.

■ Après 15 minutes de cuisson, incorporez le bouillon de bœuf et un peu de sel. Arrosez souvent.

Sauce bourguignonne

■ Dans un poêlon, faites fondre le beurre ; ajoutez l'oignon, les champignons et la farine ; mélangez ; versez le bouillon de viande et le vin rouge ; faites cuire jusqu'à épaississement ; salez et poivrez ; ajoutez le bouquet garni ; laissez mijoter 10 minutes.

Sauce madère

• Dans un poêlon, faites fondre 30 ml (2 c. à s.) de beurre ; faites revenir 1 gros oignon émincé (ou des échalotes) et 85 g (3 oz) de petits lardons ; ajoutez 20 ml (4 c. à t.) de farine ; mélangez.

• Ajoutez 180 ml (3/4 tasse) de jus de cuisson ou de bouillon de viande et 180 ml (3/4 tasse) de vin blanc sec ; faites cuire jusqu'à épaississement.

• Salez et poivrez ; ajoutez un bouquet garni ; laissez mijoter à feu doux 10 minutes.

• Incorporez 125 ml (1/2 tasse) de champignons émincés ; poursuivez la cuisson 5 minutes. Versez 125 ml (1/2 tasse) de vin de Madère ou de porto en mélangeant bien (voir ci-contre).

LES MORCEAUX

Cheval en cubes, sauce à la bière

Essayez une bière brune!

4 portions	
15 ml	(1 c. à s.) huile
675 g	(1 1/2 lb) de viande de cheval, en cubes
30 ml	(2 c. à s.) fécule de maïs
60 ml	(1/4 tasse) eau, froide
1	grosse carotte, râpée
1	branche de céleri, émincée
125 ml	(1/2 tasse) champignons
1	oignon moyen, en cubes
1	échalote, hachée sel et poivre
1	pincée de paprika persil, haché
340 ml	(1 bouteille) de bière croûtons grillés

■ Préchauffez le four à 190 °C (375 °F).

■ Dans un poêlon, faites chauffer l'huile ; faites revenir à feu vif la viande en cubes ; réservez.

■ Dans un bol, délayez la fécule de maïs dans l'eau; réservez.

■ Déposez la viande dans un plat allant au four ; ajoutez tous les autres ingrédients, sauf les croûtons ; couvrez ; faites cuire au four 45 minutes.

■ Quatre à cinq minutes avant la fin de la cuisson, incorporez la fécule de maïs délayée ; poursuivez la cuisson.

■ Dressez dans un plat de service ; parsemez de croûtons ; servez.

Brochette de cheval aux légumes

Vous pouvez utiliser n'importe quelle recette de marinade pour boeuf en cubes.

4 portions	
Marinade	
60 ml	(1/4 tasse) vin rouge
60 ml	(1/4 tasse) huile
5 ml	(1 c. à t.) moutarde sèche
15 ml	(1 c. à s.) sauce soja
450 g	(1 lb) de viande de cheval, en cubes
8	tomates miniatures
1	oignon, coupé en huit
16	champignons
1	poivron, coupé en seize

■ Allumez le barbecue 20 minutes avant la cuisson.

■ Dans un bol, mélangez tous les ingrédients de la marinade ; incorporez la viande en cubes ; laissez mariner 6 heures.

■ Faites égoutter la viande en cubes ; enfilez les brochettes en alternant viande et légumes ; faites cuire ; badigeonnez de marinade de temps en temps.

VARIANTES

• Accompagnez de fettuccine aux épinards.

• Servez avec une sauce aux prunes ou aux canneberges ou avec une crème de champignons.

Émincé de cheval à la moutarde

Vous pouvez remplacer la cassonade par du miel.

4 portions	
30 ml	(2 c. à s.) huile
450 g	(1 lb) bifteck de cheval, en fines lanières
250 ml	(1 tasse) sauce tomate
80 ml	(1/3 tasse) eau
15 ml	(1 c. à s.) cassonade
15 ml	(1 c. à s.) moutarde préparée
15 ml	(1 c. à s.) sauce anglaise
1	oignon moyen, en fines rondelles
20 ml	(4 c. à t.) moutarde en grains

■ Dans un poêlon, faites chauffer l'huile ; faites revenir la viande ; faites égoutter ; jetez le gras de cuisson ; remettez la viande dans le poêlon.

■ Dans un bol, mélangez les autres ingrédients ; versez sur la viande ; couvrez ; laissez mijoter 30 minutes, ou jusqu'à ce que la viande soit tendre.

■ Garnissez chaque portion de 5 ml (1 c. à t.) de moutarde en grains ; servez.

VARIANTE

• Substituez au bifteck de cheval un reste de rôti découpé en fines lanières.

Pain de viande

Ni vu ni connu : la façon idéale de servir du cheval pour la première fois.

4 portions	
900 g	(2 lb) bifteck de cheval, haché
4	tranches de bacon, en morceaux
1	sachet de soupe à l'oignon
375 ml	(1 1/2 tasse) chapelure
30 ml	(2 c. à s.) moutarde préparée
1 ml	(1/4 c. à t.) sarriette
2	œufs, battus
180 ml	(3/4 tasse) eau chaude
220 ml	(7 1/2 oz) sauce tomate

■ Préchauffez le four à 205 °C (400 °F).

■ Dans un bol, mélangez le bifteck de cheval, le bacon, la soupe à l'oignon, la chapelure, la moutarde, la sarriette ; mélangez.

■ Incorporez les œufs ; ajoutez l'eau ; mélangez.

■ Façonnez en forme de pain ; déposez dans un plat allant au four ; nappez de sauce tomate ; couvrez ; faites cuire au four 1 h 30 ; accompagnez de petits légumes.

LES POISSONS

Autrefois relégué au triste menu des « jours maigres », le poisson se retrouve désormais à la table des grands jours.

Il faut d'ailleurs s'attendre à ce que sa popularité augmente, car les poissonniers nous offrent une grande variété de produits frais.

En fait, l'époque où l'on ne trouvait sur le marché que quelques variétés de poissons surgelés est bel et bien révolue au grand plaisir des connaisseurs et des personnes soucieuses de leur santé.

Le poisson permet en effet de faire le plein de protéines —tout en limitant l'ingestion de lipides (matières grasses). La plupart des poissons sont très maigres : le plus gras d'entre eux, l'anguille, contient 25 % de lipides, soit l'équivalent du porc ou de l'agneau.

COMMENT RETIRER LES FILETS—
POISSONS À DEUX FILETS

Les poissons du genre saumon

- Choisissez un beau poisson bien écaillé ; lavez-le à l'eau très froide ; asséchez-le quelque peu.

- Pour faciliter la tâche, coupez la tête (juste derrière les ouïes) et les nageoires pectorales et dorsales.

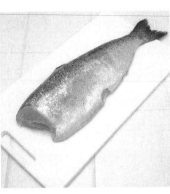

- Vous pouvez maintenant dégager les filets de l'arête centrale.

- À l'aide d'un couteau très bien aiguisé, entaillez le dos pour localiser l'arête centrale.

- Appuyez la lame du couteau contre l'arête centrale ; poursuivez la coupe ; soulevez le filet à mesure qu'il se détache.

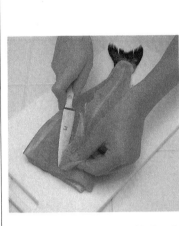

- Lorsque le premier filet est entièrement dégagé, retirez l'arête centrale pour dégager l'autre filet.

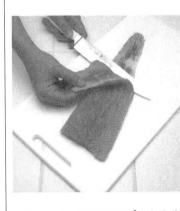

- Posez le filet bien à plat (la peau en dessous), et pratiquez une incision à 2,5 cm (1 po) de la queue. Déposez votre couteau bien à plat sur la peau et d'un mouvement régulier coupez en prenant garde de ne pas incliner la lame du couteau, car vous pourriez déchirer la peau ou abîmer la chair du poisson.

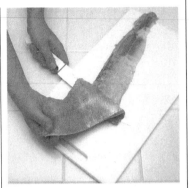

- Débarrassez ainsi le filet de sa peau.

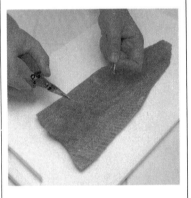

- Posez le filet bien à plat (le côté «peau» en dessous) ; retirez les arêtes qui dépassent à l'aide d'une petite pince.

212

COMMENT RETIRER LES FILETS— POISSONS À QUATRE FILETS

Les poissons du genre sole

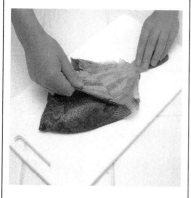

- *Choisissez un beau poisson ; lavez-le à l'eau très froide ; asséchez-le quelque peu et posez-le bien à plat (la peau blanche en dessous).*

- *Faites une petite incision juste avant la queue ; retroussez quelque peu la peau; d'une main, tenez la queue et de l'autre, tirez sur la peau d'un geste vif, en direction de la tête.*

- *Débarrassez ainsi le filet de sa peau.*

- *À l'aide d'un couteau pointu, localisez l'arête centrale ; appuyez la pointe du couteau contre les petites arêtes ; retirez le premier filet.*

- *Recommencez cette opération de l'autre côté de l'arête centrale pour retirer le deuxième filet.*

- *Retournez le poisson ; retirez la peau blanche ; séparez les filets l'un après l'autre.*

- *Vous obtenez quatre filets.*

213

Comment tailler les poissons

De nos jours, le poisson est vendu entier (paré) ou en morceaux (tronçons, filets ou darnes). Une visite dans une poissonnerie moderne est une invitation à la découverte : saumons, sardines, truites et soles y côtoient des espèces moins courantes telles l'omble de l'Arctique, le mahi-mahi et la goberge. À chacun d'explorer à sa guise !

Comment choisir un poisson

Pour vous assurer que le poisson que vous achetez est frais, surveillez :

■ l'odeur qui ne doit pas être trop forte ;

■ la chair qui doit être ferme et légèrement élastique ;

■ l'oeil qui doit être brillant et ne doit pas être enfoncé dans son orbite ;

■ les ouïes qui doivent être rouge vif et humides

Note: choisissez toujours une poissonnerie où l'on conserve les poissons dans de la glace et des algues.

En tronçons

■ Posez le poisson bien à plat, après l'avoir débarrassé de ses nageoires et, si vous le désirez, de sa peau.

■ Détaillez le poisson en morceaux égaux d'environ 5 à 12,5 cm (2 à 5 po) d'épaisseur.

En darnes

■ Découpez la tête et les nageoires du poisson.

■ Posez le poisson bien à plat sur une planche à découper.

■ Détaillez-le en tranches de 2,5 à 5 cm (1 à 2 po) d'épaisseur.

En escalopes ou suprêmes

■ Prenez un filet sans peau et sans arêtes ; posez-le bien à plat.

■ Coupez le filet dans le sens de la hauteur, en inclinant le couteau à un angle d'environ 45° pour obtenir des portions de 60 à 120 g (2 à 4 oz) chacune.

214

En damiers

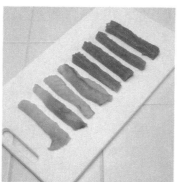

- *Taillez 7 ou 8 lanières d'égale grosseur ; la moitié d'une couleur et l'autre, d'une couleur différente.*

- *Placez 4 lanières de même couleur côte à côte; une par une, glissez les lanières de couleur différente tel qu'illustré.*

- *Vous obtenez un damier.*

En bâtonnets

- *Prenez une portion de filet et détaillez-la en bâtonnets d'égale largeur.*

- *Utilisez des bâtonnets de cette grosseur ou coupez-les en plus fines lanières.*

En bouclettes

- *Taillez de longues et minces lanières dans les filets.*

- *Nouez-les tout simplement.*

En tresses

- *Prenez 2 filets de poisson de couleur différente.*

- *Coupez-les en longues lanières égales et disposez-les en alternant les couleurs.*

- *Tressez en croisant les lanières l'une sur l'autre.*

215

LES POISSONS ENTIERS

Éperlans frits

Petit poisson de la même famille que le saumon, l'éperlan a une chair fine et délicate. On le fait frire entier, après qu'il ait été vidé et lavé. La plupart du temps, l'éperlan est vendu surgelé.

4 portions

	huile végétale
450 g	(1 lb) éperlans
250 ml	(1 tasse) lait
	farine
	sel
1	bouquet de persil
2	citrons

■ Dans une friteuse, faites chauffer l'huile à 190 °C (375 °F).

■ Épongez les éperlans ; passez dans le lait, puis dans la farine ; secouez l'excédent de farine.

■ Plongez les éperlans dans la friteuse ; faites dorer ; laissez égoutter sur un essuie-tout ; salez.

■ Dressez dans un plat de service ; garnissez de persil et de quartiers de citron.

Truite pochée au court bouillon

Plongez les truites dans un liquide chaud et non bouillant.

4 portions

2	carottes, en rondelles
2	branches de céleri, émincées
1	oignon, en rondelles
1	poireau
15 ml	(1 c. à s.) jus de citron
5 ml	(1 c. à t.) poivre noir, concassé
1	pincée de thym
1	feuille de laurier
1	bouquet de persil, haché
750 ml	(3 tasses) eau
	sel
4	truites de 225 g (1/2 lb) chacune
1	citron, tranché

■ Dans une casserole, mélangez tous les ingrédients, sauf les truites et le citron. Amenez à ébullition ; laissez mijoter doucement environ 10 minutes.

■ Ajoutez les truites au court-bouillon ; laissez frémir environ 5 minutes ; retirez du court-bouillon ; faites égoutter les légumes.

■ Dressez les légumes et les truites dans un plat de service ; garnissez de tranches de citron. Servez avec une sauce hollandaise.

Vivaneau au maïs

Pour accélérer la cuisson, pratiquez des entailles dans la chair du vivaneau.

4 portions

4	feuilles de maïs
2	vivaneaux de 450 g (1 lb) chacun
15 ml	(1 c. à s.) huile de maïs
	sel et poivre
125 ml	(1/2 tasse) sauce tomate
60 ml	(1/4 tasse) maïs en grains

■ Préchauffez le four à gril (broil) 20 minutes avant la cuisson.

■ Dans une casserole d'eau bouillante salée, faites blanchir les feuilles de maïs, 3 minutes.

■ Badigeonnez les poissons d'huile ; faites griller 3 minutes de chaque côté ; assaisonnez. Entre-temps, faites griller les feuilles de maïs, 1 minute ; réservez.

■ Dans une casserole, faites réchauffer la sauce tomate ; incorporez le maïs.

■ Disposez les poissons sur les feuilles de maïs ; nappez de sauce.

VARIANTE

• Détachez les filets de poisson ; enlevez la peau, enveloppez de feuilles de maïs ; faites griller (voir recette illustrée ci-dessus).

Saumoneau amandine

La chair rose des saumoneaux est une invitation à la gourmandise.

4 portions

	sel et poivre
2	saumoneaux de 450 g (1 lb) chacun, parés par le poissonnier
	farine
45 ml	(3 c. à s.) beurre
125 ml	(1/2 tasse) amandes, effilées
25 ml	(5 c. à t.) persil
15 ml	(1 c. à s.) jus de citron

■ Salez et poivrez l'intérieur et l'extérieur des saumoneaux ; passez dans la farine.

■ Dans un poêlon, faites fondre le beurre ; faites cuire à feu moyen, 7 minutes de chaque côté ; ajoutez les amandes ; remuez jusqu'à ce qu'elles soient dorées ; ajoutez le persil et le jus de citron ; retirez du feu ; servez avec une sauce au beurre blanc.

VARIANTE

• Préchauffez le four à 175 °C (350 °F). Enrobez les saumoneaux d'amandes concassées. Dans le poêlon, faites fondre le beurre ; faites revenir les saumoneaux des deux côtés ; couvrez d'un papier d'aluminium ; terminez la cuisson au four.

LES POISSONS ENTIERS FARCIS

Bar noir farci

Aussi vendu sous l'appellation «loup», le bar noir a une chair fine et serrée, contenant peu d'arêtes.

4 portions

1	bar noir de 900 g (2 lb)
	sel et poivre
500 ml	(2 tasses) chapelure
30 ml	(2 c. à s.) oignon, émincé
15 ml	(1 c. à s.) câpres
5 ml	(1 c. à t.) persil, haché
1	pincée de paprika
60 ml	(1/4 tasse) eau chaude
30 ml	(2 c. à s.) beurre, fondu
60 ml	(1/4 tasse) crème à 15 %

■ Préchauffez le four à 205 °C (400 °F).

■ Salez et poivrez l'intérieur et l'extérieur du bar noir ; réservez.

■ Beurrez une lèchefrite.

■ Dans un bol, mélangez la chapelure, l'oignon, les câpres, le persil et le paprika ; remplissez le bar noir de cette farce ; refermez l'ouverture.

■ Déposez le bar noir dans la lèchefrite ; faites cuire au four 45 minutes ; humectez souvent d'un mélange d'eau chaude et de beurre fondu.

■ Retirez le bar noir ; dressez dans un plat de service ; garnissez de petits légumes ; gardez au chaud.

■ Ajoutez la crème au jus de cuisson ; remuez ; laissez cuire jusqu'à consistance désirée ; versez en couronne autour du poisson ; servez.

Truite farcie tradition

Il vous reste un peu de vin blanc sec d'un repas précédent ? Remplacez alors l'eau de la farce par ce vin.

4 portions

15 ml	(1 c. à s.) beurre
60 ml	(1/4 tasse) oignon, haché finement
60 ml	(1/4 tasse) céleri, haché finement
1	gousse d'ail, émincée
	sel et poivre
1	pincée d'estragon
125 ml	(1/2 tasse) riz, cuit
30 ml	(2 c. à s.) eau
4	truites de 225 g (1/2 lb) chacune
15 ml	(1 c. à s.) persil, haché

■ Préchauffez le four à 230 °C (450 °F).

■ Dans un poêlon, faites fondre le beurre ; faites revenir l'oignon, le céleri et l'ail ; assaisonnez de sel, de poivre et d'estragon ; ajoutez le riz ; mouillez d'un peu d'eau. Remplissez les truites de cette farce, sans tasser ; fermez l'ouverture ; réservez.

■ Beurrez une lèchefrite ; déposez les truites dans la lèchefrite ; couvrez de papier d'aluminium (sans fermer hermétiquement) ; laissez cuire 10 minutes.

■ Dressez dans un plat de service ; garnissez de persil ; servez avec une sauce aux crevettes.

VARIANTE

• **Substituez au riz du pain trempé dans du lait et des champignons.**

Sardines farcies, grillées

*Si vous faites griller vos
sardines avec la tête,
elles se briseront moins
lorsque vous les retour-
nerez.*

4 portions

60 ml	(1/4 tasse) anchois
30 ml	(2 c. à s.) câpres
180 ml	(3/4 tasse) chapelure
125 ml	(1/2 tasse) oignon, haché
30 ml	(2 c. à s.) persil, haché
2	gousses d'ail, émincées
1	pincée de thym
60 ml	(1/4 tasse) lait
60 ml	(1/4 tasse) beurre, en pommade
80 ml	(1/3 tasse) olives farcies
900 g	(2 lb) sardines
30 ml	(2 c. à s.) huile végétale

■ Préchauffez le four à gril
(broil).

■ Dans un bol, mélangez
tous les ingrédients, sauf les
sardines et l'huile.

■ À l'aide d'une petite cuillère, remplissez les sardines
d'un peu de farce ; déposez
dans une lèchefrite en les es-
paçant légèrement les unes
des autres ; salez et poivrez.

■ Arrosez d'huile ; passez
sous le gril environ 10 minutes de chaque côté.

■ Dressez dans un plat de
service ; servez.

Sole farcie au ragoût de légumes

*Il n'est pas nécessaire
de peler la courgette.*

4 portions

1	petite courgette, en cubes
2	branches de céleri, émincées
1	poireau, émincé
2	petites carottes, en cubes
20 ml	(4 c. à t.) beurre
60 ml	(1/4 tasse) lardons, en cubes
	sel et poivre
284 ml	(10 oz) crème de céleri, en conserve
4	petites soles, parées par le poissonnier
180 ml	(3/4 tasse) chapelure
20 ml	(4 c.à t.) persil, haché

■ Préchauffez le four à
190 °C (375 °F).

■ Dans de l'eau bouillante
salée, faites blanchir les légumes 3 minutes ; laissez
égoutter.

■ Dans un poêlon, faites
fondre le beurre ; faites
revenir les lardons et les légumes blanchis ; salez et poivrez ; faites cuire à feu doux
3 minutes ; ajoutez la crème
de céleri ; poursuivez la
cuisson 3 minutes.

■ Remplissez chaque sole
de ragoût de légumes ;
déposez dans une lèchefrite ;
au besoin, ajoutez un peu
de crème de céleri ; couvrez
d'un papier d'aluminium ;
faites cuire 25 minutes.

■ À la fin de la cuisson,
couvrez les soles d'un
mélange de chapelure et de
persil ; faites colorer 1 minute
sous le gril ; arrosez de jus de
cuisson ; servez.

LES FILETS

Filets de doré à la tomate

Tendres à souhait, les délicieux filets sont un des raffinements à intégrer à la cuisine de tous les jours.

4 portions

450 g	(1 lb) filets de doré, surgelés
	sel et poivre
45 ml	(3 c. à s.) échalotes, hachées
2	tomates, en quartiers
2 ml	(1/2 c. à t.) sucre
60 ml	(1/4 tasse) beurre, fondu
1	citron, en rondelles
1 ml	(1/4 c. à t.) basilic
30 ml	(2 c. à s.) persil, haché

■ Préchauffez le four à 230 °C (450 °F).

■ Retirez la peau et faites dégeler les filets de doré. Beurrez un plat peu profond allant au four ; étalez les échalotes ; recouvrez des filets de doré ; salez et poivrez ; réservez.

■ Dans un bol, mélangez délicatement les tomates et le sucre ; déposez autour des filets de doré ; arrosez de beurre fondu ; faites cuire au four 10 minutes.

■ Dressez dans un plat de service ; décorez de rondelles de citron ; parsemez de basilic et de persil ; servez.

VARIANTES

- Lorsque le poisson est cuit, passez les tomates et le jus de cuisson au mélangeur ; versez sur les filets de doré.

- Préparez la recette avec des tomates vertes ; triplez la quantité de sucre ; tranchez les échalotes (voir ci-contre).

- Coupez les filets de doré et les tomates en petits cubes ; tranchez des courgettes en deux sur la longueur ; faites blanchir 5 minutes. Creusez les demi-courgettes ; remplissez du mélange de poisson et de tomates ; recouvrez de 125 ml (1/2 tasse) de cheddar râpé ; faites gratiner (voir ci-contre).

Flétan gratiné

Ce poisson pêché en eau froide a une chair très maigre. La préparation qui suit convient également au turbot.

4 portions	
900 g	(2 lb) flétan, en morceaux
250 ml	(1 tasse) bouillon de poulet
30 ml	(2 c. à s.) persil
5 ml	(1 c. à t.) estragon
125 ml	(1/2 tasse) cheddar, râpé
1	blanc d'œuf, en neige

■ Préchauffez le four à 205 °C (400 °F).

■ Dans un plat allant au four, déposez le flétan en morceaux ; ajoutez le bouillon de poulet, le persil et l'estragon ; faites cuire au four 10 minutes ; retirez du four ; enlevez le surplus de liquide ; réservez.

■ Allumez le four à gril (broil).

■ Dans un bol, ajoutez le fromage au blanc d'œuf ; étalez sur les morceaux de flétan ; faites gratiner.

VARIANTES

- **Substituez du vin blanc au bouillon de poulet.**

- **Enveloppez les morceaux de flétan de feuilles de chou blanchies.**

- **Piquez les morceaux de flétan d'anchois.**

Filets d'aiglefin, sauce aux crevettes

Les filets d'aiglefin surgelés peuvent convenir à cette préparation. Pour des raisons esthétiques, utilisez des filets frais ou, du moins, surgelés individuellement plutôt qu'en bloc.

4 portions	
30 ml	(2 c. à s.) beurre
30 ml	(2 c. à s.) farine
250 ml	(1 tasse) lait
2 ml	(1/2 c. à t.) sel
1 ml	(1/4 c. à t.) poivre
15 ml	(1 c. à s.) jus de citron
170 ml	(6 oz) crevettes, en conserve, égouttées
450 g	(1 lb) filets d'aiglefin
180 ml	(3/4 tasse) mozzarella, râpé
	paprika et persil

■ Dans une tasse à mesurer, mélangez le beurre, la farine, le lait, le sel et le poivre. Placez au four à micro-ondes à ÉLEVÉ, 3 à 4 minutes ; remuez toutes les minutes. Ajoutez le jus de citron et les crevettes.

■ Dans un plat rectangulaire de 15 cm x 20 cm (6 po x 8 po) déposez les filets d'aiglefin, couvrez d'un papier essuie-tout ; poursuivez la cuisson au four à micro-ondes à ÉLEVÉ, 3 minutes.

■ Versez la sauce aux crevettes sur les filets d'aiglefin ; parsemez de mozzarella ; saupoudrez de paprika ; garnissez de persil ; poursuivez la cuisson 3 à 4 minutes.

LES FILETS FARCIS

Filets de sole farcis

Au choix, utilisez des petits cornichons en saumure sucrée ou ordinaire (à la polonaise, à l'aneth, etc.)

4 portions	
450 g	(1 lb) filets de sole

Farce

1	œuf
125 ml	(1/2 tasse) céleri, en cubes
125 ml	(1/2 tasse) mie de pain rôtie, émiettée
60 ml	(1/4 tasse) lait
	sel et poivre

Sauce tartare

2	échalotes, émincées
250 ml	(1/2 tasse) sauce béchamel
125 ml	(1/2 tasse) mayonnaise
60 ml	(1/4 tasse) cornichons, hachés
60 ml	(1/4 tasse) olives, hachées
60 ml	(1/4 tasse) persil, haché

■ Préchauffez le four à 190 °C (375 °F).

■ Asséchez les filets de sole ; réservez.

■ Dans un bol, mélangez les ingrédients de la farce ; étalez entre deux filets ; réservez.

■ Beurrez une lèchefrite ; déposez les filets de sole farcis ; faites cuire au four 15 à 20 minutes.

■ Dans un bol, mélangez les ingrédients de la sauce tartare; faites chauffer légèrement ; versez sur les filets de sole farcis ; garnissez de tomates en dés ; servez.

VARIANTES

• Substituez au céleri des champignons en morceaux.

• Incorporez à la farce du fromage râpé et un poivron rouge émincé.

• Substituez à la sauce blanche une égale quantité de crème de céleri.

• Roulez les filets de sole ; fixez à l'aide d'un cure-dents. Décorez de feuilles de céleri et de tranches de concombre et de tomate (voir ci-contre).

Lotte au gratin d'épinards

Utilisez moins de filets si vous choisissez un autre poisson.

4 portions

Farce

225 g	(1/2 lb) chair de lotte
60 ml	(1/4 tasse) épinards cuits, égouttés
	sel et poivre
2	œufs
60 ml	(1/4 tasse) crème à 35%
12	petits filets de lotte
125 ml	(1/2 tasse) clamato

Gratin

60 ml	(1/4 tasse) épinards, cuits, égouttés
2	jaunes d'œufs
75 ml	(1/3 tasse) fromage, râpé
30 ml	(2 c. à s.) beurre

■ Préchauffez le four à 205 °C (400 °F).

■ Hachez finement la chair de lotte et les épinards au malaxeur ; salez et poivrez ; incorporez les œufs un à un ; mélangez bien après chaque addition ; ajoutez la crème en mince filet ; étalez cette farce sur les filets de lotte.

■ Dans une lèchefrite, superposez les filets de lotte ; arrosez de clamato ; couvrez ; faites cuire au four 15 minutes.

■ Entre-temps, mélangez les ingrédients du gratin ; versez sur les filets de lotte ; placez au four sous le gril environ 2 minutes ; dressez dans un plat de service ; gardez au chaud.

■ Laissez réduire le jus de cuisson ; nappez légèrement les filets de lotte.

Filets de brochet farcis au saumon

N'abusez pas du cari !

4 portions

Farce

4	tranches de pain, beurrées des deux côtés, en cubes
1	œuf
6	petits cornichons, hachés
2 ml	(1/2 c. à t.) paprika
1	pincée de cari
1	pincée de thym
60 ml	(1/4 tasse) lait
	sel et poivre
213 g	(7,5 oz) chair de saumon, en flocons
4	filets de brochet de 115 g (1/4 lb) chacun
125 ml	(1/2 tasse) eau
30 ml	(2 c. à s.) beurre
30 ml	(2 c. à s.) fromage à tartiner
	concombre, en rondelles
	tomates en dés

■ Préchauffez le four à 190 °C (375 °F).

■ Dans un bol, mélangez tous les ingrédients de la farce.

■ Beurrez une lèchefrite ; déposez 2 filets de brochet ; étalez la farce sur chacun des filets ; recouvrez d'un autre filet ; ajoutez l'eau et le beurre ; faites cuire au four 30 minutes.

■ Dans une casserole, récupérez le jus de cuisson ; laissez réduire aux trois-quarts ; incorporez le fromage à tartiner ; versez sur les filets de brochet ; garnissez de rondelles de concombre et de tomate en dés ; servez.

LES FILETS DE FANTAISIE

Damiers de saumon et lotte au beurre de tomate

« Il fallait y penser ! », se dit-on bien souvent en admirant une tresse de saumon et de sole ou un panaché de poisson en boucles. La réalisation en est plus simple qu'on pourrait le croire à première vue. Les filets, belles tranches de chair souple et sans arêtes, se prêtent en effet très facilement à des présentations originales : vous n'avez qu'à suivre les instructions.

La chair rose du saumon contraste joliment avec celle de la lotte. Vous pouvez également utiliser de la plie ou du turbot.

■ Préchauffez le four à 205 °C (400 °F).

■ Découpez les filets de saumon et de lotte en languettes de même longueur.

■ Disposez d'abord les languettes de saumon côte-à-côte. Pour réaliser le damier, disposez ensuite les languettes de lotte dans l'autre sens, passant dessus, puis dessous les rangées successives de saumon. D'une rangée à l'autre, les languettes de lotte doivent être enfilées en alternance.

■ Beurrez une lèchefrite ; déposez les damiers ; parsemez d'échalotes ; arrosez de vin ; couvrez d'un papier d'aluminium ; faites cuire au four 12 à 15 minutes.

■ Retirez du four ; dressez dans un plat de service ; gardez au chaud.

■ Laissez réduire le jus de cuisson presque à sec ; ajoutez la crème ; laissez mijoter jusqu'à ce que la crème épaississe légèrement ; retirez du feu ; sans cesser de remuer, incorporez le beurre.

■ Versez la sauce en couronne autour du damier ; garnissez de carottes ; parsemez de tomate et de persil.

4 portions	
450 g	(1 lb) filet de saumon, en un seul morceau
450 g	(1 lb) filet de lotte, en un seul morceau
	sel et poivre
30 ml	(2 c. à s.) échalotes, émincées
125 ml	(1/2 tasse) vin blanc
125 ml	(1/2 tasse) crème à 35 %
75 ml	(1/3 tasse) beurre
	demi-carottes miniatures, cuites à l'étuvée
60 ml	(1/4 tasse) tomate, en cubes
20 ml	(4 c. à t.) persil, haché

Tresse de saumon et sole mimosa

Une fois cuites, les tresses sont délicates ! Faites bien attention de ne pas les briser en les servant.

4 portions

8	longs filets de saumon
4	longs filets de sole
125 ml	(1/2 tasse) vin blanc
	sel et poivre
5 ml	(1 c. à t.) basilic
180 ml	(3/4 tasse) crème à 15 %
30 ml	(2 c. à s.) beurre
4	jaunes d'œufs durs, passés au tamis
	cerfeuil, en bouquets

■ Préchauffez le four à 220 °C (425 °F).

■ Faites une tresse en utilisant 2 filets de saumon et 1 filet de sole ; répétez l'opération avec les autres filets.

■ Beurrez légèrement une lèchefrite ; déposez les tresses de saumon et de sole ; arrosez de vin ; salez et poivrez ; couvrez ; faites cuire au four 15 minutes.

■ Retirez du four ; dressez dans des assiettes ; gardez au chaud.

■ Dans une petite casserole, versez le jus de cuisson ; ajoutez le basilic ; laissez réduire de moitié ; ajoutez la crème ; poursuivez la cuisson jusqu'à ce que la crème épaississe légèrement.

■ Retirez du feu ; incorporez le beurre en fouettant vivement.

■ Servez avec les tresses ; parsemez de jaunes d'œufs et garnissez de feuilles de cerfeuil.

VARIANTE

• Servez la tresse tel qu'illustré ci-contre : sur un nid de rondelles de poireaux que vous aurez fait cuire à la vapeur, environ 5 minutes.

Filets de flétan en croûte

Achetez de la pâte feuilletée surgelée !

4 portions

Farce

80 ml	(1/3 tasse) champignons, émincés
8	échalotes, hachées
20 ml	(4 c. à t.) huile d'olive
10 ml	(2 c. à t.) ciboulette
10 ml	(2 c. à t.) cerfeuil
20 ml	(4 c. à t.) tomate, en cubes
80 ml	(1/3 tasse) poireau, en julienne, blanchi
	sel et poivre
10 ml	(2 c. à t.) sherry
10 ml	(2 c. à t.) jus de citron
4	filets de flétan de 200 g (7 oz) chacun
450 g	(1 lb) pâte feuilletée
2	jaunes d'œufs

■ Préchauffez le four à 190 °C (375 °F).

■ Dans un bol, mélangez tous les ingrédients de la farce ; laissez reposer au moins 1 heure.

■ Abaissez la pâte feuilletée ; découpez huit formes de poisson identiques.

■ Placez un filet de flétan au centre d'un poisson en pâte ; couvrez d'un peu de farce ; badigeonnez le contour de la pâte d'un peu d'eau ; recouvrez d'un autre poisson en pâte ; pincez les bords pour sceller.

■ A l'aide d'un petit couteau, dessinez des écailles ; utilisez un grain de poivre noir pour l'œil ; badigeonnez légèrement de jaune d'œuf battu. Répétez la même opération avec les autres filets de flétan ; faites cuire au four 30 minutes.

Ceinture de sole verdurette

Utilisez des fines herbes fraîches : basilic, thym, cerfeuil, estragon, par exemple.

4 portions

450 g	(1 lb) filets de sole
	sel et poivre
30 ml	(2 c. à s.) beurre
30 ml	(2 c. à s.) échalotes françaises, hachées
20 ml	(4 c. à t.) cresson, haché
20 ml	(4 c. à t.) persil, haché
20 ml	(4 c. à t.) fines herbes, hachées
125 ml	(1/2 tasse) crème à 15%
	carottes, en cubes, à la vapeur

■ Taillez les filets en très fines lanières ; salez et poivrez.

■ Dans un poêlon, faites fondre le beurre ; à feu moyen, faites revenir les lanières de sole 6 minutes ; retirez du poêlon ; dressez dans un plat de service ; gardez au chaud.

■ Dans le même poêlon, ajoutez les autres ingrédients, sauf la crème ; réduisez le feu ; faites chauffer 2 minutes ; incorporez la crème ; amenez à ébullition ; laissez bouillir 1 minute ; salez et poivrez.

■ Placez les lanières de sole dans la sauce, faites réchauffer doucement ; parsemez de carottes en cubes ; servez.

Panaché de poisson en boucles

Toutes les variétés courantes de poisson s'apprêtent en boucles. Agrémentez ce plat de quelques crevettes cuites non décortiquées, ou encore de quelques moules cuites à la vapeur.

4 portions

450 g	(1 lb) filets de poissons, en lanières
20 ml	(4 c. à t.) beurre
	sel et poivre
1	sachet de sauce aux fruits de mer, du commerce

■ Préchauffez le four à 205 °C (400 °F).

■ Faites des nœuds très lâches avec le poisson en lanières.

■ Beurrez légèrement une lèchefrite ; déposez les boucles de poisson ; salez et poivrez ; faites cuire au four, 12 minutes.

■ Entre-temps, préparez la sauce aux fruits de mer selon le mode d'emploi ; servez avec les boucles de poisson.

VARIANTES

• Déposez chaque boucle de poisson sur une tranche de concombre blanchi de 1,25 cm (1/2 po) d'épaisseur (voir ci-contre).

• Déposez dans des tartelettes cuites une ou deux boucles de poisson ; ajoutez un peu de sauce ; recouvrez de fromage râpé ; faites gratiner.

• Servez froid avec une vinaigrette à la limette.

LES DARNES

Darnes de saumon sautées aux tomates

Les darnes prélevées dans le milieu du saumon constituent les parties les plus « nobles ».

Faites-les sauter à l'huile d'olive ; ce sera encore meilleur.

4 portions	
30 ml	(2 c. à s.) huile végétale
4	darnes de saumon de 2 cm (3/4 po) d'épaisseur
2	gousses d'ail, émincées
1	oignon, haché
20 ml	(4 c. à t.) persil, haché
10 ml	(2 c. à t.) basilic
5 ml	(1 c. à t.) menthe fraîche, ciselée
8	tomates, pelées, en quartiers
	jus de 1 citron
	sel et poivre

■ Préchauffez le four à 190 °C (375 °F).

■ Dans un poêlon, faites chauffer l'huile ; faites cuire les darnes de saumon à feu moyen, 2 minutes de chaque côté.

■ Poursuivez la cuisson au four 8 minutes ; retirez du four ; dressez dans un plat de service ; gardez au chaud.

■ Dans le même poêlon, ajoutez l'ail, l'oignon et les fines herbes ; faites cuire à feu moyen 2 minutes, en remuant ; ajoutez les tomates, le jus de citron, le sel et le poivre ; laissez cuire 4 minutes.

■ Disposez dans le plat de service autour des darnes de saumon ; servez.

VARIANTES

- Substituez au jus de citron, le jus de 2 oranges.

- Ajoutez à la sauce 6 moules cuites et décortiquées, avec leur jus, tel qu'illustré ci-contre.

- Laissez refroidir les darnes de saumon ; passez la sauce au mélangeur ; servez les darnes de saumon avec un coulis de tomates.

- Ajoutez à la sauce 1 courgette, 1 poivron rouge, 1/2 aubergine, coupés en cubes.

- Ajoutez 287 ml (8 oz) de crème de tomates, pour une sauce plus veloutée.

- Ajoutez à la sauce 2 tiges de rhubarbe cuites à l'eau, 5 minutes.

Darnes de flétan au crabe

Utilisez de la chair de crabe en conserve ou surgelée, bien égouttée.

Pour préparer des darnes « santé », faites-les cuire dans un mélange constitué à parts égales de beurre et d'huile d'olive.

4 portions

30 ml	(2 c. à s.) beurre
4	darnes de flétan de 2 cm (3/4 po) d'épaisseur
	sel et poivre
170 ml	(6 oz) chair de crabe
227 ml	(8 oz) crème de tomates
30 ml	(2 c. à s.) cerfeuil ou persil, haché

■ Préchauffez le four à 190 °C (375 °F).

■ Dans un poêlon, faites fondre le beurre; à feu moyen, faites cuire les darnes de flétan 3 minutes de chaque côté ; salez et poivrez.

■ Placez au four ; poursuivez la cuisson 8 minutes.

■ Retirez du four ; dressez dans un plat de service ; gardez au chaud.

■ Dans le même poêlon, ajoutez la chair de crabe et la crème de tomates ; faites cuire quelques minutes ; versez sur les darnes de flétan ; garnissez de cerfeuil ou de persil ; servez.

Darnes de saumon au poivre

Amateurs de steak au poivre, approchez-vous ! Voici une variante qui risque fort de vous intéresser.

4 portions

60 ml	(1/4 tasse) farine
4	darnes de saumon de 1,5 cm (1/2 po) d'épaisseur
10 ml	(2 c. à t.) poivre noir, moulu
25 ml	(5 c. à t.) huile végétale
60 ml	(1/4 tasse) beurre
5 ml	(1 c. à t.) sel
60 ml	(1/4 tasse) vin blanc sec
1	citron, en rondelles

■ Enfarinez légèrement les darnes de saumon ; pressez le poivre contre la chair pour qu'il s'y incruste.

■ Dans un poêlon, faites chauffer l'huile et fondre 25 ml (5 c. à t.) de beurre ; faites cuire les darnes de saumon 5 minutes, ou jusqu'à ce que la chair soit opaque et s'effeuille facilement ; à mi-cuisson, retournez les darnes.

■ Retirez du feu ; dressez dans un plat de service ; salez ; gardez au chaud.

■ Dans le même poêlon, ajoutez le reste de beurre et le vin ; mélangez vivement. Versez sur les darnes de saumon ; décorez de rondelles de citron ; servez.

LES RAGOÛTS

Ragoût de lotte
en matelote

On appelle « matelote »
tout ragoût de poisson
cuit au vin.

4 portions	
45 ml	(3 c. à s.) beurre
450 g	(1 lb) lotte, en morceaux
125 ml	(1/2 tasse) oignons de semence
250 ml	(1 tasse) champignons
125 ml	(1/2 tasse) poireau, émincé
60 ml	(1/4 tasse) carotte, en rondelles
45 ml	(3 c. à s.) farine
375 ml	(1 1/2 tasse) eau
250 ml	(1 tasse) vin blanc
	jus de 1/2 citron
	sel et poivre
180 ml	(3/4 tasse) crème à 35 %
3	jaunes d'œufs
30 ml	(2 c. à s.) fines herbes

■ Dans un poêlon, faites fondre le beurre ; à feu moyen, faites revenir la lotte, les oignons, les champignons, le poireau et la carotte, 3 minutes.

■ Ajoutez la farine ; faites cuire 3 minutes, en remuant.

■ Incorporez l'eau, le vin et le jus de citron ; laissez épaissir ; salez et poivrez ; incorporez la crème ; laissez cuire environ 10 minutes ; retirez du feu.

■ Entre-temps, délayez les jaunes d'œufs dans un peu de sauce ; incorporez au premier mélange ; ajoutez les fines herbes ; servez.

VARIANTE

• Substituez une crème de champignons à l'eau et à la crème.

Ragoût de flétan
aux concombres

Choisissez des con-
combres européens, ces
concombres longs et
minces aussi appelés
concombres anglais ;
vous n'aurez pas besoin
de les épépiner !

4 portions	
45 ml	(3 c. à s.) beurre
450 g	(1 lb) flétan, en morceaux
3	concombres, pelés, épépinés, émincés finement
1	oignon, haché
	sel et poivre
500 ml	(2 tasses) crème de céleri
4	vol-au-vent

■ Dans un poêlon, faites fondre le beurre ; faites revenir le flétan, les concombres et l'oignon ; salez et poivrez ; ajoutez la crème de céleri ; faites chauffer jusqu'à ce que le flétan soit cuit.

■ Faites réchauffer les vol-au-vent ; remplissez de ragoût de flétan ; décorez ; servez.

Fricassée de perche bonne femme

4 portions	
45 ml	(3 c. à s.) beurre
450 g	(1 lb) filets de perche, sans la peau
	sel et poivre
6	tranches de bacon, émincées
125 ml	(1/2 tasse) champignons, en morceaux
60 ml	(1/4 tasse) pomme, en cubes
60 ml	(1/4 tasse) oignons de semence
45 g	(3 c. à s.) farine
500 ml	(2 tasses) bouillon de poisson
60 ml	(1/4 tasse) laitue, ciselée
3 ml	(3/4 c. à t.) estragon frais
	tomates, en cubes

■ Dans un poêlon, faites fondre le beurre ; faites revenir les filets de perche ; assaisonnez ; retirez du feu ; gardez au chaud.

■ Retirez le gras du poêlon ; faites fondre le bacon ; faites revenir les champignons, la pomme et les oignons de semence jusqu'à évaporation complète du liquide. Ajoutez la farine ; mélangez 1 minute ; incorporez le bouillon ; laissez épaissir en remuant 7 à 8 minutes.

■ Déposez les filets de perche dans cette préparation ; laissez cuire 3 minutes ; décorez de laitue ciselée, d'estragon et de tomates en cubes ; servez.

Pot-au-feu de poisson, sauce aurore

4 portions	
115 g	(1/4 lb) sole
115 g	(1/4 lb) lotte
115 g	(1/4 lb) aiglefin
60 ml	(1/4 tasse) navet
60 ml	(1/4 tasse) céleri
60 ml	(1/4 tasse) poireau
60 ml	(1/4 tasse) pomme de terre
60 ml	(1/4 tasse) carotte
60 ml	(1/4 tasse) beurre
1	feuille de laurier
1	pincée de thym
	jus de 1/2 citron
30 ml	(2 c. à s.) farine
625 ml	(2 1/2 tasses) eau
30 ml	(2 c. à s.) pâte de tomates
	sel et poivre
4	feuilles de chou, blanchies

■ Coupez les poissons en lanières et les légumes, en cubes.

■ Dans une casserole, faites fondre le beurre ; à feu doux, faites revenir les légumes ; couvrez ; laissez cuire 6 minutes.

■ Ajoutez le laurier, le thym, le jus de citron et la farine ; faites cuire 4 minutes, en remuant ; incorporez l'eau, la pâte de tomates et le poisson ; laissez épaissir ; réduisez le feu au minimum ; laissez cuire 15 minutes ; salez et poivrez.

■ Étalez les feuilles de chou dans un plat de service ; dressez le pot-au-feu de poisson au milieu ; servez.

LES BÂTONNETS

Croquettes de poisson

Servez ces croquettes avec une sauce chaude ou une sauce tartare.

4 portions	
250 ml	(1 tasse) lait
2	feuilles de laurier
45 ml	(3 c. à s.) beurre
45 ml	(3 c. à s.) farine
1	oignon, émincé
15 ml	(1 c. à s.) poivron rouge
250 ml	(1 tasse) poisson cuit, émietté
1	œuf, battu
30 ml	(2 c. à s.) persil, haché
2	œufs, battus
	chapelure
	huile

■ Dans une casserole, faites chauffer le lait et les feuilles de laurier ; retirez du feu ; laissez tiédir.

■ Dans un poêlon, faites fondre le beurre ; ajoutez la farine ; laissez cuire quelques minutes, en remuant ; retirez du feu.

■ Ajoutez le lait (sans les feuilles de laurier) ; puis l'oignon et le poivron rouge ; remettez sur le feu ; faites cuire jusqu'à épaississement.

■ Incorporez le poisson, l'œuf et le persil ; versez dans un plat ; laissez tiédir ; faites refroidir au réfrigérateur.

■ Enfarinez vos mains ; façonnez le mélange en bâtonnets ; passez chaque bâtonnet dans l'œuf battu, puis dans la chapelure ; faites dorer en friture.

VARIANTES

- Ajoutez 60 ml (1/4 tasse) de fromage râpé ou de parmesan pour obtenir une fondue de poisson au parmesan.

- Ajoutez un peu de pâte de tomates pour colorer l'intérieur des croquettes.

- Ajoutez 125 ml (1/2 tasse) d'épinards cuits, bien égouttés, pour obtenir des bâtonnets de poisson florentine (voir ci-contre).

Bâtonnets de poisson minute

Voici une façon ingénieuse de servir légumes, poisson et fromage. Servis avec du riz, ces bâtonnets préparés en un tourne-main constituent un repas complet.

4 portions

500 ml	(2 tasses) légumes, cuits, tranchés
450 g	(1 lb) poisson, en bâtonnets
1	sachet de sauce au fromage

■ Préchauffez le four à 205 °C (400 °F).

■ Beurrez un moule allant au four ; déposez les légumes ; recouvrez des bâtonnets de poisson ; réservez.

■ Préparez la sauce au fromage selon le mode d'emploi ; versez sur les bâtonnets de poisson ; faites cuire au four 15 à 20 minutes.

Variante

• Ajoutez les bâtonnets de poisson et des petits pois verts surgelés à un riz au cari, cuit. Faites chauffer au four à micro-ondes à ÉLEVÉ, 4 à 6 minutes ; remuez pendant la cuisson ; laissez reposer 5 minutes ; servez.

Bâtonnets de poisson frits

On peut les préparer d'avance en les faisant frire jusqu'à mi-cuisson, puis congeler. Pour les servir, il suffira de les mettre au four encore congelés et d'en terminer la cuisson.

4 portions

5 ml	(1 c. à t.) huile
1 ml	(1/4 c. à t.) paprika
2 ml	(1/2 c. à t.) poudre à pâte
1	œuf
125 ml	(1/2 tasse) lait
180 ml	(3/4 tasse) farine
125 ml	(1/2 tasse) biscuits soda, émiettés ou flocons de maïs
5 ml	(1 c. à t.) sel
450 g	(1 lb) poisson, surgelé, en bâtonnets

■ Dans une friteuse, faites chauffer l'huile à 205 °C (400 °F).

■ Dans un bol, mélangez l'huile, le paprika, la poudre à pâte, l'œuf et le lait ; incorporez la farine, les biscuits soda ou les céréales et le sel ; mélangez.

■ Enrobez le poisson de ce mélange ; plongez dans la friteuse ; faites dorer ; laissez égoutter ; servez avec une sauce tartare.

233

Bâtonnets d'aiglefin à la portugaise

Bâtonnets de doré à la Jeanne

Lorsque l'on parle de cuisine portugaise, on parle inévitablement de tomates et de fines herbes.

4 portions

540 ml	(19 oz) tomates, égouttées
2	courgettes, en cubes
2 ml	(1/2 c. à t.) sucre
1 ml	(1/4 c. à t.) basilic
1 ml	(1/4 c. à t.) poivre
1 ml	(1/4 c. à t.) sel
450 g	(1 lb) filet d'aiglefin, en bâtonnets
4	échalotes, émincées
60 ml	(1/4 tasse) persil, émincé
60 ml	(1/4 tasse) huile
30 ml	(2 c. à s.) farine
5 ml	(1 c. à t.) paprika
4	œufs durs, passés au tamis

■ Dans un plat rectangulaire allant au four à micro-ondes, étalez les tomates et les courgettes ; saupoudrez de sucre, de basilic, de poivre et de sel ; recouvrez de bâtonnets d'aiglefin ; réservez.

■ Dans un bol, mélangez les autres ingrédients, sauf les œufs ; versez sur les bâtonnets d'aiglefin ; couvrez d'une pellicule de plastique perforée.

■ Faites cuire au micro-ondes à ÉLEVÉ, 6 à 7 minutes ; laissez reposer 3 minutes ; parsemez d'œufs durs ; servez.

Sans panure, ces bâtonnets de poisson contiennent peu de calories. Si vous les faites revenir dans un poêlon à revêtement anti-adhésif, vous n'aurez pas à ajouter d'huile.

4 portions

15 ml	(1 c. à s.) huile de maïs
4	filets de doré, en bâtonnets
	sel et poivre
15 ml	(1 c. à s.) beurre
15 ml	(1 c. à s.) cerfeuil
15 ml	(1 c. à s.) ciboulette
15 ml	(1 c. à s.) jus de citron

■ Dans un poêlon, faites chauffer l'huile ; faites revenir les bâtonnets de doré côté 3 minutes de chaque côté ; salez et poivrez ; dressez dans un plat de service chaud ; réservez.

■ Dans le même poêlon, faites fondre le beurre ; ajoutez les fines herbes ; laissez cuire 1 minute ; arrosez de jus de citron ; versez sur les bâtonnets de poisson ; servez.

VARIANTES

• Ajoutez aux bâtonnets de poisson 250 ml (1 tasse) de champignons et 80 ml (1/3 tasse) d'oignon émincé, sauté au beurre.

• Avant de paner les bâtonnets de doré, faites-les mariner dans un mélange de : 60 ml (1/4 tasse) de vinaigre, 125 ml (1/2 tasse) d'huile, 30 ml (2 c. à s.) de fines herbes, 10 ml (2 c. à t.) de paprika et 5 ml (1 c. à t.) de cari.

Bâtonnets d'aiglefin frits

La chair d'aiglefin ne contient que 1 % de lipides (matières grasses). C'est donc un choix parfait pour quiconque surveille de près sa ligne.

4 portions

Pâte à frire

2		**œufs, battus**
250 ml	**(1 tasse)**	**lait**
5 ml	**(1 c. à t.)**	**sel**
250 ml	**(1 tasse)**	**farine**
4		**filets d'aiglefin, en bâtonnets**

■ Dans une friteuse, faites chauffer l'huile à 205 °C (400 °F).

■ Dans un bol, mélangez tous les ingrédients de la pâte à frire ; enrobez les bâtonnets de pâte ; plongez dans la friteuse ; faites dorer ; laissez égoutter sur un papier essuie-tout ; servez.

VARIANTES

• Faites mariner les bâtonnets d'aiglefin 40 minutes dans un mélange de 60 ml (1/4 tasse) de vinaigre, 60 ml (1/4 tasse) d'huile, 10 ml (2 c. à t.) d'ail émincé, 10 ml (2 c. à t.) de paprika, sel et poivre.

• Servez les bâtonnets d'aiglefin avec une sauce tartare express préparée comme suit : à 250 ml (1 tasse) de mayonnaise, incorporez 45 ml (3 c. à s.) de cornichons hachés, 30 ml (2 c. à s.) d'oignon haché, 25 ml (5 c. à t.) de persil haché, 20 ml (4 c. à t.) de câpres et 1 gousse d'ail émincée (voir ci-contre).

• Substituez aux câpres des petits oignons marinés, hachés.

• Assaisonnez les bâtonnets de poisson cuits d'un mélange de sel, de poivre et de thym.

LES BROCHETTES

Darne de truite en brochettes

Puisque vous embrochez les morceaux de poisson avant de les faire mariner, nous vous recommandons d'utiliser des brochettes de bois.

4 portions

4	petites truites de 175 g (6 oz) chacune, découpées en tronçons
8	petites pommes de terre, en rondelles
1	oignon, en tranches
24	morceaux de bacon

Marinade

4	échalotes vertes, émincées
60 ml	(1/4 tasse) jus d'orange
60 ml	(1/4 tasse) vin blanc
125 ml	(1/2 tasse) yogourt, nature
30 ml	(2 c. à s.) huile végétale
30 ml	(2 c. à s.) persil, haché
2 ml	(1/2 c. à t.) thym sel et poivre
30 ml	(2 c. à s.) beurre

■ Enfilez les morceaux de truite sur les brochettes, en alternant avec les légumes (placez un morceau de bacon de chaque côté des darnes de truite) ; déposez les brochettes dans un plat.

■ Dans un bol, mélangez les ingrédients de la marinade ; versez sur les brochettes ; laissez mariner 24 heures ; tournez de temps en temps.

■ Dans un grand poêlon, faites fondre le beurre ; faites cuire les brochettes environ 6 minutes de chaque côté.

VARIANTES

- Servez les brochettes avec une sauce à l'avocat préparée comme suit : 1 avocat mûr, broyé, additionné de 10 ml (2 c. à t.) de jus de citron, d'une gousse d'ail émincée, de 45 ml (3 c. à s.) d'huile végétale ou de mayonnaise (voir ci-contre).

- Substituez aux darnes de truite des éperlans entiers ou des poulamons.

- Taillez un poisson à chair ferme en longs filets minces ; façonnez en nœuds lâches ; enfilez sur une brochette.

- Alternez les darnes de truite avec du poulet et du bœuf en cubes.

Brochettes de saumon aux fruits

En saison, utilisez des morceaux d'ananas.

4 portions	

675 g	(1 1/2 lb) saumon, en cubes de 2,5 cm (1 po) d'épaisseur
2	pêches, en quartiers
2	oranges, en quartiers
1	courgette, en cubes
1	poivron rouge, en cubes

Marinade

125 ml	(1/2 tasse) jus d'orange
10 ml	(2 c. à t.) coriandre, écrasée
	graines de sésame, au goût
1	petit oignon, haché
30 ml	(2 c. à s.) huile
2 ml	(1/2 c. à t.) cari
	sel et poivre

■ Enfilez les morceaux de saumon sur les brochettes en alternant avec les fruits et les légumes.

■ Dans un bol, mélangez les ingrédients de la marinade.

■ Déposez les brochettes dans un plat ; couvrez de marinade ; laissez mariner environ 24 heures.

■ Préchauffez le four à gril (broil). Faites griller au four 8 minutes ; arrosez souvent de marinade pendant la cuisson.

VARIANTES

• **Utilisez n'importe quel fruit ayant une chair assez ferme (cantaloup, raisins, nectarines, etc.).**

• **Ajoutez à la marinade 30 ml (2 c. à s.) de porto, de madère ou de sherry.**

Brochettes de thon au fenouil

Gardez le bulbe de fenouil pour un repas du lendemain.

4 portions	

675 g	(1 1/2 lb) thon, en cubes
2	tomates, en quartiers
2	oignons, en quartiers
4	tranches de bacon
1	poivron rouge, en cubes

Marinade

60 ml	(1/4 tasse) jus de citron
60 ml	(1/4 tasse) jus de tomates
2 ml	(1/2 c. à t.) estragon
2 ml	(1/2 c. à t.) basilic
3	gousses d'ail, émincées
2 ml	(1/2 c. à t.) poivre noir
30 ml	(2 c. à s.) huile d'olive
30 ml	(2 c. à s.) feuilles de fenouil frais, émincées
	sel et poivre

■ Enfilez les morceaux de thon sur les brochettes en alternant avec les légumes ; déposez dans un plat peu profond.

■ Dans un bol, mélangez les ingrédients de la marinade ; versez sur les brochettes ; laissez mariner 24 heures ; tournez de temps en temps.

■ Préchauffez le four à gril (broil).

■ Faites griller les brochettes environ 8 minutes ; arrosez de marinade pendant la cuisson ; servez.

LES FRUITS DE MER

Pommes farcies aux crevettes

L'utilisation d'un vide-pomme vous permettra de retirer facilement les cœurs de pomme.

6 portions	
6	pommes
15 ml	(1 c. à s.) jus de citron

Farce

45 ml	(3 c. à s.) mayonnaise
5 ml	(1 c. à t.) pâte de tomates
	quelques gouttes de Tabasco
2	cornichons, marinés, émincés
4	olives farcies, hachées
180 ml	(3/4 tasse) crevettes roses ou grises, décortiquées et cuites
15 ml	(1 c. à s.) persil, haché

■ Coupez le dessus des pommes ; retirez le cœur, les pépins et la chair sans transpercer la peau ; coupez la chair en cubes ; arrosez de jus de citron.

■ Dans un bol, mélangez les cubes de pommes et les ingrédients de la farce.

■ Quelques minutes avant de servir, remplissez les pommes de farce.

Cuisses de grenouilles marinées à l'ail

Les cuisses de grenouilles surgelées devront être dégelées au réfrigérateur avant d'être marinées.

4 portions	

Marinade

250 ml	(1 tasse) huile
	le jus de 1 citron
30 ml	(2 c. à s.) fines herbes
	sel et poivre
900 g	(2 lb) cuisses de grenouilles
1	œuf, battu
125 ml	(1/2 tasse) farine
250 ml	(1 tasse) chapelure
20 ml	(4 c. à t.) beurre
3 ou 4	gousses d'ail, émincées
30 ml	(2 c. à s.) persil, haché

■ Dans une friteuse, faites chauffer l'huile à 190 °C (375 °F).

■ Dans un bol, mélangez les ingrédients de la marinade ; faites mariner les cuisses de grenouilles, environ 1 heure, en les retournant de temps en temps ; retirez de la marinade ; enfarinez, puis trempez dans l'œuf ; enrobez de chapelure et plongez dans la friteuse 4 à 5 minutes.

■ Dans un poêlon, faites fondre le beurre ; faites revenir l'ail et le persil.

■ Dressez les cuisses de grenouilles dans un plat de service ; arrosez de beurre à l'ail ; servez.

Pizza aux fruits de mer

Si vous n'avez pas de chair de crabe fraîche, remplacez-la par de la chair de goberge effilochée, à saveur de crabe.

4 portions

375 ml	(1 1/2 tasse) de sauce béchamel
180 ml	(3/4 tasse) crevettes, cuites
180 ml	(3/4 tasse) pétoncles, cuits
	pâte à pizza pour 1 abaisse
180 ml	(3/4 tasse) chair de crabe
250 ml	(1 tasse) champignons frais, émincés
500 ml	(2 tasses) mozzarella, râpé

■ Préchauffez le four à 230 °C (450 °F).

■ Dans un bol, mélangez la béchamel et les fruits de mer ; étalez ce mélange sur l'abaisse ; couvrez de champignons et de mozzarella ; faites cuire au four 10 minutes.

Pétoncles royaux

Si vous utilisez de la chapelure maison, assurez-vous qu'elle soit assez fine pour ne pas nuire à la douce texture de la chair de pétoncle.

4 portions

450 g	(1 lb) pétoncles, frais ou surgelés
250 ml	(1 tasse) vinaigrette à l'ail
15 ml	(1 c. à s.) lait
2	œufs, battus
125 ml	(1/2 tasse) jambon cuit, haché
125 ml	(1/2 tasse) chapelure
30 ml	(2 c. à s.) parmesan, râpé
	sel
	huile
	sauce piquante, du commerce

■ Dans une friteuse, faites chauffer l'huile à 190 °C (375 °F).

■ Dans un bol, placez les pétoncles ; arrosez de sauce vinaigrette ; laissez reposer 30 minutes.

■ Entre-temps, dans un bol, incorporez le lait aux œufs battus ; réservez.

■ Dans un autre bol, mélangez le jambon, la chapelure et le fromage ; salez.

■ Faites égoutter les pétoncles ; passez dans le mélange d'œuf, puis de chapelure ; plongez dans la friteuse ; faites dorer légèrement ; laissez égoutter sur un papier essuie-tout ; servez avec une sauce piquante.

LES MOULES

Moules à la provençale

Avant de préparer les moules, brossez-les soigneusement et débarrassez-les de leur byssus, cette attache fine et fibreuse qui se trouve à la charnière des deux parties de la coquille.

4 portions

2 kg	(4 lb) moules
30 ml	(2 c. à s.) beurre
6	gousses d'ail, émincées
30 ml	(2 c. à s.) persil, haché
10 ml	(2 c. à t.) jus de citron
375 ml	(1 1/2 tasse) sauce tomate
125 ml	(1/2 tasse) chapelure

■ Préchauffez le four à gril (broil).

■ Nettoyez et lavez les moules.

■ Dans une grande casserole, versez 2,5 cm (1 po) d'eau ; ajoutez les moules ; couvrez ; faites bouillir à feu vif jusqu'à ce que les moules s'ouvrent.

■ Laissez égoutter les moules ; déposez dans un plat ; gardez au chaud.

■ Dans une petite casserole, faites fondre le beurre ; ajoutez l'ail et le persil ; faites chauffer à feu doux 1 minute ; incorporez le jus de citron ; retirez du feu.

■ Remplissez chaque demi-coquille d'un peu de sauce tomate ; couvrez de chapelure et de beurre à l'ail ; faites dorer sous le gril 2 à 3 minutes.

VARIANTES

- **Substituez au jus de tomates, une purée d'épinards à la crème (voir ci-contre).**

- **Retirez les moules de leur coquille ; déposez 10 à 12 moules dans des petits ramequins ; poursuivez la recette.**

- **Remplacez les ramequins par de petits feuilletés et augmentez la quantité de sauce tomate.**

- **Avant de faire gratiner, ajoutez un peu de parmesan et 6 tranches de bacon coupées en morceaux (voir ci-contre).**

- **Ajoutez 80 ml (1/3 tasse) d'olives farcies émincées et 30 ml (2 c. à s.) d'anchois.**

- **Enfilez les moules décortiquées sur de petites brochettes ; faites cuire à la poêle.**

Moules marinière

Un peu de vin blanc et des fines herbes parfument le bouillon qui est ensuite réduit et lié au beurre manié.

4 portions

60 ml	(1/4 tasse) beurre
80 ml	(1/3 tasse) échalotes françaises, émincées
20 ml	(4 c. à t.) persil
10 ml	(2 c. à t.) cerfeuil
2 ml	(1/2 c. à t.) estragon
2 ml	(1/2 c. à t.) thym
2 kg	(4 lb) moules
180 ml	(3/4 tasse) vin blanc
	poivre du moulin
30 ml	(2 c. à s.) beurre manié
	jus de 1/2 citron

■ Nettoyez et lavez les moules.

■ Dans une grande casserole, faites fondre le beurre ; à feu doux, faites revenir les échalotes et les fines herbes ; ajoutez les moules, le vin blanc et le poivre ; couvrez ; faites cuire à feu vif jusqu'à ce que les moules s'ouvrent.

■ A l'aide d'une écumoire, retirez les moules ; déposez dans les assiettes.

■ Dans une autre casserole, versez le jus de cuisson ; amenez à ébullition ; à l'aide d'un fouet, incorporez le beurre manié ; mélangez jusqu'à consistance onctueuse ; versez sur les moules ; servez.

Moules cremolata

Pendant la cuisson, les moules s'ouvrent. Par conséquent, toute moule qui reste fermée est impropre à la consommation.

4 portions

2 kg	(4 lb) moules
30 ml	(2 c. à s.) beurre
60 ml	(1/4 tasse) échalotes françaises, émincées
125 ml	(1/2 tasse) tomate, en cubes
30 ml	(2 c. à s.) persil, haché
2 ml	(1/2 c. à t.) thym
1	gousse d'ail, émincée
180 ml	(3/4 tasse) vin blanc
80 ml	(1/3 tasse) jus d'orange
250 ml	(1 tasse) crème à 35 %
20 ml	(4 c. à t.) pâte de tomates
	sel et poivre

■ Nettoyez et lavez les moules.

■ Dans une grande casserole, faites fondre le beurre ; à feu doux, faites revenir les échalotes, la tomate, le persil, le thym et l'ail ; ajoutez le vin blanc, le jus d'orange et les moules ; couvrez ; faites cuire à feu vif jusqu'à ce que les moules s'ouvrent.

■ A l'aide d'une écumoire, retirez les moules ; déposez dans des bols.

■ Laissez réduire le jus de cuisson du tiers ; ajoutez la crème ; faites cuire jusqu'à l'obtention d'une consistance onctueuse ; incorporez la pâte de tomates ; salez et poivrez ; versez sur les moules ; servez.

LES MOUSSES ET PAINS DE POISSON

Les mousses et les pains de poissons peuvent être servis comme entrée ou comme plat principal. Faciles à mouler grâce à leur consistance, ces préparations peuvent être fort décoratives. Plutôt sèches, elles gagnent toutefois à être servies avec une sauce.

Pain de poisson en bûchette

Utilisez un morceau de poisson surgelé : le pain de poisson sera tout aussi savoureux, mais beaucoup plus économique que si vous utilisez du poisson frais.

4 portions	
10	pommes de terre, cuites
	sel et poivre
30 ml	(2 c. à s.) beurre
1	oignon, haché
30 ml	(2 c. à s.) persil, haché
450 g	(1 lb) poisson, cuit
	eau
1	blanc d'œuf, battu

Sauce piquante

45 ml	(3 c. à s.) beurre
1	oignon, haché
1	gousse d'ail, émincée
125 ml	(1/2 tasse) ketchup
125 ml	(1/2 tasse) eau
5 ml	(1 c. à t.) sauce anglaise
15 ml	(1 c. à s.) vinaigre
3 ml	(3/4 c. à t.) sucre

■ Préchauffez le four à 190 °C (375 °F).

■ Faites une purée de pommes de terre épaisse ; salez et poivrez.

■ Dans un poêlon, faites fondre le beurre ; faites revenir, en remuant, oignon, persil et poisson ; incorporez à la purée de pommes de terre.

■ Étalez ce mélange sur une feuille de papier ciré ; roulez ; retirez la feuille de papier.

■ Dans un bol, ajoutez un peu d'eau au blanc d'œuf battu ; badigeonnez la bûchette ; faites dorer au four sur une plaque beurrée ou anti-adhésive environ 20 minutes. Servez avec une sauce piquante.

Sauce piquante

■ Dans une casserole, faites fondre le beurre ; faites revenir l'oignon ; ajoutez les autres ingrédients ; laissez mijoter environ 30 minutes.

Mousseline de saumon au ragoût de champignons

4 portions	
20 ml	(4 c. à t.) beurre
250 ml	(1 tasse) champignons, en quartiers
15 ml	(1 c. à s.) farine
80 ml	(1/3 tasse) vin blanc
	sel et poivre

Mousse

225 g	(1/2 lb) saumon frais, haché finement
	sel et poivre
4	œufs
310 ml	(1 1/4 tasse) crème à 35 %
20 ml	(4 c. à t.) pâte de tomates

Vous pouvez également faire cuire la mousseline dans un petit moule ayant une forme décorative et la découper en portions individuelles lors du service.

■ Préchauffez le four à 175 °C (350 °F).

■ Dans un poêlon, faites fondre le beurre ; faites suer les champignons jusqu'à évaporation complète du liquide.

■ Ajoutez la farine ; mélangez ; versez le vin ; salez et poivrez ; faites cuire jusqu'à épaississement ; retirez du feu ; laissez tiédir ; mettez au réfrigérateur.

■ Dans le malaxeur, à vitesse moyenne, incorporez le saumon ; salez et poivrez ; incorporez les œufs, un à un ; versez la crème en mince filet ; ajoutez la pâte de tomates et mélangez jusqu'à l'obtention d'un léger épaississement. Réservez la mousseline de saumon.

■ Beurrez le fond et les côtés de 4 ramequins ; remplissez de mousseline jusqu'à la moitié ; ajoutez un peu de ragoût aux champignons ; couvrez de mousseline.

■ Déposez les ramequins dans une lèchefrite contenant 2,5 cm (1 po) d'eau ; couvrez d'une feuille de papier d'aluminium ; faites cuire 35 à 40 minutes ; servez avec un beurre blanc.

LES POISSONS ET CRUSTACÉS MARINÉS ET FUMÉS

Saumoneau mariné à l'aneth

Faire mariner soi-même son poisson ? C'est si facile que vous en resterez surpris !

4 portions	

Marinade

5 ml	(1 c. à t.) sel
15 ml	(1 c. à s.) sucre
10 ml	(2 c. à t.) poivre noir, concassé
25 ml	(5 c. à t.) aneth frais, haché
60 ml	(1/4 tasse) jus de citron
60 ml	(1/4 tasse) huile d'olive
1	saumoneau de 450 g (1 lb), en filets, sans la peau
	oignon, en rondelles
	citron, en tranches
	crème sure
	ciboulette

■ Dans un petit bol, mélangez tous les ingrédients de la marinade.

■ Déposez les filets dans un bol ; recouvrez-les de marinade ; laissez reposer au réfrigérateur 4 à 6 heures ; retournez-les toutes les heures.

■ Découpez en tranches longues et fines ; décorez de rondelles d'oignons, de tranches de citron et de câpres ; servez avec de la crème sure et de la ciboulette.

Fleur de pétoncles marinée

La marinade « cuit » la viande en quelques heures.

Laissez le plat tiédir une trentaine de minutes à la température ambiante avant de le servir.

4 portions	

450 g	(1 lb) pétoncles frais
80 ml	(1/3 tasse) jus de limette
1	gousse d'ail, émincée
60 ml	(1/4 tasse) huile d'olive
45 ml	(3 c. à s.) tomate, en cubes
25 ml	(5 c. à t.) persil, haché
30 ml	(2 c. à s.) échalotes, hachées
	sel et poivre
	œufs de saumon

■ Émincez les pétoncles en fines tranches.

■ Dans un bol, mélangez les autres ingrédients, sauf les œufs de saumon ; incorporez les pétoncles ; couvrez d'une pellicule de plastique ; laissez mariner 4 heures.

■ Dressez en forme de fleur dans un plat de service ; décorez d'œufs de saumon.

Saumon fumé classique

Déposez sur la table un moulin à poivre ainsi qu'un huilier rempli d'huile d'olive vierge : chacun pourra en verser un filet sur son saumon.

4 portions

24	tranches de saumon fumé
1	oignon, en rondelles
8	petits cornichons, émincés
30 ml	(2 c. à s.) câpres
12	oignons de semence
	bouquet de persil

■ Déposez les tranches de saumon dans une assiette ; garnissez du reste des ingrédients ; servez.

Truite fumée en avocat

La truite fumée se vend dans la plupart des épiceries fines. On y trouve également du maquereau fumé, en provenance de l'Ile-du-Prince-Édouard.

4 portions

2	avocats, coupés en deux
2	filets de truite, coupés en bouchées
30 ml	(2 c. à s.) mayonnaise
60 ml	(1/4 tasse) poivron rouge, en dés
10 ml	(2 c. à t.) jus de limette
	sel et poivre
2	endives, émincées
1	limette, tranchée

■ Retirez la moitié de la chair de chaque demi-avocat ; coupez en dés.

■ Mélangez tous les ingrédients, sauf les endives et la limette ; farcissez les avocats de ce mélange.

■ Servez sur un nid d'endives émincées ; accompagnez de tranches de limette.

LES LÉGUMES

De tout temps, la croyance populaire a prêté diverses vertus aux légumes, qu'ils soient verts, jaunes ou secs. On disait, par exemple, qu'on éloignait les rhumatismes en portant des pommes de terre sur soi, ou qu'un tonique aux champignons assurait la longévité... Les choses n'ont guère changé de nos jours : ainsi, de nombreuses études soulignent que les légumes de la famille du chou sont parmi les aliments qui peuvent contribuer à prévenir le cancer. La morale de cette histoire ? On ne saurait jurer de rien, mais il semble que tout régime alimentaire sain et équilibré doive accorder une place de choix aux légumes !

LES ARTICHAUTS

Nénuphar d'artichauts vinaigrette

4 portions

20 ml	(4 c. à t.) sel
30 ml	(2 c. à s.) farine
30 ml	(2 c. à s.) jus de citron
75 ml	(5 c. à s.) lait
4	artichauts
80 ml	(1/3 tasse) vinaigrette ou mayonnaise
	tomate, en cubes

■ Dans une casserole remplie d'eau, mélangez, à l'aide d'un fouet, le sel, la farine, le jus de citron et le lait ; amenez à ébullition ; ajoutez les artichauts ; faites cuire jusqu'à ce que le pied soit tendre, ou jusqu'à ce que la pointe d'un couteau s'enfonce facilement dans le fond d'artichaut ; laissez refroidir.

■ Dans un grand plat, disposez les feuilles d'artichauts en cercle autour de chaque fond ; débarrassez les fonds du foin ; pelez légèrement ; coupez les cœurs en petits cubes ; placez dans un bol ; arrosez de vinaigrette ; mélangez ; disposez au centre de chaque nénuphar.

■ Sur chaque feuille d'artichaut, déposez un peu de vinaigrette ou une noisette de mayonnaise ; décorez de tomate en cubes ; servez.

De haut en bas :
Nénuphar d'artichauts vinaigrette ▪ Fonds d'artichauts farcis au fromage ▪ Fonds d'artichauts farcis au foie gras

Fonds d'artichauts farcis au fromage

4 portions

12	fonds d'artichauts, en conserve
250 ml	(1 tasse) fromage à tartiner
2	rondelles de tomates, coupées en six pointes chacune
3	olives noires, en quartiers
12	petites feuilles de céleri

■ Remplissez les fonds d'artichauts de fromage à tartiner ; décorez chaque fond d'artichaut d'une pointe de tomate, d'un quartier d'olive et d'une feuille de céleri.

Fonds d'artichauts farcis au foie gras

4 portions

12	fonds d'artichauts, en conserve
250 ml	(1 tasse) pâté ou mousse de foie gras
6	petits cornichons, coupés en éventails

■ Remplissez les fonds d'artichauts de pâté ou de mousse de foie gras ; décorez de cornichons en éventails ; servez.

L'artichaut frais — simplement cuit à la vapeur et arrosé d'un beurre ou d'une vinaigrette — est absolument délicieux. Hors saison, on consomme plutôt les « fonds » d'artichauts, vendus en conserve dans toutes les épiceries.

Cœurs d'artichauts marinés aux olives

4 portions	
12	cœurs d'artichauts, en conserve
12	olives noires
12	olives vertes
105 ml	(7 c. à s.) huile d'olive
5 ml	(1 c. à t.) coriandre, moulue
5 ml	(1 c. à t.) ail, émincé
20 ml	(4 c. à t.) persil, haché
2 ml	(1/2 c. à t.) thym
5 ml	(1 c. à t.) origan
1	feuille de laurier
30 ml	(2 c. à s.) vinaigre
1	poivron rouge, en dés
	feuilles de laitue
	croûtons à l'ail

■ Dans un grand bol, mélangez tous les ingrédients, sauf les feuilles de laitue et les croûtons à l'ail ; recouvrez d'une pellicule de plastique ; placez au réfrigérateur ; laissez mariner 24 heures.

■ Disposez sur des feuilles de laitue ; ajoutez des croûtons à l'ail ; servez.

Fonds d'artichauts farcis aux œufs

4 portions	
4	œufs durs, hachés
30 ml	(2 c. à s.) mayonnaise
12	fonds d'artichauts, en conserve
36	câpres
36	grains de poivre rose

■ Dans un bol, mélangez les œufs et la mayonnaise ; remplissez les fonds d'artichauts de ce mélange ; décorez de câpres et de grains de poivre.

Fonds d'artichauts farcis au thon

4 portions	
184 g	(6,5 oz) thon en flocons, en conserve
15 ml	(1 c. à s.) mayonnaise
5 ml	(1 c. à t.) sauce chili
12	fonds d'artichauts, en conserve
2	rondelles de citron, coupées en six pointes chacune
12	petits bouquets de persil
12	crevettes de Matane

■ Dans un bol, mélangez le thon, la mayonnaise et la sauce chili ; remplissez les fonds d'artichauts de ce mélange ; décorez de pointes de citron et de bouquets de persil ; déposez une crevette sur chaque fond d'artichaut.

De haut en bas :
Cœurs d'artichauts marinés aux olives ▪ Fonds d'artichauts farcis aux œufs ▪ Fonds d'artichauts farcis au thon

249

LES ASPERGES

Asperges glacées à l'oseille

4 portions

24	asperges, cuites
15 ml	(1 c. à s.) purée d'oseille, du commerce
80 ml	(1/3 tasse) sauce hollandaise

■ Préchauffez le four à gril (broil).

■ Dans 4 assiettes à l'épreuve de la chaleur, dressez les asperges.

■ Dans un bol, mélangez la purée d'oseille et la sauce hollandaise ; couvrez la moitié des asperges de cette sauce ; servez.

■ Passez sous le gril 2 minutes ; servez.

VARIANTE

• **Substituez à la purée d'oseille une purée de basilic, ou de la pâte de tomates.**

Pointes d'asperges danoises

4 portions

36	pointes d'asperges
30 ml	(2 c. à s.) jus d'orange
125 ml	(1/2 tasse) yogourt nature
20 ml	(4 c. à t.) ciboulette
8	tranches de saumon fumé
	sel et poivre
4	feuilles de laitue
1	œuf dur, en cubes
	quartiers d'orange

■ Dans une casserole d'eau bouillante légèrement salée, faites cuire les asperges 5 minutes ; passez sous l'eau froide ; laissez égoutter ; réservez.

■ Dans un bol, mélangez le jus d'orange, le yogourt, la ciboulette, 4 tranches de saumon fumé hachées ; salez et poivrez légèrement.

■ Garnissez 4 assiettes d'une feuille de laitue ; dressez les asperges ; nappez de sauce ; réservez.

■ Coupez 4 tranches de saumon fumé en juliennes ; étalez sur les asperges ; décorez d'œuf dur et d'un quartier d'orange.

VARIANTE

• **Substituez au saumon fumé de la truite fumée ou de l'esturgeon fumé.**

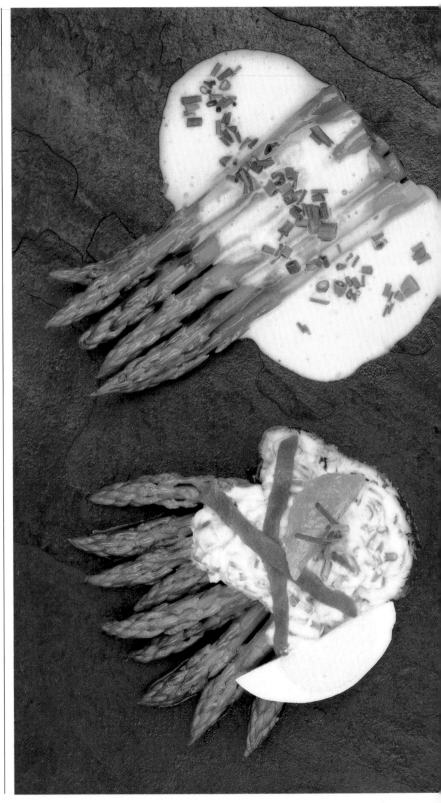

Asperges glacées à l'oseille
Pointes d'asperges danoises

Quelle que soit leur présentation, les asperges doivent être, en premier lieu, cuites à la vapeur. L'asperge verte et cassante est la plus savoureuse ; on trouve également des asperges blanches ou violettes.

Pointes d'asperges mousseline

4 portions

30 ml	(2 c. à s.) crème fouettée
5 ml	(1 c. à t.) persil, haché
24	asperges, cuites
80 ml	(1/3 tasse) sauce hollandaise

■ Préchauffez le four à gril (broil).

■ Mélangez ensemble la crème fouettée, la sauce hollandaise et le persil haché.

■ Disposez les asperges dans un plat allant au four. Nappez de sauce.

■ Faites colorer sous le gril.

Asperges aux agrumes

4 portions

2	oranges
1	pamplemousse blanc
1	pamplemousse rose
60 ml	(1/4 tasse) mayonnaise
250 ml	(1 tasse) laitue, ciselée
24	asperges, cuites

■ Pelez les fruits à vif ; séparez en petites sections (suprêmes) ; réservez le jus.

■ Dans un bol, mélangez la mayonnaise et le jus des fruits ; réservez.

■ Tapissez 4 assiettes de laitue ; dressez 6 asperges sur chacune d'elles.

■ À l'aide d'une poche à pâtisserie munie d'une douille fine, formez un ruban de mayonnaise en diagonale sur chaque groupe d'asperges ; garnissez de quelques sections d'agrumes ; servez.

Pointes d'asperges mousseline
Asperges aux agrumes

251

LES AUBERGINES

Tourte d'aubergine à la tomate

environ 500 ml (2 tasses)

60 ml	(1/4 tasse) eau bouillante, salée
1	grosse aubergine, pelée, tranchée
45 ml	(3 c. à s.) oignon, haché
2	œufs, battus
250 ml	(1 tasse) chapelure
30 ml	(2 c. à s.) beurre, fondu
2 ml	(1/2 c. à t.) origan
4	grosses tomates, tranchées
60 ml	(1/4 tasse) cheddar, râpé
60 ml	(1/4 tasse) parmesan, râpé
5 ml	(1 c. à t.) paprika

■ Préchauffez le four à 190 °C (375 °F).

■ Dans un poêlon, versez l'eau bouillante salée ; placez l'aubergine ; couvrez ; faites cuire 10 minutes ; laissez égoutter.

■ Dans un bol, réduisez en purée l'aubergine, l'oignon, les œufs, la chapelure, le beurre et l'origan.

■ Dans un moule beurré, étalez une couche de tomates ; recouvrez d'une épaisse couche de purée d'aubergine, puis d'une couche de tomates ; parsemez de fromage râpé ; saupoudrez de paprika ; faites cuire au four 45 minutes.

Aubergine sautée aux oignons

environ 500 ml (2 tasses)

30 ml	(2 c. à s.) huile
1	aubergine moyenne, non pelée, en dés
125 ml	(1/2 tasse) oignon blanc, tranché
125 ml	(1/2 tasse) oignon rouge, tranché
60 ml	(1/4 tasse) oignons de semence, coupés en deux
1	gousse d'ail, émincée
	sel et poivre
10 ml	(2 c. à t.) persil, haché
2 ml	(1/2 c. à t.) basilic, haché
125 ml	(1/2 tasse) jus de tomates

■ Dans un poêlon, faites chauffer l'huile ; sans cesser de remuer, faites revenir l'aubergine, les oignons blanc et rouge, environ 5 minutes.

■ Ajoutez les oignons de semence et l'ail ; salez et poivrez ; parsemez de persil et de basilic ; mélangez ; arrosez de jus de tomates ; laissez cuire à feu doux, 3 minutes.

Tourte d'aubergine à la tomate
Aubergine sautée aux oignons

Avec sa peau brillante et violacée, l'aubergine offre une chair à saveur affirmée qui se marie parfaitement à celle de la tomate et de la courgette. Mais attention : l'aubergine, telle une éponge, absorbe tous les corps gras. Badigeonnez donc légèrement le poêlon dans lequel vous la ferez sauter.

Aubergine et tomates à l'estragon

environ 750 ml (3 tasses)

1	aubergine moyenne, pelée, en cubes
75 ml	(5 c. à s.) d'huile
1	gousse d'ail, émincée
2 ml	(1/2 c. à t.) sel
1	très petit piment rouge, fort
3	oignons moyens, tranchés
3	grosses tomates, en conserve
5 ml	(1 c. à t.) sucre
15 ml	(1 c. à s.) vinaigre
10 ml	(2 c. à t.) estragon frais, haché

■ Dans une casserole d'eau bouillante légèrement salée, faites cuire l'aubergine 5 minutes ; laissez égoutter.

■ Dans un poêlon, faites chauffer l'huile ; ajoutez l'ail, le sel et le piment ; incorporez les oignons ; faites dorer légèrement.

■ Ajoutez l'aubergine, les tomates et le sucre ; amenez à ébullition ; arrosez de vinaigre ; couvrez ; faites cuire à feu très doux, 1 heure en remuant aux 10 minutes.

■ Rectifiez l'assaisonnement ; laissez refroidir ; mettez au réfrigérateur.

■ Saupoudrez d'estragon ; servez.

Aubergine au four

4 portions

1	grosse aubergine, tranchée en douze
30 ml	(2 c. à s.) huile d'olive
	sel et poivre
250 ml	(1 tasse) courgettes, en rondelles
	tomates tranchées
3	tranches de mozzarella, chacune coupée en quatre

■ Préchauffez le four à 175 °C (350 °F).

■ Badigeonnez les tranches d'aubergine d'huile ; placez dans un plat allant au four ; salez et poivrez.

■ Garnissez chaque tranche d'aubergine de rondelles de courgette ; salez et poivrez ; recouvrez de tranches de tomates ; badigeonnez d'huile ; salez et poivrez.

■ Faites cuire au four environ 12 minutes ; recouvrez de fromage ; poursuivez la cuisson au four 3 minutes, ou jusqu'à ce que le fromage commence à fondre.

Aubergine et tomates à l'estragon
Aubergine au four

LES AVOCATS

Avocats californiens

	4 portions
2	avocats
1	concombre, pelé et tranché
2	pamplemousses roses, en quartiers
1	orange, en quartiers
150 g	(1/3 lb) crevettes, cuites
125 ml	(1/2 tasse) mayonnaise
30 ml	(2 c. à s.) ciboulette
15 ml	(1 c. à s.) ketchup, du commerce
	Tabasco, au goût
	sel et poivre
	ciboulette (facultatif)
	graines de céleri (facultatif)
	rondelles de citron

■ Coupez les avocats en deux ; évidez sans abîmer la peau ; coupez la pulpe en morceaux ; réservez.

■ Dans un bol, mélangez les autres ingrédients, sauf la ciboulette, les graines de céleri et les rondelles de citron ; incorporez la pulpe.

■ Remplissez les coques d'avocats de ce mélange ; garnissez de ciboulette, de graines de céleri ou de rondelles de citron.

Avocats marinés

	environ 250 ml (1 tasse)
2	avocats, moyennement fermes
60 ml	(1/4 tasse) huile d'olive
30 ml	(2 c. à s.) vinaigre de vin
5 ml	(1 c. à t.) sucre
1/2	gousse d'ail, émincée
2 ml	(1/2 c. à t.) échalote, émincée
10 ml	(2 c. à t.) persil, haché
	jus de 1 citron
2	endives, en feuilles

■ Pelez et tranchez les avocats ; placez dans un bol.

■ Dans un autre bol, mélangez le reste des ingrédients, sauf les feuilles d'endive ; versez sur les avocats ; placez au réfrigérateur ; attendez 2 heures ; servez sur des feuilles d'endives.

Avocats californiens
Avocats marinés

L'avocat est en fait un fruit, que l'on apprête comme un légume ! Sa peau, lisse ou grenue, est d'un vert brillant ou d'un brun tirant sur le noir. Mais peu importe sa variété, l'avocat offrira toujours une onctueuse pulpe vert pâle qui se détache très facilement du noyau. Attention cependant : cette pulpe est plutôt riche en matières grasses.

Avocat aux petits légumes

6 portions

60 ml	(1/4 tasse) chou-fleur, en petits bouquets
60 ml	(1/4 tasse) brocoli, en petits bouquets
60 ml	(1/4 tasse) poivron rouge, en dés
60 ml	(1/4 tasse) poivron jaune, en dés
60 ml	(1/4 tasse) petits pois
60 ml	(1/4 tasse) carotte, en cubes
60 ml	(1/4 tasse) céleri, en fines tranches
60 ml	(1/4 tasse) oignon rouge, émincé
3	avocats
180 ml	(3/4 tasse) crème sure
12	feuilles d'aneth

■ Dans une casserole d'eau bouillante légèrement salée, faites blanchir les légumes 4 minutes ; laissez égoutter, puis refroidir.

■ Coupez les avocats en deux ; enlevez le noyau ; pratiquez de petites incisions dans la pulpe, sans la détacher.

■ Dans un bol, mélangez la crème sure et les légumes ; remplissez les demi-avocats de ce mélange ; décorez de feuilles d'aneth ; servez.

« Guacamole » ou purée d'avocat

environ 500 ml (2 tasses)

4	avocats mûrs, pelés
1 ml	(1/4 c. à t.) Tabasco
20 ml	(4 c. à t.) jus de citron
20 ml	(4 c. à t.) persil
	sel et poivre
1	tomate, en cubes
1	concombre, en rondelles
8	tortillas (ou croustilles ou crudités)

■ Dans un bol, réduisez les avocats en purée ; ajoutez le Tabasco, le jus de citron, le persil, le sel et le poivre ; garnissez de tomate et de concombre.

■ Remplissez les tortillas de ce mélange ou servez comme trempette avec des croustilles ou des crudités.

Avocat aux petits légumes
« Guacamole » ou purée d'avocat

LES BETTERAVES

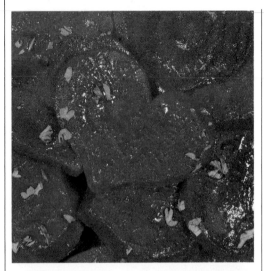

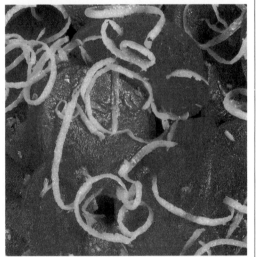

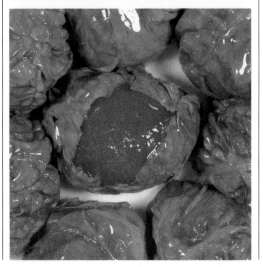

Valentines de betteraves au beurre

environ 250 ml (1 tasse)

4	grosses betteraves
45 ml	(3 c. à s.) beurre
	sel et poivre
30 ml	(2 c. à s.) persil

▪ Dans une casserole d'eau bouillante légèrement salée, faites cuire les betteraves environ 1 heure ; laissez égoutter.

▪ Coupez d'abord les betteraves en tranches, puis chaque tranche en forme de cœur.

▪ Dans un poêlon, faites fondre le beurre ; faites sauter délicatement les betteraves ; salez et poivrez ; décorez de persil ; servez.

Betteraves à l'estragon et au citron

environ 750 ml (3 tasses)

24	petites betteraves nouvelles, lavées, avec 5 cm (2 po) de tige
80 ml	(1/3 tasse) beurre
5 ml	(1 c. à t.) estragon, haché
2 ml	(1/2 c. à t.) zeste de citron, finement râpé
10 ml	(2 c. à t.) jus de citron
	sel et poivre
15 ml	(1 c. à s.) persil, haché

▪ Dans une casserole d'eau bouillante légèrement salée, placez les betteraves ; couvrez ; faites cuire environ 30 minutes, ou jusqu'à ce qu'elles soient tendres ; laissez égoutter ; passez sous l'eau froide ; retirez doucement la peau ; coupez les tiges et les racines.

▪ Dans un grand poêlon à fond épais, faites mousser le beurre à feu moyen ; ajoutez les betteraves, l'estragon, le zeste et le jus de citron ; salez et poivrez ; dressez dans un plat de service chaud ; saupoudrez de persil ; servez.

Betteraves en épinards

environ 500 ml (2 tasses)

16	petites betteraves
16	grosses feuilles d'épinards
	sel et poivre
30 ml	(2 c. à s.) beurre fondu

▪ Dans une casserole d'eau bouillante légèrement salée, faites cuire les betteraves environ 30 minutes.

▪ Équeutez les feuilles d'épinards. Faites-les blanchir 30 secondes.

▪ Disposez les épinards blanchis bien à plat. Déposez une betterave sur chaque feuille ; salez et poivrez. Enveloppez les betteraves de feuilles d'épinards. Badigeonnez les feuilles d'épinards de beurre fondu ; servez.

Vivement colorée, la betterave égayera votre table. Ses avantages : elle se conserve fort bien en cave et garde ses qualités même au plus profond de l'hiver ; ses feuilles s'apprêtent comme des épinards. Faites-la cuire entière avec sa peau ; elle gardera sa couleur et toute sa saveur !

Betteraves marinées

---

environ 250 ml (1 tasse)

4	betteraves, cuites
125 ml	(1/2 tasse) eau
250 ml	(1 tasse) vinaigre de vin
10 ml	(2 c. à t.) sucre
2 ml	(1/2 c. à t.) sel
1	pincée de ciboulette, hachée
1	pincée d'estragon, haché
1	pincée de fenouil, haché
	mayonnaise, au goût

■ Dans une casserole d'eau bouillante légèrement salée, faites cuire les betteraves ; laissez égoutter ; coupez en bâtonnets ; placez dans un bol ; réservez.

■ Dans une casserole, mélangez l'eau, le vinaigre de vin, le sucre, le sel et les fines herbes ; amenez à ébullition ; laissez bouillir 1 minute ; versez sur les betteraves ; laissez mariner au moins 2 heures ; servez avec un peu de mayonnaise.

Betteraves et chou rouge

---

environ 250 ml (1 tasse)

2	betteraves, cuites « al dente »
125 ml	(1/2 tasse) chou rouge, râpé
30 ml	(2 c. à s.) vin rouge
	sel et poivre
30 ml	(2 c. à s.) beurre
1/2	gousse d'ail, émincée

■ Coupez les betteraves en petits bâtonnets.

■ Dans un bol, mélangez chou et vin ; salez et poivrez.

■ Dans un poêlon, faites fondre le beurre ; faites revenir l'ail ; ajoutez les betteraves et le chou.

■ Mélangez ; faites cuire à feu doux environ 5 minutes.

Betteraves à l'ail et au sésame

---

environ 250 ml (1 tasse)

4	grosses betteraves, cuites
30 ml	(2 c. à s.) beurre
1	gousse d'ail, hachée
30 ml	(2 c. à s.) graines de sésame
15 ml	(1 c. à s.) persil, haché
	sel et poivre

■ Taillez les betteraves en bâtonnets.

■ Dans un poêlon, faites fondre le beurre ; faites sauter les bâtonnets de betteraves et l'ail environ 2 minutes.

■ Ajoutez les graines de sésame, le persil, le sel et le poivre ; remuez délicatement le mélange ; servez.

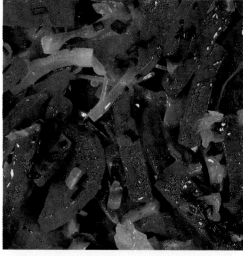

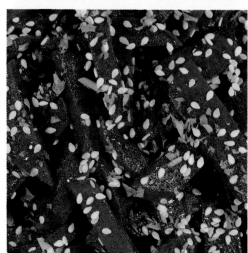

De haut en bas :
Betteraves marinées ■
Betteraves et chou rouge ■
Betteraves à l'ail et au sésame

LE BROCOLI

Beignets de brocoli, sauce tartare

environ 750 ml (3 tasses)

1	brocoli, en bouquets de 2,5 cm (1 po) de diamètre

Pâte à frire

125 g	(1/2 tasse) farine
250 ml	(1 tasse) bière ou eau
30 ml	(2 c. à s.) beurre, fondu
1	pincée de sel
1	jaune d'œuf
1	blanc d'œuf, additionné de sel, monté en neige

■ Préchauffez la friteuse à 205 °C (400 °F).

■ Dans une casserole remplie d'eau bouillante légèrement salée, faites cuire le brocoli 4 minutes ; passez sous l'eau froide ; laissez égoutter ; réservez.

■ Dans un bol, à l'aide d'une cuillère de bois, mélangez les ingrédients de la pâte, sauf le blanc d'œuf, de façon à obtenir une pâte homogène ; incorporez délicatement le blanc d'œuf monté en neige.

■ Trempez 6 ou 7 bouquets de brocoli dans la pâte ; faites cuire dans la friteuse ; retirez ; laissez égoutter sur un papier essuie-tout ; servez avec une sauce tartare.

Brocoli aux amandes

environ 500 ml (2 tasses)

30 ml	(2 c. à s.) beurre
45 ml	(3 c. à s.) amandes effilées
45 ml	(3 c. à s.) crème à 35 %
	sel et poivre
375 ml	(1 1/2 tasse) brocoli cuit, en bouquets

■ Dans un poêlon, faites fondre le beurre ; faites colorer légèrement les amandes. Versez la crème ; salez et poivrez ; laissez réduire le liquide de moitié.

■ Entre-temps, faites réchauffer les bouquets de brocoli dans de l'eau bouillante ; laissez égoutter.

■ Disposez les bouquets de brocoli en couronne ; versez le mélange d'amandes et de crème au centre de la couronne ; servez.

258

Proche cousin du chou-fleur, le brocoli s'en distingue par ses boutons verts ou violacés. Assurez-vous que les tiges soient bien droites et les bourgeons, compacts. Avant de les faire bouillir, pelez les tiges pour qu'elles cuisent en même temps que les pousses plus tendres, ou coupez-les en tronçons et gardez-les pour une délicieuse crème de légumes.

Brocoli au cheddar et à la moutarde

environ 750 ml (3 tasses)	
375 ml	(1 1/2 tasse) brocoli, en bouquets, cuit
250 ml	(1 tasse) sauce béchamel
60 ml	(1/4 tasse) cheddar, râpé
20 ml	(4 c. à t.) moutarde forte
	chapelure
30 ml	(2 c. à s.) beurre, fondu

■ Préchauffez le four à 220 °C (425 °F).

■ Dans un plat à gratin, déposez le brocoli ; réservez.

■ Préparez une sauce béchamel ; ajoutez la moitié du fromage et la moutarde ; mélangez ; versez sur le brocoli ; saupoudrez du reste de fromage et de chapelure ; arrosez de beurre fondu.

■ Faites cuire au four 10 minutes ou jusqu'à ce que le dessus soit légèrement doré.

Brocoli aux graines de sésame

environ 375 ml (1 1/2 tasse)	
375 ml	(1 1/2 tasse) brocoli, en bouquets
5 ml	(1 c. à t.) beurre
30 ml	(2 c. à s.) graines de sésame
	sel et poivre
	noix de beurre
	rondelles de citron, coupées en pointes

■ Dans une casserole remplie d'eau bouillante légèrement salée, faites blanchir le brocoli 4 minutes ; laissez refroidir, puis égoutter ; réservez.

■ Dans un poêlon, faites fondre le beurre ; faites colorer les graines de sésame.

■ Déposez le brocoli dans un plat allant au four à micro-ondes ; parsemez de graines de sésame ; salez et poivrez ; placez une noix de beurre sur chaque bouquet ; faites cuire au four à micro-ondes à ÉLEVÉ, 1 minutes ; décorez de pointes de citron.

LES CAROTTES

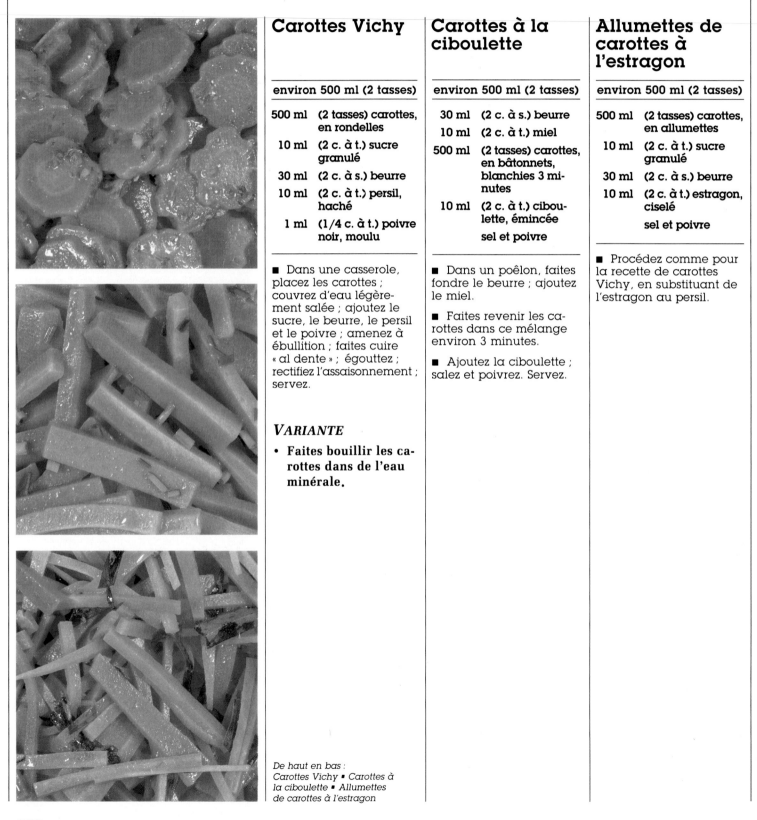

Carottes Vichy

environ 500 ml (2 tasses)

500 ml	(2 tasses)	carottes, en rondelles
10 ml	(2 c. à t.)	sucre granulé
30 ml	(2 c. à s.)	beurre
10 ml	(2 c. à t.)	persil, haché
1 ml	(1/4 c. à t.)	poivre noir, moulu

■ Dans une casserole, placez les carottes ; couvrez d'eau légèrement salée ; ajoutez le sucre, le beurre, le persil et le poivre ; amenez à ébullition ; faites cuire « al dente » ; égouttez ; rectifiez l'assaisonnement ; servez.

VARIANTE

• Faites bouillir les carottes dans de l'eau minérale.

Carottes à la ciboulette

environ 500 ml (2 tasses)

30 ml	(2 c. à s.)	beurre
10 ml	(2 c. à t.)	miel
500 ml	(2 tasses)	carottes, en bâtonnets, blanchies 3 minutes
10 ml	(2 c. à t.)	ciboulette, émincée
		sel et poivre

■ Dans un poêlon, faites fondre le beurre ; ajoutez le miel.

■ Faites revenir les carottes dans ce mélange environ 3 minutes.

■ Ajoutez la ciboulette ; salez et poivrez. Servez.

Allumettes de carottes à l'estragon

environ 500 ml (2 tasses)

500 ml	(2 tasses)	carottes, en allumettes
10 ml	(2 c. à t.)	sucre granulé
30 ml	(2 c. à s.)	beurre
10 ml	(2 c. à t.)	estragon, ciselé
		sel et poivre

■ Procédez comme pour la recette de carottes Vichy, en substituant de l'estragon au persil.

De haut en bas :
Carottes Vichy ▪ Carottes à la ciboulette ▪ Allumettes de carottes à l'estragon

Les carottes sont une excellente source de vitamine A. Ces délicieuses racines juteuses et colorées accompagnent agréablement de nombreux plats. Les jeunes carottes n'ont pas besoin d'être épluchées ; il suffit de les gratter et de les laver soigneusement. Pour qu'elles gardent toutes leurs vitamines, préparez-les juste avant la cuisson !

Légumes gratinés

environ 1 1/2 L (6 tasses)

250 ml	(1 tasse)	oignons, émincés
500 ml	(2 tasses)	carottes, tranchées en biais

Farine assaisonnée

45 ml	(3 c. à s.)	farine
5 ml	(1 c. à t.)	sel
2 ml	(1/2 c. à t.)	poivre
5 ml	(1 c. à t.)	sarriette

250 ml	(1 tasse)	brocoli, en petits bouquets
250 ml	(1 tasse)	cheddar ou emmenthal, râpé
2		pommes de terre, tranchées
250 ml	(1 tasse)	lait

■ Préchauffez le four à 190 °C (375 °F).

■ Beurrez un plat allant au four ; étalez la moitié des oignons et des tranches de carottes ; réservez.

■ Dans un bol, mélangez les ingrédients de la farine assaisonnée ; saupoudrez le tiers de ce mélange sur les carottes et les oignons ; recouvrez du reste des légumes ; saupoudrez du tiers de farine assaisonnée.

■ Disposez le brocoli ; ajoutez le tiers de fromage ; saupoudrez du reste de farine assaisonnée et d'un tiers de fromage ; ajoutez les pommes de terre ; arrosez de lait ; couvrez ; faites cuire au four 45 minutes.

■ Parsemez du reste de fromage ; poursuivez la cuisson sans couvrir, 15 minutes.

Salade de carottes

environ 1 L (4 tasses)

900 g	(2 lb)	carottes, en fines rondelles
1		poivron vert, émincé
237 ml	(8 oz)	crème de tomates, en conserve
180 ml	(3/4 tasse)	vinaigre blanc
250 ml	(1 tasse)	sucre
125 ml	(1/2 tasse)	huile végétale
5 ml	(1 c. à. t.)	sauce anglaise
5 ml	(1 c. à t.)	moutarde sèche
		sel et poivre

■ Dans une casserole d'eau bouillante légèrement salée, faites cuire les carottes « al dente » ; laissez égoutter.

■ Dans un saladier, mélangez les autres ingrédients ; incorporez les carottes ; dressez dans un plat de service.

Carottes à la dijonnaise

environ 500 ml (2 tasses)

375 ml	(1 1/2 tasse)	carottes, en rondelles
30 ml	(2 c. à s.)	beurre
75 ml	(5 c. à s.)	oignons, émincés
20 ml	(4 c. à t.)	farine
125 ml	(1/2 tasse)	lait
15 ml	(1 c. à s.)	moutarde forte
		sel et poivre
30 ml	(2 c. à s.)	persil, haché

■ Dans une casserole d'eau bouillante légèrement salée, faites cuire les carottes ; laissez égoutter.

■ Dans un poêlon, à feu doux, faites fondre le beurre ; faites revenir les oignons 2 minutes. Ajoutez les carottes et la farine ; mélangez.

■ Versez doucement le lait ; mélangez jusqu'à épaississement. Ajoutez la moutarde, le sel et le poivre ; mélangez.

■ Faites chauffer quelques minutes, parsemez de persil ; servez.

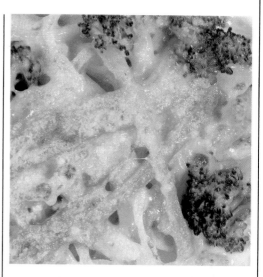

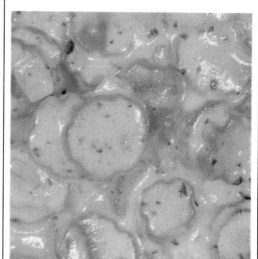

*De haut en bas :
Légumes gratinés ▪ Salade de carottes ▪ Carottes à la dijonnaise*

LE CÉLERI

Céleri braisé

4 portions

2	cœurs de céleri, coupés en deux
10 ml	(2 c. à t.) beurre
500 ml	(2 tasses) bouillon de poulet
	sel et poivre
1	pincée de muscade

■ Dans une casserole d'eau bouillante légèrement salée, faites blanchir le céleri 5 minutes ; laissez égoutter ; réservez.

■ Dans un poêlon, faites fondre le beurre ; faites suer le céleri environ 2 minutes ; mouillez à mi-hauteur de bouillon de poulet ; assaisonnez de sel, de poivre et de muscade ; couvrez à moitié ; laissez braiser environ 15 minutes ; servez.

Céleri aux graines de fenouil

environ 250 ml (1 tasse)

375 ml	(1 1/2 tasse) céleri, émincé
15 ml	(1 c. à s.) beurre
5 ml	(1 c. à t.) graines de fenouil
	sel et poivre

■ Dans une casserole d'eau bouillante légèrement salée, faites blanchir le céleri 3 minutes ; laissez égoutter ; réservez.

■ Dans un poêlon, faites fondre le beurre ; faites dorer les graines de fenouil ; ajoutez le céleri ; faites sauter 2 minutes ; salez et poivrez ; servez.

Céleri braisé
Céleri aux graines de fenouil

Le céleri, que l'on trouve toute l'année sur le marché, est meilleur en hiver : Sachez le choisir : préférez des pieds de céleri au feuillage vert et aux côtes bien serrées, blanches ou vert pâle. Plus les côtes sont foncées, plus le céleri est filandreux... Ne perdez rien ! Utilisez le feuillage et les côtes extérieures au goût plus prononcé pour aromatiser agréablement salades, potages et bouillons.

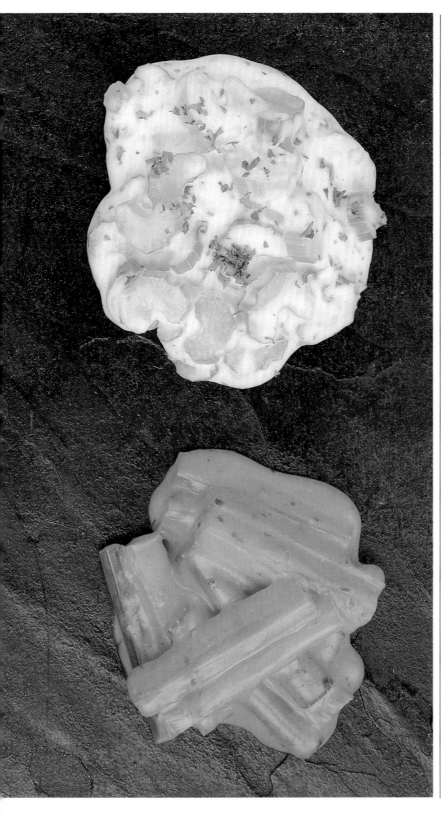

Fricassée de céleri, sauce Mornay

environ 250 ml (1 tasse)

310 ml	(1 1/4 tasse) céleri, émincé
30 ml	(2 c. à s.) beurre
20 ml	(4 c. à t.) farine
125 ml	(1/2 tasse) lait
	sel et poivre
1	pincée de muscade
	poivre de cayenne (au goût)
2	jaunes d'œufs
75 ml	(5 c. à s.) fromage, râpé
5 ml	(1 c. à t.) persil

■ Préchauffez le four à gril (broil).

■ Dans une casserole d'eau bouillante légèrement salée, faites cuire le céleri 7 minutes ; laissez égoutter ; réservez.

■ Dans une casserole en fonte, faites fondre le beurre ; faites revenir le céleri à feu moyen ; ajoutez la farine ; mélangez 1 minute.

■ Ajoutez le lait ; assaisonnez de sel, de poivre, de muscade et de poivre de cayenne ; laissez cuire jusqu'à épaississement ; incorporez les jaunes d'œufs et le fromage ; mélangez.

■ Dressez dans un plat de service allant au four ; saupoudrez de persil ; servez.

Céleri ménagère

environ 500 ml (2 tasses)

500ml	(2 tasses) bâtonnets de céleri de 7,5 cm (3 po) de longueur

Sauce

237 ml	(8 oz) consommé de bœuf, en conserve
60 ml	(1/4 tasse) ketchup
15 ml	(1 c. à s.) sauce anglaise
45 ml	(3 c. à s.) fécule de maïs
45 ml	(3 c. à s.) eau froide
	persil ou estragon, au goût

■ Dans une casserole d'eau bouillante légèrement salée, faites cuire le céleri « al dente » ; laissez égoutter ; dressez dans un plat de service ; gardez au chaud.

■ Dans une casserole, mélangez le consommé de bœuf, le ketchup et la sauce anglaise ; amenez à ébullition.

■ Entre-temps, dans un bol, délayez la fécule de maïs dans l'eau.

■ Incorporez à la sauce ; amenez à ébullition sans cesser de remuer ; laissez bouillir 2 minutes ; versez sur le céleri ; décorez de persil ou d'estragon ; servez.

Fricassée de céleri, sauce Mornay
Céleri ménagère

Les champignons

Pleurotes sautées à l'ail

environ 250 ml (1 tasse)

500 ml	(2 tasses) pleurotes
45 ml	(3 c. à s.) beurre
20 ml	(4 c. à t.) échalotes françaises, hachées
5 ml	(1 c. à t.) ail, émincé
20 ml	(4 c. à t.) persil, haché
	sel et poivre
30 ml	(2 c. à s.) vin blanc

■ Retirez les pieds des pleurotes ; émincez-les grossièrement.

■ Dans un poêlon, faites fondre le beurre ; faites sauter les pleurotes environ 2 minutes ; ajoutez les échalotes, l'ail, le persil, le sel et le poivre ; poursuivez la cuisson 1 minute en remuant ; incorporez le vin blanc ; faites chauffer 30 secondes ; servez.

Champignons à la crème

environ 500 ml (2 tasses)

45 ml	(3 c. à s.) beurre
675 g	(1 1/2 lb) champignons de Paris, nettoyés, en quartiers
3	jaunes d'œufs
80 ml	(1/3 tasse) crème à 35 %
	sel et poivre
60 ml	(1/4 tasse) gruyère, râpé

■ Préchauffez le four à 205 °C (400 °F).

■ Dans un poêlon, faites fondre le beurre ; faites sauter les champignons ; remuez à l'aide d'une cuillère de bois jusqu'à évaporation complète du liquide ; déposez dans un plat à gratin ; réservez.

■ Dans un bol, mélangez les jaunes d'œufs, la crème, le sel et le poivre ; versez sur les champignons ; parsemez de gruyère ; faites cuire au four 10 à 15 minutes ; servez.

Rappelez-vous que les champignons n'aiment pas l'eau : pour les nettoyer, essuyez les chapeaux à l'aide d'un linge humide et, s'ils sont vraiment sales, rincez-les rapidement à l'eau froide et épongez-les bien. Cependant, si vous achetez des champignons sauvages séchés, faites-les tremper dans l'eau avant de les faire cuire pour qu'ils reprennent leur forme initiale et leur tendreté.

Champignons farcis à la brunoise

4 portions

24	gros champignons
45 ml	(3 c. à s.) beurre
45 ml	(3 c. à s.) carotte, en dés
45 ml	(3 c. à s.) courgette, en dés
5 ml	(1 c. à t.) ail, émincé
15 ml	(1 c. à s.) persil, haché
20 ml	(4 c. à t.) chapelure
	sel et poivre
170 ml	(6 oz) crème de champignons, en conserve
5 ml	(1 c. à t.) paprika

■ Préchauffez le four à 175 °C (350 °F).

■ Retirez les pieds des champignons ; hachez finement ; réservez.

■ Dans un poêlon, faites fondre le beurre ; faites sauter les pieds des champignons, les carottes et les courgettes ; ajoutez l'ail, le persil et la chapelure ; salez et poivrez ; faites cuire 3 minutes. Incorporez la crème de champignons ; laissez cuire quelques minutes à feu moyen.

■ Remplissez les têtes des champignons de farce ; saupoudrez de paprika ; déposez dans un plat légèrement huilé ; faites cuire au four environ 12 minutes.

Petit gâteau de champignons

4 portions

45 ml	(3 c. à s.) beurre
750 ml	(3 tasses) champignons, nettoyés et émincés
15 ml	(1 c. à s.) vin blanc
4	œufs
60 ml	(1/4 tasse) fromage, râpé
60 ml	(1/4 tasse) crème à 35%
	sel et poivre
30 ml	(2 c. à s.) beurre
237 ml	(8 oz) crème de champignons, en conserve

■ Préchauffez le four à 190 °C (375 °F).

■ Dans un poêlon, faites fondre le beurre ; faites sauter les champignons environ 4 minutes ; arrosez de vin ; laissez cuire jusqu'à évaporation complète du liquide.

■ Entre-temps, dans un bol, mélangez les œufs, le fromage et la crème ; salez et poivrez.

■ Beurrez généreusement un moule allant au four ; versez le mélange ; faites cuire au bain-marie 35 minutes ; retirez du four ; laissez reposer 5 minutes, démoulez en renversant ; servez avec une crème de champignons.

LES CHOUX

Chou vert braisé aux graines de sésame

environ 500 ml (2 tasses)

45 ml	(3 c. à s.) beurre
4	gouttes d'huile de sésame
1	oignon rouge
500 ml	(2 tasses) chou vert, en fines lanières
60 ml	(1/4 tasse) vin blanc
60 ml	(1/4 tasse) eau
	jus de 1 citron
15 ml	(1 c. à s.) miel
30 ml	(2 c. à s.) persil, haché
30 ml	(2 c. à s.) graines de sésame
	sel et poivre

■ Dans un poêlon, faites fondre le beurre ; ajoutez l'huile de sésame ; faites revenir l'échalote et le chou vert ; mélangez ; réduisez le feu au minimum ; couvrez ; faites cuire 3 minutes.

■ Augmentez le feu ; ajoutez le vin, l'eau, le jus de citron, le miel, le persil et les graines de sésame ; salez et poivrez ; amenez à ébullition ; diminuez le feu au minimum ; couvrez ; laissez mijoter 30 minutes ; remuez de temps en temps.

Chou chinois à l'ail

environ 250 ml (1 tasses)

45 ml	(3 c. à s.) beurre
2	gousses d'ail, hachées
500 ml	(2 tasses) chou chinois, ciselé
	sel et poivre
	ciboulette, ciselée

■ Dans un poêlon, faites fondre le beurre ; faites revenir l'ail ; ajoutez le chou chinois ; salez et poivrez ; poursuivez la cuisson 3 minutes ; garnissez de ciboulette ; servez.

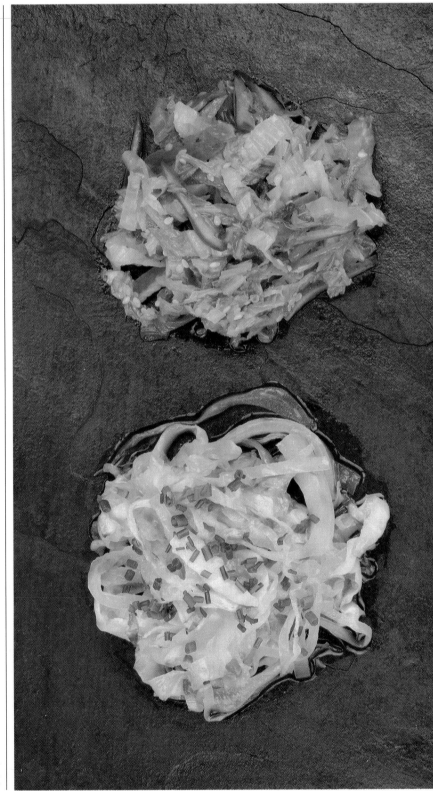

Chou vert braisé aux graines de sésame
Chou chinois à l'ail

Les membres de la grande famille des choux se différencient tant par leur taille que par leur couleur. Assurez-vous que leur cuisson soit ou très brève ou très longue. Vous éviterez ainsi qu'ils ne dégagent une odeur de soufre qui est souvent tenace.

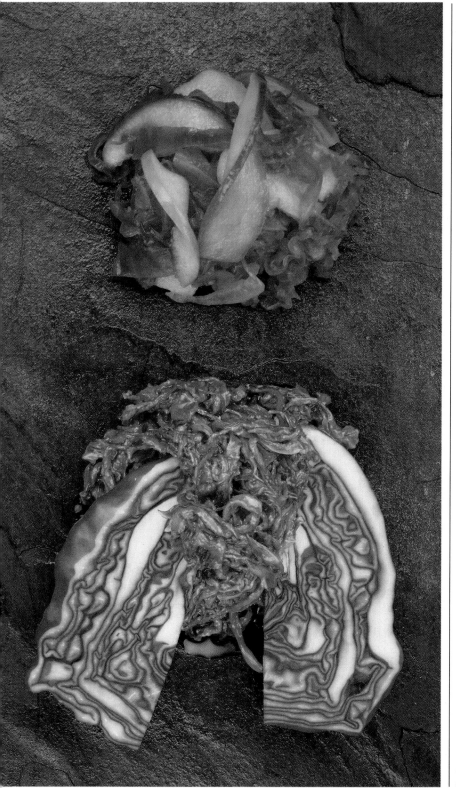

Chou rouge Rougemont

environ 250 ml (1 tasse)

250 ml	(1 tasse) chou rouge, émincé
30 ml	(2 c. à s.) beurre
2	pommes, émincées
15 ml	(1 c. à s.) cassonade
15 ml	(1 c. à s.) vinaigre

■ Dans une casserole d'eau bouillante légèrement salée, faites cuire le chou rouge 5 minutes ; laissez égoutter.

■ Dans un poêlon, faites fondre le beurre ; faites sauter le chou rouge et les pommes ; ajoutez la cassonade ; faites cuire jusqu'à caramélisation ; ajoutez le vinaigre ; servez.

Marmelade de chou rouge

environ 250 ml (1 tasse)

375 ml	(1 1/2 tasse) chou rouge, haché
75 ml	(5 c. à s.) sucre
30 ml	(2 c. à s.) vinaigre
60 ml	(1/4 tasse) vin rouge

■ Dans une casserole en fonte, mélangez tous les ingrédients ; amenez à ébullition ; baissez le feu ; laissez mijoter environ 30 minutes ; laissez refroidir ; placez au réfrigérateur.

■ Servez sur des canapés ou avec des viandes froides.

Chou rouge Rougemont
Marmelade de chou rouge

LES CHOUX DE BRUXELLES

Choux de Bruxelles sautés

environ 500 ml (2 tasses)

375 ml	(1 1/2 tasse) choux de Bruxelles
30 ml	(2 c. à s.) beurre
	sel et poivre
1	pincée de muscade
10 ml	(2 c. à t.) jus de citron
30 ml	(2 c. à s.) persil, haché

■ Pratiquez une incision en forme de croix à la base de chaque choux de Bruxelles ; placez dans une casserole d'eau bouillante légèrement salée ; faites cuire environ 20 minutes ; laissez égoutter ; réservez.

■ Dans un poêlon, faites fondre le beurre ; faites rissoler les choux de Bruxelles ; assaisonnez de sel, de poivre et de muscade. Lorsque le beurre est légèrement brun, ajoutez le jus de citron et le persil ; servez.

Choux de Bruxelles aux tomates

environ 1 L (4 tasses)

45 ml	(3 c. à s.) beurre
1	oignon, haché
1	gousse d'ail, émincée
125 ml	(1/2 tasse) poivron vert, en dés
398 ml	(14 oz) tomates, en conserve
375 ml	(1 1/2 tasse) choux de Bruxelles, coupés en deux
2 ml	(1/2 c. à t.) basilic, haché
	sel et poivre

■ Dans un poêlon, faites fondre le beurre. Faites suer l'oignon, l'ail et le poivron vert ; laissez cuire 4 minutes.

■ Ajoutez les tomates et les choux de Bruxelles.

■ Saupoudrez le mélange de basilic, de sel et de poivre ; amenez à ébullition ; couvrez. Laissez cuire à feu doux pendant 20 minutes.

Choux de Bruxelles et poireaux au beurre

environ 750 ml (3 tasses)

375 ml	(1 1/2 tasse) choux de Bruxelles
250 ml	(1 tasse) poireaux, en rondelles
45 ml	(3 c. à s.) beurre
125 ml	(1/2 tasse) oignon, émincé
60 ml	(1/4 tasse) crème
	sel et poivre

■ Dans une casserole remplie d'eau bouillante légèrement salée, faites blanchir les choux de Bruxelles et les poireaux pendant 4 minutes ; laissez égoutter.

■ Dans un poêlon, faites fondre le beurre ; faites revenir les choux de Bruxelles et les poireaux environ 10 minutes, à feu doux.

■ Ajoutez les oignons ; salez et poivrez. Versez la crème sur les légumes.

■ Remuez jusqu'à l'obtention d'une consistance crémeuse ; continuez la cuisson encore 5 minutes.

De haut en bas :
Choux de Bruxelles sautés ■
Choux de Bruxelles aux
tomates ■ Choux de Bruxelles et
poireaux au beurre

Les choux de Bruxelles doivent toujours être cuits. Pour les préparer, coupez le trognon, débarrassez-les de leurs premières feuilles et faites-les tremper quelques minutes dans une eau additionnée de vinaigre.

Choux de Bruxelles aux noisettes et aux lardons

environ 500 ml (2 tasses)

15 ml	(1 c. à s.)	beurre
60 ml	(1/4 tasse)	lardons
375 ml	(1 1/2 tasse)	choux de Bruxelles
45 ml	(3 c. à s.)	noisettes, concassées
20 ml	(4 c. à t.)	persil, haché
		sel et poivre

■ Dans un poêlon, faites fondre le beurre ; à feu moyen, faites revenir les lardons 3 minutes ; ajoutez les choux de Bruxelles ; couvrez ; faites cuire 7 minutes ; remuez de temps en temps.

■ Ajoutez les noisettes et le persil ; salez et poivrez ; servez.

Ton sur ton

environ 500 ml (2 tasses)

8		choux de Bruxelles, coupés en deux
125 ml	(1/2 tasse)	brocoli, en petits bouquets
60 ml	(1/4 tasse)	pois des neiges, émincés
20 ml	(4 c. à t.)	beurre
341 ml	(12 oz)	petits pois, en conserve
		sel et poivre
		muscade
60 ml	(1/4 tasse)	épinards crus, ciselés

■ Dans une casserole d'eau bouillante légèrement salée, faites blanchir les choux de Bruxelles 4 minutes ; ajoutez le brocoli et les pois des neiges ; laissez bouillir 2 minutes ; passez sous l'eau froide ; laissez égoutter ; réservez.

■ Dans un poêlon, faites fondre le beurre ; faites revenir les choux de Bruxelles, les pois des neiges et le brocoli 2 minutes ; ajoutez les petits pois ; assaisonnez de sel, de poivre et de muscade.

■ Juste avant de servir, incorporez les épinards.

Choux de Bruxelles et maïs miniatures

environ 750 ml (3 tasses)

15 ml	(1 c. à s.)	beurre
60 ml	(1/4 tasse)	lardons
375 ml	(1 1/2 tasse)	choux de Bruxelles
250 ml	(1 tasse)	épis de maïs miniatures
45 ml	(3 c. à s.)	noisettes, concassées
20 ml	(4 c. à t.)	persil, haché
		sel et poivre

■ Procédez comme pour la recette de choux de Bruxelles aux noisettes et aux lardons.

■ Ajoutez les épis de maïs miniatures 2 minutes avant la fin de la cuisson des choux.

De haut en bas : Choux de Bruxelles aux noisettes et aux lardons • Ton sur ton • Choux de Bruxelles et maïs miniatures

LES CHOUX-FLEURS

Chou-fleur gratiné

environ 750 ml (3 tasses)	
1	chou-fleur, en bouquets, cuit
250 ml	(1 tasse) sauce béchamel
60 ml	(1/4 tasse) parmesan, râpé

■ Préchauffez le four à gril (broil).

■ Dans un petit plat à gratin, disposez le chou-fleur ; couvrez de sauce béchamel ; saupoudrez de parmesan ; faites gratiner environ 5 minutes.

Chou-fleur au safran et à la ciboulette

environ 250 ml (1 tasse)	
250 ml	(1 tasse) chou-fleur, en bouquets
	sel et poivre
1	pincée de safran
	ou
5 ml	(1 c. à t.) cari
20 ml	(4 c. à t.) beurre
20 ml	(4 c. à t.) ciboulette

■ Dans une casserole d'eau bouillante légèrement salée, faites cuire le chou-fleur avec le sel, le poivre, le safran ou le cari pendant 4 minutes ; retirez du feu et laissez reposer dans l'eau de cuisson environ 15 minutes ; laissez égoutter.

■ Dans un poêlon, faites fondre le beurre ; faites revenir légèrement le chou-fleur ; ajoutez la ciboulette ; mélangez.

De tous ses cousins de la famille du chou, le chou-fleur est le plus facile à digérer. Choisissez une « pomme » (ou « tête ») de chou-fleur bien blanche, aux bouquets serrés et sans tache. Fiez-vous aux feuilles qui doivent être bien cassantes pour vérifier sa fraîcheur.

Chou-fleur à la polonaise

environ 500 ml (2 tasses)	
20 ml	(4 c. à t.) beurre
375 ml	(1 1/2 tasse) chou-fleur, en bouquets, cuit
	sel et poivre
3	œufs durs, hachés
20 ml	(4 c. à t.) fines herbes, hachées
20 ml	(4 c. à t.) chapelure, colorée au beurre

■ Dans un poêlon, faites fondre le beurre ; faites sauter le chou-fleur ; salez et poivrez ; dressez dans un plat de service ; parsemez d'œufs durs, de fines herbes et de chapelure ; servez.

Chou-fleur à la grecque

environ 1 L (4 tasses)	
30 ml	(2 c. à s.) huile
60 ml	(1/4 tasse) carotte, en cubes
60 ml	(1/4 tasse) oignon, émincé
60 ml	(1/4 tasse) céleri, coupé en biais
500 ml	(2 tasses) chou-fleur, en bouquets
125 ml	(1/2 tasse) vin blanc
125 ml	(1/2 tasse) eau
250 ml	(1 tasse) jus de tomates
	sel et poivre
1	pincée de thym
1	feuille de laurier
1	pincée de coriandre
	jus de 1 citron

■ Dans un poêlon, faites chauffer l'huile ; faites suer la carotte, l'oignon le céleri ; ajoutez le chou-fleur ; faites revenir environ 1 minute.

■ Arrosez de vin blanc, d'eau et de jus de tomates ; ajoutez les aromates et le jus de citron ; amenez à ébullition ; retirez du feu ; laissez refroidir dans le jus de cuisson.

LES CONCOMBRES

Concombre mariné

3 à 4 portions

1	gros concombre, tranché mince
1	tomate, en dés
125 ml	(1/4 tasse) huile
30 ml	(2 c. à s.) vinaigre de cidre
	jus de 1/2 citron
	sel et poivre
2 ml	(1/2 c. à t.) sucre
4	feuilles de menthe, hachées

■ Dans un bol, mélangez les ingrédients ; laissez mariner 2 heures ; dressez sur des feuilles de laitue ; servez.

Émincé de concombre à la ciboulette

4 portions

45 ml	(3 c. à s.) beurre
2	concombres, pelés, émincés, épépinés
30 ml	(2 c. à s.) ciboulette
60 ml	(1/4 tasse) crème à 35 %
	sel et poivre
1	pincée de muscade

■ Dans un poêlon, faites fondre le beurre ; faites revenir les concombres jusqu'à ce qu'ils commencent à briller.

■ Ajoutez les autres ingrédients ; à feu doux, faites chauffer sans cesser de remuer ; dressez dans un plat de service.

Concombre mariné
Émincé de concombre à la ciboulette

Ce légume très riche en eau et pauvre en calories se mange souvent nature ; il a une saveur douce et rafraîchissante. Cependant, il peut se préparer de la même façon que les courges, soit à l'eau, sauté, au four ou braisé. Il est alors nécessaire de le peler et de l'épépiner avant de le faire cuire.

Concombre farci Bayaldi

4 portions	
2	concombres anglais, pelés, en tronçons de 3,75 cm (1 1/2 po)
20 ml	(4 c. à t.) huile d'olive
3	tomates, en dés
30 ml	(2 c. à s.) menthe fraîche
	sel et poivre

■ Faites blanchir les concombres 2 minutes ; passez sous l'eau froide ; laissez égoutter.

■ Évidez chaque tronçon en conservant le fond ; réservez la pulpe.

■ Dans un poêlon, faites chauffer l'huile ; faites revenir la tomate ; ajoutez la menthe ; salez et poivrez.

■ Remplissez les tronçons de farce ; placez dans une marguerite ; faites cuire 5 minutes.

Concombre braisé

2 portions	
45 ml	(3 c. à s.) beurre
1	gros concombre, pelé, en cubes
	jus de 1 citron
5 ml	(1 c. à t.) miel
2 ml	(1/2 c. à t.) paprika
	sel et poivre

■ Dans un poêlon, faites fondre le beurre ; faites revenir le concombre environ 2 minutes ; ajoutez les autres ingrédients ; mélangez.

■ Diminuez le feu au minimum ; couvrez ; laissez braiser doucement environ 5 minutes.

Concombres farcis Bayaldi
Concombre braisé

Les courgettes

Courgettes en allumettes

environ 250 ml (1 tasse)

2	courgettes, coupées en allumettes
30 ml	(2 c. à s.) beurre
	sel et poivre

■ Dans une casserole d'eau bouillante légèrement salée, faites blanchir les courgettes 30 secondes.

■ Dans un poêlon, faites fondre le beurre ; faites revenir les courgettes ; salez et poivrez ; servez.

Courgettes panées

environ 250 ml (1 tasse)

2	petites courgettes
	farine assaisonnée
2	œufs, battus
125 ml	(1/2 tasse) chapelure

■ Préchauffez la friteuse à 220 °C (425 °F).

■ Coupez les courgettes en tranches minces dans le sens de la longueur.

■ Dans une casserole d'eau bouillante légèrement salée, faites cuire les courgettes environ 4 minutes ; passez sous l'eau froide ; laissez égoutter ; asséchez.

■ Passez dans la farine, puis dans les œufs battus et dans la chapelure ; plongez dans l'huile ; faites frire ; laissez égoutter sur un papier essuie-tout ; servez.

Courgettes à la crème moutardée

environ 250 ml (1 tasse)

15 ml	(1 c. à s.) beurre
250 ml	(1 tasse) courgettes, en allumettes
10 ml	(2 c. à t.) graines de moutarde
60 ml	(1/4 tasse) crème à 35 %
	sel et poivre

■ Dans un poêlon, faites chauffer le beurre ; faites sauter les courgettes environ 2 minutes.

■ Ajoutez les graines de moutarde et la crème ; salez et poivrez. Laissez cuire à feu doux 5 minutes ; servez.

De haut en bas :
Courgettes en allumettes ▪
Courgettes panées ▪ Courgettes
à la crème moutardée

Cette variété de courge fait traditionnellement partie de la cuisine méditerranéenne. Lorsque les courgettes (aussi appelées « zucchini » sous l'influence de l'anglais) sont tendres, on peut les apprêter sans les éplucher.

Pastilles de courgettes

environ 250 ml (1 tasse)

2	courgettes, en rondelles minces
30 ml	(2 c. à s.) beurre
	sel et poivre
1 ml	(1/4 c. à t.) graines de fenouil
2 ml	(1/2 c. à t.) persil, haché

■ Dans une casserole d'eau bouillante légèrement salée, faites blanchir les courgettes 30 secondes ; laissez égoutter ; réservez.

■ Dans un poêlon, faites fondre le beurre ; faites revenir les courgettes ; salez et poivrez ; ajoutez les graines de fenouil ; parsemez de persil ; servez.

Courgettes au parmesan

environ 250 ml (1 tasse)

2	courgettes, en rondelles minces
1/2	poivron rouge, en lanières
30 ml	(2 c. à s.) beurre
30 ml	(2 c. à s.) parmesan, râpé
	sel et poivre

■ Dans une casserole d'eau bouillante, faites blanchir les courgettes et les poivrons 30 secondes ; laissez égoutter.

■ Dans un poêlon, faites fondre le beurre ; faites revenir les courgettes et les poivrons environ 4 minutes.

■ Ajoutez le parmesan ; salez et poivrez ; servez.

Tambourins de courgettes à la tomate

6 tambourins

2	courgettes
30 ml	(2 c. à s.) beurre
1	gousse d'ail, émincée
20 ml	(4 c. à t.) échalotes, émincées
1	tomate, en petits cubes
	sel et poivre
30 ml	(2 c. à s.) parmesan

■ Préchauffez le four à 205 °C (400 °F).

■ Coupez les courgettes en tronçons de 3,75 cm (1 1/2 po) de longueur.

■ Dans une casserole d'eau bouillante légèrement salée, faites cuire les courgettes 5 minutes ; passez sous l'eau froide ; laissez égoutter.

■ Évidez les tambourins sans aller jusqu'au fond ; hachez la pulpe ; réservez.

■ Dans un poêlon, faites fondre le beurre ; faites revenir la pulpe des courgettes, l'ail, les échalotes et la tomate jusqu'à évaporation complète du liquide ; salez et poivrez ; saupoudrez de parmesan.

■ Garnissez les tambourins de ce mélange ; faites réchauffer au four 5 minutes ; servez.

De haut en bas :
Pastilles de courgettes ■
Courgettes au parmesan ■
Tambourins de courgettes à la tomate

Les endives

Endives aux épinards

environ 250 ml (1 tasse)	
45 ml	(3 c. à s.) beurre
1	gousse d'ail, émincée
10 ml	(2 c. à t.) échalote, hachée
250 ml	(1 tasse) endives, en rondelles
60 ml	(1/4 tasse) poireau, émincé
1 ml	(1/4 c. à t.) muscade
	sel et poivre
	jus de 1 citron
250 ml	(1 tasse) épinards, ciselés

■ Dans un poêlon, faites fondre le beurre ; faites suer l'ail et l'échalote ; ajoutez les endives et le poireau; assaisonnez de muscade ; salez et poivrez ; faites revenir 4 minutes.

■ Ajoutez le jus de citron et les épinards ; faites cuire jusqu'à ce que les épinards commencent à tomber ; retirez du feu ; servez.

VARIANTE

• Substituez aux épinards des feuilles de betterave, de chou chinois ou de chou rouge en julienne, préalablement blanchis 5 minutes.

Endives aux tomates

environ 375 ml (1 1/2 tasse)	
45 ml	(3 c. à s.) beurre
15 ml	(1 c. à s.) oignon, haché
1	gousse d'ail, hachée
15 ml	(1 c. à s.) noix de pin
250 ml	(1 tasse) endives, émincées
125 ml	(1/2 tasse) tomates, en dés
30 ml	(2 c. à s.) persil, haché
	sel et poivre

■ Dans un poêlon, faites fondre le beurre ; faites suer l'oignon haché et l'ail.

■ Ajoutez les noix de pin, les endives et les tomates ; faites revenir le mélange pendant 3 minutes.

■ Ajoutez le persil haché ; salez et poivrez. Servez.

L'endive fait partie du paysage culinaire depuis à peine un siècle. Il s'agit en fait d'une racine de chicorée cultivée dans l'obscurité. Pour éviter le goût amer de l'endive, insérez la pointe d'un petit couteau dans sa base et coupez avec un mouvement circulaire pour enlever le cœur, un cône formé par les feuilles centrales, plus amer que le reste de la plante.

Endives au jambon

4 portions

45 ml	(3 c. à s.) beurre
8	endives
8	tranches de jambon, cuit
750 ml	(3 tasses) sauce béchamel, chaude
1 ml	(1/4 c. à t.) muscade
15 ml	(1 c. à s.) parmesan, râpé
	sel et poivre
60 ml	(1/4 tasse) fromage, râpé

■ Préchauffez le four à 175 °C (350 °F) ; beurrez un plat allant au four.

■ Dans un poêlon, faites fondre le beurre ; faites dorer les endives.

■ Déposez une endive sur chaque tranche de jambon ; roulez ; fixez à l'aide d'un cure-dents ; déposez dans le plat.

■ Dans une casserole contenant la sauce béchamel, ajoutez la muscade et le parmesan ; salez et poivrez ; versez sur les rouleaux de jambon ; couvrez ; faites cuire au four 30 minutes ; retirez du four et augmentez la température du four à gril (broil).

■ Parsemez les rouleaux de fromage râpé ; faites gratiner sous le gril ; servez.

Endives du vendredi

4 portions

45 ml	(3 c. à s.) beurre
8	endives
8	tranches de saumon fumé
750 ml	(3 tasses) sauce béchamel, chaude
1 ml	(1/4 c. à t.) muscade
15 ml	(1 c. à s.) parmesan, râpé
	sel et poivre
60 ml	(1/4 tasse) fromage, râpé
16	petites crevettes

■ Procédez comme pour les endives au jambon, en substituant au jambon des tranches de saumon fumé.

■ Avant de faire gratiner les rouleaux, déposez 2 crevettes sur chacun.

277

LE FENOUIL

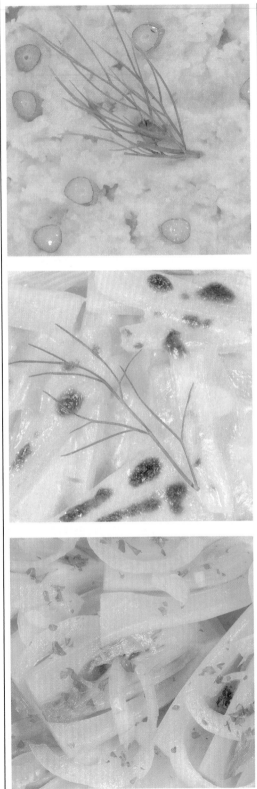

Purée de fenouil

environ 250 ml (1 tasse)

80 ml	(1/3 tasse) pommes de terre, en cubes
250 ml	(1 tasse) fenouil, en morceaux
45 ml	(3 c. à s.) beurre
	sel et poivre

■ Dans une casserole d'eau bouillante légèrement salée, faites cuire les pommes de terre ; laissez égoutter ; réduisez en purée ; réservez.

■ Dans une autre casserole d'eau bouillante légèrement salée, faites cuire le fenouil environ 20 minutes ; laissez égoutter ; réduisez en purée ; mélangez à la purée de pommes de terre.

■ À l'aide d'un fouet, incorporez les autres ingrédients ; dressez dans un plat de service ; décorez ; servez.

Fenouil gratiné

environ 250 ml (1 tasse)

375 ml	(1 1/2 tasse) fenouil, émincé
	sel et poivre
1	pincée de muscade
60 ml	(1/4 tasse) sauce hollandaise
15 ml	(1 c. à s.) parmesan

■ Préchauffez le four à gril (broil).

■ Dans une casserole d'eau bouillante légèrement salée, faites blanchir le fenouil 5 minutes ; laissez égoutter.

■ Dressez dans un plat allant au four ; assaisonnez de sel, de poivre et de muscade ; recouvrez de sauce hollandaise ; saupoudrez de parmesan ; faites gratiner ; servez.

Fenouil boulangère

environ 500 ml (2 tasses)

375 ml	(1 1/2 tasse) fenouil, émincé
125 ml	(1/2 tasse) oignon, émincé
	sel et poivre
2 ml	(1/2 c. à t.) thym
250 ml	(1 tasse) bouillon de poulet
20 ml	(4 c. à t.) jus de citron

■ Préchauffez le four à 190 °C (375 °F).

■ Dans un bol, mélangez le fenouil, l'oignon, le sel, le poivre et le thym ; versez dans un plat allant au four ; arrosez de bouillon de poulet et de jus de citron ; faites cuire au four jusqu'à évaporation complète du liquide ; servez.

De haut en bas :
Purée de fenouil ▪ Fenouil gratiné ▪ Fenouil boulangère

Le fenouil, originaire d'Italie, se cuisine de la même façon que les cœurs de céleri. Son goût anisé se marie très bien avec le poisson.

Fenouil et épinards aux tomates

environ 750 ml (3 tasses)

375 ml	(1 1/2 tasse) fenouil, en bâtonnets
125 ml	(1/2 tasse) tomate, en dés
500 ml	(2 tasses) épinards, équeutés
30 ml	(2 c. à s) beurre
60 ml	(1/4 tasse) jus de tomates
	sel et poivre

■ Dans une casserole d'eau bouillante légèrement salée, faites blanchir le fenouil 8 minutes ; laissez égoutter.

■ Dans un poêlon, faites fondre le beurre ; faites revenir le fenouil et la tomate pendant 2 minutes.

■ Ajoutez les épinards et le jus de tomates ; salez et poivrez.

■ Poursuivez la cuisson jusqu'à ce que les épinards soient bien tombés ; servez.

Fenouil à la moutarde

environ 500 ml (2 tasses)

500 ml	(2 tasses) fenouil, émincé
30 ml	(2 c. à s.) beurre
60 ml	(1/4 tasse) crème à 35 %
30 ml	(2 c. à s.) graines de moutarde
	sel et poivre

■ Dans une casserole d'eau bouillante légèrement salée, faites blanchir le fenouil 10 minutes ; égouttez.

■ Dans un poêlon, faites fondre le beurre ; faites revenir le fenouil pendant 5 minutes.

■ Ajoutez la crème et les graines de moutarde ; salez et poivrez. Poursuivez la cuisson jusqu'à ce que la crème épaississe ; servez.

Fenouil vinaigrette

environ 750 ml (3 tasses)

500 ml	(2 tasses) fenouil, en bâtonnets
375 ml	(1 1/2 tasse) yogourt
1	gousse d'ail, émincée
60 ml	(1/4 tasse) concombre, en brunoise
2 ml	(1/2 c. à t.) aneth, haché
2 ml	(1/2 c. à t.) sauce anglaise
	sel et poivre

■ Dans une casserole d'eau bouillante légèrement salée, faites blanchir le fenouil 8 minutes ; passez sous l'eau froide ; laissez égoutter ; réservez.

■ Dans un bol, mélangez le yogourt et les autres ingrédients ; ajoutez le fenouil ; couvrez ; placez au réfrigérateur ; attendez 1 heure ; servez.

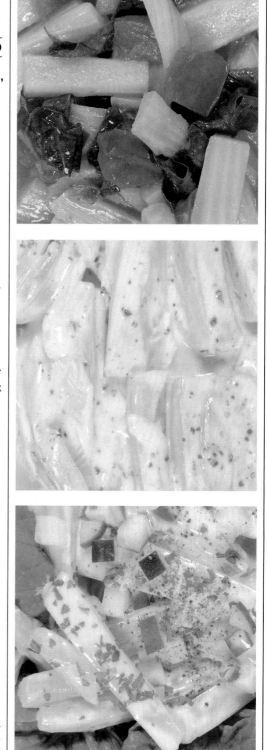

De haut en bas : Fenouil et épinards aux tomates ▪ Fenouil à la moutarde ▪ Fenouil vinaigrette

LES FÈVES GERMÉES

Fèves germées mayonnaise

environ 750 ml (3 tasses)

500 ml	(2 tasses) fèves germées
30 ml	(2 c. à s.) sauce soja
125 ml	(1/2 tasse) céleri, en cubes
80 ml	(1/3 tasse) oignons ou échalotes, émincés
60 ml	(1/4 tasse) poivron vert et rouge, émincés
45 ml	(3 c. à s.) mayonnaise
	jus d'un citron
	sel et poivre

■ Placez les fèves germées dans un tamis ; ébouillantez ; laissez égoutter.

■ Dans un bol, déposez les fèves germées ; ajoutez la sauce soja, laissez reposer quelques minutes ; remuez souvent. Laissez égoutter.

■ Dans un saladier, mélangez tous les autres ingrédients ; ajoutez le mélange de fèves germées ; mélangez ; servez.

Fèves germées au gratin

environ 1 L (4 tasses)

2	grosses pommes de terre, cuites, tranchées
500 ml	(2 tasses) fèves germées, ébouillantées
375 ml	(1 1/2 tasse) sauce béchamel, chaude
60 ml	(1/4 tasse) parmesan, râpé
	sel et poivre
2 ml	(1/2 c. à t.) muscade

■ Préchauffez le four à 190 °C (375 °F).

■ Dans un plat beurré allant au four, placez des couches successives de pommes de terre et de fèves germées ; terminez avec une couche de fèves germées ; couvrez de sauce béchamel ; parsemez de parmesan ; assaisonnez de sel, de poivre et de muscade.

■ Faites colorer au four ; éteignez le feu ; couvrez d'une feuille de papier d'aluminium ; laissez reposer 10 minutes ; servez.

Fèves germées mayonnaise
Fèves germées au gratin

Pour amuser les enfants, procurez-vous des graines de haricots mungo et faites-les germer vous-même. Le reste du temps, achetez simplement des fèves germées fraîches en vrac ou en sachet : leur goût est infiniment supérieur à celui des fèves germées en conserve.

Fèves germées en couleur

environ 750 ml (3 tasses)

45 ml	(3 c. à s.)	beurre
15 ml	(1 c. à s.)	oignon, haché
1		gousse d'ail, émincée
60 ml	(1/4 tasse)	échalotes vertes, émincées
125 ml	(1/2 tasse)	poivron rouge, en dés
500 ml	(2 tasses)	fèves germées
45 ml	(3 c. à s.)	sauce soja
		sel et poivre

■ Procédez comme pour la recette de fèves germées sautées.

■ Ajoutez les poivrons rouges au même moment que les échalotes.

Fèves germées sautées

environ 500 ml (2 tasses)

45 ml	(3 c. à s.)	beurre
15 ml	(1 c. à s.)	oignon, haché
1		gousse d'ail, émincée
60 ml	(1/4 tasse)	échalotes vertes, émincées
500 ml	(2 tasses)	fèves germées
45 ml	(3 c. à s.)	sauce soja
		sel et poivre

■ Dans un poêlon, faites fondre le beurre ; sans cesser de remuer, faites suer l'oignon, l'ail, l'échalote et le céleri 3 minutes ; ajoutez les fèves germées et la sauce soja ; salez et poivrez ; mélangez ; poursuivez la cuisson à feu doux environ 5 minutes.

Fèves germées en couleur
Fèves germées sautées

LES HARICOTS

Haricots verts amandine

environ 500 ml (2 tasses)

375 ml	(1 1/2 tasse) haricots verts, équeutés
	sel et poivre
30 ml	(2 c. à s.) beurre
60 ml	(1/4 tasse) amandes, émincées
30 ml	(2 c. à s.) persil, haché

■ Dans une casserole d'eau bouillante légèrement salée, faites cuire les haricots environ 5 minutes ; laissez égoutter ; salez et poivrez ; réservez.

■ Dans un poêlon, faites fondre le beurre ; faites revenir les amandes ; ajoutez les haricots et le persil ; mélangez ; servez.

Haricots jaunes à la provençale

environ 750 ml (3 tasses)

45 ml	(3 c. à s.) beurre
75 ml	(5 c. à s.) oignon, émincé
15 ml	(1 c. à s.) ail, émincé
30 ml	(2 c. à s.) persil, haché
2	tomates, en cubes
375 ml	(1 1/2 tasse) haricots jaunes, cuits, coupés en deux
237 ml	(8 oz) crème de tomates, en conserve
	sel et poivre
4	œufs durs, hachés

■ Dans un poêlon, faites fondre le beurre, faites revenir l'oignon et l'ail.

■ Ajoutez le persil, les tomates, les haricots ; mélangez ; incorporez la crème de tomates ; salez et poivrez ; couvrez ; à feu moyen, faites cuire environ 10 minutes.

■ Dressez dans un plat de service ; ajoutez les œufs ; servez.

Haricots verts au sésame

environ 500 ml (2 tasses)

500 ml	(2 tasses) haricots verts, équeutés
	sel et poivre
30 ml	(2 c. à s.) beurre
1 ml	(1/4 c. à t.) huile de sésame
30 ml	(2 c. à s.) graines de sésame
30 ml	(2 c. à s.) persil, haché
10 ml	(2 c. à t.) jus de citron

■ Dans une casserole d'eau bouillante légèrement salée, faites cuire les haricots 5 minutes ; laissez égoutter ; salez et poivrez ; réservez.

■ Dans un poêlon, faites fondre le beurre ; ajoutez l'huile de sésame ; faites revenir les graines de sésame.

■ Ajoutez les haricots cuits et le persil ; arrosez de jus de citron ; remuez délicatement ; servez.

De haut en bas :
Haricots verts amandine ■
Haricots jaunes à la
provençale ■ Haricots
verts au sésame

Les haricots beurre (jaunes) et les haricots verts sont souvent servis comme accompagnements ou comme décorations. À eux seuls, ils peuvent cependant constituer un plat de base riche en vitamines et en sels minéraux.

Petits fagots mixtes

4 portions	
20	haricots jaunes, équeutés
20	haricots verts, équeutés
2	tranches de bacon, coupées en deux
	sel et poivre

■ Coupez les haricots à environ 7 1/2 cm (3 po) de longueur.

■ Dans une casserole d'eau bouillante légèrement salée, faites blanchir les haricots environ 2 minutes ; laissez égoutter. Séparez les haricots en quatre paquets.

■ Déposez chaque paquet de haricots en travers sur une tranche de bacon ; enrubannez ; salez et poivrez.

■ Placez dans un plat allant au four à micro-ondes ; faites cuire au micro-ondes à MOYEN, environ 4 minutes.

Bouquet de haricots

environ 750 ml (3 tasses)		
250 ml	(1 tasse) haricots verts, coupés en deux
250 ml	(1 tasse) haricots jaunes, coupés en deux
125 ml	(1/2 tasse) aubergines non pelées, en dés
60 ml	(1/4 tasse) carottes, en dés
60 ml	(1/4 tasse) poivron rouge, en dés
30 ml	(2 c. à s.) beurre
60 ml	(1/4 tasse) jus de tomates
15 ml	(1 c. à s.) persil, haché
	sel et poivre

■ Dans une casserole d'eau bouillante légèrement salée, faites blanchir tous les légumes en même temps ; laissez égoutter.

■ Dans un poêlon, faites fondre le beurre ; faites revenir tous les légumes pendant 3 minutes.

■ Ajoutez le jus de tomate et le persil ; salez et poivrez. Poursuivez la cuisson pendant 3 minutes ; servez.

Haricots au fenouil

environ 500 ml (2 tasses)	
375 ml	(1 1/2 tasse) haricots verts, coupés en deux
60 ml	(1/4 tasse) bulbe de fenouil, en cubes
30 ml	(2 c. à s.) feuilles de fenouil
	jus de 1/2 citron
	sel et poivre
	eau
	zeste de citron, en fines lanières

■ Dans un bol, mélangez tous les ingrédients, sauf le zeste de citron ; versez dans une marguerite ; faites cuire environ 6 minutes ; garnissez de zeste de citron.

VARIANTE

• **Substituez au bulbe de fenouil une quantité égale de céleri coupé en cubes et aux feuilles de fenouil, des feuilles de céleri.**

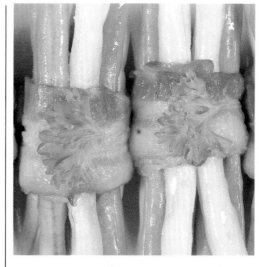

*De haut en bas :
Petits fagots mixtes ▪ Bouquet de
haricots ▪ Haricots au fenouil*

LES LÉGUMINEUSES

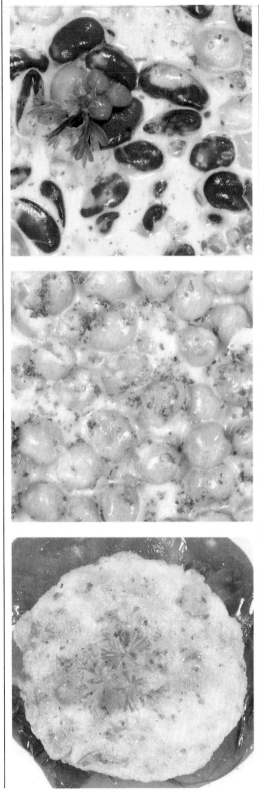

Panaché de légumineuses, sauce moutarde

environ 750 ml (3 tasses)

30 ml	(2 c. à s.) beurre
250 ml	(1 tasse) lentilles
250 ml	(1 tasse) pois chiches
250 ml	(1 tasse) haricots rouges
30 ml	(2 c. à s.) moutarde en grains
60 ml	(1/4 tasse) crème à 35 %
	persil, haché
	sel et poivre

■ Dans un poêlon, faites fondre le beurre ; faites revenir les lentilles, les pois chiches et les haricots rouges environ 3 minutes.

■ Ajoutez la moutarde et la crème ; mélangez ; ajoutez le persil haché ; salez et poivrez ; laissez cuire jusqu'à épaississement de la crème ; servez.

Pois chiches à la crème d'ail

environ 500 ml (2 tasses)

15 ml	(1 c. à s.) beurre
2	gousses d'ail, émincées
398 ml	(14 oz) pois chiches, en conserve, rincés et égouttés
60 ml	(1/4 tasse) crème à 35 %
10 ml	(2 c. à t.) persil
	sel et poivre

■ Dans un poêlon, faites fondre le beurre ; faites revenir l'ail.

■ Ajoutez les pois chiches ; laissez sauter 4 minutes.

■ Incorporez la crème ; retirez du feu au premier bouillon ; ajoutez le persil ; salez et poivrez ; servez.

Croquettes de pois chiches

environ 1 L (4 tasses)

250 ml	(1 tasse) riz, cuit
125 ml	(1/2 tasse) graines de tournesol, moulues
250 ml	(1 tasse) pois chiches
237 ml	(8 oz) tofu, émietté
125 ml	(1/2 tasse) fromage, râpé
15 ml	(1 c. à s.) poudre d'oignon
1	pincée de basilic
1	pincée de sauge
30 ml	(2 c. à s.) fines herbes

■ Préchauffez la friteuse à 220 °C (425 °F).

■ Dans un bol, mélangez tous les ingrédients ; façonnez en croquettes.

■ Plongez dans la friteuse ; faites frire ; laissez égoutter ; servez avec une sauce de votre choix, dans un pain hamburger ou sur nid d'épinards accompagné de tranches de tomates.

De haut en bas :
Panaché de légumineuses, sauce moutarde ■ Pois chiches à la crème d'ail ■ Croquettes de pois chiches

*Pois chiches en Afrique du Nord, haricots rouges en Amérique du Sud...
les légumineuses sont la principale source de protéines de nombreux
peuples de la terre. Consommées en même temps qu'une céréale (pain
de blé entier, semoule de blé, tortilla au maïs ou autre), les légumineuses
constituent en effet un substitut de premier choix à la viande.*

Flageolets aux fines herbes gratinés

environ 500 ml (2 tasses)

348 ml	(14 oz) flageolets, en conserve, rincés et égouttés
10 ml	(2 c. à t.) persil, haché
2 ml	(1/2 c. à t.) ciboulette, hachée
2 ml	(1/2 c. à t.) cerfeuil, haché
1 ml	(1/4 c. à t.) estragon, haché
250 ml	(1 tasse) crème à 35 %
60 ml	(1/4 c. à t.) fromage râpé

■ Préchauffez le four à gril (broil).

■ Dans un plat allant au four, déposez les flageolets ; saupoudrez d'herbes ; salez et poivrez ; recouvrez de crème ; saupoudrez de fromage ; faites colorer sous le gril.

Haricots rouges relevés

environ 500 ml (2 tasses)

15 ml	(1 c. à s.) beurre
398 ml	(14 oz) haricots rouges, en conserve, rincés et égouttés
1 ml	(1/4 c. à t.) piment, broyé
1	pincée de poudre de chili
	sel
60 ml	(1/4 tasse) jus de tomates
2 ml	(1/2 c. à t.) sauce anglaise

■ Dans un poêlon, faites fondre le beurre ; faites revenir les haricots rouges ; ajoutez le piment, la poudre de chili et le sel ; mélangez ; incorporez le jus de tomates et la sauce anglaise ; mélangez ; servez.

Lentilles aux épinards

environ 750 ml (3 tasses)

30 ml	(2 c. à s.) beurre
1	gousse d'ail, émincée
1	échalote française, hachée
1 L	(4 tasses) épinards, lavés et égouttés
398 ml	(14 oz) lentilles, en conserve, rincées et égouttées
	sel et poivre

■ Dans un poêlon, faites fondre le beurre ; faites revenir l'ail et l'échalote ; incorporez les épinards et les lentilles ; salez et poivrez ; mélangez ; faites cuire jusqu'à ce que les épinards soient bien tombés ; servez.

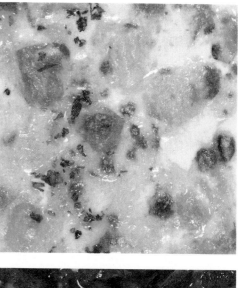

*De haut en bas :
Flageolets aux fines herbes ■
Haricots rouges relevés ■
Lentilles aux épinards*

Le maïs

Rondins de maïs aux fines herbes

4 portions	
1 L	(4 tasses) bouillon de poulet
30 ml	(2 c. à s.) persil, haché
1	gousse d'ail
4	épis de maïs, coupés en huit
	sel et poivre
12	noisettes de beurre

■ Dans une casserole, amenez à ébullition le bouillon de poulet additionné de persil ; ajoutez l'ail pour parfumer le bouillon.

■ Faites cuire les rondins de maïs pendant 10 minutes ; laissez égoutter ; salez et poivrez.

■ Servez avec des noisettes de beurre.

Flan de maïs au gratin

6 à 8 portions	
250 ml	(1 tasse) maïs, en grains, en conserve
125 ml	(1/2 tasse) pommes de terre, en purée
2	œufs
30 ml	(2 c. à s.) crème à 35 %
30 ml	(2 c. à s.) fromage cheddar
	sel et poivre
237 ml	(8 oz) crème de tomates, en conserve

■ Préchauffez le four à 175 °C (350 °F).

■ Faites égoutter le maïs.

■ Dans un bol, mélangez le maïs, les pommes de terre en purée, les œufs, la crème et le fromage ; salez et poivrez ; mélangez.

■ Beurrez des petits ramequins ; remplissez de ce mélange ; faites cuire au bain-marie environ 35 minutes.

■ Retirez du feu ; démoulez ; servez avec une sauce tomate.

Maïs à la crème d'ail

environ 750 ml (3 tasses)	
15 ml	(1 c. à s.) beurre
2	gousses d'ail, hachées
341 ml	(12 oz) crème de maïs, en conserve
341 ml	(12 oz) maïs en grains, en conserve
30 ml	(2 c. à s.) persil, haché
	sel et poivre

■ Dans un poêlon, faites fondre le beurre ; faites suer l'ail.

■ Ajoutez la crème de maïs et le maïs en grains ; salez et poivrez.

■ Ajoutez le persil ; poursuivez la cuisson pendant 4 minutes ; servez.

De haut en bas :
Rondins de maïs aux fines herbes ▪ Flan de maïs au gratin ▪ Maïs à la crème d'ail

Le maïs en grains surgelé peut également convenir aux recettes suggérées. Il suffit de le faire décongeler au réfrigérateur avant de l'utiliser.

Beignets de maïs

environ 250 ml (1 tasse)	

180 ml	(3/4 tasse) maïs, en grains, en conserve
180 ml	(3/4 tasse) farine, tamisée
1	pincée de sel
3 ml	(3/4 c. à t.) poudre à pâte
1	jaune d'œuf
1	blanc d'œuf, monté en neige

■ Préchauffez la friteuse à 190 °C (375 °F).

■ Faites égoutter le maïs. Dans un bol, mélangez tous les ingrédients, sauf le blanc d'œuf ; incorporez délicatement ce dernier.

■ Laissez tomber à la cuillère dans la friteuse ; faites dorer ; laissez égoutter sur un papier essuie-tout ; servez.

Épis de maïs miniatures en macédoine

environ 500 ml (2 tasses)	

375 ml	(1 1/2 tasse) épis de maïs, miniatures
125 ml	(1/2 tasse) petits pois
60 ml	(1/4 tasse) carotte, en cubes
	sel et poivre
45 ml	(3 c.à s.) beurre

■ Dans une marguerite, faites cuire les légumes environ 5 minutes ; dressez dans un plat de service ; parsemez de noisettes de beurre.

Maïs miniatures sur nid de tomates

environ 750 ml (3 tasses)	

30 ml	(2 c. à s.) beurre
2	oignons rouges, émincés
250 ml	(1 tasse) tomates, en dés
341 ml	(12 oz) épis de maïs miniatures, en conserve
250 ml	(1 tasse) bouillon de poulet
	sel et poivre

■ Dans un poêlon, faites fondre le beurre ; faites revenir les oignons et les tomates 5 minutes ; salez et poivrez.

■ Entre-temps, réchauffez les épis de maïs dans le bouillon de poulet.

■ Façonnez un nid avec les oignons et les tomates ; disposez les épis au centre du nid ; servez.

*De haut en bas :
Beignets de maïs • Épis de maïs miniatures en macédoine • Maïs miniatures sur nid de tomates*

LES NAVETS ET PANAIS

Julienne de navets aux graines de sésame

environ 500 ml (2 tasses)	
500 ml	(2 tasses) navets, en julienne
15 ml	(1 c. à s.) beurre
15 ml	(1 c. à s.) graines de sésame
15 ml	(1 c. à s.) persil, haché
	sel et poivre

■ Dans une casserole d'eau bouillante légèrement salée, faites blanchir les navets 2 minutes ; laissez égoutter.

■ Dans un poêlon, faites fondre le beurre ; faites dorer les graines de sésame ; ajoutez les navets ; salez et poivrez ; parsemez de persil ; mélangez ; servez.

Navets farcis au roquefort

4 portions	
4	navets blancs de même grosseur, pelés
30 ml	(2 c. à s.) roquefort
1	pincée de muscade
15 ml	(1 c. à s.) ciboulette
	sel et poivre

■ Dans une casserole d'eau bouillante légèrement salée, faites cuire les navets.

■ Pour chaque navet, découpez une calotte ; réservez.

■ Évidez les navets.

■ Dans un bol, mélangez la pulpe de navet et le roquefort ; passez à la moulinette.

■ Ajoutez la muscade et la ciboulette ; salez et poivrez.

■ Garnissez les navets de ce mélange ; servez.

Navets à l'ail

environ 500 ml (2 tasses)	
500 ml	(2 tasses) navets, en cubes
15 ml	(1 c. à s.) beurre
1	gousse d'ail, émincée
60 ml	(1/4 tasse) crème à 35 %
5 ml	(1 c. à t.) persil, haché

■ Dans une casserole d'eau bouillante légèrement salée, faites blanchir les navets 5 minutes ; laissez égoutter.

■ Dans un poêlon, faites fondre le beurre ; faites revenir l'ail ; ajoutez les navets, le persil et la crème ; salez et poivrez ; mélangez ; laissez cuire 4 minutes ; servez.

De haut en bas :
Julienne de navets aux graines de sésame ▪ Navets farcis au roquefort ▪ Navets à l'ail

Le navet, le rutabaga et le panais sont des légumes-racines. On reconnaît le navet à sa chair blanche et croquante et à sa peau teintée de violet à la base ; le rutabaga, à sa chair compacte et jaune et à son goût plus prononcé que celui du navet, et le panais, à sa chair ivoire et farineuse ainsi qu'à son odeur très fruitée.

Navets blancs rôtis

environ 750 ml (3 tasses)

3	navets blancs
125 ml	(1/2 tasse) chapelure
	sel et poivre
1	œuf, battu
60 ml	(1/4 tasse) beurre
	persil

■ Dans une casserole d'eau bouillante légèrement salée, faites cuire les navets jusqu'à ce qu'ils soient tendres ; laissez égoutter ; coupez en rondelles ; réservez.

■ Dans un bol, mélangez la chapelure, le sel et le poivre. Passez chaque rondelle de navet dans l'œuf, puis dans la chapelure assaisonnée ; réservez.

■ Dans un poêlon, faites fondre le beurre ; faites dorer les navets ; dressez dans un plat de service ; décorez de persil ; servez.

Soufflé de panais

environ 500 ml (2 tasses)

2	panais, en dés
30 ml	(2 c. à s.) beurre, fondu
250 ml	(1 tasse) sauce béchamel, plutôt épaisse
125 ml	(1/2 tasse) fromage, râpé
4	jaunes œufs, battus
	sel et poivre
4	blancs d'œufs, en neige

■ Préchauffez le four à 175 °C (350 °F).

■ Dans une casserole d'eau bouillante légèrement salée, faites cuire les panais ; laissez égoutter ; passez au tamis ; placez dans un bol. Ajoutez le beurre, la sauce béchamel, la moitié du fromage et les jaunes d'œufs ; salez et poivrez.

■ Incorporez délicatement les blancs d'œufs.

■ Beurrez des petits ramequins ; remplissez jusqu'à la moitié ; saupoudrez de fromage ; faites cuire au four 15 à 20 minutes ; servez.

Panais au cari et au basilic

environ 500 ml (2 tasses)

375 ml	(1 1/2 tasse) bouillon de poulet
2 ml	(1/2 c. à t.) cari
3	panais, en dés
	sel et poivre
10 ml	(2 c. à t.) basilic, émincé

■ Dans une casserole, versez le bouillon de poulet et le cari ; amenez à ébullition ; faites cuire les panais 6 minutes ; faites égoutter.

■ Versez le mélange dans un grand bol ; salez et poivrez ; saupoudrez de basilic ; servez.

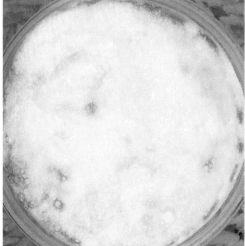

*De haut en bas :
Navets blancs rôtis ▪ Soufflé
de panais ▪ Panais au cari
et au basilic*

LES OIGNONS

De haut en bas :
*Oignons frits • Coques d'oignons
jardinière • Oignons frits aux
petits légumes*

Oignons frits

	environ 500 ml (2 tasses)
4	oignons moyens
10 ml	(2 c. à t.) huile d'arachide
10 ml	(2 c. à t.) beurre
1	pincée de sel d'oignon
1	pincée de sel d'ail
1 ml	(1/4 c. à t.) poivre
5 ml	(1 c. à t.) sauce anglaise

■ Coupez chaque oignon en 8 morceaux ; réservez.

■ Dans un poêlon, faites chauffer l'huile et fondre le beurre ; faites dorer les oignons ; assaisonnez des sels d'oignon et d'ail, et de poivre ; poursuivez la cuisson 2 minutes ; ajoutez la sauce anglaise ; servez.

Coques d'oignons jardinière

	4 portions
2	gros oignons
30 ml	(2 c. à s.) sucre
250 ml	(1 tasse) eau
60 ml	(1/4 tasse) épinards, hachés, cuits
125 ml	(1/2 tasse) légumes, en macédoine, cuits
30 ml	(2 c. à s.) beurre

■ Préchauffez le four à 205 °C (400 °F).

■ Coupez les oignons en deux sur la largeur ; réservez.

■ Dans une casserole, placez les oignons ; ajoutez le sucre ; arrosez d'eau ; couvrez ; faites cuire à feu doux 10 minutes ; laissez égoutter.

■ Évidez les oignons ; remplissez d'abord avec une couche d'épinards, puis avec les autres légumes ; déposez une noisette de beurre ; faites cuire au four 10 minutes ; servez.

Oignons frits aux petits légumes

	environ 750 ml (3 tasses)
4	oignons moyens
15 ml	(1 c. à s.) huile d'arachide
10 ml	(2 c. à t.) beurre
80 ml	(1/3 tasse) maïs en grains
80 ml	(1/3 tasse) petits pois
80 ml	(1/3 tasse) carottes, blanchies, coupées en cubes
	sel et poivre
5 ml	(1 c. à t.) sauce anglaise

■ Tranchez chaque oignon en 8 morceaux ; réservez.

■ Dans un poêlon, faites chauffer l'huile et fondre le beurre. Faites dorer les oignons ; salez et poivrez ; ajoutez le maïs, les petits pois et les carottes ; poursuivez la cuisson 2 minutes ; ajoutez la sauce anglaise ; servez.

Blanc, jaune ou rouge, l'oignon est tout aussi indispensable en cuisine comme aromate que comme ingrédient de base. Avant de l'éplucher, pour éviter de pleurer, placez-le au réfrigérateur et attendez au moins une heure.

Oignons au four charcutière

4 portions

4	oignons
30 ml	(2 c. à s.) beurre
115 g	(1/4 lb) champignons, tranchés
150 g	(1/3 lb) veau, haché
1	gousse d'ail, émincée
30 ml	(2 c. à s.) chapelure
30 ml	(2 c. à s.) persil, haché
	sel et poivre
30 ml	(2 c. à s.) huile
250 ml	(1 tasse) crème de tomates

■ Préchauffez le four à 190 °C (350 °F).

■ Dans une casserole d'eau bouillante légèrement salée, faites cuire les oignons 10 minutes ; laissez égoutter.

■ Pour chaque oignon, coupez une calotte ; réservez ; évidez l'oignon.

■ Dans un poêlon, faites fondre le beurre ; faites revenir la pulpe d'oignon et les champignons.

■ Versez dans un bol ; ajoutez le veau, l'ail, la chapelure et le persil ; salez et poivrez ; mélangez ; garnissez les oignons de ce mélange ; replacez la calotte.

■ Dans un plat allant au four, versez l'huile. Disposez les oignons ; faites cuire au four environ 20 minutes. Dégraissez ; ajoutez la crème de tomates ; couvrez ; poursuivez la cuisson 10 minutes ; servez.

Oignons bouillis

4 portions

8	oignons moyens
2 ml	(1/2 c. à t.) sel
	poivre
10 ml	(2 c. à t.) persil, haché
8	noix de beurre

■ Dans une casserole d'eau bouillante légèrement salée, faites cuire les oignons ; laissez égoutter ; dressez dans un plat de service ; poivrez au goût ; parsemez de persil ; déposez une noix de beurre sur chacun ; laissez fondre ; servez.

Oignons à la provençale

environ 500 ml (2 tasses)

30 ml	(2 c. à s.) beurre
375 ml	(1 1/2 tasse) oignons
30 ml	(2 c. à s.) poivron vert, en cubes
1	gousse d'ail, émincée
60 ml	(1/4 tasse) tomates en conserve, coupées en cubes
60 ml	(1/4 tasse) jus de tomate
	sel et poivre

■ Dans un poêlon, faites fondre le beurre. Faites revenir les oignons 4 minutes ; ajoutez le poivron et l'ail ; poursuivez la cuisson pendant 2 minutes.

■ Ajoutez les tomates et le jus de tomates ; salez et poivrez ; laissez mijoter 3 minutes ; servez.

De haut en bas :
Oignons au four charcutière ■
Oignons bouillis ■ Oignons à la
provençale

LES POIREAUX

Poireaux marinés au yogourt

4 portions	
4	pieds de poireaux
	sel et poivre
125 ml	(1/2 tasse) yogourt
125 ml	(1/2 tasse) vinaigrette
4	œufs durs, hachés
	légumes variés, en julienne, cuits
30 ml	(2 c. à s.) persil, haché

■ Fendez les pieds des poireaux presque jusqu'en bas ; lavez.

■ Dans une casserole d'eau bouillante légèrement salée, faites cuire les poireaux environ 10 minutes ; laissez égoutter ; coupez en morceaux de 10 à 15 cm (4 à 6 po) ; réservez.

■ Dans un bol, mélangez le yogourt et la vinaigrette ; ajoutez les poireaux ; laissez mariner 24 heures.

■ Dressez dans une assiette de service ; parsemez d'œufs durs, de légumes en julienne et de persil.

Poireaux et aubergine sur nid d'épinards

environ 750 ml (3 tasses)	
	beurre
2	pieds de poireaux, en rondelles de 1 cm (1/2 po) d'épaisseur
60 ml	(1/4 tasse) aubergine, en cubes, non pelée
	jus de 1/2 citron
60 ml	(1/4 tasse) jus de tomates
	sel et poivre
5 ml	(1 c. à t.) ciboulette, hachée
4	grandes feuilles d'épinards

■ Dans un poêlon, faites fondre le beurre ; faites suer les poireaux 5 minutes ; ajoutez l'aubergine et le jus de citron.

■ Faites cuire à feu doux 5 minutes ; ajoutez le jus de tomates ; salez et poivrez ; parsemez de ciboulette.

■ Dressez sur les feuilles d'épinards ; servez.

Légume national du pays de Galles, le poireau est également indispensable à la préparation de la vichyssoise véritable. Recherchez les poireaux au fût lisse et au feuillage bien dressé. Pour obtenir un « blanc » de poireau, taillez les racines et la base, et coupez le fût au niveau du feuillage. Gardez le « vert » de poireau pour les potages ; vous l'utiliserez alors comme un oignon. Lavez toujours soigneusement les feuilles en les écartant.

Fondue de poireaux

environ 250 ml (1 tasse)	
30 ml	(2 c. à s.) beurre
2	pieds de poireaux, émincés (surtout le blanc)
	sel et poivre
10 ml	(2 c. à t.) poivre rose

■ Dans un poêlon, faites fondre le beurre ; à feu doux, faites suer les poireaux 10 minutes ou jusqu'à ce qu'ils se séparent ; assaisonnez de sel de poivre et de poivre rose ; mélangez ; servez.

VARIANTES

• **Ajoutez des olives farcies coupées en rondelles, 1 minute avant la fin de la cuisson ; n'ajoutez pas de poivre rose.**

• **Ajoutez des olives noires, coupées en fine lamelles 1 minute avant la fin de la cuisson.**

Jambonnette de poireaux au mozzarella

4 portions	
2	pieds de poireaux
30 ml	(2 c. à s.) beurre
4	tranches de jambon
237 ml	(8 oz) crème de tomates, en conserve
30 ml	(2 c. à s.) persil
30 ml	(2 c. à s.) chapelure
80 ml	(1/3 tasse) mozzarella

■ Préchauffez le four à 175 °C (350 °F).

■ Fendez les poireaux sur la longueur ; lavez.

■ Dans une casserole d'eau bouillante légèrement salée, faites cuire les poireaux ; laissez égoutter ; coupez en deux ; réservez.

■ Dans un poêlon, faites fondre le beurre ; laissez dorer les poireaux ; retirez du poêlon ; enroulez de jambon.

■ Dans un plat allant au four, dressez les jambonnettes et recouvrez-les de crème de tomates ; parsemez de persil, de chapelure et de mozzarella. Faites cuire au four environ 10 minutes ; servez.

LES POIS

Petits pois bonne femme

environ 750 ml (3 tasses)

30 ml	(2 c. à s.) beurre	
225 g	(1/2 lb) lardons	
80 ml	(1/3 tasse) oignons de semence	
1/2	oignon, émincé	
375 ml	(1 1/2 tasse) petits pois, surgelés	
20 ml	(4 c. à t.) sucre	
	sel et poivre	
	feuilles de menthe	

■ Dans une cocotte, faites fondre le beurre ; faites suer les lardons et les oignons ; ajoutez les petits pois et le sucre ; mélangez ; couvrez ; faites cuire à feu doux environ 10 minutes ; salez et poivrez.

■ Dressez dans un plat de service ; garnissez de feuilles de menthe ; servez.

Petits pois aux tomates

environ 500 ml (2 tasses)

30 ml	(2 c. à s.) beurre
60 ml	(1/4 tasse) oignon, émincé
1	gousse d'ail, émincée
30 ml	(2 c. à s.) pâte de tomates
1	tomate, en cubes
330 ml	(1 1/3 tasse) petits pois
	sel et poivre
15 ml	(1 c. à s.) basilic frais, ciselé

■ Dans un poêlon, faites fondre le beurre ; à feu doux, faites revenir l'oignon et l'ail.

■ Ajoutez la pâte de tomates et la tomate ; mélangez ; incorporez les petits pois ; à feu moyen, faites cuire environ 10 minutes ; salez et poivrez ; ajoutez le basilic ; servez.

Macédoine Grand-mère

environ 750 ml (3 tasses)

125 ml	(1/2 tasse) carotte, en cubes
125 ml	(1/2 tasse) navet, en cubes
15 ml	(1 c. à s.) beurre
60 ml	(1/4 tasse) oignon, émincé
341 ml	(12 oz) petits pois, en conserve
	sel et poivre
10 ml	(2 c. à t.) miel

■ Dans une casserole d'eau bouillante légèrement salée, faites blanchir les carottes et le navet, 5 minutes ; laissez égoutter ; réservez.

■ Dans un poêlon, faites fondre le beurre ; faites revenir l'oignon ; ajoutez les carottes et le navet ; incorporez les petits pois ; salez et poivrez ; incorporez le miel ; servez.

De haut en bas :
Petits pois bonne femme ▪ Petits pois aux tomates ▪ Macédoine Grand-mère

Les petits pois sont probablement un des légumes que l'on rencontre le plus souvent sur nos tables. Les pois mange-tout possèdent une saveur délicate ; ce sont les seuls membres de la famille des pois qui se mangent entièrement. Tout comme les haricots verts, on doit les éplucher aux deux extrémités et retirer les fils.

Pois mange-tout garnis

	environ 500 ml (2 tasses)
30 ml	(2 c. à s.) beurre
375 ml	(1 1/2 tasse) pois mange-tout, taillés en losanges
60 ml	(1/4 tasse) maïs en grains
60 ml	(1/4 tasse) poivron rouge, en julienne
15 ml	(1 c. à s.) persil, haché
	sel et poivre

■ Dans un poêlon, faites fondre le beurre ; faites revenir les pois mange-tout, 3 minutes.

■ Ajoutez le maïs et les poivrons ; salez et poivrez ; laissez cuire environ 5 minutes en remuant continuellement.

■ Saupoudrez de persil ; servez.

Julienne de mange-tout à l'ail des bois

	environ 500 ml (2 tasses)
30 ml	(2 c. à s.) beurre
1	gousse d'ail des bois, hachée
500 ml	(2 tasses) pois mange-tout, en julienne
60 ml	(1/4 tasse) crème à 35 %
	sel et poivre

■ Dans un poêlon, faites fondre le beurre ; faites revenir les pois mange-tout et l'ail des bois environ 3 minutes.

■ Ajoutez la crème ; salez et poivrez.

■ Poursuivez la cuisson jusqu'à épaississement ; servez.*

Éventail de pois gourmands

	4 portions
20	pois mange-tout
4	clous de girofle
30 ml	(2 c. à s.) sauce hollandaise
1 ml	(1/4 c. à t.) paprika
2 ml	(1/2 c. à t.) persil, haché

■ Dans une casserole remplie d'eau bouillante, légèrement salée, faites blanchir les pois mange-tout, 4 minutes ; laissez égoutter.

■ Taillez les pointes des pois mange-tout en biseau ; regroupez 5 par 5 fixez à l'aide d'un clou de girofle ; ouvrez en éventail.

■ Nappez légèrement chaque éventail d'un cordon de sauce hollandaise ; décorez de paprika et de persil ; servez.

*De haut en bas :
Pois mange-tout garnis ■
Julienne de mange-tout à l'ail
des bois ■ Éventail de pois
gourmands*

LES POIVRONS

Quiche aux poivrons

	6 à 8 pointes
	pâte à tarte pour 1 abaisse
4	poivrons verts et rouges, en dés
30 ml	(2 c. à s.) huile
5 ml	(1 c. à t.) ail, émincé
	sel et poivre
2	œufs
250 ml	(1 tasse) crème à 15 %
60 ml	(1/4 tasse) fromage, râpé
20 ml	(4 c. à t.) persil, haché

■ Préchauffez le four à 190 °C (375 °F).

■ Foncez un moule à tarte de l'abaisse ; réservez.

■ Dans une casserole d'eau bouillante légèrement salée, faites blanchir les poivrons ; laissez égoutter.

■ Dans un poêlon, faites chauffer l'huile ; faites revenir les poivrons jusqu'à évaporation complète du liquide ; ajoutez l'ail ; salez et poivrez ; mélangez ; retirez du feu ; réservez.

■ Dans un bol, combinez les autres ingrédients ; incorporez les poivrons ; versez dans l'abaisse ; faites cuire au four environ 35 minutes.

Poivrons sautés

	environ 750 ml (3 tasses)
30 ml	(2 c. à s.) beurre
4	poivrons de différentes couleurs, coupés en morceaux
1/2	oignon blanc, émincé
1/2	oignon rouge, émincé
	sel et poivre

■ Dans un poêlon, faites fondre le beurre ; faites sauter les poivrons et les oignons environ 6 minutes ; salez et poivrez ; servez.

Confiture de poivrons rouges

	environ 1 L (4 tasses)
12	gros poivrons rouges, hachés
375 ml	(1 1/2 tasse) vinaigre de cidre
15 ml	(1 c. à s.) gros sel
125 ml	(1/2 tasse) eau
1	citron, non pelé, en quartiers
750 ml	(3 tasses) sucre

■ Parsemez les poivrons de gros sel ; laissez reposer environ 3 heures ; laissez égoutter.

■ Dans une grande casserole, mélangez tous les ingrédients, sauf le sucre ; couvrez ; à feu doux, faites cuire 30 minutes.

■ Retirez les quartiers de citron ; ajoutez le sucre ; poursuivez la cuisson environ 1 heure ou jusqu'à ce que le mélange ait la consistance d'une confiture ; remuez de temps en temps.

■ Versez dans des pots stérilisés chauds ; couvrez de paraffine.

■ Servez avec des viandes ou sur des rôties.

De haut en bas :
Quiche aux poivrons ▪ Poivrons sautés ▪ Confiture de poivrons rouges

Le poivron ou « piment doux », riche en vitamine C, est tout aussi délicieux cru que cuit. Ce légume étonnamment léger pour sa taille agrémente de nombreux plats. Il est possible d'éplucher le poivron pour le rendre plus digeste. Mettez-le alors au four à 175 °C (350 °F) pendant 10 à 12 minutes, puis glissez-le dans un sac de plastique que vous fermez hermétiquement. Laissez reposer 10 minutes avant de retirer la peau.

Poivrons panés

4 portions

4	poivrons
	sel et poivre
125 ml	(1/2 tasse) farine
2	œufs, battus
125 ml	(1/2 tasse) chapelure
45 ml	(3 c. à s.) beurre

■ Allumez le four à gril (broil).

■ Coupez les poivrons en deux sur la hauteur ; déposez sur une plaque à biscuits ; faites noircir les pelures sous le gril ; retirez du four ; placez dans un sac de plastique ; fermez hermétiquement.

■ Après une dizaine de minutes, à l'aide d'un petit couteau, épluchez les demi-poivrons ; épépinez ; coupez en deux ; salez et poivrez.

■ Passez les morceaux de poivron, dans la farine, puis dans l'œuf et enfin dans la chapelure ; réservez.

■ Dans un poêlon, faites fondre le beurre ; faites dorer les poivrons panés sur toutes les faces ; laissez égoutter sur un papier essuie-tout ; servez.

Poivrons tout en couleurs

4 à 6 portions

4	poivrons, de différentes couleurs
2	tomates moyennes, pelées, en dés
1	concombre, pelé, évidé, en dés

Sauce

45 ml	(3 c. à s.) jus de citron
60 ml	(1/4 tasse) yogourt
15 ml	(1 c. à s.) persil, haché
1 ml	(1/4 c. à t.) ail, émincé

■ Évidez les poivrons ; placez dans une casserole d'eau bouillante légèrement salée ; faites blanchir 5 minutes ; laissez égoutter ; coupez en lanières de 0,5 cm (1/4 po) de largeur ; déposez dans un saladier.

■ Ajoutez les tomates et le concombre ; mélangez.

■ Dans un bol, combinez les ingrédients de la sauce ; versez sur les légumes ; couvrez ; placez au réfrigérateur ; attendez au moins 30 minutes ; dressez sur un lit de laitue ; servez en entrée.

Poivrons à la basquaise

environ 500 ml (2 tasses)

80 ml	(1/3 tasse) huile d'olive
5	poivrons verts et rouges, pelés, émincés
1	gros oignon, émincé
30 ml	(2 c. à s.) vinaigre
30 ml	(2 c. à s.) persil, haché
5 ml	(1 c. à t.) ail, haché
5 ml	(1 c. à t.) estragon, haché
	sel et poivre

■ Dans un poêlon, faites chauffer l'huile ; faites revenir les poivrons ; laissez égoutter ; réservez.

■ Dans un bol, mélangez les autres ingrédients ; ajoutez les poivrons ; laissez macérer quelques heures ; servez.

De haut en bas : Poivrons panés • Poivrons tout en couleurs • Poivrons à la basquaise

LES POMMES DE TERRE

Pommes de terre à la bolognaise

environ 750 ml (3 tasses)	
225 g	(1/2 lb) pommes de terre, non pelées
80 ml	(1/3 tasse) lait écrémé
	sel
15 ml	(1 c. à s.) huile
1	oignon, haché
60 ml	(1/4 tasse) champignons
115 g	(1/4 lb) bœuf haché maigre
60 ml	(1/4 tasse) tomates, concassées

■ Préchauffez le four à 120 °C (250 °F).

■ Dans une casserole d'eau bouillante légèrement salée, faites cuire les pommes de terre. Une fois cuites, pelez et passez à la moulinette ; incorporez lait et sel ; répartissez dans un moule tubulaire ; gardez au chaud.

■ Dans un poêlon, faites chauffer l'huile ; faites revenir oignon, champignons et bœuf haché ; ajoutez les tomates ; laissez mijoter 20 minutes.

■ Démoulez la couronne de pommes de terre dans une assiette de service chaude ; garnissez le centre du mélange de légumes et de viande.

VARIANTE ILLUSTRÉE

• Placez la viande entre deux couches de purée ; démoulez ; garnissez le centre d'une macédoine de légumes.

Purée de pommes de terre aux oignons, gratinée

environ 1 L (4 tasses)	
450 g	(1 lb) pommes de terre, pelées, en morceaux
80 ml	(1/3 tasse) beurre
225 g	(1/2 lb) oignons, émincés
1	œuf, battu
	sel et poivre
	noix de muscade
45 ml	(3 c. à s.) gruyère ou parmesan, râpé

■ Préchauffez le four à 205 °C (400 °F).

■ Dans une casserole d'eau bouillante légèrement salée, faites cuire les pommes de terre ; laissez égoutter ; passez au robot culinaire ; réservez.

■ Dans un poêlon, faites fondre 60 ml (4 c. à s.) de beurre ; faites revenir les oignons ; incorporez à la purée ; ajoutez l'œuf ; assaisonnez de sel, de poivre et de muscade ; mélangez.

■ Beurrez un plat à gratin ; étalez la purée en une couche ; saupoudrez de fromage ; parsemez la surface de petites noix de beurre ; faites cuire au four 20 minutes, ou jusqu'à la formation d'une croûte dorée à la surface ; servez.

Pommes de terre à la bolognaise (variante) ■ Purée de pommes de terre aux oignons, gratinée

298

Il aura fallu attendre un pharmacien aussi convaincu qu'Antoine Augustin Parmentier, à la fin du XVIIIe siècle, pour que la pomme de terre cesse d'être considérée comme un légume destiné au bétail et aux miséreux.

Entreposez les pommes de terre dans un endroit sombre pour éviter qu'elles ne verdissent et deviennent impropres à la consommation.

Purée de pommes de terre

environ 1 L (4 tasses)	
450 g	(1 lb) pommes de terre, pelées
2 ml	(1/2 c. à t.) sel
1	œuf, battu
30 ml	(2 c. à s.) beurre
30 ml	(2 c. à s.) lait
1 ml	(1/4 c. à t.) muscade
	sel et poivre

■ Préchauffez le four à 150 °C (300 °F).

■ Dans une casserole remplie d'eau bouillante légèrement salée, faites cuire les pommes de terre ; laissez égoutter ; versez dans un plat allant au four ; faites sécher au four 15 minutes.

■ Dans un bol, écrasez les pommes de terre ; incorporez les autres ingrédients ; mélangez jusqu'à l'obtention d'une purée onctueuse.

Purée de pommes de terre : Oignons et bacon ▪ Fines herbes ▪ Carottes et navets ▪ Brocoli

VARIANTES

Oignons et bacon

- Ajoutez à la purée 1 oignon émincé revenu dans 30 ml (2 c. à s.) de beurre et 30 ml (2 c. à s.) de bacon cuit et émietté.

Fines herbes

- Ajoutez à la purée un peu de ciboulette, d'estragon, de cerfeuil et de persil, hachés.

Carottes et navets

- Ajoutez 60 ml (1/4 tasse) de carottes et 60 ml (1/4 tasse) de navet aux pommes de terre avant de les faire cuire.

Brocoli

- Ajoutez à la purée 125 ml (1/2 tasse) de brocoli cuit, en purée.

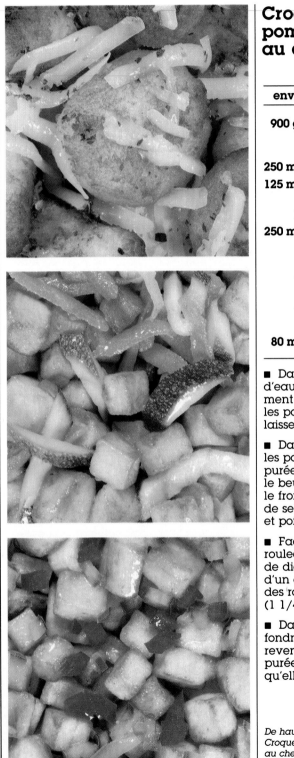

Croquettes de pommes de terre au cheddar

environ 24 croquettes	
900 g	(2 lb) pommes de terre, pelées, en morceaux
250 ml	(1 tasse) farine
125 ml	(1/2 tasse) beurre, ramolli
1	œuf
250 ml	(1 tasse) cheddar, râpé
	sel et poivre
1	pincée de muscade
1	pincée de poivre de cayenne
80 ml	(1/3 tasse) beurre

■ Dans une casserole d'eau bouillante légèrement salée, faites cuire les pommes de terre ; laissez égoutter.

■ Dans un bol réduisez les pommes de terre en purée ; ajoutez la farine, le beurre ramolli, l'œuf et le fromage ; assaisonnez de sel, poivre, muscade et poivre de cayenne.

■ Façonnez en un rouleau de 5 cm (2 po) de diamètre ; à l'aide d'un couteau, découpez des rondelles de 3 cm (1 1/4 po) d'épaisseur.

■ Dans un poêlon, faites fondre le beurre ; faites revenir les rondelles de purée ; retournez dès qu'elles sont bien dorées.

De haut en bas :
Croquettes de pommes de terre au cheddar • Pommes de terre et poivrons sautés • Pommes de terre sautées aux carottes et aux courgettes

Pommes de terre et poivrons sautés

environ 1 L (4 tasses)	
450 g	(1 lb) pommes de terre, en cubes
60 ml	(1/4 tasse) huile
60 ml	(1/4 tasse) poivrons rouge et vert, en brunoise
	sel et poivre

■ Dans une casserole d'eau bouillante légèrement salée, faites blanchir les pommes de terre 4 minutes ; laissez égoutter.

■ Dans un grand poêlon, faites chauffer l'huile ; faites sauter les pommes de terre sur toutes leurs faces ; ajouter les poivrons ; laissez cuire une minute ; salez et poivrez.

Pommes de terre sautées aux carottes et aux courgettes

environ 1 L (4 tasses)	
450 g	(1 lb) pommes de terre, en cubes
60 ml	(1/4 tasse) huile
60 ml	(1/4 tasse) carotte, râpée
60 ml	(1/4 tasse) courgette, en allumette
	sel et poivre

■ Dans une casserole d'eau bouillante, légèrement salée, faites blanchir les pommes de terre 4 minutes ; égouttez.

■ Dans un grand poêlon, faites chauffer l'huile ; faites sauter les pommes de terre sur toutes leurs faces.

■ Ajoutez les carottes et les courgettes ; salez et poivrez ; poursuivez la cuisson 3 minutes ; servez.

Gratin dauphinois

environ 500 ml (2 tasses)

375 ml	(1 1/2 tasse)	pommes de terre, en rondelles
		sel et poivre
10 ml	(2 c. à t.)	ail, émincé
2 ml	(1/2 c. à t.)	thym
125 ml	(1/2 tasse)	crème à 35 %
		lait

■ Préchauffez le four à 190 °C (375 °F).

■ Dans un grand bol, placez les pommes de terre ; assaisonnez de sel, de poivre, d'ail et de thym ; mélangez.

■ Étalez dans un plat allant au four. Arrosez de crème ; ajoutez du lait jusqu'à mi-hauteur des pommes de terre ; faites cuire au four environ 40 minutes ou jusqu'à ce que le liquide soit réduit et le gratin, coloré.

VARIANTE ILLUSTRÉE

• Ajoutez à la crème, avant de la verser sur les pommes de terre 1 ml (1/4 c. à t.) de chacune des fines herbes suivantes, hachées : ciboulette, basilic, estragon et persil.

Gratin de pommes de terre aux tomates

environ 500 ml (2 tasses)

375 ml	(1 1/2 tasse)	pommes de terre, en rondelles
		sel et poivre
2 ml	(1/2 c. à t.)	thym
125 ml	(1/2 tasse)	crème à 35 %
		lait
60 ml	(1/4 tasse)	tomates, en dés

■ Procédez comme pour la recette de gratin dauphinois. Ajoutez les tomates 10 minutes avant la fin de la cuisson.

Pommes de terre sautées à la lyonnaise

environ 500 ml (2 tasses)

15 ml	(1 c. à s.)	huile végétale
15 ml	(1 c. à s.)	beurre
4		pommes de terre, cuites « al dente », tranchées
60 ml	(1/4 tasse)	oignon, émincé
		sel et poivre
15 ml	(1 c. à s.)	persil
5 ml	(1 c. à t.)	ail, émincé

■ Dans un poêlon, à feu vif, faites chauffer l'huile et fondre le beurre.

■ Ajoutez les pommes de terre et l'oignon ; faites colorer sans trop remuer ; salez et poivrez ; parsemez de persil haché ; ajoutez l'ail ; retirez du feu.

De haut en bas :
Gratin dauphinois (variante) ■
Gratin de pommes de terre aux
tomates ■ Pommes de terre
sautées à la lyonnaise

Pommes de terre vapeur, beurre aux fines herbes

environ 500 ml (2 tasses)

375 ml	(1 1/2 tasse) pommes de terre, en cubes

Beurre assaisonné

45 ml	(3 c. à s.) beurre, ramolli
10 ml	(2 c. à t.) persil
10 ml	(2 c. à t.) estragon
5 ml	(1 c. à t.) thym
10 ml	(2 c. à t.) basilic
5 ml	(1 c. à t.) ail, émincé
15 ml	(1 c. à s.) échalotes, hachées
15 ml	(1 c. à s.) jus de citron
2 ml	(1/2 c. à t.) poivre, concassé
	sel, au goût

■ Dans une marguerite, faites cuire les pommes de terre.

■ Entre-temps, dans un grand bol, mélangez les autres ingrédients ; ajoutez les pommes de terre ; mélangez délicatement pour imprégner de beurre assaisonné ; dressez dans un plat de service.

Pommes de terre parisiennes à la tomate

environ 500 ml (2 tasses)

8	grosses pommes de terre
1 L	(4 tasses) eau ou bouillon de poulet
250 ml	(1 tasse) jus de tomates
	sel et poivre

■ À l'aide d'une cuillère parisienne, façonnez les pommes de terre en boules.

■ Dans une casserole, versez l'eau ou le bouillon de poulet ; amenez à ébullition ; déposez les pommes de terre ; faites cuire 6 minutes ; laissez égoutter.

■ Dans une autre casserole, faites chauffer le jus de tomates ; ajoutez les pommes de terre ; laissez imprégner ; salez et poivrez.

Pommes de terre parisiennes aux épinards

environ 500 ml (2 tasses)

8	grosses pommes de terre
1 L	(4 tasses) bouillon de poulet
125 ml	(1/2 tasse) épinards, équeutés
	sel et poivre

■ À l'aide d'une cuillère parisienne, façonnez les pommes de terre en boules.

■ Dans une casserole, faites chauffer le bouillon ; faites pocher les épinards 4 minutes ; passez le tout à la moulinette.

■ Amenez le bouillon à ébullition ; déposez les pommes de terre ; faites cuire 6 minutes ; servez avec le jus.

De haut en bas :
Pommes de terre vapeur, beurre aux fines herbes ▪ Pommes de terre parisiennes à la tomate ▪ Pommes de terre parisiennes aux épinards

Pommes de terre à l'indienne

environ 500 ml (2 tasses)

500 ml	(2 tasses) pommes de terre, en cubes
250 ml	(1 tasse) bouillon de poulet
5 ml	(1 c. à t.) cari
1	pincée de safran
	sel et poivre
15 ml	(1 c. à s.) persil, haché

■ Dans une casserole, combinez tous les ingrédients, sauf le persil ; amenez à ébullition ; couvrez ; laissez mijoter à feu doux environ 15 minutes ; saupoudrez de persil ; servez.

Barboton de pommes de terre

environ 500 ml (2 tasses)

225 g	(1/2 lb) bacon, en morceaux
60 ml	(1/4 tasse) oignons de semence
250 ml	(1 tasse) bouillon de poulet
375 ml	(1 1/2 tasse) pommes de terre, en gros cubes
15 ml	(1 c. à s.) persil
1	feuille de laurier
1	pincée de thym
5 ml	(1 c. à t.) ail, émincé
	sel et poivre
60 ml	(1/4 tasse) beurre

■ Dans une cocotte, faites suer le bacon ; faites blondir les oignons.

■ Versez le bouillon de poulet ; ajoutez les autres ingrédients, sauf le beurre ; couvrez ; faites cuire à feu doux, 25 à 30 minutes.

■ Retirez du feu ; ajoutez le beurre ; couvrez ; laissez reposer 10 minutes avant de servir.

Bâtonnets de pommes de terre glacés

environ 500 ml (2 tasses)

500 ml	(2 tasses) pommes de terre, en bâtonnets
	sel et poivre
18 g	(1/2 oz) sauce hollandaise, en sachet
15 ml	(1 c. à s.) parmesan, râpé

■ Allumez le four à gril (broil).

■ Dans une marguerite, faites cuire les pommes de terre en bâtonnets « al dente » ; salez et poivrez.

■ Entre-temps, préparez la sauce selon le mode d'emploi.

■ Dressez les pommes de terre dans une assiette de service allant au four ; couvrez de sauce ; parsemez de fromage ; faites colorer sous le gril.

De haut en bas :
Pommes de terre à l'indienne ■
Barboton de pommes de terre ■
Bâtonnets de pommes de terre
glacés

Pommes de terre farcies au fromage

4 portions	
4	grosses pommes de terre
45 ml	(3 c. à s.) beurre
1	œuf
125 ml	(1/2 tasse) fromage, râpé
45 ml	(3 c. à s.) lait
	sel et poivre
	chapelure

■ Préchauffez le four à 205 °C (400 °F).

■ Enveloppez chaque pomme de terre d'une feuille de papier d'aluminium ; piquez avec une fourchette ; faites cuire au four environ 90 minutes.

■ Pour chaque pomme de terre, découpez une calotte d'environ 1/2 cm (1/4 po) d'épaisseur ; évidez sans abîmer la peau.

■ Dans un bol, passez la pulpe à la moulinette ; incorporez les autres ingrédients, sauf la chapelure.

■ Garnissez les pommes de terre de ce mélange ; saupoudrez de chapelure ; faites dorer à gril (broil).

Pommes de terre farcies au jambon

4 portions	
4	grosses pommes de terre
45 ml	(3 c. à s.) beurre
1	œuf
125 ml	(1/2 tasse) fromage, râpé
45 ml	(3 c. à s.) lait
	sel et poivre
5 ml	(1 c. à t.) chapelure
60 ml	(1/4 tasse) jambon cuit, en lanières

■ Procédez comme pour les pommes de terre farcies au fromage. Incorporez le jambon à la purée avant de garnir les pommes de terre.

Pommes de terre farcies au fromage
Pommes de terre farcies au jambon

Pommes de terre farcies aux tomates

	4 portions
4	grosses pommes de terre
45 ml	(3 c. à s.) beurre
1	oeuf
125 ml	(1/2 tasse) fromage, râpé
45 ml	(3 c. à s.) lait
	sel et poivre
5 ml	(1 c. à t.) chapelure
125 ml	(1/2 tasse) tomates, en dés

■ Procédez comme pour la recette de pommes de terre farcies au fromage. Incorporez les tomates avant de garnir les pommes de terre.

Pommes de terre farcies aux champignons et aux maïs miniatures

	4 portions
4	grosses pommes de terre
45 ml	(3 c. à s.) beurre
1	oeuf
125 ml	(1/2 tasse) fromage, râpé
45 ml	(3 c. à s.) lait
	sel et poivre
5 ml	(1 c. à t.) chapelure
60 ml	(1/4 tasse) champignons, tranchés, sautés au beurre
12	épis de maïs miniatures, coupés en deux

■ Procédez comme pour les pommes de terre farcies au fromage. Incorporez les champignons et le maïs avant de garnir les pommes de terre.

Pommes de terre farcies aux tomates
Pommes de terre farcies aux champignons et aux maïs miniatures

305

LES TÊTES DE VIOLON

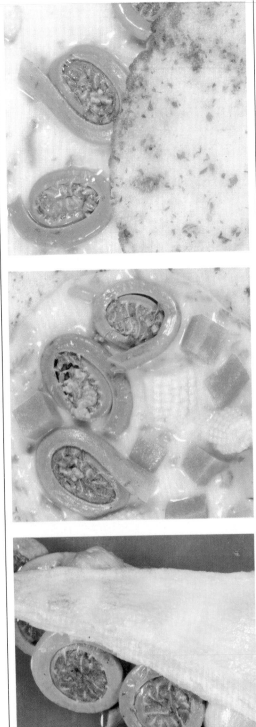

Têtes de violon Montebello

6 portions	
75 ml	(5 c. à s.) beurre
60 ml	(1/4 tasse) farine
1	blanc de poireau, haché
2	échalotes françaises, émincées
450 g	(1 lb) têtes de violon
750 ml	(3 tasses) bouillon de poulet
60 ml	(1/4 tasse) cresson
30 ml	(2 c. à s.) persil
60 ml	(1/4 tasse) crème à 15 %
6	petites crêpes de 15 cm (6 po) de diamètre

■ Dans un poêlon, faites un roux avec 60 ml (1/4 tasse) de beurre fondu et la farine ; réservez.

■ Dans une casserole, faites fondre 15 ml (1 c. à s) de beurre ; faites suer le blanc de poireau et les échalotes.

■ Entre-temps, réservez 18 têtes de violon entières ; coupez le reste des têtes de violon en cubes ; ajoutez au mélange poireau-échalotes.

■ Arrosez de bouillon de poulet ; laissez mijoter jusqu'à ce que les légumes soient tendres. Retirez du feu ; passez au tamis ; réservez le liquide de cuisson.

■ Dans une autre casserole, versez le liquide de cuisson ; incorporez le roux ; faites cuire à feu moyen.

■ Ajoutez les légumes cuits, le cresson, le persil et la crème ; rectifiez l'assaisonnement ; réservez.

■ Étalez les crêpes dans les assiettes ; garnissez chaque crêpe de 125 ml (1/2 tasse) de velouté ; repliez en portefeuille ; décorez de 3 têtes de violon entières ; servez.

VARIANTE ILLUSTRÉE

• **Ajoutez 45 ml (3 c. à s.) de carottes, coupées en dés et 6 épis de maïs miniatures, coupés en quatre en même temps que le bouillon de poulet. Servez le mélange sur les crêpes, sans replier ces dernières.**

Croustade de têtes de violon aux petits oignons

4 portions	
30 ml	(2 c. à s.) beurre
160 ml	(2/3 tasse) têtes de violon
24	oignons de semence
	sel et poivre
1	échalote française, émincée
60 ml	(1/4 tasse) sauce brune
30 ml	(2 c. à s.) persil, haché
4	vol-au-vent

■ Dans un poêlon, faites fondre le beurre ; faites sauter les têtes de violons et les oignons de semence ; salez et poivrez ; ajoutez les échalotes ; mélangez.

■ Incorporez la sauce brune ; amenez à ébullition ; retirez du feu ; parsemez de persil ; garnissez les vol-au-vent ; servez.

De haut en bas :
Têtes de violon Montebello ■
Variante ■ Croustade de têtes de
violon aux petits oignons

L'arrivée de ces tendres crosses de fougère, mieux connues sous l'appellation « têtes de violon », est un signe avant-coureur de l'été. Simplement sautées au beurre ou cuites à l'étuvée et arrosées de quelques gouttes de citron, elles rehausseront bien des plats, tant par leur goût délicat que par leur apparence.

Têtes de violon marinées

4 à 6 portions

500 ml	(2 tasses) têtes de violon
125 ml	(1/2 tasse) huile d'olive
60 ml	(1/4 tasse) vinaigre de vin blanc
	sel et poivre
2 ml	(1/2 c. à t.) estragon, haché
	jus de 1 citron
5 ml	(1 c. à t.) sucre
2	tomates, tranchées finement
8	olives noires

■ Dans un bol, mélangez les ingrédients, sauf les tomates et les olives ; laissez mariner 2 heures.

■ Dressez sur de fines tranches de tomates ; garnissez d'olives noires ; servez.

Têtes de violon sautées au beurre

4 portions

500 ml	(2 tasses) têtes de violon
30 ml	(2 c. à s.) beurre
	sel et poivre

■ Dans une casserole d'eau bouillante légèrement salée, faites blanchir les têtes de violon, 4 minutes ; laissez égoutter.

■ Dans un poêlon, faites fondre le beurre ; faites revenir les têtes de violon environ 3 minutes ; salez et poivrez.

Têtes de violon à l'ail et à la ciboulette

4 portions

500 ml	(2 tasses) têtes de violon
250 ml	(1 tasse) crème sure ou yogourt
2	gousses d'ail, émincées
1 ml	(1/4 c. à t.) sauce anglaise
	jus de 1/2 citron
	sel et poivre
5 ml	(1 c. à t.) ciboulette, hachée

Garniture

4	feuilles d'épinards, ciselées
60 ml	(1/4 tasse) carotte, râpée

■ Dans un bol, mélangez les ingrédients, sauf ceux de la garniture ; laissez mariner 1 heure.

■ Déposez le mélange sur les feuilles d'épinards ; garnissez de carotte râpée.

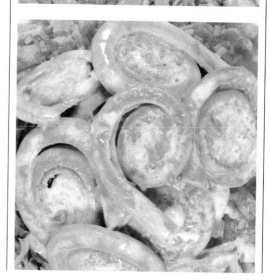

*De haut en bas :
Têtes de violon marinées ■
Têtes de violon sautées au
beurre ■ Têtes de violon à
l'ail et à la ciboulette*

LES TOMATES

Pizza à la tomate

6 à 8 pointes

5 à 6	grosses tomates, dégorgées, tranchées
1	pâte à pizza, non cuite
45 ml	(3 c. à s.) moutarde forte
1	noix de beurre ou un peu d'huile
3	oignons moyens, pelés, tranchés
	basilic (facultatif)
225 g	(1/2 lb) emmenthal, en lamelles
8	champignons, tranchés
	sel et poivre
15 ml	(1 c. à s.) huile d'olive
1	gousse d'ail, émincée

■ Préchauffez le four à 175 °C (350 °F).

■ Badigeonnez la pâte à pizza de moutarde forte ; réservez.

■ Dans un poêlon, faites chauffer le beurre ou l'huile ; faites revenir légèrement les oignons ; étalez dans l'abaisse ; saupoudrez de basilic.

■ Recouvrez de fromage ; disposez les tranches de tomates et de champignons de sorte qu'elles se chevauchent ; salez et poivrez.

■ Dans un bol, mélangez l'huile d'olive et l'ail ; versez sur les tomates.

■ Faites cuire au four 30 minutes ; garnissez d'olives noires et de feuilles de basilic ; servez chaud ou tiède.

Tomates farcies au fromage

4 portions

8	tranches de bacon
15 ml	(1 c. à s.) graisse de bacon
30 ml	(2 c. à s.) mayonnaise ou vinaigrette
10 ml	(2 c. à t.) vinaigre
1 ml	(1/4 c. à t.) basilic
125 ml	(1/2 tasse) céleri, en cubes
375 ml	(1 1/2 tasse) fromage cottage
4	tomates
	ciboulette

■ Dans un poêlon, faites cuire le bacon jusqu'à ce qu'il soit croustillant ; émiettez ; réservez.

■ Dans un bol, mélangez la graisse de bacon, la mayonnaise ou la vinaigrette, le vinaigre, le basilic et le bacon ; incorporez le céleri et le fromage ; mélangez délicatement ; couvrez ; placez au réfrigérateur 1 heure ; remplissez les tomates de ce mélange ; décorez de ciboulette.

Pizza à la tomate
Tomates farcies au fromage

La tomate, excellente source de vitamines A, B et C, a révolutionné l'art culinaire dans le monde entier. C'est le seul fruit qui se prête, cuit ou cru, à toutes sortes de préparations. Pour faire mûrir des tomates encore fermes, placez-les dans un sac de papier brun bien fermé et attendez quelques jours.

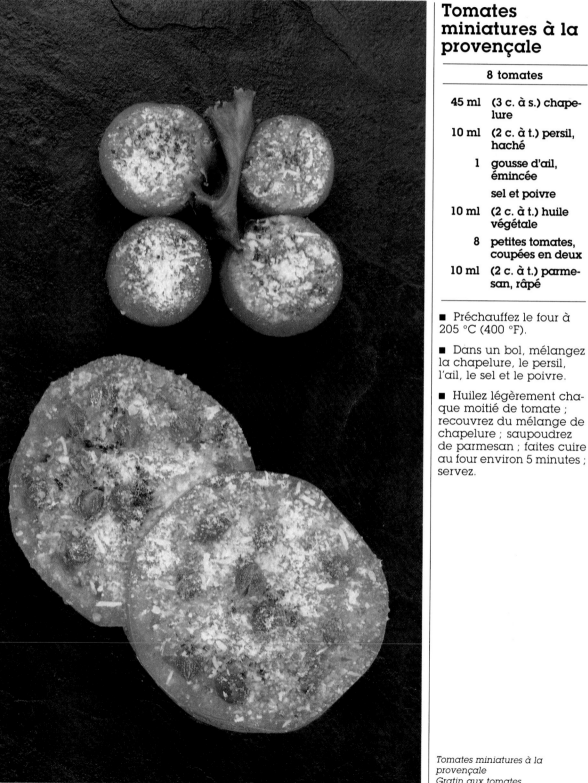

Tomates miniatures à la provençale

8 tomates

45 ml	(3 c. à s.) chapelure
10 ml	(2 c. à t.) persil, haché
1	gousse d'ail, émincée
	sel et poivre
10 ml	(2 c. à t.) huile végétale
8	petites tomates, coupées en deux
10 ml	(2 c. à t.) parmesan, râpé

■ Préchauffez le four à 205 °C (400 °F).

■ Dans un bol, mélangez la chapelure, le persil, l'ail, le sel et le poivre.

■ Huilez légèrement chaque moitié de tomate ; recouvrez du mélange de chapelure ; saupoudrez de parmesan ; faites cuire au four environ 5 minutes ; servez.

Gratin aux tomates

4 à 6 portions

45 ml	(3 c. à s.) huile d'olive
6	grosses tomates, en tranches de 2 cm (1/2 po) d'épaisseur
15 ml	(1 c. à s.) origan ou marjolaine
30 ml	(2 c. à s.) câpres
1 ml	(1/4 c. à t.) sel
	poivre
60 ml	(1/4 tasse) chapelure
60 ml	(1/4 tasse) parmesan, râpé

■ Préchauffez le four à 220 °C (450 °F).

■ Huilez un moule à gratin avec 15 ml (1 c. à s.) d'huile d'olive ; étalez la moitié des tranches de tomates ; saupoudrez d'origan et de la moitié des câpres ; salez et poivrez.

■ Disposez les restes de tomates et de câpres ; parsemez de chapelure et de fromage ; arrosez d'huile d'olive ; faites cuire au four 20 minutes ; servez chaud ou froid.

Tomates miniatures à la provençale
Gratin aux tomates

LES JUS DE LÉGUMES

Cocktail au jus de tomates

environ 1 L (4 tasses)

30 ml	(2 c. à s.)	persil, haché
30 ml	(2 c. à s.)	ciboulette, hachée
15 ml	(1 c. à s.)	poivron, râpé
1/2		branche de céleri, râpée
60 ml	(1/4 tasse)	concombre, râpé
1 L	(4 tasses)	jus de tomates
5 ml	(1 c. à t.)	sel
5 ml	(1 c. à t.)	sucre
15 ml	(1 c. à s.)	sauce anglaise
		Tabasco (facultatif)
15 ml	(1 c. à s.)	jus de citron
		citron, en zeste et en rondelles
		brins de fenouil

■ Dans un bol, mélangez le persil, la ciboulette, le poivron, le céleri, le concombre et le jus de tomates ; laissez macérer 2 heures ; passez au tamis ; ajoutez les autres ingrédients ; mélangez ; laissez refroidir parfaitement.

■ Déposez un ou deux glaçons dans chaque verre ; versez le cocktail au jus de tomates ; garnissez de citron et de fenouil.

Jus de carotte

environ 500 ml (2 tasses)

4	carottes moyennes
2	branches de céleri
1	pomme rouge

■ Passez tous les légumes à l'extracteur de jus ; servez dans de grands verres ; garnissez de feuilles de céleri et d'une rondelle de pomme.

Cocktail au jus de tomates
Jus de carotte

Quelle bonne habitude que de prendre le temps de se détendre quelques minutes avant de passer à table ! Plutôt que d'ouvrir une bouteille de boisson gazeuse ou de bière à l'heure de l'apéro, faites le plein de vitamines en dégustant un délicieux jus de légumes.

Jus de concombre velouté

environ 500 ml (2 tasses)

2	concombres, pelés, épépinés
60 ml	(1/4 tasse) crème à 35 %
60 ml	(1/4 tasse) lait
1	pincée de sel
1	pincée de poivre
4	feuilles de fenouil
	glace pilée

■ Passez au mélangeur tous les ingrédients, sauf la glace ; versez dans des verres remplis au quart de glace pilée ; garnissez d'une petite brochette de légumes (concombre, oignon, tomate cerise, poivron).

Boisson aux tomates

environ 1 L (4 tasses)

8	tomates, pelées, épépinées
	la chair d'un melon, pelé à vif et épépiné
30 ml	(2 c. à s.) jus de citron
1	pincée de poivre de cayenne
2 ml	(1/2 c. à t.) sauce anglaise
1	pincée de sel
	glace pilée
5 ml	(1 c. à t.) paprika

■ Dans le mélangeur, rassemblez tous les ingrédients, sauf la glace et le paprika ; mélangez ; versez dans des verres remplis au quart de glace pilée ; saupoudrez de paprika.

■ Décorez d'une petite brochette de tomates cerises et de melon.

Jus de concombre velouté
Boisson aux tomates

LES SALADES

La salade est le mets idéal pour quiconque désire mettre à profit son imagination en cuisine. Les salades vertes, par exemple, peuvent faire appel à une multitude de variétés : laitues Iceberg ou romaine traditionnelles, mais aussi chicorée, mâche, trévisse, scarole, cresson, épinards... et même feuilles de pissenlits ! On trouve également des salades simples, c'est-à-dire des salades constituées d'un ingrédient principal, lié avec une sauce genre mayonnaise, vinaigrette, moutarde ou autre : c'est le cas des salades de chou, de pâtes ou de riz. Enfin, il existe des salades composées, dans lesquelles divers ingrédients sont savamment mélangés : la traditionnelle salade niçoise, comprenant entre autres du thon, des haricots verts et des œufs, en est un exemple.

LES VERDURES

Salade du lundi

4 portions	
1	laitue iceberg, déchiquetée
10	radis, tranchés
8	brins de ciboulette, émincés
4	branches de céleri, émincées
45 ml	(3 c. à s.) mayonnaise

■ Dans un saladier, combinez tous les légumes ; ajoutez la mayonnaise ; mélangez.

VARIANTE
• Ajoutez des pommes coupées en cubes et des carottes en julienne. Décorez de persil.

Salade simple

4 portions	
60 ml	(1/4 tasse) huile d'arachide
30 ml	(2 c. à s.) jus de citron
2 ml	(1/2 c. à t.) moutarde sèche
2 ml	(1/2 c. à t.) paprika
2 ml	(1/2 c. à t.) sel
1 ml	(1/4 c. à t.) poivre
1	laitue frisée, lavée, asséchée, déchiquetée
	tranches de tomate ou d'œufs durs
	cornichons
	radis, tranchés finement

■ Dans un petit bol, combinez l'huile, le jus de citron et la moutarde sèche ; assaisonnez de paprika, de sel et de poivre ; mélangez.

■ Dans un saladier, placez la laitue ; arrosez de vinaigrette ; mélangez.

■ Garnissez de tranches de tomates ou d'œufs durs, de cornichons et de radis.

Salade verte à l'italienne

8 portions

2	laitues Boston, lavées, asséchées, déchiquetées
60 ml	(1/4 tasse) feuilles de céleri, lavées, asséchées
60 ml	(1/4 tasse) épinards, lavés, asséchés
1	oignon, haché
2	petites gousses d'ail, émincées
30 ml	(2 c. à s.) citron
15 ml	(1 c. à s.) huile de maïs
15 ml	(1 c. à s.) mayonnaise
3 ml	(3/4 c. à t.) moutarde forte
5 ml	(1 c. à t.) origan
	sel et poivre
80 ml	(1/3 tasse) parmesan, râpé

■ Dans un grand saladier, mélangez la laitue, les feuilles de céleri et les épinards ; réservez.

■ Dans un petit bol, combinez les autres ingrédients (sauf le fromage) ; versez sur la salade ; saupoudrez de parmesan ; servez.

Salade romaine au concombre

4 portions

1	concombre, pelé
1	laitue romaine, lavée, asséchée, déchiquetée
45 ml	(3 c. à s.) crème sure
1	gousse d'ail, émincée
5 ml	(1 c. à t.) ciboulette, hachée
	sel et poivre

■ Coupez le concombre en deux sur sa longueur ; évidez le centre ; taillez en fines tranches.

■ Dans un saladier, mélangez la laitue et le concombre ; réservez.

■ Dans un petit bol, combinez le reste des ingrédients ; versez sur les légumes ; mélangez.

* recette illustrée

Salade en duo

6 portions

1	petite laitue Boston, lavée, asséchée, déchiquetée
1	petite laitue radicchio (ou trévisse), lavée, asséchée, déchiquetée
45 ml	(3 c. à s.) mayonnaise
5 ml	(1 c. à t.) miel
5 ml	(1 c. à t.) graines de sésame
	sel et poivre

■ Dans un saladier, mélangez les deux laitues ; réservez

■ Dans un petit bol, combinez le reste des ingrédients ; versez sur les laitues ; mélangez.

Salade festin

4 portions

1	laitue Boston, lavée, asséchée, déchiquetée
1	avocat, tranché finement
1/2	poivron rouge, en cubes
2	échalotes, émincées
125 ml	(1/2 tasse) tofu, en petits cubes
30 ml	(2 c. à t.) graines de sésame, brunies

Vinaigrette à l'ail

3	gousses d'ail, émincées
30 ml	(2 c. à s.) jus de citron
180 ml	(3/4 tasse) huile de tournesol
1 ml	(1/4 c. à t.) moutarde sèche
2 ml	(1/2 c. à t.) aneth
5 ml	(1 c. à t.) persil, séché

■ Dans un plat de service, déposez chacun des ingrédients en suivant leur ordre d'énumération ; réservez.

■ Dans un petit bol, combinez tous les ingrédients de la vinaigrette à l'ail ; versez sur la salade festin.

VARIANTES

• Substituez à l'avocat des têtes de violon préalablement blanchies 5 minutes, puis refroidies.

• Substituez au tofu du fromage coupé en cubes.

• Substituez aux graines de sésame des graines de tournesol.

Salade mixte

4 portions

Vinaigrette

	jus de 1 citron
45 ml	(3 c. à s.) huile de soja ou huile de tournesol, additionnée de 2 gouttes de sauce soja
1/2	laitue iceberg
1/2	laitue romaine
125 ml	(1/2 tasse) brocoli, en bouquets
125 ml	(1/2 tasse) chou-fleur, en bouquets
60 ml	(1/4 tasse) radis, tranchés
60 ml	(1/4 tasse) concombre, tranché
1 à 2	échalotes, hachées
1	branche de céleri, en cubes
3 à 5	champignons frais, tranchés
	persil, haché
125 ml	(1/2 tasse) cheddar, en cubes
	sel et poivre

■ Dans un petit bol, mélangez les ingrédients de la vinaigrette ; réservez.

■ Dans un saladier, combinez les autres ingrédients ; arrosez de vinaigrette ; mélangez délicatement.

Salade d'hiver

4 portions

1	escarole, lavée, asséchée, déchiquetée
1	laitue Boston, lavée, asséchée, déchiquetée
1/2	paquet de cresson, lavé, asséché
250 ml	(1 tasse) radis, en tranches
1	blanc de poireau, en julienne

Vinaigrette

45 ml	(3 c. à s.) vinaigre de vin ou sherry
2 ml	(1/2 c. à t.) moutarde forte
2 ml	(1/2 c. à t.) persil frais
125 ml	(1/2 tasse) huile

■ Dans des assiettes individuelles ou dans un grand saladier, disposez les laitues ; garnissez le centre de radis et de poireau ; réservez.

■ Dans un petit bol, mélangez les ingrédients de la vinaigrette ; versez sur la salade.

Salade croquante

Salade rafraîchissante

Salade croquante

4 portions	
15 ml	(1 c. à s.) beurre
150 ml	(3/4 tasse) champignons, hachés
150 ml	(3/4 tasse) céleri, en cubes
375 ml	(1 1/2 tasse) porc, cuit, en cubes
30 ml	(2 c. à s.) poivron vert, en cubes
30 ml	(2 c. à s.) amandes, effilées
1	pomme rouge moyenne, non pelée, en cubes
1 ml	(1/4 c. à t.) sel
	poivre
60 ml	(1/4 tasse) vinaigrette ou mayonnaise
12	feuilles de laitue Boston, lavées, asséchées
1	tomate, tranchée
1/2	concombre, tranché

■ Dans un poêlon, faites fondre le beurre ; faites légèrement dorer les champignons et le céleri ; laissez refroidir.

■ Ajoutez, le porc, le poivron et les amandes ; mélangez délicatement ; réservez.

■ Au moment de servir, ajoutez la pomme ; salez et poivrez ; arrosez de vinaigrette ; mélangez délicatement.

■ Dressez sur des feuilles de laitue.

Salade rafraîchissante

4 portions	
1	laitue frisée, lavée, asséchée, déchiquetée
225 g	(8 oz) épinards, lavés, déchiquetés
225 g	(8 oz) petits pois, surgelés
500 ml	(2 tasses) fromage canadien, râpé
125 ml	(1/2 tasse) échalotes
15 ml	(1 c. à s.) ciboulette
125 ml	(1/2 tasse) bacon croustillant, émietté (facultatif)
6	œufs durs, tranchés

Vinaigrette

250 ml	(1 tasse) mayonnaise
250 ml	(1 tasse) crème sure ou yogourt nature
10 ml	(2 c. à t.) échalotes, hachées

■ Dans un saladier, mélangez tous les ingrédients de la salade ; réservez.

■ Dans un bol, mélangez les ingrédients de la vinaigrette ; versez sur la salade ; servez.

Salade aux œufs

4 portions

8	œufs durs
250 ml	(1 tasse) mayonnaise
15 ml	(1 c. à s.) moutarde préparée
125 ml	(1/2 tasse) poulet ou jambon, cuit, en petits cubes
125 ml	(1/2 tasse) céleri, émincé
	sel et poivre
8	olives noires, coupées en deux
4	feuilles de laitue Boston
	tomate, tranchée
	persil, haché

■ Tranchez les œufs en deux sur la longueur ; retirez délicatement les jaunes ; placez dans un saladier ; réservez les blancs.

■ Dans un bol, à l'aide d'une fourchette, écrasez les jaunes d'œufs ; ajoutez la mayonnaise, la moutarde, le poulet ou le jambon et le céleri ; salez et poivrez ; mélangez.

■ Remplissez chaque blanc d'œuf de ce mélange.

■ Dans un plat de service, étalez les feuilles de laitue ; déposez les blancs d'œufs farcis au centre ; décorez de tomate et de demi-olives ; parsemez de persil ; servez.

Salade César aux haricots

8 portions

1	laitue romaine, lavée, asséchée, déchiquetée
180 ml	(3/4 tasse) vinaigrette italienne
1	œuf
375 ml	(1 1/2 tasse) haricots verts, cuits, coupés
80 ml	(1/3 tasse) parmesan, râpé
250 ml	(1 tasse) croûtons
8	filets d'anchois, roulés

■ Dans un saladier, déposez la laitue ; réservez.

■ Dans un petit bol, mélangez la vinaigrette et l'œuf ; versez sur la salade ; incorporez les haricots ; saupoudrez de parmesan ; mélangez ; ajoutez les croûtons ; garnissez d'anchois.

Salade Boston aux fruits et aux crevettes

4 portions

1	pamplemousse moyen
2	oranges
1	laitue Boston, lavée, asséchée, déchiquetée
1	petit poivron vert, épépiné, émincé
1	petit poivron rouge, épépiné, émincé
	sel et poivre
250 ml	(1 tasse) crevettes de Matane

■ Pelez à vif le pamplemousse et les oranges ; divisez en quartiers.

■ Dans un saladier, combinez tous les ingrédients ; arrosez d'une vinaigrette légère ; servez.

Salade de poulet suprême

6 portions

500 ml	(2 tasses) poulet, cuit, en cubes
250 ml	(1 tasse) ananas, en cubes
125 ml	(1/2 tasse) céleri, en cubes
250 ml	(1 tasse) petits pois
30 ml	(2 c. à s.) radis, tranchés
180 ml	(3/4 tasse) mayonnaise
	feuilles de laitue Boston

■ Dans un grand saladier, combinez délicatement tous les ingrédients, sauf les feuilles de laitue ; placez au réfrigérateur 30 minutes.

■ Dans un plat de service, étalez les feuilles de laitue Boston ; dressez la salade au milieu ; servez

VARIANTE

• **Ajoutez des raisins verts, sans pépins.**

Salade santé

Salade verdure de juin

4 portions

4	feuilles de laitue Boston
4	feuilles de laitue romaine
8	feuilles de chicorée
5	feuilles de betterave
2	échalotes, hachées finement
1	branche de céleri, en cubes
2	carottes, râpées
8	raisins rouges, sans pépins, coupés en deux
8	raisins verts, coupés en deux
	noix et/ou amandes, hachées finement

Vinaigrette

30 ml	(2 c. à s.) mayonnaise
30 ml	(2 c. à s.) yogourt nature
15 ml	(1 c. à s.) jus de citron
	sel et poivre

■ Lavez, asséchez et déchiquetez les feuilles des laitues et les feuilles de betterave.

■ Dans un saladier, combinez tous les ingrédients de la salade ; réservez.

■ Dans un bol, mélangez les ingrédients de la vinaigrette ; incorporez à la salade.

4 portions

250 ml	(1 tasse) laitue Boston, en lanières
1	botte de cresson
500 ml	(2 tasses) épinards
5 ml	(1 c. à t.) ciboulette
30 ml	(2 c. à s.) huile, pressée à froid
	jus de 1/2 citron
	sel et poivre
4	feuilles de chou, en forme de coquille
4	fonds d'artichauts
1	oignon blanc, émincé
1	gousse d'ail, émincée
2	carottes moyennes, râpées

■ Dans un grand saladier, combinez la laitue, le cresson, les feuilles d'épinards, la ciboulette, l'huile et le jus de citron ; salez et poivrez.

■ Répartissez entre les « coquilles de chou » ; décorez de fonds d'artichauts, d'oignon et d'ail ; bordez de carottes râpées.

LES SALADES TIÈDES

Choux de Bruxelles à la créole

4 portions

45 ml	(3 c. à s.) beurre
1	gros oignon, haché
1	poivron vert, haché
1	gousse d'ail, émincée
398 ml	(14 oz) tomates, en conserve
500 ml	(2 tasses) choux de Bruxelles
	sel et poivre
2 ml	(1/2 c. à t.) basilic
4	feuilles de chou chinois

■ Dans un poêlon, faites fondre le beurre ; faites revenir l'oignon, le poivron et l'ail, 4 minutes. Ajoutez les tomates et les choux de Bruxelles ; assaisonnez de sel, de poivre et de basilic ; réduisez le feu ; couvrez ; faites cuire 15 à 20 minutes ; dressez sur des feuilles de chou chinois ; servez.

4 à 6 portions

1 L	(4 tasses) riz, cuit
500 ml	(2 tasses) laitue romaine, déchiquetée
1	concombre, tranché finement
45 ml	(3 c. à s.) vinaigre blanc
45 ml	(3 c. à s.) sauce soja
10 ml	(2 c. à t.) huile de sésame
5 ml	(1 c. à t.) sucre
30 ml	(2 c. à s.) huile végétale
3	œufs, battus, légèrement salés et poivrés
15 ml	(1 c. à s.) gingembre, râpé (facultatif)
2	carottes, tranchées très finement en biais
115 g	(1/4 lb) pois mange-tout, coupés en biais
115 g	(1/4 lb) champignons, tranchés
125 ml	(1/2 tasse) raisins de Corinthe
1/2	poivron rouge, en lanières
125 ml	(1/2 tasse) bouillon de poulet
2	échalotes, hachées

■ Dans un grand saladier, combinez le riz, la laitue et le concombre ; réservez.

■ Dans un petit bol, mélangez le vinaigre, la sauce soja, l'huile de sésame et le sucre ; réservez.

■ Dans un wok ou un poêlon, faites chauffer 15 ml (1 c. à s.) d'huile, versez les œufs ; faites cuire à feu moyen ; retirez du poêlon ; coupez en lanières de 2 x 1 cm (1 x 1/2 po) ; réservez.

■ Faites chauffer le reste de l'huile ; faites revenir le gingembre et les carottes, 2 minutes ; ajoutez les pois mange-tout, les champignons, les raisins et le poivron ; faites sauter 1 minute.

■ Arrosez de bouillon ; portez à ébullition ; couvrez ; laissez mijoter 30 secondes ; retirez le couvercle ; attendez 30 secondes. Versez sur le riz ; mélangez ; ajoutez les œufs coupés en lanières et le mélange de sauce soja ; parsemez d'échalotes ; servez tiède.

recette illustrée

Salade tiède aux foies de volaille

	4 portions
1 L	(4 tasses) épinards, équeutés
10 ml	(2 c. à t.) huile d'olive
	sel et poivre
5 ml	(1 c. à t.) huile d'arachide
125 ml	(1/2 tasse) bacon, en morceaux
250 ml	(1 tasse) foies de poulet, en morceaux
1	gousse d'ail, émincée
2	échalotes françaises, hachées
15 ml	(1 c. à s.) porto
60 ml	(1/4 tasse) vinaigre de vin

■ Dans un bol, mélangez les épinards et l'huile d'olive ; salez et poivrez ; réservez.

■ Dans un poêlon, faites chauffer l'huile ; faites revenir le bacon, 2 minutes ; faites saisir les foies de poulet ; retirez du poêlon ; réservez.

■ Dans le même poêlon, faites revenir l'ail et les échalotes ; mélangez ; déglacez au porto et au vinaigre de vin ; laissez réduire de moitié ; retirez du feu.

■ Versez sur les épinards ; mélangez ; parsemez de foies de poulet et de bacon ; servez.

recette illustrée

Laitue frisée au poulet

	4 portions
1 L	(4 tasses) laitue frisée, lavée, asséchée, déchiquetée
10 ml	(2 c. à t.) huile d'olive
	sel et poivre
5 ml	(1 c. à t.) huile d'arachide
125 ml	(1/2 tasse) bacon, en morceaux
250 ml	(1 tasse) poulet, cuit, en lanières
1	gousse d'ail, émincée
2	échalotes, hachées
30 ml	(2 c. à s.) graines de sésame
15 ml	(1 c. à s.) vermouth blanc
60 ml	(1/4 tasse) vinaigre de champagne

■ Dans un saladier, placez la laitue ; arrosez d'huile d'olive ; salez et poivrez ; remuez délicatement ; réservez.

■ Dans un poêlon, faites chauffer l'huile d'arachide ; faites revenir le bacon, 2 minutes ; ajoutez le poulet ; faites saisir ; ajoutez l'ail, les échalotes et les graines de sésame ; mélangez ; déglacez au vermouth blanc et au vinaigre de champagne ; laissez réduire de moitié ; retirez du feu.

■ Versez sur la laitue ; mélangez.

■ Parsemez de morceaux de poulet et de bacon ; servez.

LES SALADES DE CHOU

Salade de chou

6 à 8 portions

1	**chou vert moyen, haché finement**
1	**oignon moyen, haché finement**
1	**carotte, hachée finement**
60 ml	**(1/4 tasse) sucre**

Vinaigrette

125 ml	**(1/2 tasse) vinaigre**
15 ml	**(1 c. à s.) moutarde préparée**
5 ml	**(1 c. à t.) graines de céleri**
125 ml	**(1/2 tasse) huile végétale**

■ Dans un grand saladier, combinez les légumes ; ajoutez le sucre ; mélangez ; réservez.

■ Dans une petite casserole, mélangez les ingrédients de la vinaigrette ; amenez à ébullition ; retirez du feu ; versez sur la salade de chou ; mélangez.

Salade de chou rouge

4 à 6 portions

1/2	**petit chou rouge, haché finement**
1	**petit concombre, en cubes**
125 ml	**(1/2 tasse) oignon, coupé finement**
125 ml	**(1/2 tasse) feuilles de céleri, coupées finement**

Vinaigrette

60 ml	**(1/4 tasse) yogourt nature**
	persil
5 ml	**(1 c. à t.) jus de citron**

■ Dans un saladier, combinez le chou rouge, le concombre, l'oignon et les feuilles de céleri ; réservez.

■ Dans un petit bol, mélangez les ingrédients de la vinaigrette ; incorporez à la salade de chou rouge.

Salade composée

	4 à 6 portions
1/2	chou vert, râpé
1	oignon blanc, haché
2	branches de céleri, en cubes
2	carottes, râpées
2	pommes, non pelées, en cubes
1/2	concombre, tranché
4 à 5	radis, tranchés
1/2	paquet de luzerne
15 ml	(1 c. à s.) persil, haché
1	pincée de thym
	sel et poivre
60 ml	(1/4 tasse) noix, hachées
125 ml	(1/2 tasse) fromage, râpé
60 ml	(1/4 tasse) raisins secs
1	tomate, en cubes
60 ml	(1/4 tasse) crème à 35 %
60 ml	(1/4 tasse) crème sure

■ Dans un grand saladier, combinez le chou, l'oignon, le céleri, les carottes, les pommes, le concombre et les radis.

■ Ajoutez la luzerne, le persil et le thym ; salez et poivrez ; mélangez. Incorporez les noix, le fromage râpé, les raisins secs et la tomate. Juste avant de servir, ajoutez la crème et la crème sure.

recette illustrée

VARIANTE
• Ajoutez des têtes de violon ou des légumes de saison ; servez avec une vinaigrette de votre choix.

Salade colorée

	6 portions
375 ml	(1 1/2 tasse) chou, haché
250 ml	(1 tasse) laitue, hachée
250 ml	(1 tasse) betteraves, cuites, en cubes
125 ml	(1/2 tasse) épinards, ciselés
250 ml	(1 tasse) yogourt nature
10 ml	(2 c. à t.) moutarde préparée
1	oignon, haché finement
	sel et poivre
	persil, haché

■ Dans un saladier, combinez les quatre premiers ingrédients ; réservez.

■ Dans un petit bol, mélangez le yogourt, la moutarde et l'oignon ; versez sur les légumes.

■ Salez et poivrez ; remuez délicatement ; parsemez de persil.

LES SALADES DE LÉGUMES

Salade de pommes de terre

4 portions

4	grosses pommes de terre, cuites, en cubes
1	petit oignon, haché finement
1/2	poivron vert, en dés
1/2	poivron rouge, en dés
1	branche de céleri, hachée finement
2	échalotes, hachées finement
30 ml	(2 c. à s.) persil
	sel et poivre

Vinaigrette

30 ml	(2 c. à s.) mayonnaise
45 ml	(3 c. à s.) huile
15 ml	(1 c. à s.) vinaigre

■ Dans un saladier, combinez tous les légumes et les fines herbes ; réservez.

■ Dans un petit bol, mélangez les ingrédients de la vinaigrette ; versez sur la salade ; remuez délicatement ; placez au réfrigérateur ; attendez quelques heures avant de servir.

Salade de carottes

4 portions

750 ml	(3 tasses) carottes, tranchées finement
1	oignon moyen, haché finement
1	poivron vert moyen, en fines lanières

Sauce

142 ml	(5 oz) soupe aux tomates, en conserve
60 ml	(1/4 tasse) sucre
60 ml	(1/4 tasse) huile végétale
80 ml	(1/3 tasse) vinaigre
1 ml	(1/4 c. à t.) poivre
2 ml	(1/2 c. à t.) sel
10 ml	(2 c. à t.) moutarde préparée
2 ml	(1/2 c. à t.) sauce anglaise

■ Dans une casserole d'eau bouillante légèrement salée, faites cuire les carottes à demi ; laissez égoutter ; placez dans un saladier ; laissez refroidir.

■ Ajoutez l'oignon et le poivron ; mélangez délicatement ; réservez.

■ Au malaxeur, combinez les ingrédients de la sauce ; versez sur les carottes ; placez au réfrigérateur ; attendez quelques heures avant de servir.

Salade de concombre

---

4 portions

1	concombre, pelé, émincé
1	branche de céleri, en cubes
1	carotte, pelée, râpée
60 ml	(1/4 tasse) yogourt nature
5 ml	(1 c. à t.) jus de citron
15 ml	(1 c. à s.) persil, haché
	poivre
	graines de céleri
4	feuilles de laitue
2	tomates, en quartiers

■ Dans un grand saladier, combinez le concombre, le céleri et la carotte ; réservez.

■ Dans un petit bol, mélangez le yogourt, le jus de citron, le persil, le poivre et les graines de céleri.

■ Dans un plat de service, étalez des feuilles de laitue ; dressez les légumes au milieu ; arrosez de sauce au yogourt ; décorez de tomates.

Salade de betteraves

---

4 portions

---

30 ml	(2 c. à s.) échalotes, émincées
30 ml	(2 c. à s.) oignons, hachés
15 ml	(1 c. à s.) persil
15 ml	(1 c. à s.) ciboulette
540 ml	(19 oz) betteraves, en cubes, en conserve, égouttées

Vinaigrette

15 ml	(1 c. à s.) moutarde sèche
30 ml	(2 c. à s.) vinaigre de vin rouge
180 ml	(3/4 tasse) huile végétale
	sel et poivre

■ Dans un saladier, combinez tous les légumes et les fines herbes ; réservez.

■ Dans un petit bol, mélangez les ingrédients de la vinaigrette ; versez sur la salade.

■ Placez au réfrigérateur ; laissez mariner quelques heures ; servez sur un lit de laitue frisée.

* recette illustrée

Salade aux fèves germées

4 portions	
225 g	(8 oz) fèves germées en conserve, lavées, égouttées
2	branches de céleri, émincées
1	carotte, en cubes
1/4	poivron vert, en cubes
1/4	poivron rouge, en cubes
1	tomate, en cubes
4	haricots verts, en morceaux

Vinaigrette

125 ml	(1/2 tasse) sauce soja
30 ml	(2 c. à s.) huile végétale
	jus de 1/2 citron
60 ml	(1/4 tasse) miel
1	gousse d'ail, émincée

■ Dans un saladier, combinez tous les légumes ; réservez.

■ Dans un petit bol, mélangez les ingrédients de la vinaigrette ; versez sur la salade ; placez au réfrigérateur ; laissez mariner au moins 3 heures avant de servir.

Salade de betteraves, endives et cresson

4 portions	
2	betteraves moyennes
60 ml	(1/4 tasse) eau
3	endives
500 ml	(2 tasses) feuilles de cresson, non tassées

Vinaigrette à l'échalote

15 ml	(1 c. à s.) vinaigre de vin blanc
15 ml	(1 c. à s.) échalote, hachée
5 ml	(1 c. à t.) moutarde forte
1 ml	(1/4 c. à t.) sel
1	pincée de sucre
1	pincée de poivre
60 ml	(1/4 tasse) huile végétale

■ Dans un plat de 1,5 L (6 tasses) allant au four à micro-ondes, placez les betteraves et l'eau ; couvrez ; faites cuire à ÉLEVÉ, 10 à 12 minutes, ou jusqu'à ce que les betteraves soient tendres ; laissez égoutter, puis refroidir ; pelez ; tranchez.

■ Dans un plat ou dans un saladier, étalez les feuilles d'endive d'un coté, disposez le cresson de l'autre coté et les betteraves au milieu ; réservez.

■ Dans un petit bol, à l'aide d'un fouet, mélangez le vinaigre, l'échalote, la moutarde, le sel, le sucre et le poivre ; sans cesser de fouetter, incorporez l'huile en un mince filet ; versez sur la salade ; servez.

Endives et tomates aux artichauts

4 portions

4	endives, en rondelles
2	tomates, tranchées
8	fonds d'artichauts, coupés en deux
30 ml	(2 c. à s.) huile d'olive
15 ml	(1 c. à s.) vinaigre de vin
	sel et poivre
15 ml	(1 c. à s.) persil, haché

■ Dans un plat de service, disposez en alternant les tranches de tomates et les demi-fonds d'artichauts ; placez les endives au milieu ; réservez.

■ Dans un petit bol, combinez l'huile, le vinaigre, le sel et le poivre ; versez sur la salade ; parsemez de persil.

Salade de légumes cuits

4 portions

2	poivrons, coupés en deux sur la hauteur, épépinés
250 ml	(1 tasse) carottes, cuites, en rondelles
125 ml	(1/2 tasse) navet, cuit, en cubes
125 ml	(1/2 tasse) pomme de terre, cuite, en cubes
125 ml	(1/2 tasse) céleri, en cubes
125 ml	(1/2 tasse) petits pois, cuits
125 ml	(1/2 tasse) pomme, non pelée, en cubes
2	petites échalotes, hachées finement
250 ml	(1 tasse) poulet, (veau ou jambon) cuit, en cubes
	sel et poivre
60 ml	(1/4 tasse) mayonnaise

■ Dans une casserole d'eau bouillante légèrement salée, faites blanchir les demi-poivrons 5 minutes ; laissez égoutter, puis refroidir.

■ Entre-temps, dans un saladier, mélangez les autres ingrédients.

■ Remplissez les demi-poivrons de cette salade ; servez.

LES SALADES DE LÉGUMINEUSES

Fèves au lard du vendredi « endimanchées »

4 portions

500 ml	(2 tasses) fèves au lard, cuites, refroidies
1	échalote, hachée finement
125 ml	(1/2 tasse) céleri, coupé finement
125 ml	(1/2 tasse) poivron, coupé finement

Vinaigrette

45 ml	(3 c. à s.) huile
5 ml	(1 c. à t.) moutarde sèche
	sel et poivre
15 ml	(1 c. à s.) vinaigre
5 ml	(1 c. à t.) sucre

■ Dans un saladier, combinez les légumes ; réservez.

■ Dans un petit bol, mélangez les ingrédients de la vinaigrette ; versez sur les légumes ; laissez mariner quelques heures ; servez.

Salade de lentilles et de riz

4 portions

375 ml	(1 1/2 tasse) lentilles
375 ml	(1 1/2 tasse) riz, cuit
60 ml	(1/4 tasse) persil, haché
1	oignon, haché finement
2	gousses d'ail, émincées

Vinaigrette

60 ml	(1/4 tasse) huile d'olive ou de maïs
	jus de 1 citron
1	pincée de basilic
1	pincée de sarriette
30 ml	(2 c. à s.) sauce soja
	sel et poivre

■ Dans un saladier, mélangez tous les ingrédients ; laissez reposer 15 minutes ; servez.

VARIANTE

• Servez cette salade chaude.

Salade mexicaine

4 à 6 portions

540 ml	(19 oz) haricots rouges, en conserve, égouttés
540 ml	(19 oz) maïs en grains, en conserve, égoutté
1	poivron rouge, en lanières

Vinaigrette pimentée

60 ml	(1/4 tasse) huile légère
30 ml	(2 c. à s.) sauce soja
15 ml	(1 c. à s.) jus de citron
1	gousse d'ail, émincée
1/2	piment vert, épépiné, haché finement
	sel et poivre
1	pincée de poudre de chili

■ Dans un saladier, combinez les haricots, le maïs et le poivron ; réservez.

■ Dans un petit bol, mélangez les ingrédients de la vinaigrette ; incorporez aux légumes ; servez.

* recette illustrée

Salade arménienne

4 portions

284 ml	(10 oz) fèves de Lima, en conserve
284 ml	(10 oz) haricots verts, en conserve
284 ml	(10 oz) haricots verts, assaisonnés, en conserve
1/2	poivron vert, émincé
6	champignons, émincés
3	échalotes, hachées
	persil, haché
	menthe séchée

Vinaigrette

60 ml	(1/4 tasse) jus de citron
60 ml	(1/4 tasse) huile
	sel et poivre
	ail, émincé

■ Dans un saladier, combinez les légumes et les fines herbes ; réservez.

■ Dans un bol, mélangez tous les ingrédients de la vinaigrette ; incorporez au mélange de légumes et fines herbes ; servez.

LES SALADES DE PÂTES

Salade bourgeoise

4 portions	
2	tomates, en cubes
125 ml	(1/2 tasse) pimento rouge, en conserve
500 ml	(2 tasses) salami italien, en petits cubes
60 ml	(1/4 tasse) noix d'acajou
180 ml	(3/4 tasse) fromage, râpé
2 ml	(1/2 c. à t.) poivre
3 ml	(3/4 c. à t.) sel
500 ml	(2 tasses) tortellini, cuits, égouttés, chauds
60 ml	(1/4 tasse) huile végétale

■ Dans un grand saladier, combinez les sept premiers ingrédients.

■ Incorporez les tortellini ; arrosez d'huile ; mélangez délicatement.

Salade de pâtes et de thon

4 portions	
750 ml	(3 tasses) coquillettes, cuites
198 g	(7 oz) thon, en conserve, égoutté
250 ml	(1 tasse) céleri, tranché finement
60 ml	(1/4 tasse) oignon, haché
125 ml	(1/2 tasse) vinaigrette italienne
500 ml	(2 tasses) brocoli, en bouquets
250 ml	(1 tasse) tomates cerises, coupées en quatre
125 ml	(1/2 tasse) parmesan, râpé
5 ml	(1 c. à t.) basilic
500 ml	(2 tasses) laitue Boston
500 ml	(2 tasses) laitue romaine (ou autre)

■ Dans un grand saladier, combinez les coquillettes, le thon, le céleri et l'oignon ; incorporez la vinaigrette ; réservez ; laissez mariner quelques heures.

■ Ajoutez le brocoli et les tomates ; saupoudrez de parmesan ; parsemez de basilic.

VARIANTES

• Substituez au thon du saumon, des crevettes ou du homard ; aux coquilles des spirales, des boucles ou des coudes ; à la vinaigrette italienne, une vinaigrette crémeuse.

Macaroni
en salade

4 portions

500 ml	(2 tasses) macaroni
125 ml	(1/2 tasse) céleri, en cubes
125 ml	(1/2 tasse) carottes, râpées
1	poivron vert ou rouge, en cubes
3	échalotes, hachées
125 ml	(1/2 tasse) cornichons sucrés, en cubes
125 ml	(1/2 tasse) petits pois, égouttés
	sel et poivre

Vinaigrette

125 ml	(1/2 tasse) mayonnaise
30 ml	(2 c. à s.) moutarde préparée
	jus de 1/2 citron
	sel et poivre
1	œuf dur, tranché

■ Dans une casserole d'eau bouillante légèrement salée, faites cuire le macaroni 10 minutes ; passez sous l'eau froide ; laissez égoutter ; placez dans un saladier. Incorporez les autres ingrédients de la salade, sauf l'œuf dur ; réservez.

■ Dans un bol, mélangez tous les ingrédients de la vinaigrette ; incorporez au mélange de macaroni ; garnissez d'œuf dur ; servez.

* recette illustrée

Salade de
« penne »

6 portions

500 ml	(2 tasses) « penne » (plumes) cuites, égouttées
1	cuisse de poulet, cuite, en cubes
1	tranche de jambon cuit, hachée
2	échalotes, hachées
60 ml	(1/4 tasse) céleri, en cubes
60 ml	(1/4 tasse) poivron vert, en lanières
4	radis, tranchés
1/2	concombre, en cubes
1	carotte, râpée
2	œufs durs, hachés
1	tomate, en cubes
	sel et poivre
1	pincée de sucre
125 ml	(1/2 tasse) mayonnaise
	persil

■ Dans un grand saladier, combinez tous les ingrédients ; placez au réfrigérateur ; attendez quelques heures avant de servir.

Les salades de riz

Salade de riz composée

4 portions

1/2	concombre, tranché
30 ml	(2 c. à s.) huile
15 ml	(1 c. à s.) vinaigre de vin
500 ml	(2 tasses) eau, légèrement salée
250 ml	(1 tasse) riz
125 gr	(4 oz) fromage à la crème
30 ml	(2 c. à s.) mayonnaise
1/4	oignon, émincé
8	olives farcies, émincées
125 ml	(1/2 tasse) poivron vert et rouge, en cubes
	persil
1	branche de céleri, tranchée
	sel et poivre

■ Dans un bol, combinez le concombre, l'huile et le vinaigre de vin ; laissez mariner.

■ Entre-temps, dans une casserole, versez l'eau légèrement salée ; amenez à ébullition ; ajoutez le riz ; laissez cuire ; placez dans un saladier ; laissez refroidir.

■ Dans un autre bol, mélangez le fromage à la crème et la mayonnaise ; incorporez au riz refroidi ; ajoutez tous les autres ingrédients ; mélangez.

Salade de riz et de jambon

4 portions

125 ml	(1/2 tasse) bacon, en morceaux
1	petit oignon, haché
2	poivrons verts, en lanières
1	gousse d'ail, émincée
540 ml	(19 oz) tomates, en conserve, en dés
500 ml	(2 tasses) riz, cuit
2 ml	(1/2 c. à t.) thym
	sel et poivre
250 ml	(1 tasse) jambon cuit, en cubes

■ Préchauffez le four à 175 °C (350 °F).

■ Dans un poêlon allant au four, faites fondre le bacon, faites revenir l'oignon, les poivrons et l'ail.

■ Ajoutez tous les autres ingrédients ; couvrez ; faites cuire au four 10 minutes. Retirez du four ; laissez refroidir ; servez tiède ou froide.

Salade façon chinoise

4 portions

250 ml	**(1 tasse) champignons, émincés**
	jus de 1/2 citron
500 ml	**(2 tasses) riz, cuit, refroidi**
500 ml	**(2 tasses) épinards, lavés, asséchés**
80 ml	**(1/3 tasse) raisins secs**
250 ml	**(1 tasse) fèves germées**
3	**branches de céleri, tranchées**
1	**poivron vert, en cubes**
30 ml	**(2 c. à s.) persil, haché**
60 ml	**(1/4 tasse) échalotes, hachées**
250 ml	**(1 tasse) noix d'acajou**

Vinaigrette

60 ml	**(1/4 tasse) sauce soja**
125 ml	**(1/2 tasse) huile**
1	**gousse d'ail, émincée**

■ Enrobez les champignons de jus de citron ; placez dans un grand saladier ; incorporez les autres ingrédients ; réservez.

■ Dans un bol, mélangez tous les ingrédients de la vinaigrette ; versez sur la salade de légumes ; mélangez ; laissez mariner une heure ; servez.

* recette illustrée

Salade de poulet et de riz

4 portions

250 ml	**(1 tasse) poulet, cuit, en cubes**
500 ml	**(2 tasses) riz, cuit**
60 ml	**(1/4 tasse) poivron vert, en cubes**
250 ml	**(1 tasse) céleri, en cubes**
1 ml	**(1/4 c. à t.) thym**
	sel et poivre
60 ml	**(1/4 tasse) mayonnaise**
4	**feuilles de laitue**
	persil, haché

■ Dans un saladier, combinez tous les ingrédients de la salade, sauf les feuilles de laitue ; mélangez.

■ Dans un plat de service, étalez les feuilles de laitue ; dressez la salade de riz au milieu ; décorez de persil.

LES VINAIGRETTES
HUILE ET VINAIGRE

À l'ail

environ 250 ml (1 tasse)

180 ml	(3/4 tasse) huile d'olive	
125 ml	(1/2 tasse) vinaigre de vin blanc ou vinaigre de champagne	
3	gousses d'ail, émincées	
1	gousse d'ail des bois, émincée	
1 ml	(1/4 c. à t.) sauce anglaise	
	sel et poivre	

■ Dans un bol, mélangez tous les ingrédients ; rectifiez l'assaisonnement au besoin.

Au piment

environ 300 ml (1 1/4 tasse)

180 ml	(3/4 tasse) huile de tournesol	
15 ml	(1 c. à s.) piment, séché, broyé	
15 ml	(1 c. à s.) poivron rouge, émincé	
5 ml	(1 c. à t.) paprika	
4	gouttes de Tabasco	
	sel et poivre	
125 ml	(1/2 tasse) vinaigre de vin	

■ Dans une casserole, placez tous les ingrédients sauf le vinaigre ; faites chauffer sans laisser bouillir ; laissez refroidir ; incorporez le vinaigre ; vérifiez l'assaisonnement.

À l'estragon

environ 250 ml (1 tasse)

180 ml	(3/4 tasse) huile d'olive	
125 ml	(1/2 tasse) vinaigre d'estragon	
15 ml	(1 c. à s.) estragon, séché	
	sel et poivre	

■ Dans un bol, mélangez tous les ingrédients ; rectifiez l'assaisonnement au besoin.

Note : Vous pouvez substituer au vinaigre d'estragon, du vinaigre de vin et doubler la quantité d'estragon séché.

Ciboulette, aneth et fenouil

environ 300 ml (1 1/4 tasse)

180 ml	(3/4 tasse) huile d'olive	
125 ml	(1/2 tasse) vinaigre de champagne	
10 ml	(2 c. à t.) ciboulette, séchée	
10 ml	(2 c. à t.) aneth, séché	
10 ml	(2 c. à t.) fenouil, séché	
	sel et poivre	

■ Dans un bol, mélangez tous les ingrédients ; rectifiez l'assaisonnement au besoin.

Dans le sens horaire, commençant en haut : À l'ail ▪ Ciboulette, aneth et fenouil ▪ Au piment ▪ À l'estragon

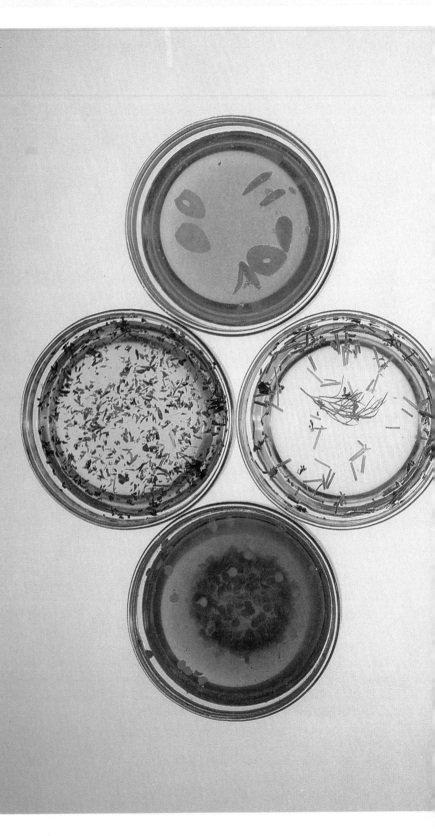

Les ingrédients essentiels de la vinaigrette ? Huile, vinaigre, poivre et sel. On choisira une huile d'excellente qualité — d'olive, de tournesol ou de noix — et, si possible, un vinaigre de cidre ou de vin, aromatisé à l'estragon, à l'échalote, au basilic, à la framboise ou autre.

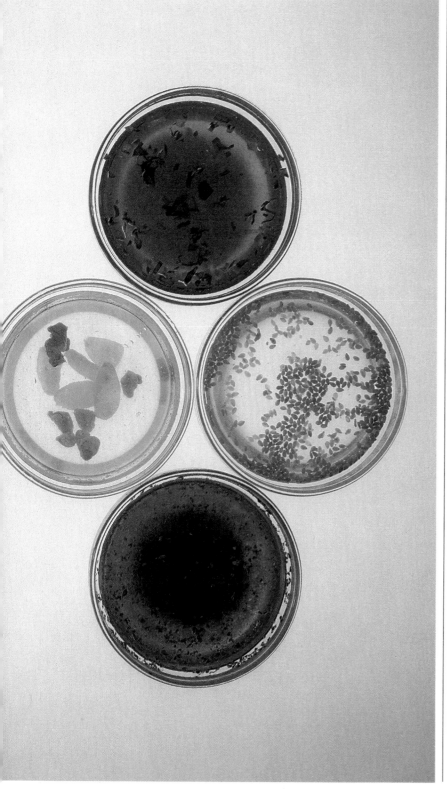

Aux tomates

environ 375 ml (1 1/2 tasse)

180 ml	(3/4 tasse)	huile végétale
125 ml	(1/2 tasse)	vinaigre de vin
30 ml	(2 c. à s.)	ketchup
5 ml	(1 c. à t.)	sucre
15 ml	(1 c. à s.)	tomate, hachée
10 ml	(2 c. à t.)	basilic
		sel et poivre

■ Dans un bol, mélangez tous les ingrédients ; rectifiez l'assaisonnement au besoin.

À la moutarde

environ 300 ml (1 1/4 tasse)

180 ml	(3/4 tasse)	huile végétale
60 ml	(1/4 tasse)	vinaigre de vin
15 ml	(1 c. à s.)	moutarde forte
15 ml	(1 c. à s.)	moutarde en grains
10 ml	(2 c. à t.)	persil, haché
		sel et poivre

■ Dans un bol, mélangez tous les ingrédients ; rectifiez l'assaisonnement au besoin.

Aux graines de sésame

environ 300 ml (1 1/4 tasse)

15 ml	(1 c. à s.)	beurre
45 ml	(3 c. à s.)	graines de sésame
180 ml	(3/4 tasse)	huile de tournesol
80 ml	(1/3 tasse)	vinaigre de vin blanc
5 ml	(1 c. à t.)	sucre
		sel et poivre

■ Dans un poêlon, faites fondre le beurre ; faites colorer les graines de sésame ; laissez refroidir. Ajoutez les autres ingrédients ; mélangez.

Aux noix

environ 300 ml (1 1/4 tasse)

15 ml	(1 c. à s.)	beurre
30 ml	(2 c. à s.)	amandes, effilées
15 ml	(1 c. à s.)	noisettes, concassées
180 ml	(3/4 tasse)	huile d'arachide
5 ml	(1 c. à t.)	huile de noix
80 ml	(1/3 tasse)	vinaigre de champagne
5 ml	(1 c. à t.)	sucre

■ Dans un poêlon, faites fondre le beurre ; faites colorer les amandes et les noisettes ; laissez refroidir. Ajoutez les autres ingrédients ; mélangez.

Dans le sens horaire, commençant en haut :
Aux tomates • Aux graines de sésame • À la moutarde • Aux noix

LES VINAIGRETTES
À BASE DE MAYONNAISE

Française

environ 375 ml (1 1/2 tasse)

250 ml	(1 tasse)	mayonnaise
60 ml	(1/4 tasse)	vinaigre de vin
15 ml	(1 c. à s.)	moutarde forte
2		échalotes françaises, hachées
5 ml	(1 c. à t.)	estragon, haché
2 ml	(1/2 c. à t.)	cerfeuil, haché
1 ml	(1/4 c. à t.)	thym, haché
5 ml	(1 c. à t.)	persil, haché
		sel et poivre

■ Dans un bol, mélangez tous les ingrédients ; rectifiez l'assaisonnement au besoin.

César

environ 250 ml (1 tasse)

250 ml	(1 tasse)	mayonnaise
1		filet d'anchois, haché
2		gousses d'ail, émincées
5 ml	(1 c. à t.)	câpres, hachées
2 ml	(1/2 c. à t.)	sauce anglaise
2		gouttes de Tabasco
15 ml	(1 c. à s.)	parmesan, râpé
		sel et poivre

■ Dans un bol, mélangez tous les ingrédients ; rectifiez l'assaisonnement au besoin.

Aux agrumes

environ 375 ml (1 1/2 tasse)

60 ml	(1/4 tasse)	orange, pelée à vif, en quartiers
60 ml	(1/4 tasse)	pamplemousse, pelé à vif, en quartiers
30 ml	(2 c. à s.)	jus de pamplemousse
		jus de 1/2 citron
180 ml	(3/4 tasse)	mayonnaise
2 ml	(1/2 c. à t.)	poivre rose
5 ml	(1 c. à t.)	miel
60 ml	(1/4 tasse)	crème sure

■ Hachez grossièrement les quartiers d'orange et de pamplemousse ; placez dans un bol ; incorporez les autres ingrédients ; mélangez ; rectifiez l'assaisonnement au besoin.

Catalina

environ 375 ml (1 1/2 tasse)

250 ml	(1 tasse)	mayonnaise
60 ml	(1/4 tasse)	ketchup
30 ml	(2 c. à s.)	vinaigre de vin
10 ml	(2 c. à t.)	sucre
10 ml	(2 c. à t.)	paprika
2		gouttes de Tabasco
		sel et poivre

■ Dans un bol, mélangez tous les ingrédients ; rectifiez l'assaisonnement au besoin.

Dans le sens horaire :
Française ▪ Aux agrumes ▪
César ▪ Catalina

En ajoutant divers ingrédients à la mayonnaise — fines herbes, épices, ail, câpres — on obtient quantités de sauces qui changeront du tout au tout la salade présentée.

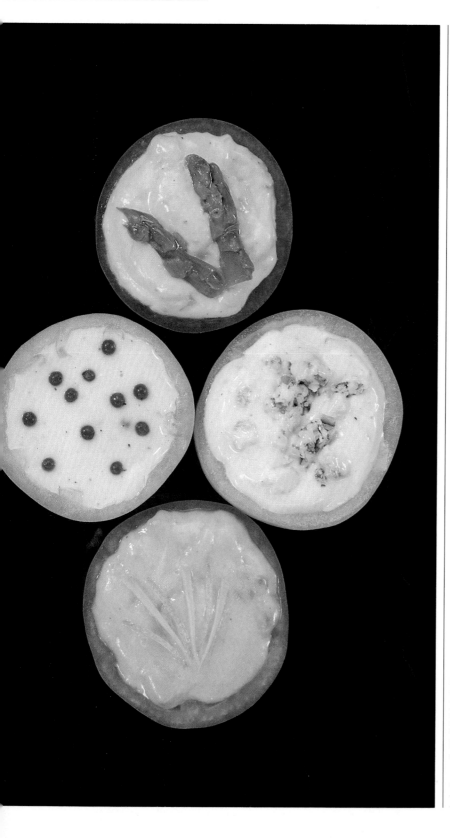

À l'avocat

environ 250 ml (1 tasse)

60 ml	(1/4 tasse) avocat, bien mûr
	jus de 1 citron
180 ml	(3/4 tasse) mayonnaise
2 ml	(1/2 c. à t.) sauce anglaise
2	gouttes de Tabasco
2 ml	(1/2 c. à t.) zeste de citron
10 ml	(2 c. à t.) sauce chili
	sel et poivre

■ Dans le bol du mélangeur ou du robot culinaire, placez l'avocat et le jus de citron ; réduisez en purée. Incorporez les autres ingrédients ; mélangez ; rectifiez l'assaisonnement au besoin.

Au roquefort

environ 250 ml (1 tasse)

180 ml	(3/4 tasse) mayonnaise
60 ml	(1/4 tasse) yogourt
30 ml	(2 c. à s.) vinaigre de vin blanc
1	échalote, hachée
1	gousse d'ail, émincée
1 ml	(1/4 c. à t.) sauce anglaise
3	gouttes de Tabasco
15 ml	(1 c. à s.) roquefort ou bleu, émietté
	sel et poivre

■ Dans un bol, mélangez tous les ingrédients ; rectifiez l'assaisonnement au besoin.

Crémeuse

environ 375 ml (1 1/2 tasse)

180 ml	(3/4 tasse) mayonnaise
45 ml	(3 c. à s.) vinaigre de vin blanc
30 ml	(2 c. à s.) miel
5 ml	(1 c. à t.) poivre rose entier
80 ml	(1/3 tasse) lait
	sel et poivre

■ Dans un bol, à l'aide d'un fouet, mélangez tous les ingrédients, sauf le lait, jusqu'à consistance homogène ; ajoutez le lait ; remuez ; rectifiez l'assaisonnement au besoin.

Dans le sens horaire :
Aux asperges ▪ Au roquefort ▪
À l'avocat ▪ Crémeuse

Aux asperges

environ 250 ml (1 tasse)

60 ml	(1/4 tasse) asperges, en conserve
15 ml	(1 c. à s.) vinaigre de vin
180 ml	(3/4 tasse) mayonnaise
5 ml	(1 c. à t.) moutarde forte
2 ml	(1/2 c. à t.) sauce anglaise
	sel et poivre

■ Dans le bol du mélangeur ou du robot culinaire, placez les asperges et le vinaigre ; réduisez en purée. Incorporez les autres ingrédients ; mélangez ; rectifiez l'assaisonnement au besoin.

LES PÂTES

Contrairement à ce que l'on croirait, ce ne sont pas les Italiens, mais bien les Chinois qui ont inventé les pâtes alimentaires. Il a cependant fallu l'intervention du grand explorateur Marco Polo pour que leur recette atteigne l'Italie, et un esprit gourmet comme celui de Catherine de Médicis pour que la mode des pâtes gagne la France.

Les pâtes existent en variétés innombrables : pâtes à potage (pennini, roues, vermicelles, etc.), à cuire (spaghetti, macaroni, rigatoni, coquillettes), à gratiner (lasagne) ou à farcir (cannelloni, ravioli, tortellini).

Récemment, les pâtes sèches traditionnelles ont cédé en popularité aux pâtes fraîches. Mais qu'elles soient fraîches ou séchées, leur mode de cuisson est le même : elles doivent être cuites « al dente », c'est-à dire tendres tout en étant fermes et encore légèrement résistantes au centre. Leur temps de cuisson, cependant, dépend de leur épaisseur et des ingrédients qui entrent dans leur composition.

Spaghetti, recette de base

Pour un peu plus d'originalité, servez dans un même plat des pâtes colorées aux parfums subtils d'épinard, de tomate, de safran, etc.

4 portions	
4 L	(16 tasses) eau
15 ml	(1 c. à s.) huile
10 ml	(2 c. à t.) sel
450 g	(1 lb) spaghetti
45 ml	(3 c. à s.) beurre
	sel et poivre

■ Dans une casserole, versez l'eau ; ajoutez l'huile et le sel ; amenez à ébullition ; ajoutez les spaghetti ; faites cuire selon le mode d'emploi ; rincez sous l'eau froide, passez sous l'eau chaude ; laissez égoutter ; réservez.

■ Dans un poêlon, faites fondre le beurre ; faites revenir les spaghetti ; salez et poivrez.

■ Dressez dans des assiettes chaudes ; nappez d'une sauce de votre choix ou incorporez à une garniture.

Au centre : Spaghetti au beurre et dans le sens horaire, commençant en haut, à gauche : Sauce à la viande rapide ■ Sauce aux pointes d'asperges ■ Sauce au poulet ■ Salsa Rosa

Sauce à la viande rapide

4 portions	
15 ml	(1 c. à s.) huile
225 g	(8 oz) viande hachée
1	oignon, émincé
1	gousse d'ail, émincée
5 ml	(1 c. à t.) persil
1	pincée de chacune des fines herbes suivantes : basilic, thym, origan et romarin
398 ml	(14 oz) sauce tomate, en conserve

■ Dans un poêlon, faites chauffer l'huile ; faites saisir la viande hachée ; ajoutez oignon, ail, persil et fines herbes ; laissez cuire 4 minutes en remuant de temps en temps. Ajoutez la sauce tomate ; amenez à ébullition ; laissez mijoter 5 minutes ; versez sur les pâtes.

Sauce au poulet

● Procédez comme pour la sauce à la viande rapide ; substituez à la viande hachée 125 ml (1/2 tasse) de poulet coupé en cubes.

Salsa Rosa

4 portions	
10 ml	(2 c. à t.) beurre
1	gousse d'ail, émincée
2	échalotes françaises, hachées
398 ml	(14 oz) sauce tomate, en conserve
45 ml	(3 c. à s.) parmesan, râpé
60 ml	(1/4 tasse) crème à 35 %

■ Dans un poêlon, faites fondre le beurre ; faites suer l'ail et les échalotes ; ajoutez la sauce tomate ; faites cuire à feu moyen, 5 minutes.

■ Incorporez le parmesan et la crème ; laissez mijoter 5 minutes ; versez sur les pâtes.

Sauce aux pointes d'asperges

4 portions	
10 ml	(2 c. à t.) beurre
1	gousse d'ail, émincée
15 ml	(1 c. à s.) oignon, haché
284 ml	(10 oz) asperges, en conserve, égouttées, coupées en tronçons
284 ml	(10 oz) crème d'asperges, en conserve
2 ml	(1/2 c. à t.) coriandre séchée
	sel et poivre
2 ml	(1/2 c. à t.) poivre rose

■ Réservez les pointes d'asperges pour la garniture.

■ Dans un poêlon, faites fondre le beurre ; faites suer l'ail, l'oignon et les asperges en tronçons ; ajoutez les autres ingrédients, sauf les pointes d'asperges et le poivre rose ; laissez mijoter 10 minutes ; vérifiez l'assaisonnement. Versez sur les pâtes ; garnissez de pointes d'asperges et de poivre rose.

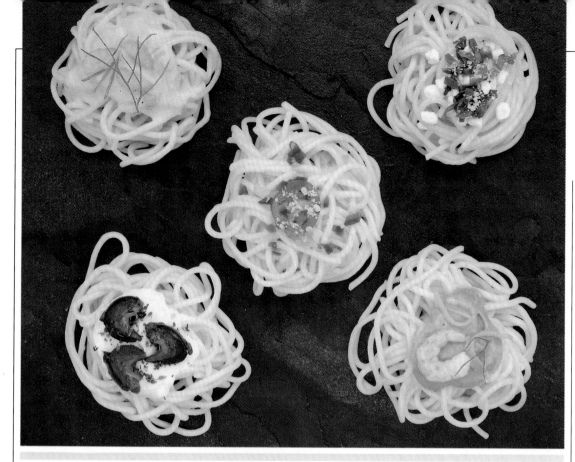

Sauce aux poivrons et piments

4 portions	
15 ml	(1 c. à s.) beurre
60 ml	(1/4 tasse) poivrons rouge et jaune, en brunoise
1	petit piment, en fines rondelles
1	gousse d'ail, émincée
30 ml	(2 c. à s.) parmesan, râpé
5 ml	(1 c. à t.) piment, haché

■ Dans un poêlon, faites fondre le beurre ; faites suer les poivrons, le piment et l'ail ; incorporez les pâtes ; laissez réchauffer ; parsemez de parmesan et de piment.

Sauce aux crevettes

4 portions	
Salsa Rosa	
125 ml	(1/2 tasse) crevettes de Matane
15 ml	(1 c. à s.) zeste de citron
4	petites branches de feuilles de fenouil

■ Procédez comme pour la « Salsa Rosa ». Ajoutez les crevettes en même temps que la crème ; versez sur les pâtes ; garnissez de zeste de citron et de feuilles de fenouil.

Sauce au céleri

4 portions	
10 ml	(2 c. à t.) beurre
1	gousse d'ail, émincée
15 ml	(1 c. à s.) oignon, haché
60 ml	(1/4 tasse) céleri, en cubes
2 ml	(1/2 c. à t.) fenouil, séché
3 ml	(3/4 c. à t.) ciboulette, hachée
	sel et poivre
284 ml	(10 oz) crème de céleri, en conserve

■ Dans un poêlon, faites fondre le beurre ; faites suer l'ail, l'oignon et le céleri ; ajoutez les autres ingrédients ; laissez mijoter 10 minutes ; versez sur les pâtes.

Sauce aux escargots

4 portions	
15 ml	(1 c. à s.) beurre
2	gousses d'ail, émincées
1	échalote française, émincée
24	escargots, coupés en deux
2 ml	(1/2 c. à t.) graines de fenouil
30 ml	(2 c. à s.) vin blanc
250 ml	(1 tasse) crème à 15 %
	sel et poivre
15 ml	(1 c. à s.) persil, haché

■ Dans un poêlon, faites fondre le beurre ; faites suer l'ail, l'échalote, les escargots et les graines de fenouil ; ajoutez le vin blanc et la crème ; salez et poivrez ; laissez mijoter 4 minutes, en remuant constamment.

■ Incorporez les pâtes ; laissez réchauffer ; dressez dans un plat de service ; parsemez de persil.

Sauce aux tomates, ricotta et épinards

4 portions	
10 ml	(2 c. à t.) beurre
1	gousse d'ail, émincée
1	échalote française, hachée
125 ml	(1/2 tasse) tomate, en cubes
125 ml	(1/2 tasse) épinards, ciselés
125 ml	(1/2 tasse) ricotta
	sel et poivre
30 ml	(2 c. à s.) parmesan, râpé

■ Dans un poêlon, faites fondre le beurre ; faites suer l'ail, l'échalote et la tomate. Ajoutez les épinards et le ricotta ; salez et poivrez ; laissez réchauffer ; versez sur les pâtes ; parsemez de parmesan.

Au centre : Sauce aux poivrons et piments et dans le sens horaire, commençant en haut, à gauche : Sauce au céleri ■ Sauce aux tomates, ricotta et épinards ■ Sauce aux crevettes ■ Sauce aux escargots

Macaroni aux tomates et au fromage

Faites toujours cuire les pâtes dans un grand volume d'eau bouillante additionnée d'une cuillerée d'huile pour ne pas qu'elles collent les unes aux autres.

6 portions

1 L	(4 tasses) macaroni, cuits
398 ml	(14 oz) tomates, en conserve
125 ml	(1/2 tasse) fromage, râpé
45 ml	(3 c. à s.) chapelure
60 ml	(1/4 tasse) beurre
	sel et poivre

■ Préchauffez le four à 175 °C (350 °F).

■ Dans un plat à gratin, étalez les macaroni.

■ Recouvrez de tomates et de fromage râpé ; parsemez de chapelure et de noisettes de beurre ; faites cuire au four 25 à 30 minutes ; servez.

Macaroni à la saucisse

Comme entrée, comptez 25 à 50 g (1 à 2 oz) de pâtes non cuites par personne et, comme plat principal, 75 à 100 g (3 à 4 oz) par personne.

6 portions

45 ml	(3 c. à s.) beurre
12	saucisses fumées, coupées en bouchées
60 ml	(1/4 tasse) poivron vert, en cubes
2	branches de céleri, en cubes
284 ml	(10 oz) champignons, en conserve, égouttés
	sel et poivre
1 L	(4 tasses) macaroni, cuits
15 ml	(1 c. à s.) sauce soja
125 ml	(1/2 tasse) crème à 15 %
45 ml	(3 c. à s.) échalotes, émincées

■ Dans un poêlon, faites fondre le beurre ; faites revenir les saucisses, le poivron, le céleri et les champignons ; salez et poivrez. Ajoutez les macaroni, la sauce soja et la crème ; mélangez.

■ Dressez dans des assiettes chaudes ; décorez d'échalotes émincées.

* recette illustrée

Penne
au maïs

Le penne est un macaroni court, aux bouts coupés en biais.

6 portions	
1 L	(4 tasses) penne, cuits
284 ml	(10 oz) maïs en grains, en conserve, égoutté
60 ml	(1/4 tasse) beurre
	sel et poivre
375 ml	(1 1/2 tasse) sauce béchamel, légère
	persil

■ Préchauffez le four à 175 °C (350 °F).

■ Dans un plat à gratin beurré, étalez, en alternant, des couches de penne et de maïs. Parsemez chaque couche de quelques noisettes de beurre ; salez et poivrez.

■ Recouvrez de sauce béchamel ; faites cuire au four 30 minutes ; décorez de persil ; servez.

Pennine
au saumon
et aux œufs

Leur nom signifie « petites plumes ».

6 portions	
1 L	(4 tasses) pennine, cuits
60 ml	(1/4 tasse) beurre
30 ml	(2 c. à s.) farine
	sel et poivre
625 ml	(2 1/2 tasses) lait
250 ml	(1 tasse) petits pois, en conserve
3	œufs durs, tranchés
220 ml	(7 3/4 oz) saumon, en conserve, égoutté
30 ml	(2 c. à s.) oignon, émincé
5 ml	(1 c. à t.) paprika
10 ml	(2 c. à t.) persil, haché

■ Dans un plat de service, étalez les pennine ; gardez au chaud.

■ Dans un poêlon, faites fondre le beurre ; ajoutez la farine ; salez et poivrez ; faites cuire quelques minutes.

■ Versez le lait en un mince filet, en remuant jusqu'à l'obtention d'une sauce lisse ; incorporez délicatement les petits pois, les œufs, le saumon et l'oignon ; rectifiez l'assaisonnement au besoin.

■ Versez sur les pennine ; remuez doucement ; saupoudrez de paprika ; parsemez de persil ; décorez d'œuf dur ; servez.

* recette illustrée

Fettuccine Alfredo au poulet

La sauce Alfredo est un classique des nouilles à la crème ; nous vous suggérons cette légère variante.

4 portions

30 ml	(1/4 tasse) beurre
5 ml	(1 c. à t.) farine
385 ml	(12 oz) lait, condensé
180 ml	(3/4 tasse) parmesan, râpé
5 ml	(1 c. à t.) persil, haché
375 ml	(1 1/2 tasse) poulet, cuit, en julienne
125 ml	(1/2 tasse) bacon cuit, émietté
	poivre du moulin
1 L	(4 tasses) fettuccine, cuits

■ Dans un poêlon, faites fondre le beurre ; ajoutez la farine ; faites cuire quelques minutes.

■ Versez le lait en un mince filet ; remuez à l'aide d'un fouet ; ajoutez le fromage et le persil. Incorporez le poulet et le bacon ; poivrez, laissez cuire quelques minutes jusqu'à l'obtention de la consistance désirée. Ajoutez les fettuccine ; servez.

Fettuccine aux épinards

Afin que les épinards s'incorporent uniformément à la pâte, il faut d'abord les faire blanchir, puis les réduire en purée.

4 portions

450 g	(1 lb) fettuccine aux épinards
	eau salée
10 ml	(2 c. à t.) beurre
1	gousse d'ail, hachée
1	échalote française, hachée
500 ml	(2 tasses) épinards, ciselés
250 ml	(1 tasse) fromage ricotta
125 ml	(1/2 tasse) crème à 15 %
5 ml	(1 c. à t.) ciboulette, hachée
10 ml	(2 c. à t.) persil
	sel et poivre

■ Dans une casserole d'eau bouillante salée, faites cuire les pâtes selon le mode d'emploi ; rincez à l'eau froide ; laissez égoutter.

■ Dans un poêlon, faites fondre le beurre ; faites suer l'ail et l'échalote ; incorporez les épinards, le fromage ricotta, la crème et les fines herbes ; salez et poivrez ; faites cuire à feu doux, environ 5 minutes, en remuant continuellement.

■ Plongez les nouilles cuites dans l'eau bouillante ; laissez égoutter ; dressez dans un plat de service ; incorporez la sauce ; servez.

* recette illustrée

Lasagne aux légumes

Les pâtes ondulées aident à retenir la sauce.

	6 à 8 portions
125 ml	(1/2 tasse) carottes, en cubes
125 ml	(1/2 tasse) céleri, coupé en biais
125 ml	(1/2 tasse) brocoli, en mini-bouquets
125 ml	(1/2 tasse) chou-fleur, en mini-bouquets
15	lasagnes
796 ml	(28 oz) sauce tomate, en conserve
568 ml	(20 oz) crème de champignons, en conserve, non diluée sel et poivre
500 ml	(2 tasses) fromage, râpé
125 ml	(1/2 tasse) parmesan, râpé
45 ml	(3 c.à s.) persil, haché
30 ml	(2 c.à s.) beurre persil

■ Préchauffez le four à 175 °C (350 °F).

■ Dans une casserole d'eau bouillante salée, faites blanchir les légumes 4 minutes ; laissez égoutter ; réservez.

■ Faites cuire les lasagnes selon le mode d'emploi ; laissez égoutter ; réservez.

■ Beurrez un plat à gratin ; étalez une mince couche de sauce tomate, puis une couche de lasagnes ; recouvrez d'une couche de crème de champignons et de légumes ; salez et poivrez ; ajoutez une couche de sauce tomate ; parsemez de fromage râpé.

■ Répétez cette opération deux fois. Saupoudrez de parmesan ; parsemez de noisettes de beurre ; faites cuire au four environ 25 minutes ; décorez de persil ; servez.

Lasagne au jambon et poulet

Ne salez que légèrement la sauce béchamel : le poulet et le jambon en conserve sont déjà salés.

	6 à 8 portions
225 g	(8 oz) jambon, en flocons, en conserve
796 ml	(28 oz) sauce tomate, en conserve
5 ml	(1 c. à t.) paprika
225 g	(8 oz) poulet, en flocons, en conserve
500 ml	(2 tasses) sauce béchamel
2 ml	(1/2 c. à t.) cari
500 ml	(2 tasses) épinards, équeutés
15	lasagnes
125 ml	(1/2 tasse) fromage, râpé
	sel et poivre

■ Préchauffez le four à 175 °C (350 °F).

■ Faites cuire les lasagnes selon le mode d'emploi ; laissez égoutter ; réservez.

■ Dans un bol, mélangez le jambon et la sauce tomate ; assaisonnez de paprika ; réservez.

■ Dans un autre bol, incorporez le poulet à la sauce béchamel ; assaisonnez de cari ; réservez.

■ Beurrez un plat à gratin ; étalez successivement une couche de sauce tomate, une couche d'épinards, une couche de lasagnes, une couche de sauce béchamel, une couche d'épinards, et une couche de lasagnes. Répétez deux fois cette opération ; terminez par une couche de sauce tomate agrémentée d'épinards.

■ Parsemez de fromage râpé ; faites cuire au four environ 25 minutes ; laissez reposer 10 minutes ; servez.

* recette illustrée

Linguine aux champignons

Le linguini, pâte étroite et plate, est souvent appelé « nouille fine en ruban ». On le prépare comme le spaghetti.

6 à 8 portions

450 g	(1 lb) linguine
45 ml	(3 c. à s.) beurre
1	gousse d'ail, émincée
250 ml	(1 tasse) champignons, en quartiers
125 ml	(1/2 tasse) asperges, en rondelles
125 ml	(1/2 tasse) fonds d'artichauts, en quartiers
284 ml	(10 oz) crème de champignons, en conserve, non diluée

■ Dans une casserole d'eau bouillante salée, faites cuire les linguine selon le mode d'emploi ; passez sous l'eau froide ; laissez égoutter ; réservez.

■ Dans un poêlon, faites fondre le beurre ; faites revenir l'ail, les champignons, les asperges et les fonds d'artichauts, environ 3 minutes.

■ Ajoutez la crème de champignons ; faites chauffer à feu moyen 10 minutes ; remuez constamment. Ajoutez les linguine ; mélangez ; servez.

Linguine aux petits légumes

Pour gagner du temps, faites cuire les petits légumes au micro-ondes.

6 à 8 portions

125 ml	(1/2 tasse) carottes, en julienne
125 ml	(1/2 tasse) courgette, en julienne
450 g	(1 lb) linguine
45 ml	(3 c. à s.) beurre
1	gousse d'ail, émincée
1	échalote, hachée
3 ml	(3/4 c. à t.) basilic, haché
10 ml	(2 c. à t.) persil, haché
250 ml	(1 tasse) épinards sel et poivre
500 ml	(2 tasses) jus de légumes
60 ml	(1/4 tasse) tomates, en conserve, concassées

■ Dans une casserole d'eau bouillante salée, faites blanchir les carottes 3 minutes et les courgettes 1 minute ; laissez égoutter ; réservez.

■ Dans une autre casserole d'eau bouillante salée, faites cuire les linguine selon le mode d'emploi ; rincez sous l'eau froide ; laissez égoutter ; réservez.

■ Dans un poêlon, faites fondre le beurre ; faites suer l'ail et l'échalote ; ajoutez les carottes et les courgettes ; faites sauter environ 3 minutes. Incorporez le basilic, le persil et les épinards ; salez et poivrez ; versez le jus de légumes et les tomates ; faites réchauffer. Ajoutez les linguine ; mélangez ; servez.

* recette illustrée

Tagliatelle jambon-ananas

Les tagliatelle sont souvent enroulés en forme de petits nids.

6 à 8 portions

450 g	(1 lb) tagliatelle
60 ml	(1/4 tasse) beurre
250 ml	(1 tasse) jambon, cuit, en cubes
1/2	oignon, haché
1	gousse d'ail, émincée
250 ml	(1 tasse) ananas, égoutté, en cubes
	sel et poivre
15 ml	(1 c. à s.) fécule de maïs
30 ml	(2 c. à s.) eau froide
500 ml	(2 tasses) jus d'ananas, non sucré
1	pincée de clou de girofle
15 ml	(1 c. à s.) persil, haché
1 ml	(1/4 c. à t.) paprika

■ Dans une casserole d'eau bouillante salée, faites cuire les tagliatelle selon le mode d'emploi ; rincez sous l'eau froide ; laissez égoutter ; réservez.

■ Dans un poêlon, faites fondre 30 ml (2 c. à s.) de beurre ; faites revenir le jambon, l'oignon, l'ail et l'ananas ; salez et poivrez ; réservez.

■ Dans un petit bol, délayez la fécule de maïs dans l'eau froide ; réservez.

■ Dans une petite casserole, faites chauffer le jus d'ananas ; ajoutez la fécule de maïs délayée et le clou de girofle ; laissez mijoter jusqu'à épaississement ; retirez du feu.

■ Dans un grand poêlon, faites fondre le reste du beurre ; faites réchauffer les tagliatelle; ajoutez le mélange jambon-ananas ; arrosez de sauce ; mélangez ; garnissez de persil et de paprika ; servez.

* recette illustrée

Tagliatelle à la russe

Assurez-vous que la sauce soit assez chaude avant de la verser sur les pâtes.

6 à 8 portions

450 g	(1 lb) tagliatelle
15 ml	(1 c. à s.) huile d'arachide
10 ml	(2 c. à t.) beurre
2 ml	(1/2 c. à t.) poivre noir, du moulin
2 ml	(1/2 c. à t.) basilic, haché
60 ml	(1/4 tasse) vodka
250 ml	(1 tasse) jus de tomates
	sel

■ Dans une casserole d'eau bouillante salée, faites cuire les tagliatelle selon le mode d'emploi ; rincez sous l'eau froide ; laissez égoutter.

■ Dans un poêlon, faites chauffer l'huile et fondre le beurre, faites revenir les tagliatelle. Ajoutez le poivre et le basilic ; déglacez à la vodka ; arrosez de jus de tomates ; salez ; faites chauffer quelques minutes ; mélangez ; servez.

Tortellini garnis, recette de base

Les tortellini sont des pâtes farcies comme les ravioli. Cependant, ils sont en forme de petits « beignes ».

6 à 8 portions

450 g (1 lb) tortellini

■ Dans une casserole d'eau bouillante salée, faites cuire les tortellini ; rincez sous l'eau froide ; laissez égoutter.

■ Dressez dans un plat de service ; nappez d'une garniture ou d'une sauce au choix ; servez.

Crème au roquefort

6 à 8 portions

10 ml	(2 c. à t.) beurre
1/2	oignon, haché
1	gousse d'ail, émincée
375 ml	(1 1/2 tasse) crème à 15 %
60 ml	(1/4 tasse) parmesan, râpé
10 ml	(2 c. à t.) roquefort, émietté
	sel et poivre
	tortellini farcis à la viande, cuits

■ Dans un poêlon, faites fondre le beurre ; faites suer l'oignon et l'ail. Versez la crème ; incorporez le parmesan et le roquefort ; salez et poivrez ; laissez réduire jusqu'à l'obtention d'une consistance homogène.

■ Ajoutez les tortellini ; laissez réchauffer ; parsemez de roquefort ; servez

Sauce au poulet

6 à 8 portions

284 ml	(10 oz) crème de poulet, en conserve
140 ml	(5 oz) lait
180 g	(6 oz) poulet, en flocons, en conserve
	tortellini farcis au fromage, cuits
	sel et poivre

■ Dans une casserole, mélangez la crème de poulet et le lait ; faites chauffer.

■ Ajoutez le poulet et les tortellini ; salez et poivrez ; faites chauffer 3 minutes ; servez.

Sauce aux épinards et au fromage de chèvre

■ Procédez comme pour la crème au roquefort. Utilisez des tortellini farcis au poulet ; substituez au roquefort du fromage de chèvre. En incorporant les tortellini, ajoutez 125 ml (1/2 tasse) d'épinards équeutés et ciselés ; servez.

Sauce à l'américaine

6 à 8 portions

15 ml	(1 c. à s.) fécule de maïs
30 ml	(2 c. à s.) jus de tomates
375 ml	(1 1/2 tasse) bisque, en conserve
125 ml	(1/2 tasse) crevettes de Matane
	tortellini farcis au poisson, cuits
15 ml	(1 c. à s.) persil, haché

■ Dans un bol, délayez la fécule de maïs dans le jus de tomates ; réservez.

■ Dans une casserole, faites chauffer la bisque avec le mélange de fécule de maïs ; incorporez les crevettes de Matane ; ajoutez les tortellini ; laissez mijoter 2 minutes ; parsemez de persil ; servez.

Sauce gruyère et oignon

6 à 8 portions

10 ml	(2 c. à t.) beurre
30 ml	(2 c. à s.) oignon, haché
	tortellini farcis à la viande, cuits
375 ml	(1 1/2 tasse) sauce tomate, en conserve
	sel et poivre
125 ml	(1/2 tasse) gruyère, râpé

■ Dans un poêlon, faites fondre le beurre ; faites suer l'oignon. Ajoutez les tortellini ; arrosez de sauce tomate ; salez et poivrez ; mélangez ; laissez réchauffer ; parsemez de gruyère ; servez.

Au centre : Sauce à l'américaine et dans le sens horaire, commençant en haut, à gauche : Sauce gruyère et oignon ■ Sauce au poulet ■ Sauce aux épinards et au fromage de chèvre ■ Crème au roquefort

Cappelletti, recette de base

---

6 à 8 portions

---

450 g   (1 lb) cappelletti

■ Faites cuire les cappelletti selon le mode d'emploi ; incorporez à la sauce de votre choix.

À l'huile vierge

---

6 à 8 portions

---

30 ml	(2 c. à s.) huile d'olive
	cappelletti, cuits
45 ml	(3 c. à s.) olives noires, en julienne
125 ml	(1/2 tasse) tomates, en cubes
2 ml	(1/2 c. à t.) piment séché, broyé
	sel et poivre
30 ml	(2 c. à s.) persil, haché

■ Dans un poêlon, faites chauffer l'huile ; faites revenir les cappelletti, les olives, les tomates et le piment ; mélangez ; salez et poivrez ; parsemez de persil ; servez.

Crème aux champignons

---

6 à 8 portions

---

284 ml	(10 oz) crème de champignons, en conserve
140 ml	(5 oz) lait
125 ml	(1/2 tasse) champignons, en morceaux
	sel et poivre
1 ml	(1/4 c. à t.) muscade
	persil, haché
	cappelletti, cuits

■ Dans une casserole, mélangez la crème de champignons et le lait ; faites chauffer.

■ Ajoutez les champignons ; assaisonnez de sel, de poivre et de muscade ; incorporez les cappelletti ; faites réchauffer ; parsemez de persil ; servez.

Au centre : Cappelletti à l'huile vierge et dans le sens horaire, commençant en haut, à gauche : Sauce tomate, ciboulette et basilic ▪ Crème aux champignons ▪ Sauce au cari et au safran ▪ Sauce au fenouil

Sauce tomate, ciboulette et basilic

---

6 à 8 portions

---

10 ml	(2 c. à t.) beurre
1	échalote française, émincée
1	gousse d'ail, émincée
125 ml	(1/2 tasse) tomates, en cubes
2 ml	(1/2 c. à t.) ciboulette, hachée
2 ml	(1/2 c. à t.) basilic, haché
375 ml	(1 1/2 tasse) jus de légumes
	sel et poivre
	cappelletti, cuits

■ Dans un poêlon, faites fondre le beurre ; faites suer l'échalote et l'ail. Ajoutez la tomate, la ciboulette et le basilic ; arrosez de jus de légumes ; salez et poivrez ; ajoutez les cappelletti ; mélangez ; laissez réchauffer ; servez.

Sauce au cari et au safran

---

6 à 8 portions

---

10 ml	(2 c. à t.) beurre
1/2	gousse d'ail, émincée
1	échalote française, émincée
375 ml	(1 1/2 tasse) crème à 15 %
1 ml	(1/4 c. à t.) safran
1 ml	(1/4 c. à t.) cari
	cappelletti, cuits

■ Dans un poêlon, faites fondre le beurre ; faites suer l'ail et l'échalote. Arrosez de crème ; ajoutez le safran et le cari ; faites cuire jusqu'à l'obtention d'une sauce onctueuse. Incorporez les cappelletti ; faites réchauffer quelques minutes ; servez.

Sauce au fenouil

---

6 à 8 portions

---

284 ml	(10 oz) crème de céleri, en conserve
140 ml	(5 oz) lait
60 ml	(1/4 tasse) bulbe de fenouil, blanchi, en dés
	cappelletti, cuits
5 ml	(1 c. à t.) feuilles de fenouil

■ Dans une casserole, faites chauffer la crème de céleri et le lait. Ajoutez le fenouil en dés ; poursuivez la cuisson 5 minutes. Incorporez les cappelletti ; faites réchauffer quelques minutes ; décorez de feuilles de fenouil ; servez.

Cannelloni à la crème rosée

Le ricotta est un fromage doux caillé, fait de petit-lait.

6 à 8 portions

12	cannelloni farcis au ricotta
30 ml	(2 c. à s.) eau
10 ml	(2 c. à t.) beurre
1/2	gousse d'ail, émincée
1	échalote française, hachée
60 ml	(1/4 tasse) tomate, en cubes
15 ml	(1 c. à s.) pâte de tomates
375 ml	(1 1/2 tasse) crème à 15 %
	sel et poivre
1 ml	(1/4 c. à t.) romarin

■ Préchauffez le four à 175 °C (350 °F).

■ Beurrez un plat allant au four ; étalez les cannelloni ; humectez légèrement d'un peu d'eau ; recouvrez d'un papier d'aluminium beurré ; faites cuire au four 10 minutes.

■ Dans un poêlon, faites fondre le beurre ; faites suer l'ail, l'échalote et la tomate. Ajoutez la pâte de tomates et la crème ; mélangez ; assaisonnez de sel, de poivre et de romarin ; laissez mijoter 5 minutes.

■ Incorporez les cannelloni en les retournant une fois ; servez.

* recette illustrée

Cannelloni gratinés

Généralement, les cannelloni sont farcis avec de la viande ou une préparation d'épinards. Voici une recette pour les amateurs de fruits de mer.

6 à 8 portions

12	cannelloni farcis aux crevettes
30 ml	(2 c. à s.) eau
375 ml	(1 1/2 tasse) bisque de crevettes
30 ml	(2 c. à s.) parmesan, râpé
	sel et poivre
125 ml	(1/2 tasse) fromage, râpé

■ Préchauffez le four à 175 °C (350 °F).

■ Beurrez un plat allant au four ; étalez les cannelloni ; humectez légèrement d'un peu d'eau ; recouvrez d'un papier d'aluminium beurré ; faites cuire au four 10 minutes.

■ Dans une casserole, faites chauffer la bisque de crevettes ; incorporez le parmesan ; salez et poivrez ; versez sur les cannelloni ; parsemez de fromage râpé ; faites gratiner 4 minutes sous le gril (broil) ; servez.

Ravioli classique

Vous pouvez modifier légèrement la recette en remplaçant les ravioli farcis à la viande et au fromage par des ravioli farcis aux courgettes.

6 à 8 portions

450 g	(1 lb) ravioli farcis au veau
30 ml	(2 c. à s.) beurre
1	échalote française, hachée
1	gousse d'ail, émincée
375 ml	(1 1/2 tasse) sauce tomate
	sel et poivre
2 ml	(1/2 c. à t.) basilic, haché
1 ml	(1/4 c. à t.) ciboulette, hachée
1	pincée de thym, séché
45 ml	(3 c. à s.) parmesan, râpé

■ Dans une casserole d'eau bouillante salée, faites cuire les ravioli ; rincez sous l'eau froide ; laissez égoutter.

■ Dans un poêlon, faites fondre le beurre ; faites suer l'échalote et l'ail ; arrosez de sauce tomate ; assaisonnez de sel, de poivre, de basilic, de ciboulette et de thym ; laissez mijoter 5 minutes.

■ Incorporez les ravioli ; mélangez ; parsemez de parmesan ; servez.

Ravioli au pesto

Le pesto à la mode traditionnelle veut que l'on fasse une pâte avec les herbes, les noix et le fromage. Il est possible de remplacer les pignons par des noix de Grenoble blanches. Ne servez pas de fromage additionnel avec la sauce.

6 à 8 portions

450 g	(1 lb) ravioli farcis à la viande et au fromage
30 ml	(2 c. à s.) beurre
2	gousses d'ail, émincées
10 ml	(2 c. à t.) basilic, haché
15 ml	(1 c. à s.) noix de pin (pignons)
	sel et poivre
15 ml	(1 c. à s.) persil, haché

■ Dans une casserole d'eau bouillante salée, faites cuire les ravioli ; passez sous l'eau froide ; laissez égoutter ; réservez.

■ Dans un poêlon, faites fondre le beurre ; faites suer l'ail. Ajoutez le basilic et les noix de pin ; salez et poivrez. Incorporez les ravioli, parsemez de persil ; faites réchauffer quelques minutes ; servez.

* recette illustrée

LES CÉRÉALES

Dans l'esprit de bien des gens, les céréales se résument aux flocons de maïs du matin... C'est accorder un bien mince honneur au riz, à l'avoine, à l'orge, au maïs, au millet et au sorgho, des graminées qui constituent l'essentiel de l'alimentation de nombreux peuples de la terre.

Le riz, par exemple, est tout aussi essentiel à la fabrication du risotto italien que de la paella espagnole et du cari indien. On en consomme quotidiennement d'un bout à l'autre de l'Asie, et même en Afrique.

Sur nos tables, on trouve couramment du riz étuvé (ou prétraité). Ce riz a été exposé à la vapeur avant d'être blanchi, ce qui préserve une partie de ses éléments nutritifs. Le riz précuit (ou riz « minute ») qui, comme son nom l'indique, est partiellement cuit avant d'être empaqueté, vient en deuxième dans la faveur populaire.

Depuis un certain temps, cependant, on parle des bienfaits et de l'importance d'une alimentation riche en fibres alimentaires. Il n'est donc pas rare de retrouver sur nos tables un riz sauvage, un riz complet ou « riz brun » ou encore, un riz basmati, riz indien à grains longs.

LES RIZ

Riz espagnol

4 portions	
310 ml	(1 1/4 tasse) riz, non cuit
375 ml	(1 1/2 tasse) bouillon de poulet
398 ml	(14 1/2 oz) tomates épicées, en conserve
15 ml	(1 c. à s.) beurre
10 ml	(2 c. à t.) poudre de chili
3 ml	(3/4 c. à t.) origan
2 ml	(1/2 c. à t.) sel d'ail
15 ml	(1 c. à s.) échalote, hachée

■ Dans une casserole, combinez tous les ingrédients, sauf les échalotes ; amenez à ébullition ; réduisez le feu ; laissez mijoter 25 minutes.

■ Dressez dans un plat de service ; garnissez d'échalotes ; servez.

VARIANTE

• Ajoutez du poulet cuit, en morceaux.

Riz frit aux crevettes

4 portions	
30 ml	(2 c. à s.) huile
2	oignons verts, émincés
250 ml	(1 tasse) crevettes de Matane
284 ml	(10 oz) champignons, en conserve, égouttés
45 ml	(3 c. à s.) sauce soja
500 ml	(2 tasses) riz, cuit
	sel et poivre
1	œuf, battu

■ Dans un poêlon, faites chauffer l'huile ; faites revenir les oignons et les crevettes environ 3 minutes. Ajoutez les champignons, la sauce soja et le riz ; salez et poivrez ; laissez frire 5 minutes ; incorporez l'œuf battu ; faites cuire 3 à 4 minutes en remuant.

Riz aux légumes

4 portions

500 ml	(2 tasses) riz à cuisson rapide
430 ml	(1 3/4 tasse) eau
5 ml	(1 c. à t.) beurre
1	pincée de sel
30 ml	(2 c. à s.) huile
125 ml	(1/2 tasse) champignons, tranchés
125 ml	(1/2 tasse) céleri, haché
125 ml	(1/2 tasse) poivron vert, haché
60 ml	(1/4 tasse) poivron rouge, haché
	poivre et sel
	persil
	thym
	sel d'oignon
60 ml	(1/4 tasse) beurre à l'ail

■ Dans un plat allant au four à micro-ondes, placez les 4 premiers ingrédients ; couvrez ; faites cuire au micro-ondes à ÉLEVÉ, 2 minutes ; mélangez ; couvrez ; poursuivez la cuisson 3 minutes ; laissez reposer.

■ Dans un poêlon, faites chauffer l'huile ; faites revenir les légumes ; ajoutez les assaisonnements ; faites cuire à feu moyen jusqu'à ce que les légumes soient tendres.

■ Dressez le riz au centre des assiettes ; entourez de légumes ; arrosez de beurre à l'ail ; servez.

Riz au four

4 portions

1 L	(4 tasses) eau chaude
284 ml	(10 oz) champignons, en morceaux, en conserve (avec le jus)
60 ml	(1/4 tasse) huile
60 ml	(1/4 tasse) bouillon de bœuf
45 ml	(3 c. à s.) sauce soja
500 ml	(2 tasses) riz à grains longs

■ Préchauffez le four à 190 °C (375 °F).

■ Dans un plat allant au four, combinez tous les ingrédients ; couvrez ; faites cuire au four 1 heure.

357

Riz et jambon

4 portions	
15 ml	(1 c. à s.) huile
500 ml	(2 tasses) jambon cuit, en cubes
1/2	poivron vert, haché
30 ml	(2 c. à s.) fécule de maïs
250 ml	(1 tasse) eau
125 ml	(1/2 tasse) jus d'ananas
15 ml	(1 c. à s.) cassonade
7 ml	(1 1/2 c. à t.) moutarde sèche
2 ml	(1/2 c. à t.) gingembre (facultatif)
250 ml	(1 tasse) ananas, en cubes
500 ml	(2 tasses) riz, cuit, chaud

■ Dans un poêlon, faites chauffer l'huile ; faites revenir le jambon et le poivron ; réservez.

■ Dans un petit bol, mélangez la fécule de maïs, l'eau, le jus d'ananas, la cassonade, la moutarde et le gingembre ; versez ce mélange sur le jambon ; faites cuire à feu moyen en remuant constamment jusqu'à ce que la sauce soit liée et transparente.

■ Ajoutez l'ananas ; faites chauffer 3 minutes ; servez sur du riz.

recette illustrée

Riz parfumé

4 portions	
1	petit sachet de soupe à l'oignon instantanée
500 ml	(2 tasses) eau
500 ml	(2 tasses) riz à cuisson rapide

■ Dans une casserole, combinez le sachet de soupe à l'oignon et l'eau ; amenez à ébullition. Ajoutez le riz ; couvrez ; retirez du feu ; laissez reposer 6 minutes ; vérifiez l'assaisonnement ; servez.

VARIANTES

• Pour accompagner les viandes, substituez au sachet de soupe à l'oignon, un sachet de soupe poulet et nouilles.

• Pour accompagner les poisson et les fruits de mer, substituez au sachet de soupe à l'oignon, un sachet de soupe aux crevettes.

Galette de riz

4 portions	
310 ml	(1 1/4 tasse) farine tout usage
2 ml	(1/2 c. à t.) sel
7 ml	(1 1/2 c. à t.) poudre à pâte
310 ml	(1 1/4 tasse) lait
310 ml	(1 1/4 tasse) riz, cuit
1	œuf, battu
25 ml	(5 c. à t.) beurre, fondu

■ Dans un bol, tamisez la farine, le sel et la poudre à pâte. Versez le lait ; remuez pour humecter la farine ; ajoutez les autres ingrédients ; mélangez délicatement.

■ Dans un poêlon, faites fondre le beurre ; déposez la pâte à la cuillère pour former des galettes ; faites dorer des deux côtés ; servez.

Pouding crémeux au riz

4 à 6 portions	
2	œufs
250 ml	(1 tasse) lait
5 ml	(1 c. à t.) essence de vanille
80 ml	(1/3 tasse) miel
500 ml	(2 tasses) riz à grains longs, à cuisson rapide
80 ml	(1/3 tasse) raisins secs
2 ml	(1/2 c. à t.) cannelle
1	pincée de muscade
250 ml	(1 tasse) yogourt nature

■ Préchauffez le four à 175 °C (350 °F).

■ Dans un bol, mélangez les œufs, le lait, la vanille et le miel ; ajoutez tous les autres ingrédients, sauf le yogourt.

■ Dans un moule carré de 20 cm (8 po) allant au four, étalez le mélange ; faites cuire au four 25 minutes ; remuez de temps en temps. Retirez du four ; laissez reposer 10 minutes ; ajoutez le yogourt.

Riz gratiné

4 à 6 portions	
500 ml	(2 tasses) riz brun
10 ml	(1 c. à t.) huile
10 ml	(1 c. à t.) beurre
1	oignon, émincé
125 ml	(1/2 tasse) céleri, haché
160 ml	(2/3 tasse) poivron vert, haché
60 ml	(1/4 tasse) poivron rouge, haché
450 g	(1 lb) chair de crabe
2	œufs durs, tranchés
500 ml	(2 tasses) sauce béchamel
	sel et poivre
1	pincée de thym
115 g	(1/4 lb) cheddar ou mozzarella, râpé
	chapelure

■ Préchauffez le four à 170 °C (350 °F).

■ Dans 1L (4 tasses) d'eau bouillante, faites cuire le riz brun, environ 20 minutes ; laissez égoutter.

■ Dans un poêlon, faites chauffer l'huile et fondre le beurre ; faites revenir les légumes hachés quelques minutes ; ajoutez le riz ; retirez du feu. Beurrez un plat à gratin ; déposez en alternant des couches de riz, de chair de crabe et d'œufs ; réservez.

■ Dans un bol, placez la sauce béchamel ; assaisonnez de sel, de poivre et de thym ; incorporez le tiers du fromage ; versez dans le plat à gratin.

■ Couvrez du reste de fromage ; saupoudrez d'un peu de chapelure ; faites cuire au four 30 minutes ; passez sous le gril (broil).

Riz froid

4 à 6 portions	
1	avocat, en cubes
	jus de 1 citron
375 ml	(1 1/2 tasse) riz blanc, cuit
125 ml	(1/2 tasse) riz brun, cuit
1	oignon, haché
2	tomates, en cubes
1	branche de céleri, hachée
30 ml	(2 c. à s.) persil, haché
113 g	(4 oz) thon, en conserve, égoutté
30 ml	(2 c. à s.) huile
15 ml	(1 c. à s.) vinaigre
15 ml	(1 c. à s.) sauce chili
	sel et poivre

■ Dans un bol, placez l'avocat ; arrosez de jus de citron.

■ Dans un grand saladier, mélangez tous les ingrédients, y compris l'avocat ; servez.

Riz brouillé

4 à 6 portions

15 ml	(1 c. à s.) huile
5 ml	(1 c. à t.) beurre
1	oignon, haché
1	gousse d'ail, émincée
125 ml	(1/2 tasse) céleri, coupé en biais
125 ml	(1/2 tasse) petits pois
2	œufs
	sel et poivre
500 ml	(2 tasses) riz brun, cuit

■ Dans un poêlon, faites chauffer l'huile et fondre le beurre ; faites revenir l'oignon, l'ail, le céleri et les petits pois environ 4 minutes. Ajoutez les œufs ; lorsqu'ils commencent à cuire, mélangez ; salez et poivrez. Incorporez le riz ; mélangez ; servez.

Riz trois couleurs

4 à 6 portions

125 ml	(1/2 tasse) riz blanc
1	pincée de safran
125 ml	(1/2 tasse) riz brun
125 ml	(1/2 tasse) riz sauvage
45 ml	(3 c. à s.) huile
	sel et poivre
5 ml	(1 c. à t.) cari
1	pincée de poudre de chili
2 ml	(1/2 c. à t.) sauce anglaise
15 ml	(1 c. à s.) persil, haché

■ Dans deux casserole, versez 310 ml (1 1/4 tasse) d'eau ; faites cuire séparément le riz blanc et le riz brun, environ 20 minutes. (Ajoutez au riz blanc une pincée de safran).

■ Dans une troisième casserole, versez 500 ml (2 tasses) d'eau ; faites cuire le riz sauvage 20 à 30 minutes, ou jusqu'à ce qu'il éclate.

■ Dans un poêlon, faites chauffer l'huile ; faites revenir les riz ; assaisonnez de sel, de poivre, de cari, de poudre de chili et de sauce anglaise ; remuez constamment ; parsemez de persil ; servez.

recette illustrée

361

Riz aux agrumes

	4 à 6 portions
375 ml	(1 1/2 tasse) eau
60 ml	(1/4 tasse) jus d'orange
125 ml	(1/2 tasse) riz blanc
375 ml	(1 1/2 tasse) eau
60 ml	(1/4 tasse) jus de pamplemousse
125 ml	(1/2 tasse) riz brun
3	oranges, pelées à vif, en quartiers
2	pamplemousses, pelés à vif, en quartiers
	jus de 2 citrons
	zeste de 1/2 citron
5 ml	(1 c. à t.) menthe fraîche, hachée
	sel et poivre

■ Dans une casserole, versez 375 ml (1 1/2 tasse) d'eau ; ajoutez le jus d'orange ; faites cuire le riz blanc, environ 20 minutes.

■ Dans une autre casserole, versez 375 ml (1 1/2 tasse) d'eau ; ajoutez le jus de pamplemousse ; faites cuire le riz brun, environ 20 minutes.

■ Dans un bol mélangez les riz blanc et brun ; ajoutez les oranges, les pamplemousses, le jus et le zeste de citron et la menthe ; salez et poivrez ; mélangez ; servez chaud, tiède ou froid.

Riz aux raisins

	4 à 6 portions
250 ml	(1 tasse) riz brun, instantané
265 ml	(1 tasse + 1 c. à s.) eau
60 ml	(1/4 tasse) raisins de Corinthe
5 ml	(1 c. à t.) miel
	sel et poivre

■ Dans une casserole, mélangez tous les ingrédients ; amenez à ébullition ; retirez du feu ; couvrez ; laissez reposer 6 minutes. Rectifiez l'assaisonnement au besoin ; servez.

Riz aux amandes

Riz aux fruits

4 à 6 portions	
625 ml	(2 1/2 tasses) eau
2 ml	(1/2 c. à t.) huile de sésame
250 ml	(1 tasse) riz
30 ml	(2 c. à s.) beurre, fondu
60 ml	(1/4 tasse) amandes, grillées
15 ml	(1 c. à s.) graines de sésame
	sel et poivre
10 ml	(2 c. à t.) Amaretto (liqueur d'amande)

■ Dans une casserole, versez l'eau ; ajoutez l'huile de sésame ; faites cuire le riz selon le mode d'emploi.

■ Ajoutez les autres ingrédients ; mélangez ; servez.

4 à 6 portions	
125 ml	(1/2 tasse) lait
500 ml	(2 tasses) riz, cuit
1	pomme, en cubes
30 ml	(2 c. à s.) cassonade
1	pincée de cannelle
5 ml	(1 c. à t.) miel
	fruits frais (facultatif)

■ Dans une casserole, faites chauffer le lait sans laisser bouillir. Ajoutez les autres ingrédients ; mélangez ; garnissez de fruits frais ; servez

LES AUTRES CÉRÉALES

Les céréales cultivées constituent la nourriture de base de l'être humain. Les pays de l'ouest cultivent plutôt du blé et de l'avoine. En Amérique du Sud, on consomme surtout le maïs alors que, dans d'autres pays, le millet et le sorgho sont également très présents. Les graines, habituellement grillées après leur récolte, doivent absorber de l'eau pour gonfler et devenir moelleuses.

Riches en protéines les céréales se marient délicieusement avec les légumes, les viandes et les poissons. Servies avec des noix ou des légumineuses, elles peuvent même remplacer la viande.

La polenta préparée avec de la farine de maïs est un plat de base dans le nord de l'Italie. Faites-la cuire dans un moule en couronne et garnissez le centre de viande ou de poisson.

4 à 6 portions

430 ml	(1 3/4 tasse) eau
125 ml	(1/2 tasse) semoule de maïs
30 ml	(2 c. à s.) huile végétale
250 ml	(1 tasse) cheddar fort, râpé
1	gousse d'ail, émincée
80 ml	(1/3 tasse) oignon, émincé
80 ml	(1/3 tasse) carotte, tranchée
80 ml	(1/3 tasse) céleri, haché
450 g	(1 lb) bœuf haché
540 ml	(19 oz) tomates, en conserve, égouttées, hachées
30 ml	(2 c. à s.) pâte de tomates
10 ml	(2 c. à t.) basilic
	sel et poivre
15 ml	(1 c. à s.) persil, haché
	fromage râpé

■ Dans un plat de 3 L (12 tasses) allant au four à micro-ondes, combinez l'eau, la semoule de maïs et l'huile ; couvrez ; faites cuire au micro-ondes à ÉLEVÉ, 5 minutes. Remuez ; poursuivez la cuisson 3 minutes ou jusqu'à absorption complète du liquide.

■ Étalez uniformément le fromage sur la semoule ; réservez.

■ Dans un bol de 2 L (8 tasses) allant au four à micro-ondes, mélangez l'ail, l'oignon, la carotte et le céleri ; couvrez ; faites cuire au micro-ondes à ÉLEVÉ, 3 à 5 minutes.

■ Ajoutez le bœuf haché ; poursuivez la cuisson 5 minutes ou jusqu'à ce que la viande soit cuite.

■ Défaites la viande à la fourchette ; ajoutez les tomates, la pâte de tomates et le basilic ; couvrez ; faites cuire au micro-ondes à ÉLEVÉ, 10 minutes ou jusqu'à épaississement, en remuant une ou deux fois.

■ Salez et poivrez ; versez sur la polenta ; faites réchauffer le tout 4 à 5 minutes.

■ Parsemez de persil et de fromage râpé.

Casserole « santé »

Cuit dans deux fois son volume d'eau, de lait ou de bouillon, le millet sera prêt en une vingtaine de minutes. Nature, on le sert comme du riz.

4 à 6 portions

180 ml	(3/4 tasse) millet
3	tranches de fromage
1	pincée de sauge
6	tranches de tomates
1	pincée de sucre
	sel et poivre
1	petit poireau, émincé
1/2	poivron, en rondelles
	noisettes de beurre

■ Préchauffez le four à 175 °C (350 °F).

■ Dans une casserole contenant 500 ml (2 tasses) d'eau bouillante, faites cuire le millet, environ 20 minutes.

■ Beurrez un plat allant au four ; étalez une couche de millet cuit, puis une couche de tranches de fromage ; parsemez de sauge.

■ Recouvrez de tranches de tomates ; saupoudrez de sucre ; salez et poivrez ; garnissez de poireau et de poivron ; parsemez de noisettes de beurre ; faites cuire au four 25 minutes ; servez.

Délice du vendredi

Vous pouvez utiliser du saumon en conserve. Si vous désirez augmenter la teneur en calcium de votre recette, broyez et incorporez le cartilage (les os du saumon en conserve) à la recette.

4 à 6 portions

250 ml	(1 tasse) semoule de maïs, cuite
180 ml	(3/4 tasse) saumon, cuit
1	petit oignon, haché finement
1	pincée de thym
	sel et poivre
1	œuf
45 ml	(3 c. à s.) lait
30 ml	(2 c. à s.) semoule de maïs, non cuite
10 ml	(2 c. à t.) huile

■ Dans un bol, mélangez la semoule cuite, le saumon et l'oignon; assaisonnez de thym, de sel et de poivre ; placez au réfrigérateur ; attendez 3 heures.

■ Entre-temps, battez l'œuf ; incorporez le lait ; réservez.

■ Façonnez le mélange refroidi en croquettes ; trempez chaque croquette dans l'œuf battu ; enrobez de semoule de maïs non cuite.

■ Dans un poêlon, faites chauffer l'huile ; faites dorer les croquettes des deux côtés.

* recette illustrée

À chaque nation, son pain ! Levé ou non, de blé, de riz, de maïs ou de seigle, le pain fait partie de notre quotidien depuis l'époque des Égyptiens, et il continue de figurer au menu de tous les peuples de la terre. Miches, baguettes, brioches, croissants, « corn bread », pita et autres produits du boulanger reviennent invariablement sur les tables, puisqu'ils sont indispensables à une bonne alimentation.

LES PAINS

DES PAINS DE TOUTES SORTES

Pain doré

D'où vient le pain doré ?
Tout simplement du
désir de ne pas laisser
perdre les croûtes et les
restes de pain. C'est
d'ailleurs la raison pour
laquelle, en France, on
l'appelle « pain perdu ».
Voilà donc l'occasion
rêvée d'utiliser le pain
de la veille !

4 portions

2	œufs, battus
250 ml	(1 tasse) lait
2 ml	(1/2 c. à t.) vanille
1	pincée de cannelle
2 ml	(1/2 c. à t.) cacao
8	tranches de pain
45 ml	(3 c. à s.) beurre
	brisures de chocolat

■ Dans un bol, combinez les œufs, le lait, la vanille, la cannelle et le cacao.

■ Trempez les tranches de pain dans ce mélange ; laissez égoutter. Dans un poêlon, faites fondre le beurre ; faites dorer chaque tranche de pain des deux côtés ; parsemez de brisures de chocolat.

■ Servez avec du sirop d'érable, du miel ou du coulis de fruit.

VARIANTE
• **Substituez aux brisures de chocolat, des fruits frais.**

Pain aux herbes et au fromage

L'accompagnement
idéal d'une soupe ou
d'une salade ! Utilisez
du cheddar, du brie ou
même du Saint-paulin.
Si vous préférez la saveur
prononcée du roquefort
ou du chèvre, n'en par-
semez que quelques
grains sur le pain.

4 portions

1	baguette
125 ml	(1/2 tasse) beurre
2	gousses d'ail, émincées
2 ml	(1/2 c. à t.) de chacune des fines herbes suivantes, hachées : estragon, origan, cerfeuil et basilic
5 ml	(1 c. à t.) persil, haché
115 g	(4 oz) fromage

■ Préchauffez le four à 175 °C (350 °F).

■ Tranchez la baguette aux 2 cm (3/4 po), sans la couper complètement.

■ Dans un poêlon, faites fondre le beurre ; faites revenir l'ail et les fines herbes ; réservez.

■ Coupez le fromage en 20 tranches environ.

■ Badigeonnez une tranche de pain de beurre aux herbes ; déposez une tranche de fromage dans la suivante. Répétez cette opération jusqu'à ce que la baguette soit complètement garnie.

■ Enveloppez d'une feuille de papier d'aluminium ; faites chauffer au four environ 15 minutes.

Pain aux abricots

Servez ce pain lors d'un petit déjeuner spécial ou d'un brunch.

10 à 12 portions

375 ml	(1 1/2 tasse) farine tout usage
160 ml	(2/3 tasse) sucre
125 ml	(1/2 tasse) germe de blé
5 ml	(1 c. à t.) bicarbonate de soude
1 ml	(1/4 c. à t.) sel
1 ml	(1/4 c. à t.) cannelle
1 ml	(1/4 c. à t.) muscade
125 ml	(1/2 tasse) beurre, ramolli, en morceaux
2	œufs
125 ml	(1/2 tasse) crème sure
250 ml	(1 tasse) abricots séchés, coupés en quatre

■ Préchauffez le four à 175 °C (350 °F).

■ Dans un bol, combinez la farine, le sucre, le germe de blé, le bicarbonate de soude, le sel, la cannelle et la muscade. À l'aide d'une fourchette, incorporez le beurre.

■ Dans un petit bol, mélangez les œufs et la crème sure ; incorporez à la première préparation ; mélangez ; ajoutez les abricots ; remuez délicatement.

■ Dans un moule à pain beurré et légèrement enfariné, déposez la pâte ; faites cuire au four 1 heure ; retirez du four ; laissez reposer 10 à 15 minutes avant de démouler.

Pain aux bananes

Vous ne vous demanderez plus jamais quoi faire avec ces bananes en train de brunir sur le comptoir !

10 à 12 portions

3	bananes, bien mûres
2	œufs
180 ml	(3/4 tasse) sucre
500 ml	(2 tasses) farine
2 ml	(1/2 c. à t.) sel
5 ml	(1 c. à t.) bicarbonate de soude
125 ml	(1/2 tasse) noix, hachées

■ Préchauffez le four à 175 °C (350 °F).

■ Dans un grand bol, écrasez les bananes ; ajoutez les œufs ; battez en mousse.

■ Dans un autre bol, tamisez les ingrédients secs ; incorporez à la mousse ; ajoutez les noix.

■ Dans un moule à pain de 10 x 21 cm (4 x 8 1/2 po) légèrement beurré, déposez la pâte ; faites cuire au four environ 1 heure.

* recette illustrée

LES BAGUETTES

Baguette farcie

4 portions

1	baguette, coupée en quatre
	ou
4	ficelles

■ Évidez les sections de baguette (ou les ficelles) de leur mie ; remplissez d'une mousse de votre choix ; enveloppez étroitement dans une pellicule plastique ; placez au réfrigérateur ; attendez au moins deux heures ; tranchez ; servez.

Mousse au jambon

4 portions

125 ml	(1/2 tasse) mayonnaise
125 ml	(1/2 tasse) fromage à la crème
30 ml	(2 c. à s.) beurre
1	échalote, émincée
1	gousse d'ail, émincée
	sel et poivre
1 ml	(1/4 c. à t.) sauce anglaise
375 ml	(1 1/2 tasse) jambon cuit, haché

■ Au robot culinaire, mélangez tous les ingrédients, sauf le jambon ; à l'aide d'une fourchette, incorporez délicatement le jambon.

Mousse aux crevettes

4 portions

375 ml	(1 1/2 tasse) crevettes de Matane, cuites
80 ml	(1/3 tasse) mayonnaise
15 ml	(1 c. à s.) sauce chili
5 ml	(1 c. à t.) raifort au vinaigre
125 ml	(1/2 tasse) fromage à la crème
30 ml	(2 c. à s.) beurre
1	gousse d'ail, émincée
	sel et poivre
1 ml	(1/4 c. à t.) sauce anglaise

■ Au robot culinaire, mélangez 125 ml (1/2 tasse) de crevettes et le reste des ingrédients ; incorporez délicatement 250 ml (1 tasse) de crevettes.

Mousse aux crevettes
Mousse aux légumes

Lors d'une réception, préparez plus d'une variété de baguettes farcies. Disposez ensuite les tranches de pain sur un plateau, en agençant joliment les couleurs.

Mousse au jambon
Mousse de foie

Mousse aux légumes

4 portions

60 ml	(1/4 tasse) brocoli, en mini-fleurettes
60 ml	(1/4 tasse) chou-fleur, en mini-fleurettes
60 ml	(1/4 tasse) poivron jaune ou orangé, en cubes
60 ml	(1/4 tasse) pois mange-tout, coupés en biais
60 ml	(1/4 tasse) carotte, en julienne
60 ml	(1/4 tasse) tomate, en cubes
2	gousses d'ail, émincées
2	échalotes, hachées
180 ml	(3/4 tasse) fromage à la crème
60 ml	(1/4 tasse) mayonnaise
1 ml	(1/4 c. à t.) sauce anglaise
1 ml	(1/4 c. à t.) cari
	sel et poivre

■ Dans une casserole d'eau bouillante salée, faites blanchir les légumes, sauf la tomate, 2 minutes ; rincez sous l'eau froide ; laissez égoutter.

■ Au robot culinaire, combinez tous les autres ingrédients jusqu'à l'obtention d'une consistance onctueuse ; incorporez délicatement les légumes.

Mousse de foie

4 portions

125 ml	(1/2 tasse) foies de volaille, parés
1/2	gousse d'ail, émincée
1	échalote française, hachée
5 ml	(1 c. à t.) brandy
2	œufs
	sel et poivre
250 ml	(1 tasse) crème à 35 %
250 ml	(1 tasse) fromage à la crème, ramolli
15 ml	(1 c. à s.) persil, haché

■ Préchauffez le four à 150 °C (300 °F).

■ Au robot culinaire, mélangez tous les ingrédients, sauf la crème, le fromage à la crème et le persil ; passez au tamis ; incorporez la crème.

■ Dans un moule légèrement beurré, versez le mélange ; couvrez. Faites cuire au bain-marie, au four, environ 15 minutes. Retirez du four, laissez refroidir complètement ; incorporez le fromage à la crème ; saupoudrez de persil.

LES MUFFINS ANGLAIS

Il vous faut un lunch léger ? Un morceau devant la télé ? Un « petit quelque chose » après le sport ? Les muffins anglais garnis sauront vous satisfaire très simplement !

Muffins anglais, recette de base

4 portions	
2	muffins anglais
10 ml	(2 c. à t.) beurre
	quelques gouttes d'huile d'olive

■ Préchauffez le four à 205 °C (400 °F).

■ Coupez les muffins en deux ; placez au four ; laissez sécher 4 minutes.

■ Retirez du four ; badigeonnez de beurre ; garnissez d'une préparation de votre choix ; arrosez de quelques gouttes d'huile, faites cuire au four 10 à 12 minutes.

8 variantes de garnitures

1ère colonne

Aux poivrons

- Sur chaque muffin, étalez 2 ml (1/2 c. à t.) de sauce chili ; couvrez de rondelles de poivrons blanchis ; arrosez de quelques gouttes de sauce anglaise ; recouvrez de fromage râpé.

Aux oignons

- Sur chaque muffin, déposez une tranche de fromage (de même grandeur que le muffin) ; couvrez d'oignons rouge et jaune en rondelles, revenus au beurre ; décorez de petits cornichons et d'oignons marinés ; salez et poivrez ; parsemez de fromage râpé.

Au jambon

- Sur chaque muffin, déposez une tranche de fromage et une tranche de jambon cuit (de même grandeur que le muffin) ; couvrez de pointes d'asperges en conserve ; décorez de tomate en cubes ; salez et poivrez ; parsemez de fromage râpé.

Aux crevettes

- Sur chaque muffin, déposez de fines tranches de poireau blanchi ; ajoutez des petites crevettes cuites ; parsemez d'une pincée de fines herbes hachées (ciboulette, estragon, origan, persil) ; salez et poivrez ; saupoudrez de parmesan râpé.

2e colonne

À l'italienne

- Sur chaque muffin, étalez 2 ml (1/2 c. à t.) de sauce chili ; couvrez de 2 tranches de tomates ; déposez 3 filets d'anchois ; décorez de 3 olives noires coupées en rondelles ; salez et poivrez ; parsemez de 15 ml (1 c. à s.) de fromage râpé.

Aux champignons

- Sur chaque muffin, déposez une couche de champignons tranchés (en conserve), une couche de gruyère râpé, une couche de champignons et une couche de gruyère ; salez et poivrez ; parsemez de 10 ml (2 c. à t.) de persil haché.

Aux épinards et fromage

- Sur chaque muffin, étalez 2 ml (1/2 c. à t.) de sauce chili ; couvrez d'une tranche de fromage (de même grandeur que le muffin) ; déposez 30 ml (2 c. à s.) d'épinards blanchis ; ajoutez 2 tranches de tomates ; salez et poivrez ; parsemez de 10 ml (2 c. à t.) de parmesan râpé.

À l'aubergine

- Sur chaque muffin, déposez une fine tranche d'aubergine (de même grandeur que le muffin) ; parsemez d'un quart de gousse d'ail émincée ; couvrez de 3 fines tranches d'oignon ; salez et poivrez, parsemez de 15 ml (1 c. à s.) de fromage râpé.

LES CROISSANTS

Croissants garnis

Si vous avez la chance d'habiter près d'une croissanterie, choisissez de bons croissants nature au beurre. Si-non, essayez les crois-sants surgelés, meilleurs que les croissants ven-dus sous un emballage plastique.

4 portions	
4	croissants
4	saucisses fumées
250 ml	(1 tasse) choucroute au vinaigre, égouttée
15 ml	(1 c. à s.) moutarde forte

■ Préchauffez le four à 205 °C (400 °F).

■ Tranchez les croissants en deux.

■ Coupez les saucisses en deux sur la longueur.

■ Badigeonnez l'intérieur de chaque croissant de moutar-de ; déposez un peu de chou-croute et une demi-saucisse ; recouvrez du reste de chou-croute ; refermez le croissant ; faites cuire au four environ 12 minutes ; servez.

* recette illustrée

Croissants aux légumes

Parfaits pour un dîner rapide un peu spécial.

4 portions	
4	croissants
60 ml	(1/4 tasse) brocoli, en mini-fleurettes
60 ml	(1/4 tasse) chou-fleur, en mini-fleurettes
60 ml	(1/4 tasse) carotte, en julienne
60 ml	(1/4 tasse) céleri, en cubes
60 ml	(1/4 tasse) poireau, émincé
60 ml	(1/4 tasse) poivron rouge, en cubes
60 ml	(1/4 tasse) cheddar, râpé
60 ml	(1/4 tasse) sauce béchamel
	sel et poivre

■ Préchauffez le four à 205 °C (400 °F).

■ Tranchez les croissants en deux ; réservez.

■ Dans une casserole d'eau bouillante salée, faites blan-chir les légumes 2 minutes ; rincez sous l'eau froide ; lais-sez égoutter.

■ Dans un bol, mélangez les légumes, le fromage et la sauce béchamel ; salez et poivrez.

■ Remplissez les croissants de cette farce ; refermez ; faites cuire au four environ 12 minutes.

Croissants au chocolat

Utilisez du chocolat à cuire mi-amer d'excellente qualité, que vous râperez. Ou encore, taillez de petits morceaux d'une tablette de chocolat noir suisse.

4 portions

4	croissants
60 ml	(1/4 tasse) chocolat, en copeaux
125 ml	(1/2 tasse) poires, en conserve, tranchées
30 ml	(2 c. à s.) miel liquide
125 ml	(1/2 tasse) crème à 35 %
5 ml	(1 c. à t.) sucre glace
2	gouttes d'essence de rhum
5 ml	(1 c. à t.) menthe, hachée

■ Préchauffez le four à 205 °C (400 °F).

■ Tranchez les croissants en deux. Dans chacun d'eux, sur un côté, déposez du chocolat en copeaux et des tranches de poire. Badigeonnez l'autre côté du croissant de miel ; refermez ; faites cuire au four environ 8 minutes. Retirez du four ; laissez tiédir 5 minutes.

■ Entre-temps, dans un bol, fouettez la crème, le sucre et l'essence de rhum.

■ Garnissez chaque croissant de crème fouettée ; décorez de menthe hachée ; servez.

Croissants aux amandes

Afin de ne pas masquer la subtile saveur des amandes, prenez soin d'utiliser un beurre d'arachide crémeux.

4 portions

4	croissants
125 ml	(1/2 tasse) beurre d'arachide
60 ml	(1/4 tasse) amandes effilées
30 ml	(2 c. à s.) beurre
12	dattes
15 ml	(1 c. à s.) miel liquide
15 ml	(1 c. à s.) amandes, colorées

■ Préchauffez le four à 205 °C (400 °F).

■ Tranchez les croissants en deux.

■ Au robot culinaire, combinez le beurre d'arachide, les amandes et le beurre.

■ Répartissez ce mélange sur chaque moitié de croissant ; pour chaque croissant, ajoutez 3 dattes coupées en deux ; refermez. Badigeonnez légèrement de miel ; faites chauffer environ 8 minutes ; retirez du four ; saupoudrez d'amandes colorées.

* recette illustrée

LES PAINS PITA

Pains pita farcis

On pourrait facilement comparer ce pain grec à des sachets comestibles ! En effet, on le dit idéal pour des piqueniques ou des repas prêts à emporter, car il est possible de le garnir de toutes sortes de préparations sans qu'il ne se détrempe.

4 portions	
4	pains pita
	laitue ciselée
500 ml	(2 tasses) farce

■ Coupez les pains pita en deux ; remplissez de farce ; garnissez de laitue ; refermez ; servez.

Farce à la dinde

4 portions	
184 g	(6,5 oz) dinde, en flocons ou restes de dinde cuite
60 ml	(1/4 tasse) poivron vert, en cubes
30 ml	(2 c. à s.) crème sure
60 ml	(1/4 tasse) canneberges, en conserve, égouttées
	sel et poivre

■ Laissez égoutter la dinde. Dans une casserole d'eau bouillante salée, faites blanchir le poivron 2 minutes.

■ Dans un bol, mélangez tous les ingrédients.

Farce au thon

4 portions	
184 g	(6,5 oz) thon, en flocons
30 ml	(2 c. à s.) mayonnaise
5 ml	(1 c. à t.) vinaigre de vin
1	tomate, en cubes
1	branche de céleri, en cubes
5 ml	(1 c. à t.) ciboulette, hachée
	sel et poivre

■ Laissez égoutter le thon.

■ Dans un bol, mélangez tous les ingrédients.

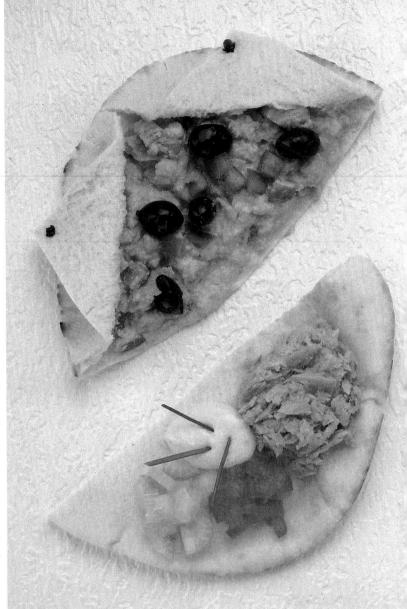

De haut en bas :
Farce à la dinde ▪ Farce au thon ▪
Farce au crabe

Farce au crabe

4 portions

184 g	(6,5 oz) chair de crabe
	jus de 1/2 citron
1	avocat, pelé, en cubes
30 ml	(2 c. à s.) crème sure
4	radis, en allumettes
	sel et poivre
5 ml	(1 c. à t.) menthe, hachée

■ Laissez égoutter le crabe.

■ Dans un bol, versez le jus de citron ; ajoutez l'avocat ; mélangez ; incorporez tous les autres ingrédients.

Farce au poulet

4 portions

184 g	(6,5 oz) poulet, en flocons ou restes de poulet cuit
60 ml	(1/4 tasse) carotte, en cubes
30 ml	(2 c. à s.) mayonnaise
5 ml	(1 c. à t.) vinaigre de vin
60 ml	(1/4 tasse) asperges, en conserve, coupées en trois
	sel et poivre
5 ml	(1 c. à t.) estragon, haché

■ Laissez égoutter le poulet. Entre-temps, dans une casserole d'eau bouillante salée, faites blanchir la carotte 3 minutes ; rincez sous l'eau froide ; laissez égoutter.

■ Dans un bol, mélangez tous les ingrédients.

De haut en bas :
Farce au poulet ▪ Farce au jambon ▪
Farce au saumon

Farce au jambon

4 portions

184 g	(6,5 oz) jambon, en flocons ou restes de jambon cuit
60 ml	(1/4 tasse) luzerne
60 ml	(1/4 tasse) concombre, pelé, épépiné, en cubes
1	tomate, en cubes
	sel et poivre
60 ml	(1/4 tasse) mayonnaise
5 ml	(1 c. à t.) vinaigre de vin

■ Laissez égoutter le jambon.

■ Dans un bol, mélangez tous les ingrédients.

Farce au saumon

4 portions

184 g	(6,5 oz) saumon, émietté
15 ml	(1 c. à s.) mayonnaise
15 ml	(1 c. à s.) yogourt nature
30 ml	(2 c. à s.) oignon, haché
1	gousse d'ail, émincée
10 ml	(2 c. à t.) câpres
2	filets d'anchois, hachés
	sel et poivre

■ Laissez égoutter le saumon.

■ Dans un bol, mélangez tous les ingrédients.

LES PRODUITS LAITIERS

Dans l'Antiquité, on trayait les vaches — symbole de fertilité et de richesse — dans le cadre de célébrations rituelles ou religieuses.

Encore de nos jours, le lait est un véritable élixir de santé. On l'associe souvent aux tout jeunes enfants mais les adultes doivent aussi en consommer, et tout particulièrement les femmes, pour prévenir l'ostéoporose.

Le lait partiellement écrémé ne comprend que 2 % de matières grasses. Pauvre en calories, il est néanmoins riche en calcium. Mais les produits laitiers ne se limitent pas au lait ; ils englobent aussi tous ses dérivés : beurre, yogourt, crème, fromage, etc.

D'après le guide alimentaire canadien, ces produits devraient faire partie de chacun de nos repas.

LES YOGOURTS ET CRÈMES SURES

Tsatziki

Cette spécialité grecque peut servir de trempette.

environ 250 ml (1 tasse)

1/2	concombre, pelé, épépiné
1 à 2	gousses d'ail, émincées
1	échalote française, hachée
180 ml	(3/4 tasse) yogourt nature
5 ml	(1 c. à t.) aneth, haché
2 ml	(1/2 c. à t.) fenouil, haché
2 ml	(1/2 c. à t.) ciboulette, hachée
	jus de 1/2 citron
	sel et poivre

■ Mélangez les ingrédients au robot culinaire ; placez au réfrigérateur ; attendez au moins 1 heure avant de servir.

Vinaigrette à la mexicaine

La crème sure donne toute son onctuosité à cette vinaigrette.

environ 375 ml (1 1/2 tasse)

125 ml	(1/2 tasse) yogourt nature
125 ml	(1/2 tasse) crème sure
1	gousse d'ail, émincée
60 ml	(1/4 tasse) sauce chili
30 ml	(2 c. à s.) poivron vert, en brunoise
	jus de 1/2 citron
1	pincée de poudre de chili
	sel et poivre

■ Dans un bol, mélangez tous les ingrédients ; placez au réfrigérateur ; attendez au moins 1 heure avant de servir.

Vinaigrette aux asperges

Certaines crèmes d'asperges commerciales étant très salées, il vaut mieux ne saler qu'après avoir goûté !

environ 250 ml (1 tasse)

125 ml	(1/2 tasse) crème d'asperges, en conserve, non diluée
60 ml	(1/4 tasse) yogourt nature
60 ml	(1/4 tasse) crème sure
6 à 8	asperges, en conserve, égouttées, en cubes
	jus de 1/2 citron
	sel et poivre

■ Dans un bol, mélangez tous les ingrédients ; placez au réfrigérateur ; attendez au moins 30 minutes avant de servir.

Vinaigrette aux pamplemousses

On dit que l'on « pèle à vif » lorsque l'on retire toutes les membranes d'un agrume.

environ 250 ml (1 tasse)

1	pamplemousse jaune
1	pamplemousse rose
125 ml	(1/2 tasse) crème sure
5 ml	(1 c. à t.) miel liquide
	sel et poivre
5 ml	(1 c. à t.) menthe fraîche, hachée (facultatif)

■ Pelez les pamplemousses à vif ; divisez en quartiers, puis hachez grossièrement.

■ Dans un bol, mélangez tous les ingrédients ; placez au réfrigérateur ; attendez au moins 2 heures avant de servir. Garnissez de menthe fraîche.

«Popsicles» yogourt et fraises

Enfin, une friandise glacée saine pour les petits... et les grands.

environ 1 L (4 tasses)

500 ml	(2 tasses) fraises
500 ml	(2 tasses) yogourt aux fraises
30 ml	(2 c. à s.) confiture de fraises

■ Mélangez les ingrédients au robot culinaire ; versez dans des petits contenants ; placez au congélateur. Une demi-heure plus tard, enfoncez un petit bâtonnet dans chaque contenant ; remettez au congélateur ; laissez prendre complètement.

VARIANTE

• **Substituez aux fraises, des fruits de votre choix : abricots, framboises, bleuets, etc. ; faites de même pour le yogourt et la confiture.**

Yogourt glacé aux poires

Plutôt que de napper ce dessert minceur d'une sauce au chocolat — et d'absorber bien des calories inutiles — parsemez-le d'amandes hachées.

environ 625 ml (2 1/2 tasses)

375 ml	(1 1/2 tasse) poires, en conserve, égouttées
250 ml	(1 tasse) yogourt nature
30 ml	(2 c. à s.) sucre
15 ml	(1 c. à s.) sucre glace
5 ml	(1 c. à t.) jus de citron

■ Mélangez les ingrédients au robot culinaire.

■ Versez dans un récipient étroit ; placez au congélateur.

■ Lorsque le mélange est presque pris, remettez au robot culinaire environ 20 secondes, en détachant les parties givrées qui adhèrent aux parois.

■ Replacez au congélateur ; laissez prendre complètement. Retirez du congélateur 10 minutes avant de servir.

* recette illustrée

VARIANTE

• **Substituez aux poires des pêches en conserve.**

LES LAITS FRAPPÉS

Lait frappé à la vanille

1 portion	
180 ml	(3/4 tasse) ou 2 boules de crème glacée à la vanille
125 ml	(1/2 tasse) lait
1 ml	(1/4 c. à t.) essence de vanille

■ Mélangez tous les ingrédients au robot culinaire jusqu'à l'obtention d'une consistance homogène ; servez avec une gousse de vanille.

Lait frappé au chocolat

1 portion	
180 ml	(3/4 tasse) ou 2 boules de crème glacée au chocolat
125 ml	(1/2 tasse) lait
15 ml	(1 c. à s.) sirop de chocolat
	feuille de menthe fraîche

■ Mélangez tous les ingrédients au robot culinaire jusqu'à l'obtention d'une consistance homogène. Versez dans un grand verre ; servez avec des copeaux de chocolat.

À l'avant : Lait frappé à la vanille
À l'arrière : Lait frappé au chocolat

Il vous reste quelques fruits frais ? Peut-être sont-ils un peu trop mûrs ou légèrement abîmés pour être consommés tels quels... Réduisez-les en purée. En quelques minutes, vous obtiendrez d'excellentes bases pour vos laits frappés.

Lait frappé aux fraises

1 portion	
180 ml	(3/4 tasse) ou 2 boules de crème glacée aux fraises
125 ml	(1/2 tasse) lait
2	fraises

■ Mélangez tous les ingrédients au robot culinaire jusqu'à l'obtention d'une consistance homogène ; servez avec des fraises en brochette.

Lait de poule

1 portion	
1	œuf
250 ml	(1 tasse) lait
10 ml	(2 c. à t.) sirop au chocolat
2 ml	(1/2 c. à t.) miel liquide

■ Mélangez tous les ingrédients au robot culinaire jusqu'à l'obtention d'une consistance homogène et mousseuse ; servez avec un bâton de canelle.

*À l'avant : Lait de poule
À l'arrière : Lait frappé aux fraises*

383

LES BEURRES

Comment préparer le beurre en pastilles

■ *Pliez une feuille de papier d'aluminium en deux ; dépliez-la et déposez le mélange de beurre sur le pli.*

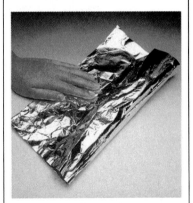

■ *Rabattez le papier d'aluminium et maintenez-le en place d'une main.*

■ *De l'autre main, repoussez le beurre vers le centre pour former un rouleau.*

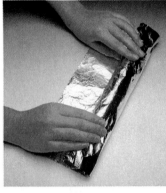

■ *Tournez le rouleau d'aluminium sur lui-même ; torsadez une des extrémités pour le fermer.*

■ *Tassez le beurre en torsadant l'autre extrémité afin d'éliminer les bulles d'air.*

Tartiné sur un sandwich, déposé sur un bifteck bien grillé ou sur un bel épi de maïs fumant, le beurre fait plaisir... Il ne faut cependant pas abuser de cette douceur riche en matières grasses animales (environ 82 %).

On trouve sur le marché du beurre doux (non salé), semi-doux et salé. Comme nos recettes de beurre composé font appel à du beurre salé, assurez-vous d'ajouter un peu de sel si vous utilisez du beurre doux.

Les beurres composés, qui existent en une multitude de goûts et de couleurs, peuvent contenir des ingrédients crus ou cuits. Ceux-ci doivent être finement hachés ou réduits en purée.

Ne déballez qu'au dernier moment les pastilles de beurre. Si vous tenez à servir du beurre froid, déposez les pastilles dans un récipient d'eau froide, au fond duquel vous aurez mis quelques glaçons.

■ Lorsque le beurre est à la température ambiante, mélangez tous les ingrédients au robot culinaire.

■ Préparez en rouleau selon la technique ci-contre.

■ Placez au réfrigérateur ; attendez au moins 1 heure. Coupez en rondelles avant de servir.

À l'ail

environ 250 ml (1 tasse)	
225 g	(8 oz) beurre
4	gousses d'ail
2 ml	(1/2 c. à t.) sauce anglaise
	poivre

Aux tomates

environ 250 ml (1 tasse)	
225 g	(8 oz) beurre
30 ml	(2 c. à s.) pâte de tomates
30 ml	(2 c. à s.) tomate, en cubes
1/2	gousse d'ail
	poivre

Au cresson

environ 250 ml (1 tasse)

225 g	(8 oz) beurre
30 ml	(2 c. à s.) cresson, blanchi, refroidi
15 ml	(1 c. à s.) persil
2 ml	(1/2 c. à t.) sauce anglaise
	poivre

Aux agrumes

environ 250 ml (1 tasse)

225 g	(8 oz) beurre
15 ml	(1 c. à s.) chair d'orange, pelée à vif
15 ml	(1 c. à s.) chair de pamplemousse rose, pelée à vif
10 ml	(2 c. à t.) chair de lime, pelée à vif
15 ml	(1 c. à s.) zeste râpé des trois agrumes
2 ml	(1/2 c. à t.) sauce anglaise
	poivre

Au bleu

environ 250 ml (1 tasse)

225 g	(8 oz) beurre
30 ml	(2 c. à s.) bleu
1	gousse d'ail
2 ml	(1/2 c. à t.) sauce anglaise
	poivre

Aux herbes

environ 250 ml (1 tasse)

225 g	(8 oz) beurre
5 ml	(1 c. à t.) estragon, haché
5 ml	(1 c. à t.) origan, haché
5 ml	(1 c. à t.) basilic, haché
15 ml	(1 c. à s.) persil, haché
1/2	gousse d'ail
2 ml	(1/2 c. à t.) sauce anglaise
	poivre

De gauche à droite, les beurres :
Au cresson, aux agrumes, aux herbes,
aux tomates, à l'ail, au bleu

LES FROMAGES

Trempette aux piments

Quoi de mieux qu'une trempette pour inciter à la consommation de crudités ? Remplacez les croustilles par un grand plateau de carottes en bâtonnets, de chou-fleur en bouquets, de champignons tranchés et de poivrons vert et rouge en lanières... Vous verrez que la différence est tout simplement réjouissante !

environ 500 ml (2 tasses)

225 g	(8 oz) fromage à la crème
125 ml	(1/2 tasse) yogourt
60 ml	(1/4 tasse) crème sure
10 ml	(2 c. à t.) piment, haché finement
30 ml	(2 c. à s.) poivron, haché
2 ml	(1/2 c. à t.) sauce anglaise
4	gouttes de Tabasco
	sel et poivre

■ Dans un bol, mélangez tous les ingrédients ; placez au réfrigérateur ; attendez au moins 30 minutes avant de servir.

Plat de gauche :
Trempettes aux piments et à l'avocat
Plat de droite :
Trempettes à la ciboulette et à l'indienne

À l'avocat

environ 500 ml (2 tasses)

115 g	(4 oz) fromage à la crème
2	avocats bien mûrs, pelés
	jus de 1/2 citron
125 ml	(1/2 tasse) yogourt nature
1	gousse d'ail
2 ml	(1/2 c. à t.) sauce anglaise
2	gouttes de Tabasco
	sel et poivre

■ Mélangez tous les ingrédients au robot culinaire ; placez au réfrigérateur ; attendez au moins 1 heure avant de servir.

À la ciboulette

environ 500 ml (2 tasses)

225 g	(8 oz) fromage à la crème
250 ml	(1 tasse) yogourt
60 ml	(1/4 tasse) crème sure
30 ml	(2 c. à s.) ciboulette, hachée
10 ml	(2 c. à t.) aneth, haché
15 ml	(1 c. à s.) persil, haché
2 ml	(1/2 c. à t.) moutarde forte
3	gouttes de Tabasco
	sel et poivre

■ Dans un bol, mélangez le fromage à la crème, le yogourt et la crème sure ; ajoutez le reste des ingrédients ; placez au réfrigérateur ; attendez au moins 30 minutes avant de servir.

À l'indienne

environ 500 ml (2 tasses)

225 g	(8 oz) fromage à la crème
125 ml	(1/2 tasse) mayonnaise
60 ml	(1/4 tasse) crème sure
5 ml	(1 c. à t.) poudre de cari
1	gousse d'ail
	sel et poivre
2 ml	(1/2 c. à t.) graines de céleri
2 ml	(1/2 c. à t.) graines de pavot

■ Dans un bol, mélangez les sept premiers ingrédients ; ajoutez les graines de céleri et de pavot ; placez au réfrigérateur ; attendez au moins 30 minutes avant de servir.

Mousseline aux olives

De par leur couleur et leur texture, les mousselines sont un régal pour l'œil.

Placez`le mélange dans une poche à pâtisserie munie d'une douille cannelée et garnissez une tomate, un poivron, un concombre ou un demi-avocat, évidés.

Après avoir essayé les recettes que nous vous proposons, vous pourrez très facilement innover à votre tour.

environ 250 ml (1 tasse)

225 g	(8 oz) fromage à la crème
60 ml	(1/4 tasse) crème sure
60 ml	(1/4 tasse) olives vertes et noires, dénoyautées, égouttées
5 ml	(1 c. à t.) huile d'olive
10 ml	(2 c. à t.) jus de citron
	sel et poivre

■ Mélangez les ingrédients au robot culinaire ; placez au réfrigérateur ; attendez au moins 30 minutes avant de servir.

Aux betteraves

environ 250 ml (1 tasse)

225 g	(8 oz) fromage à la crème
60 ml	(1/4 tasse) crème sure
60 ml	(1/4 tasse) betteraves, cuites, égouttées, en cubes
15 ml	(1 c. à s.) jus de citron
10 ml	(2 c. à t.) persil, haché
2 ml	(1/2 c. à t.) sauce anglaise
	sel et poivre

■ Mélangez les ingrédients au robot culinaire ; placez au réfrigérateur ; attendez au moins 30 minutes avant de servir.

Au roquefort

environ 250 ml (1 tasse)

225 g	(8 oz) fromage à la crème
60 ml	(1/4 tasse) crème sure
15 ml	(1 c. à s.) jus de citron
30 ml	(2 c. à s.) roquefort, émietté
3 ml	(3/4 c. à t.) sauce anglaise
10 ml	(2 c. à t.) persil, haché
	sel et poivre

■ Mélangez les ingrédients au robot culinaire ; placez au réfrigérateur ; attendez au moins 30 minutes avant de servir.

Aux épinards

environ 250 ml (1 tasse)

225 g	(8 oz) fromage à la crème
30 ml	(2 c. à s.) crème sure
60 ml	(1/4 tasse) épinards, blanchis, égouttés
1	gousse d'ail, émincée
15 ml	(1 c. à s.) persil, haché
3 ml	(3/4 c. à t.) sauce anglaise
	sel et poivre

■ Mélangez les ingrédients au robot culinaire ; placez au réfrigérateur ; attendez au moins 30 minutes avant de servir.

Dans le poivron, mousseline aux olives ■ Dans l'avocat, mousseline au roquefort ■ Dans la tomate, mousseline aux épinards ■ Dans le concombre, mousseline aux betteraves

Plateau santé

Le menu santé par excellence ! Servez-le avec un jus de légumes et, comme dessert, offrez une douceur légère — un flan, par exemple.

	1 portion
1	œuf dur
1	tomate italienne
60 ml	(1/4 tasse) tofu, en cubes
30 ml	(2 c. à s.) jus de tomates
10 ml	(2 c. à t.) persil, haché
4	feuilles de laitue
125 ml	(1/2 tasse) cottage
125 ml	(1/2 tasse) ricotta
2	tranches de cantaloup
1	pointe de melon d'eau
1	petite grappe de raisin vert
1	petite grappe de raisin bleu

■ Tranchez l'œuf.

■ Tranchez la tomate, sans aller jusqu'au fond.

■ Déposez une tranche d'œuf dans chaque incision ; réservez.

■ Dans un bol, mélangez le tofu, le jus de tomates et le persil.

■ Tapissez un plat de service de feuilles de laitue ; placez les fromages au centre, disposez les autres éléments autour en jouant avec les couleurs.

Chutney au fromage

Un chutney maison ? Rien de plus simple ! Garnissez des hamburgers de ce chutney au fromage, ou déposez-en quelques cuillères dans une salade de verdures.

	4 portions
250 ml	(1 tasse) cottage
250 ml	(1 tasse) ricotta
60 ml	(1/4 tasse) oignons de semence, marinés, coupés en quatre
60 ml	(1/4 tasse) cornichons surs, hachés
60 ml	(1/4 tasse) tomate, en cubes
30 ml	(2 c. à s.) épinards, ciselés
3 ml	(3/4 c. à t.) sauce anglaise
	sel et poivre
5 ml	(1 c. à t.) sucre (facultatif)

■ Dans un bol, mélangez bien tous les ingrédients ; placez au réfrigérateur ; attendez 1 heure avant de servir.

* recette illustrée

388

Tarte au fromage cottage

Pour colorer légèrement cette tarte, ajoutez quelques tranches de pêches en conserve en même temps que le fromage. Ou remplacez une partie du sucre par de la confiture de fraises ou de framboises.

4 portions

30 ml	(2 c. à s.) jus de citron
2	jaunes d'œufs
1	sachet de gélatine, sans saveur
60 ml	(1/4 tasse) lait, chaud
60 ml	(1/4 tasse) sucre
500 ml	(2 tasses) fromage cottage
	fond de tarte aux miettes de biscuits graham

■ Mélangez le jus de citron, les jaunes d'œufs et la gélatine au mélangeur, à haute vitesse, pendant quelques secondes.

■ Ajoutez graduellement le lait chaud et le sucre ; mélangez environ 1 minute ou jusqu'à ce que la gélatine soit dissoute.

■ Diminuez la vitesse ; ajoutez graduellement le fromage ; mélangez jusqu'à l'obtention d'une crème onctueuse.

■ Versez le mélange dans le fond de tarte ; placez au réfrigérateur ; attendez environ 2 heures.

■ Garnissez de fruits, de noix et de chocolat en copeaux avant de servir.

VARIANTE

• Diminuez la quantité de sucre à 15 ml (1 c. à s.). Saupoudrez de fines herbes fraîches et hachées ou garnissez de petits légumes blanchis, tel qu'illustré ci-contre.

Boules de fromage

Brochettes de fromage

Présentez ces amuse-gueule au moment de l'apéritif ou lors d'un buffet. Assurez-vous d'utiliser de la poudre d'ail et non du sel d'ail ; sinon, les boules de fromage seront trop salées.

4 portions	
115 g	(4 oz) fromage à la crème
750 ml	(3 tasses) cheddar fort, râpé
20 ml	(4 c. à t.) moutarde préparée
5 ml	(1 c. à t.) sauce anglaise
2 ml	(1/2 c. à t.) poudre d'ail
20 ml	(4 c. à t.) poudre de chili

■ Dans un bol, faites ramollir le fromage à la crème. Ajoutez tous les autres ingrédients sauf 10 ml (2 c. à t.) de poudre de chili ; mélangez.

■ Façonnez des petites boules de 1,25 cm (1/2 po) de diamètre ; saupoudrez du reste de poudre de chili ; placez au réfrigérateur ; attendez 1 heure avant de servir.

Faites-vous aider : même les novices réussiront cette recette !

Vous pouvez utiliser d'autres fromages : l'emmenthal peut remplacer le brick, par exemple.

16 brochettes	
16	raisins verts
60 ml	(1/4 tasse) brick, en cubes
16	raisins rouges
60 ml	(1/4 tasse) cheddar jaune, en cubes
16	olives farcies

■ Placez les raisins au congélateur, attendez environ 2 heures.

■ Entre-temps, coupez des bâtonnets à brochette en deux.

■ Montez les brochettes en alternant raisin vert, brick, raisin rouge, cheddar, olive. Dressez sur des feuilles de laitue.

Cheddar mariné au porto

Servi en fin de soirée, avec un bon verre de vin rouge... mmmm ! Tout fromage à pâte dure peut remplacer le cheddar suggéré ici.

environ 750 ml (3 tasses)

500 ml	(2 tasses) cheddar extra fort, en cubes

Marinade

125 ml	(1/2 tasse) vin rouge
125 ml	(1/2 tasse) porto
10 ml	(2 c. à t.) graines de sésame
1	échalote française, hachée

■ Dans un grand bol, placez le fromage en cubes ; réservez.

■ Dans un autre bol, mélangez tous les ingrédients de la marinade ; versez sur le fromage ; laissez mariner de 12 heures à 4 jours. Avant de servir, laissez égoutter le fromage et asséchez-le.

Fromage farci

Cette entrée colorée obtient toujours un grand succès. Assurez-vous d'utiliser un jambon de bonne qualité, en tranches assez fines.

Vous pouvez également remplacer le mozzarella par un fromage suisse.

4 portions

8	tranches de mozzarella
8	tranches de jambon
125 ml	(1/2 tasse) fromage à la crème, ramolli
16	petits cornichons sucrés

■ Tartinez chaque tranche de mozzarella de fromage à la crème ; couvrez d'une tranche de jambon ; puis d'une couche de fromage à la crème.

■ À une extrémité de chaque tranche, déposez 2 cornichons bout à bout ; roulez bien serré. Enveloppez les rouleaux d'une pellicule plastique ; placez au réfrigérateur ; attendez au moins 3 heures.

■ Servez en rouleau ou coupez en rondelles juste avant de servir.

Au centre : Cheddar mariné au porto ; Autour : Fromage farci

Camembert frit

Pour la grande friture, utilisez de préférence une huile d'une même origine végétale (arachide, tournesol, maïs) plutôt qu'un mélange.

4 portions	
1	camembert
2	œufs, battus
500 ml	(2 tasses) chapelure
	huile
5 ml	(1 c. à t.) paprika
10 ml	(2 c. à t.) persil, haché
2	oranges, pelées à vif, en sections
15 ml	(1 c. à s.) mayonnaise
	zeste de 1 orange

■ Divisez le fromage en 8 pointes.

■ Passez chaque pointe de fromage dans les œufs battus, puis dans la chapelure ; recommencez l'opération une fois.

■ Faites cuire à grande friture 2 minutes. Laissez égoutter sur du papier essuie-tout ; saupoudrez de paprika ; parsemez de persil ; dressez dans un plat de service ; réservez.

■ Mélangez les oranges et la mayonnaise ; déposez au centre des pointes de fromage ; garnissez de zeste d'orange.

Fromage de chèvre tiède

Cette entrée digne des meilleurs restaurants est pourtant très simple à préparer. Pour la réussir, ne choisissez que des ingrédients très frais.

4 portions	
16	feuilles d'épinard
	beurre
4	rondelles de fromage de chèvre
15 ml	(1 c. à s.) huile d'olive
1	pincée d'origan
1	pincée de basilic
1	pincée de cerfeuil

■ Dans une casserole d'eau bouillante salée, faites blanchir les feuilles d'épinard 15 secondes.

■ Regroupez par quatre sur une plaque légèrement beurrée ; garnissez d'une tranche de fromage de chèvre.

■ Badigeonnez légèrement d'huile ; parsemez de fines herbes ; réchauffez au four à micro-ondes, à MOYEN, 20 secondes.

Fondue au fromage

La fondue au fromage est traditionnellement servie avec des croûtons de pain piqués sur une fourchette. Et n'oubliez pas : la personne qui laisse tomber son bout de pain dans le caquelon doit embrasser son voisin de gauche... ou lui payer une bouteille de vin !

4 portions

10 ml	(2 c. à t.) fécule de maïs
15 ml	(1 c. à s.) eau froide
1	gousse d'ail
430 ml	(1 3/4 tasse) vin blanc sec
450 g	(1 lb) emmenthal, râpé
1 ml	(1/4 c. à t.) muscade sel et poivre
45 ml	(3 c. à s.) kirsch

■ Dans un petit bol, délayez la fécule de maïs dans l'eau froide ; réservez.

■ Frottez l'intérieur d'un caquelon avec la gousse d'ail ; ajoutez le vin ; amenez à ébullition.

■ Diminuez le feu ; ajoutez l'emmenthal ; faites fondre en remuant continuellement. Incorporez la fécule de maïs délayée ; assaisonnez de muscade, de sel et de poivre ; ajoutez le kirsch ; servez.

Petite raclette

Aux amateurs de raclette qui ne possèdent pas de four à raclette; nous suggérons cette variante.

4 portions

4	petites pommes de terre, cuites au four
20	oignons de semence, marinés
20	petits cornichons surs, marinés
20	olives farcies sel et poivre
1	pincée de muscade beurre
4	tranches de fromage à raclette ou emmenthal

■ Préchauffez le four à 205 °C (400 °F).

■ Beurrez légèrement 4 petits plats allant au four.

■ Répartissez également les pommes de terre, les oignons, les cornichons et les olives entre les plats ; assaisonnez de sel, de poivre et de muscade ; recouvrez d'une tranche de fromage ; faites chauffer au four environ 8 minutes ou jusqu'à ce que le fromage soit fondu.

* recette illustrée

LES ŒUFS

Vous êtes à la recherche de l'aliment parfait ? D'un aliment qui, par exemple, contiendrait 12 % de protéines, serait riche en vitamines et minéraux, ne compterait que 80 calories et serait économique à l'achat ? L'œuf est tout désigné pour cela !

L'œuf fait partie du paysage culinaire depuis 2500 av. J.-C. On a appris non seulement à l'apprêter tel quel, mais aussi à le transformer en mets cuisinés et à l'utiliser pour raffermir les flans, faire lever les soufflés et rendre les sauces plus onctueuses. Détail digne de mention : même un débutant en cuisine peut faire des merveilles avec des œufs !

Pour vous assurer de consommer des œufs de qualité, n'achetez que la quantité nécessaire pour une ou deux semaines. Rangez-les au réfrigérateur dès votre arrivée à la maison : un œuf perd autant de fraîcheur en une heure sur le comptoir qu'en une journée au frais.

Enfin, un truc de connaisseur : autant que possible, achetez des œufs de calibre moyen ; ils sont moins chers à l'achat et ne modifient en rien le résultat d'une recette.

Les œufs à la coque

Œufs en gelée au vin rouge

Ne faites jamais cuire trop longtemps les œufs à la coque ; sinon, le blanc deviendra caoutchouteux, et un cercle verdâtre entourera le jaune.

4 portions

4	œufs
	jus de 1/2 citron
1	sachet de gélatine, non aromatisée
45 ml	(3 c. à s.) eau froide
125 ml	(1/2 tasse) vin rouge ou porto
80 ml	(1/3 tasse) champignons, émincés (facultatif)
60 ml	(1/4 tasse) huile d'amande douce
60 ml	(1/4 tasse) mayonnaise
	feuilles de laitue

■ Faites cuire les œufs à la coque ; pelez ; réservez dans de l'eau froide.

■ Dans un bol, versez 45 ml (3 c. à s.) d'eau froide ; incorporez la gélatine ; attendez 5 minutes ; ajoutez le jus de citron et le vin ; faites chauffer au bain-marie jusqu'à ce que la gélatine soit dissoute ; ajoutez les champignons, si désiré.

■ Badigeonnez d'huile d'amande douce 4 petits moules de forme ovale ou 4 tasses moyennes. Étalez au fond de chacun d'eux une couche épaisse de gelée ; placez au réfrigérateur ; laissez prendre.

■ Étalez ensuite une couche de mayonnaise ; déposez un œuf au centre ; couvrez du reste de gelée ; placez au réfrigérateur ; attendez que la gelée soit prise ; démoulez sur des feuilles de laitue.

Œufs mollets garnis

Un œuf mollet présente un jaune épais mais encore coulant.

4 portions

4	œufs
	sel et poivre

Garnitures

30 ml	(2 c. à s.) fromage fondu
	ou
30 ml	(2 c. à s.) chair de crabe, mélangée à
10 ml	(2 c. à t.) mayonnaise
	ou
30 ml	(2 c. à s.) épinards, blanchis, ciselés
	ou
30 ml	(2 c. à s.) tomate, en cubes, mélangée à
10 ml	(2 c. à t.) sauce chili

■ Dans une petite casserole d'eau amenée à ébullition, plongez les œufs et comptez 6 minutes de cuisson. Retirez du feu ; placez les œufs sous l'eau froide courante ; attendez 1 minute.

■ Cassez l'extrémité étroite de la coquille ; salez et poivrez ; garnissez du mélange de votre choix.

* recette illustrée
À gauche, garniture de chair de crabe et de mayonnaise
À droite, garniture de fromage fondu

Œufs à la coque

Utilisez des œufs d'une semaine : lorsque l'œuf est trop frais, la coquille s'enlève difficilement.

---

4 portions

4	œufs
	farce

■ Déposez les œufs dans une petite casserole ; couvrez d'eau froide ; amenez à ébullition à feu vif ; laissez bouillir 10 minutes. Placez sous l'eau froide courante ; attendez 10 minutes.

■ Coupez les œufs soit en deux, en quatre ou en tranches épaisses ; réservez les blancs ; mélangez les jaunes à la garniture de votre choix.

■ Remplissez les blancs de cette farce à l'aide d'une cuillère ou d'une poche à pâtisserie.

FARCES

À l'estragon

- Mélangez ensemble 30 ml (2 c. à s.) de mayonnaise, 2 ml (1/2 c. à t.) d'ail éminacé et 2 ml (1/2 c. à t.) d'estragon haché.

- Décorez de feuilles d'estragon.

Cocktail

- Mélangez ensemble 20 ml (4 c. à t.) de mayonnaise, 10 ml (2 c. à t.) de sauce chili et 2 ml (1/2 c. à t.) de raifort au vinaigre.

- Décorez de tomates en julienne.

À la moutarde

- Mélangez ensemble 20 ml (4 c. à t.) de mayonnaise, 10 ml (2 c. à t.) de moutarde préparée et 5 ml (1 c. à t.) d'oignon rouge haché.

- Décorez de persil haché.

Aux carottes

- Mélangez ensemble 25 ml (5 c. à t.) de mayonnaise, 10 ml (2 c. à t.) de carotte râpée et 1 ml (1/4 c. à t.) de sauce anglaise.

- Décorez d'oignons jaunes en julienne.

Cressonnière

- Mélangez ensemble 20 ml (4 c. à t.) de mayonnaise, 10 ml (2 c.à t.) de cresson haché et 5 ml (1 c. à t.) de relish.

- Décorez de radis coupés en rondelles.

Aux crevettes

- Mélangez ensemble 25 ml (5 c. à t.) de mayonnaise, 10 ml (2 c. à t.) de crevettes hachées et 2 ml (1/2 c. à t.) de jus de citron.

- Décorez de petites crevettes et de fenouil.

Dans le sens horaire, les farces : Cocktail ▪ À la moutarde ▪ Aux carottes ▪ Cressonnière

LES ŒUFS BROUILLÉS

Œufs brouillés sur gaufres

Pour obtenir des œufs d'une belle couleur dorée uniforme, prenez soin de les remuer constamment durant la cuisson, et de ne pas les laisser adhérer au poêlon. Au besoin, utilisez un poêlon à surface anti-adhésive.

4 portions

4	gaufres
4	œufs
60 ml	(1/4 tasse) cheddar, râpé
30 ml	(2 c. à s.) poivron rouge, en brunoise
30 ml	(2 c. à s.) oignon vert, émincé
	sel et poivre
15 ml	(1 c. à s.) beurre

■ Faites griller les gaufres ; réservez.

■ Dans un bol, battez les œufs ; ajoutez le fromage, le poivron et l'oignon ; salez et poivrez ; mélangez.

■ Dans un poêlon, faites fondre le beurre ; faites cuire les œufs en remuant ; déposez sur les gaufres ; servez.

* recette illustrée

Œufs brouillés aux saucisses

Des invités de dernière minute ? Préparez quelques crêpes nature et garnissez-les de cette préparation.

4 portions

10 ml	(2 c. à t.) huile
5 ml	(1 c. à t.) beurre
6	saucisses, coupées en bouchées
1	échalote française, hachée
1	gousse d'ail, émincée
6	œufs
	sel et poivre
2 ml	(1/2 c. à t.) cerfeuil

■ Dans un poêlon, faites chauffer l'huile et fondre le beurre ; faites dorer les saucisses ; ajoutez l'échalote et l'ail ; laissez cuire 30 secondes.

■ Dans un bol, battez les œufs à demi ; versez sur les saucisses ; salez et poivrez ; faites cuire à feu moyen en remuant de temps en temps ; parsemez de cerfeuil ; servez.

Œufs brouillés aux tomates

Durant la cuisson, remuez les œufs afin d'éliminer toute trace de blanc ou de brunissement.

4 portions

6	œufs
10 ml	(2 c. à t.) sauce chili
5 ml	(1 c. à t.) pâte de tomates
15 ml	(1 c. à s.) beurre
60 ml	(1/4 tasse) tomate rouge, en cubes
60 ml	(1/4 tasse) tomate verte, en cubes
	sel et poivre
2 ml	(1/2 c. à t.) basilic, haché

■ Dans un bol, battez les œufs ; incorporez la sauce chili et la pâte de tomates.

■ Dans un poêlon, faites fondre le beurre ; faites cuire les œufs à feu moyen, en remuant de temps en temps.

■ À mi-cuisson, ajoutez la tomate ; salez et poivrez ; parsemez de basilic ; servez.

* recette illustrée à gauche

Œufs brouillés aux épinards

Pour obtenir des œufs brouillés bien crémeux, battez-les jusqu'à ce que les jaunes et les blancs forment un mélange homogène.

4 portions

5 ml	(1 c. à t.) huile
8	tranches de bacon, en morceaux
6	œufs
5 ml	(1 c. à t.) beurre
250 ml	(1 tasse) épinards, équeutés, ciselés
5 ml	(1 c. à t.) ciboulette, hachée
	sel et poivre
5 ml	(1 c. à t.) poivre rose

■ Dans un poêlon, faites chauffer l'huile ; faites rissoler le bacon.

■ Entre-temps, dans un bol, battez les œufs.

■ Lorsque le bacon est cuit aux trois-quarts, retirez le gras du poêlon ; faites fondre le beurre ; versez les œufs ; faites cuire à feu moyen en remuant de temps en temps.

■ À mi-cuisson, ajoutez les épinards et la ciboulette ; salez et poivrez ; décorez de poivre rose ; servez.

* recette illustrée à droite

LES OMELETTES

Omelette aux pommes

Beurrez généreusement le fond du poêlon, puis faites cuire l'omelette à feu moyen. Remuez constamment, jusqu'à ce que le dessous de l'omelette brunisse légèrement.

4 portions

4	**œufs**
15 ml	**(1 c. à s.) farine**
15 ml	**(1 c. à s.) sucre**
45 ml	**(3 c. à s.) lait**
30 ml	**(2 c. à s.) beurre**

Garniture

2	**pommes, tranchées**
30 ml	**(2 c. à s.) calvados (ou cognac)**
10 ml	**(2 c. à t.) sucre glace**

■ Dans un bol, battez les œufs ; ajoutez la farine, le sucre et le lait ; réservez.

■ Dans un poêlon, faites fondre 15 ml (1 c. à s.) de beurre ; faites dorer les pommes ; ajoutez 15 ml (1 c. à s.) de calvados ou de cognac ; réservez.

■ Dans un autre poêlon, faites fondre le reste du beurre ; versez les œufs ; faites cuire à feu moyen.

■ Déposez les pommes sur l'omelette cuite ; dressez dans un plat chaud ; repliez l'omelette ; saupoudrez de sucre glace ; arrosez du reste de calvados ; faites flamber.

VARIANTE

Omelette aux fraises

• **Substituez des fraises aux pommes. Au moment de servir, roulez l'omelette ; divisez en portions ; garnissez de fraises fraîches et de crème fouettée.**

Omelette garnie

Pour servir, inclinez le poêlon au-dessus d'une assiette de service chaude et laissez-y glisser l'omelette.

4 portions

6	œufs
60 ml	(1/4 tasse) lait
1/2	gousse d'ail, émincée
1	échalote française, émincée
	sel et poivre
30 ml	(2 c. à s.) beurre
	garniture au choix
	parmesan, râpé
	fines herbes

■ Dans un bol, battez les œufs ; ajoutez le lait, l'ail et l'échalote ; salez et poivrez.

■ Dans un poêlon, faites fondre 15 ml (1 c. à s.) de beurre ; faites revenir la garniture de votre choix ; parsemez de parmesan et de fines herbes ; réservez.

■ Dans un autre poêlon, faites fondre le reste de beurre ; faites cuire les œufs à feu moyen. Aux trois-quarts de la cuisson, versez la garniture sur un côté de l'omelette ; poursuivez la cuisson. Lorsque l'omelette est à point, rabattez le côté non garni ; faites glisser l'omelette dans une assiette de service ; divisez en portions ; servez.

* recette illustrée : Omelette garnie, farce aux poireaux

FARCES

Aux aubergines

- **Mélangez 250 ml (1 tasse) d'aubergine en cubes, 15 ml (1 c. à s.) d'huile végétale et 2 ml (1/2 c. à t.) de cerfeuil haché ; salez et poivrez.**

Au blanc de volaille

- **Mélangez 250 ml (1 tasse) de poitrine de poulet en lanières, 15 ml (1 c. à s.) d'huile végétale et 2 ml (1/2 c. à t.) de poudre de cari ; salez et poivrez.**

Aux têtes de violon

- **Mélangez 250 ml (1 tasse) de têtes de violon, 15 ml (1 c. à s.) de beurre et 2 ml (1/2 c. à t.) d'aneth haché ; salez et poivrez.**

Aux poireaux

- **Mélangez 180 ml (3/4 tasse) de blancs de poireaux émincés, 60 ml (1/4 tasse) de vert de poireau émincé, 15 ml (1 c. à s.) beurre et 2 ml (1/2 c. à t.) basilic haché ; salez et poivrez.**

Au saumon fumé et aux crevettes

- **Mélangez 125 ml (1/2 tasse) de saumon fumé, en lanières, 125 ml (1/2 tasse) de crevettes de Matane, 15 ml (1 c. à s.) de beurre et 2 ml (1/2 c. à t.) de ciboulette hachée ; salez et poivrez.**

LES ŒUFS POCHÉS

Œufs « surprise »

Profitez d'une occasion spéciale pour découper différemment les tranches de pain : cœur pour un petit déjeuner de la Saint-Valentin, sapin pour un brunch de Noël...

4 portions

30 ml	(2 c. à s.) beurre
4	tranches de pain
4	œufs
	sel et poivre
4	feuilles de laitue
8	tomates cerises, coupées en six chacune
12	brins de ciboulette
	bouquet de persil

■ Beurrez les deux côtés des tranches de pain avec 10 ml (2 c. à t.) de beurre. À l'aide d'un emporte-pièce, découpez un cercle de 5 cm (2 po) de diamètre, au centre de chaque tranche de pain ; réservez les deux parties.

■ Dans un poêlon, faites fondre le reste de beurre ; faites griller les tranches de pain trouées et les cercles ; retirez les cercles ; réservez.

■ Cassez un œuf au centre de chaque tranche de pain ; salez et poivrez ; laissez cuire à feu doux. Retournez délicatement ; faites dorer de l'autre côté.

■ Tapissez des assiettes de feuilles de laitue ; déposez les tranches de pain garnies ; couvrez des cercles grillés ; décorez de tomates, de ciboulette et de persil.

Œufs en tomate

À l'heure du lunch, accompagnez ce plat complet en soi de riz ou de quelques tranches de pain de blé entier.

4 portions

4	tomates fermes
4	œufs
	sel et poivre
20 ml	(4 c. à t.) parmesan, râpé
15 ml	(1 c. à s.) huile d'olive
2 ml	(1/2 c. à t.) basilic, haché
1/2	gousse d'ail, émincée

■ Coupez la calotte des tomates ; évidez l'intérieur des tomates sans abîmer la peau.

■ Cassez 1 œuf dans chaque tomate ; salez et poivrez ; parsemez de parmesan.

■ Dans un petit bol, mélangez l'huile d'olive, le basilic et l'ail ; badigeonnez l'extérieur des tomates de ce mélange.

■ Faites cuire au four à micro-ondes à ÉLEVÉ, 1 1/2 minute ; vérifiez l'œuf ; au besoin, poursuivez la cuisson 30 secondes.

* recette illustrée

Œufs pochés classiques

L'ajout de vinaigre à l'eau de cuisson des œufs pochés favorise la coagulation du blanc d'œuf. Cassez vos œufs dans une eau frémissante.

4 portions

1 L	(4 tasses) eau
30 ml	(2 c. à s.) vinaigre blanc
4	œufs
16	feuilles d'épinard, blanchies
4	croûtons ronds
60 ml	(1/4 tasse) sauce hollandaise

■ Préchauffez le four à gril (broil).

■ Dans une casserole, versez l'eau ; ajoutez le vinaigre ; faites chauffer. Juste avant l'ébullition, faites pocher les œufs environ 1 minute.

■ Retirez délicatement les œufs ; enveloppez de feuilles d'épinard. Déposez sur les croûtons, nappez de sauce hollandaise, passez sous le grill 1 minute ; servez.

* recette illustrée

VARIANTE

• Substituez aux épinards, un émincé de poireaux sauté au beurre.

Œufs pochés Orly

Repoussez le blanc vers le jaune pour que l'œuf garde sa forme.

4 portions

1 L	(4 tasses) eau
15 ml	(1 c. à s.) vinaigre blanc
250 ml	(1 tasse) jus de tomates
4	œufs
60 ml	(1/4 tasse) carotte, en julienne, blanchie
60 ml	(1/4 tasse) poireau, en julienne, blanchi
60 ml	(1/4 tasse) tomate, en julienne, blanchie
60 ml	(1/4 tasse) navet, en julienne, blanchi
	sel et poivre
60 ml	(1/4 tasse) crème de tomates

■ Dans une casserole, versez l'eau ; ajoutez le vinaigre et le jus de tomates ; faites chauffer. Juste avant l'ébullition, faites pocher les œufs environ 1 minute.

■ Retirez les œufs délicatement ; déposez sur un lit de légumes blanchis ; salez et poivrez ; nappez de crème de tomates ; servez.

LES QUICHES

Quiche au fromage de chèvre

Vous comptez les calories ? Préparez une quiche sans pâte ! Il suffit de badigeonner légèrement le moule à tarte d'huile pour que la préparation aux œufs n'y adhère pas.

4 portions

4	œufs
250 ml	(1 tasse) lait
250 ml	(1 tasse) crème à 35 %
	sel et poivre
1 ml	(1/4 c. à t.) muscade
30 ml	(2 c. à s.) beurre
1	gousse d'ail, émincée
1	échalote française, hachée
500 ml	(2 tasses) épinards, équeutés
	pâte à tarte pour 1 abaisse de 22 cm (9 po)
125 ml	(1/2 tasse) fromage de chèvre, émietté

■ Préchauffez le four à 205 °C (400 °F).

■ Dans un bol, battez les œufs ; ajoutez le lait et la crème ; assaisonnez de sel, de poivre et de muscade ; réservez.

■ Dans un poêlon, faites fondre le beurre ; faites revenir l'ail, l'échalote et les épinards.

■ Lorsque les épinards sont bien tombés, retirez du poêlon ; déposez dans l'abaisse ; parsemez de fromage ; recouvrez du mélange aux œufs ; faites cuire au four 20 minutes.

■ Diminuez la température du four à 160 °C (325 °F) ; couvrez ; poursuivez la cuisson 15 minutes.

VARIANTE
* Substituez aux épinards un gros oignon émincé et au chèvre, 180 ml (3/4 tasse) de gruyère râpé.

Quiches miniatures variées

Le menu idéal pour les personnes indécises ! Déposez ces quiches miniatures sur un grand plateau au centre de la table, et laissez chacun se servir à sa guise.

	4 portions
5	œufs
500 ml	(2 tasses) lait
	sel et poivre
	muscade
	parmesan, râpé
12	petites tartelettes
125 ml	(1/2 tasse) cheddar, râpé

■ Préchauffez le four à 205 °C (400 °F).

■ Dans un bol, battez les œufs ; ajoutez le lait, le sel, le poivre, la muscade et le parmesan ; réservez.

■ Déposez la garniture de votre choix au fond des tartelettes ; recouvrez du mélange aux œufs ; parsemez de cheddar râpé ; faites cuire au four 10 minutes. Diminuez la température du four à 160 °C (325 °F) ; poursuivez la cuisson 15 minutes.

GARNITURES

Aux courgettes et au crabe

• Mélangez 250 ml (1 tasse) de courgettes, en julienne, et 125 ml (1/2 tasse) de chair de crabe en conserve.

Aux champignons et au jambon

• Mélangez 180 ml (3/4 tasse) de champignons en conserve, émincés, et 180 ml (3/4 tasse) de jambon cuit, haché ou en flocons.

Au poulet et aux olives

• Mélangez 250 ml (1 tasse) poulet cuit, en cubes ou en flocons, et 125 ml (1/2 tasse) d'olives vertes farcies, en allumettes.

Au cresson et aux pommes

• Mélangez 250 ml (1 tasse) pommes en cubes et 125 ml (1/2 tasse) de cresson.

De gauche à droite, les quiches garnies :
En haut :Aux courgettes et au crabe ■
Aux champignons et au jambon
En bas : Au cresson et aux pommes ■
Au poulet et aux olives

LES CRÊPES

Crêpes, recette de base

Les crêpes sont toujours meilleures lorsque la pâte a pu reposer quelques temps avant la cuisson.

Lorsque vous faites cuire vos crêpes, retournez-les dès que des bulles éclatent à la surface.

4 portions	
250 ml	(1 tasse) farine
375 ml	(1 1/2 tasse) lait
2	œufs
15 ml	(1 c. à s.) beurre, fondu
1 ml	(1/4 c. à t.) sel

■ Dans un bol, mélangez tous les ingrédients ; placez au réfrigérateur ; attendez 2 heures.

■ Dans un poêlon légèrement beurré, versez 60 ml (1/4 tasse) de pâte à crêpe ; répartissez la pâte sur toute la surface du poêlon ; faites cuire 1 minute à feu moyen ; retournez ; faites dorer l'autre côté 30 secondes environ.

■ Garnissez les crêpes d'une farce de votre choix ; roulez ou pliez en portefeuille ; servez.

Note : Pour les crêpes sucrées, ajoutez 15 ml (1 c. à s.) de miel à la pâte.

Farces pour crêpes sucrées

Aux cerises

• Sur chaque crêpe, déposez 45 ml (3 c. à s.) de crème fouettée et 8 cerises en conserve ; saupoudrez de cassonade ; pliez.

Aux abricots

• Sur chaque crêpe, déposez 45 ml (3 c. à s.) de crème fouettée et 6 demi-abricots en conserve ; saupoudrez de sucre glace ; pliez.

Aux poires

• Sur chaque crêpe, déposez 45 ml (3 c. à s.) de fromage cottage et 1 demi-poire en conserve, émincée ; parsemez de brisures de chocolat ; pliez.

Aux fraises

• Sur chaque crêpe, déposez 45 ml (3 c. à s.) de fromage à la crème ; recouvrez de 6 fraises émincées ; badigeonnez de miel fondu ; pliez.

* recette illustrée : Crêpe farcie aux abricots

Farces pour crêpes salées

Aux champignons

- Faites sauter au beurre 500 ml (2 tasses) de champignons, coupés en quartiers ; arrosez de 375 ml (1 1/2 tasse) de sauce béchamel ; ajoutez 125 ml (1/2 tasse) de gruyère râpé ; remuez jusqu'à ce que le fromage soit fondu ; garnissez les crêpes ; roulez.

Aux choux de Bruxelles

- Faites cuire 250 ml (1 tasse) de bacon, coupé en morceaux ; à mi-cuisson, ajoutez 250 ml (1 tasse) de choux de Bruxelles blanchis et coupés en deux ; faites cuire 1 minute ; salez et poivrez. Dégraissez le poêlon ; ajoutez 180 ml (3/4 tasse) de sauce béchamel ; laissez réchauffer en remuant à l'occasion ; garnissez les crêpes ; pliez en portefeuille.

Aux poivrons

- Faites sauter au beurre 375 ml (1 1/2 tasse) de poivrons en julienne ; arrosez de 250 ml (1 tasse) de crème de tomates en conserve, non diluée ; laissez réchauffer en remuant à l'occasion ; garnissez les crêpes ; pliez en portefeuille.

Aux asperges

- Faites chauffer 250 ml (1 tasse) de crème d'asperges en conserve, non diluée ; ajoutez 250 ml (1 tasse) d'asperges en conserve et 125 ml (1/2 tasse) de chou-fleur en fleurettes, blanchi ; salez et poivrez ; garnissez les crêpes ; pliez en portefeuille.

En haut : Crêpe farcie aux asperges
En bas : Crêpe farcie aux choux de Bruxelles

407

TOFU, NOIX ET GRAINES

Les précieuses protéines, auxquelles les familles nord-américaines consacrent l'essentiel de leur budget alimentaire, sont présentes dans bien d'autres aliments que l'éternel bifteck. Le poisson, le fromage et les œufs sont des substituts couramment utilisés, et on accorde de plus en plus la place qui leur revient au soya, aux noix et aux graines. Ces aliments contiennent des protéines végétales incomplètes, c'est-à-dire qu'il faut les consommer en même temps que leur complément pour obtenir des protéines complètes. Un riz au tofu ou des macaroni de blé entier garnis de tofu sont des exemples de plats végétariens qui n'ont rien à envier, sur le plan protéinique aux plats qui contiennent de la viande ou de la volaille.

Les noix sont aussi une excellente source de protéines. Il n'y a donc pas lieu de refuser à un enfant une tartine de beurre d'arachide, surtout si on utilise une tranche de pain de blé entier !

Le tofu, les noix et les graines offrent un maximum de protéines pour un minimum de calories.

Le tofu

Tofu à la chinoise

Le tofu est réalisé à partir du lait extrait de la fève de soja, et a l'apparence d'un fromage.

4 portions	
450 g	(1 lb) tofu
15 ml	(1 c. à s.) huile
125 ml	(1/2 tasse) sauce soja
2	branches de céleri, coupées en biais
1	poivron vert, en cubes
2 à 3	oignons, émincés
	eau bouillante
	gingembre, moulu
30 ml	(2 c. à s.) fécule de maïs
	sel et poivre

■ Coupez le tofu en cubes de grosseur moyenne ou en triangles ; asséchez bien.

■ Dans un poêlon, faites chauffer l'huile ; faites dorer le tofu. Déglacez avec 60 ml (1/4 tasse) de sauce soja ; retirez du poêlon ; réservez.

■ Dans le même poêlon, faites revenir tous les légumes jusqu'à ce qu'ils soient cuits, mais encore croquants. Couvrez d'eau bouillante ; ajoutez le reste de la sauce soja et le gingembre ; mélangez bien ; réservez.

■ Dans un petit bol, délayez la fécule de maïs dans un peu d'eau froide ; incorporez à la préparation chaude ; salez et poivrez ; ajoutez le tofu ; remuez lentement ; laissez réchauffer ; servez.

* recette illustrée

Steak de tofu

Pour remplacer la viande, pourquoi ne pas utiliser du tofu ? Faites-le griller à la japonaise, avec de la sauce soja... Une bonne façon d'apprécier la cuisine végétarienne !

4 portions	
450 g	(1 lb) tofu
125 ml	(1/2 tasse) sauce soja
	sel et poivre

■ Préchauffez le four à gril (broil).

■ Découpez des tranches de tofu de 1 à 2 cm (1/2 à 1 po) d'épaisseur ; badigeonnez de sauce soja ; salez et poivrez ; faites dorer sous le gril, quelques minutes de chaque côté.

Tofu rôti

D'un goût peu prononcé, le tofu adopte la saveur des ingrédients avec lesquels on l'apprête.

4 portions

125 ml	(1/2 tasse) semoule de maïs
500 ml	(2 tasses) farine
60 ml	(1/4 tasse) germe de blé
5 ml	(1 c. à t.) cari
5 ml	(1 c. à t.) moutarde sèche
1	pincée de thym
1	gousse d'ail, émincée
	sel
450 g	(1 lb) tofu, en lanières
125 ml	(1/2 tasse) lait
30 ml	(2 c. à s.) huile végétale

■ Dans un bol, mélangez tous les ingrédients secs.

■ Trempez le tofu dans le lait ; enrobez du mélange.

■ Dans un poêlon, faites chauffer l'huile ; faites dorer le tofu ; servez.

* recette illustrée

Pâté chinois au tofu

Nulle trace de viande mais plein de protéines !

4 portions

1 ml	(1/4 c. à t.) huile végétale
1	petit oignon, haché
500 ml	(2 tasses) pommes de terre, assaisonnées, en purée
250 ml	(1 tasse) tofu, émietté
2 ml	(1/2 c. à t.) poudre d'ail
2 ml	(1/2 c. à t.) thym
15 ml	(1 c. à s.) levure alimentaire
30 ml	(2 c. à s.) sauce soja
15 ml	(1 c. à s.) graines de tournesol, moulues
15 ml	(1 c. à s.) graines de sésame, moulues
398 ml	(14 oz) maïs en crème, en conserve
398 ml	(14 oz) maïs en grains, en conserve

■ Préchauffez le four à 175 °C (350 °F).

■ Dans un poêlon, faites chauffer l'huile ; faites revenir l'oignon ; incorporez à la purée de pommes de terre ; réservez.

■ Dans un bol, mélangez les autres ingrédients, sauf le maïs en grains.

■ Étalez au fond d'un moule une couche de maïs en grains, une couche de mélange au tofu et une couche de purée de pommes de terre. Faites cuire au four 30 minutes.

VARIANTE

• Parsemez de fromage râpé et faites gratiner.

Tofu burgers

Garnissez ces burgers de façon traditionnelle : tranche de fromage, tomate et condiments. Les amateurs de viande n'y verront que du feu !

	4 portions
1/2	oignon, haché
1/2	poivron (vert ou rouge), en brunoise
10 ml	(2 c. à t.) huile végétale
450 g	(1 lb) tofu, émietté
2	œufs, battus
30 ml	(2 c. à s.) farine de blé entier
30 ml	(2 c. à s.) sauce soja
60 ml	(1/4 tasse) parmesan
250 ml	(1 tasse) chapelure
30 ml	(2 c. à s.) huile
4	petits pains hamburgers aux graines de sésame
	légumes variés
30 ml	(2 c. à s.) fromage cottage

■ Dans un bol, mélangez tous les ingrédients, sauf la chapelure, les pains et l'huile. Façonnez 4 galettes ; passez dans la chapelure ; réservez.

■ Dans un poêlon, faites chauffer l'huile ; faites dorer les galettes des deux côtés ; servez dans les petits pains au sésame ; garnissez de légumes et de fromage cottage.

Omelette au tofu

L'omelette, excellente source de protéines en soi, se trouve ici enrichie des protéines végétales du tofu.

	4 portions
2	œufs, battus
10 ml	(2 c. à t.) sauce soja
1	gousse d'ail, émincée
1/2	oignon, haché
1	pincée de poivre de cayenne
500 ml	(2 tasses) tofu, en petits cubes
60 ml	(1/4 tasse) poivron vert, haché
	huile
15 ml	(1 c. à s.) persil, émincé

■ Dans un bol, fouettez les œufs et les assaisonnements ; ajoutez le tofu et les légumes ; mélangez.

■ Dans un poêlon, faites chauffer l'huile ; versez l'omelette ; couvrez ; faites cuire à feu doux ; parsemez de persil ; servez.

Quiche aux épinards et au tofu

Pain au tofu

Le tofu rend non seulement cette quiche plus nutritive, mais il en raffermit la texture.

4 portions

30 ml	(2 c. à s.) huile
2	oignons moyens, émincés
250 ml	(1 tasse) épinards, équeutés
2	œufs, battus
450 g	(1 lb) tofu, émietté
5 ml	(1 c. à t.) sel
2 ml	(1/2 c. à t.) poivre
2 ml	(1/2 c. à t.) muscade
180 ml	(3/4 tasse) cheddar, râpé
	pâte à tarte pour 1 abaisse de 22 cm (9 po)

■ Préchauffez le four à 175 °C (350 °F).

■ Dans un poêlon, faites chauffer l'huile ; faites revenir les oignons ; réservez.

■ Dans une casserole d'eau bouillante, faites blanchir les épinards 1 minute ; laissez égoutter ; réservez.

■ Mélangez les œufs, le tofu et les assaisonnements au mélangeur jusqu'à l'obtention d'une crème onctueuse.

■ Ajoutez les oignons, les épinards et le fromage ; mélangez vivement ; versez dans l'abaisse ; faites cuire au four 45 minutes.

Cette version végétarienne du pain de viande est moelleuse grâce à la présence de fromage et de jus de tomates. Pour servir, découpez le pain en tranches.

4 portions

10 ml	(2 c. à t.) huile
125 ml	(1/2 tasse) eau
60 ml	(1/4 tasse) millet, en grains
350 g	(12 oz) tofu
1	œuf
250 ml	(1 tasse) jus de tomates
250 ml	(1 tasse) flocons d'avoine
30 ml	(2 c. à s.) graines de tournesol, moulues
250 ml	(1 tasse) fromage, râpé
60 ml	(1/4 tasse) sauce soja
10 ml	(2 c. à t.) poudre d'ail
2 ml	(1/2 c. à t.) basilic
2 ml	(1/2 c. à t.) thym
1	carotte, râpée
1/2	poivron rouge ou vert, haché
1	oignon, haché

■ Préchauffez le four à 175 °C (350 °F).

■ Huilez légèrement un moule à pain ; réservez.

■ Dans une casserole, versez l'eau ; amenez à ébullition ; ajoutez le millet ; couvrez ; faites cuire 15 minutes.

■ Placez le tofu dans le bol du mélangeur ; réduisez en purée ; ajoutez l'œuf et le jus de tomates ; versez dans un bol ; ajoutez tous les autres ingrédients ; mélangez.

■ Étalez dans le moule à pain ; faites cuire au four 45 minutes.

* recette illustrée

Riz au tofu

Si vous achetez votre tofu à l'avance, recouvrez-le d'eau fraîche, que vous changerez quotidiennement, et gardez-le au frais.

4 portions

15 ml	(1 c. à s.) huile
1	gousse d'ail, émincée
1/2	oignon, haché
1/2	carotte, blanchie, en cubes
125 ml	(1/2 tasse) tofu, en petits cubes
250 ml	(1 tasse) riz, cuit
15 ml	(1 c. à s.) graines de tournesol
30 ml	(2 c. à s.) sauce soja
1	pincée de cari
1	pincée de cayenne
60 ml	(1/4 tasse) pois mange-tout, coupés en biais

■ Dans un poêlon, faites chauffer l'huile ; faites revenir l'ail, l'oignon et la carotte. Ajoutez le tofu ; faites cuire quelques minutes ; incorporez le reste des ingrédients ; mélangez ; servez.

Macaroni au tofu

Utilisez des pâtes faites de farine de blé entier ou de soya.

4 portions

25 ml	(5 c. à t.) huile végétale
250 g	(1 tasse) tofu, en petits cubes
30 ml	(2 c. à s.) sauce soja
125 ml	(1/2 tasse) carotte, râpée
125 ml	(1/2 tasse) chou-fleur, blanchi, en fleurettes
60 ml	(1/4 tasse) brocoli, blanchi, en petites fleurettes
1 L	(4 tasses) macaroni, cuits

■ Dans un poêlon, faites chauffer 15 ml (3 c. à t.) d'huile ; faites revenir le tofu ; arrosez de sauce soja.

■ Dans un autre poêlon, faites chauffer le reste d'huile ; faites revenir les légumes quelques minutes ; incorporez au tofu ; ajoutez les macaroni ; faites réchauffer le tout ; vérifiez l'assaisonnement ; servez.

Croquettes au tofu

Pour varier, choisissez du tofu assaisonné aux fines herbes.

4 portions

1	petit oignon, haché finement
60 ml	(1/4 tasse) céleri, émincé
250 ml	(1 tasse) pommes de terre, en purée
250 ml	(1 tasse) tofu, émietté
113 g	(4 oz) saumon, en conserve, égoutté
250 ml	(1 tasse) chapelure
	sel et poivre
60 ml	(1/4 tasse) huile végétale
	mayonnaise
	persil

■ Dans un bol, mélangez tous les ingrédients, sauf l'huile ; façonnez en croquettes ; réservez.

■ Dans un poêlon, faites chauffer l'huile ; faites frire les croquettes jusqu'à ce qu'elles soient dorées des deux côtés ; servez avec de la mayonnaise ; décorez de persil.

* recette illustrée

Tartinade de tofu

Servie avec des craquelins de céréales entières avant le repas, cette entrée contient beaucoup moins de matières grasses animales qu'une trempette au fromage à la crème !

4 portions

225 g	(1/2 lb) tofu, égoutté, émietté
1	petite carotte, râpée
1	échalote française, hachée finement
45 ml	(3 c. à s.) mayonnaise
	sel et poivre
1	pincée de curcuma

■ Dans un bol, mélangez tous les ingrédients jusqu'à l'obtention d'une consistance homogène.

Beurre au tofu et aux fines herbes

Étalez une fine couche de beurre au tofu sur des tranches de pain. Emballez hermétiquement dans du papier d'aluminium, et faites réchauffer. Servez le pain fumant avec un potage bien chaud.

environ 300 ml (1 1/4 tasse)

250 ml	(1 tasse) beurre, ramolli
60 g	(2 oz) tofu, émietté
45 ml	(3 c. à s.) lait
5 ml	(1 c. à t.) fines herbes, mélangées
60 ml	(1/4 tasse) persil, haché
2	échalotes, hachées finement

■ Passez tous les ingrédients au mélangeur jusqu'à l'obtention d'une consistance lisse et onctueuse.

■ Façonnez en rouleaux ; placez au réfrigérateur ; attendez 2 heures ; coupez en rondelles.

BEURRE À L'AIL

• Ajoutez à la recette, 2 gousses d'ail émincées.

Vinaigrette au tofu

Une mayonnaise sans œufs !

environ 500 ml (2 tasses)

350 g	(12 oz) tofu, émietté
60 ml	(1/4 tasse) huile de tournesol
60 ml	(1/4 tasse) jus de citron
5 ml	(1 c. à t.) sel
10 ml	(2 c. à t.) miel
15 ml	(1 c. à s.) poudre d'oignon
60 ml	(1/4 tasse) eau
1	pincée de moutarde sèche
5 ml	(1 c. à t.) graines de céleri
2 ou 3	échalotes, coupées finement

■ Passez tous les ingrédients au mélangeur, sauf les deux derniers, jusqu'à l'obtention d'une consistance onctueuse. Versez dans un bocal ; ajoutez les graines de céleri et les échalotes ; gardez au réfrigérateur.

Pouding au tofu

Voilà une façon tout à fait séduisante d'utiliser un reste de pain.

4 portions

450 g	(1 lb) tofu, émietté
6 à 7	tranches de pain de blé entier
250 ml	(1 tasse) lait
375 ml	(1 1/2 tasse) sirop d'érable
125 ml	(1/2 tasse) raisins secs
1	pincée de cannelle
1	pincée de muscade
2	œufs, légèrement battus

■ Préchauffez le four à 160 °C (325 °F).

■ Dans un bol, mélangez tous les ingrédients ; versez dans un plat allant au four ; faites cuire au four 30 à 40 minutes.

* recette illustrée

VARIANTE

• **Servez avec du sirop d'érable.**

Tarte au tofu et au chocolat

Gardez cette recette pour vous : les plus grands amateurs de chocolat ne comprendront jamais comment une tarte peut être à la fois si légère... et si onctueuse.

4 portions

Garniture

450 g	(1 lb) tofu, émietté
80 ml	(1/3 tasse) huile de tournesol
80 ml	(1/3 tasse) miel
10 ml	(2 c. à t.) fécule de maïs
5 ml	(1 c. à t.) essence de vanille
5 ml	(1 c. à t.) cacao
1	pincée de sel
	fond de tarte de biscuits graham

■ Préchauffez le four à 175 °C (350 °F).

■ Passez tous les ingrédients de la garniture au mélangeur ; versez dans le fond de tarte.

■ Faites cuire au four environ 30 minutes, ou jusqu'à ce que le mélange ne colle pas au toucher.

LES NOIX ET GRAINES

Goûter santé

Les « barres granola » maison sont moins sucrées que celles du commerce. Attention toutefois : ce goûter énergétique est riche en calories.

environ 25 barres

1 L	(4 tasses) gruau à cuisson rapide
250 ml	(1 tasse) noix de coco, râpée
250 ml	(1 tasse) noix, hachées finement
250 ml	(1 tasse) germe de blé
250 ml	(1 tasse) graines de tournesol
250 ml	(1 tasse) miel
125 ml	(1/2 tasse) huile végétale
2 ml	(1/2 c. à t.) vanille

■ Préchauffez le four à 175 °C (350 °F).

■ Huilez des plaques à biscuits ; réservez.

■ Dans un grand bol, combinez les 5 premiers ingrédients ; réservez.

■ Dans une casserole, faites chauffer le miel ; versez sur les ingrédients secs ; ajoutez l'huile et la vanille ; mélangez. Déposez sur des plaques à biscuits ; faites cuire au four environ 30 minutes ; retirez du four ; laissez refroidir ; découpez en barres.

* recette illustrée

Carrés granola

Vous pouvez remplacer les raisins secs par des brisures de caroube, un substitut naturel du chocolat.

environ 12 carrés

125 ml	(1/2 tasse) lait en poudre
125 ml	(1/2 tasse) noix de coco, râpée
160 ml	(2/3 tasse) graines de sésame
60 ml	(1/4 tasse) raisins secs ou brisures de chocolat
80 ml	(1/3 tasse) beurre d'arachide
30 ml	(2 c. à s.) miel
15 ml	(1 c. à s.) eau

■ Dans un bol, mélangez le lait, la noix de coco, les graines de sésame, les raisins secs ou les brisures de chocolat ; réservez.

■ Dans une petite casserole, faites fondre le beurre d'arachide, le miel et l'eau ; versez sur les ingrédients secs ; mélangez. Étalez dans un moule en pyrex ; appuyez fermement pour bien tasser le mélange ; placez au réfrigérateur ; attendez 1 heure avant de servir.

Beurre d'arachide

Si vous utilisez des arachides salées, ajoutez moins de sel.

environ 560 ml (2 1/4 tasses)

500 ml	**(2 tasses) arachides**
60 ml	**(1/4 tasse) beurre**
15 ml	**(1 c. à s.) miel**
1 ml	**(1/4 c. à t.) muscade**
2 ml	**(1/2 c. à t.) sel**

■ Mélangez tous les ingrédients au robot culinaire jusqu'à l'obtention d'une crème homogène.

■ Pour obtenir un beurre d'arachide croquant, ajoutez à la crème 60 ml (1/4 tasse) d'arachides ; mélangez quelques secondes.

VARIANTE

• **Remplacez les arachides par des noix d'acajou, des noix de pécan, des noisettes, etc.**

Beurre de noix à la banane

Pour éviter que votre beurre de noix maison ne rancisse, gardez-le au réfrigérateur.

environ 625 ml (2 1/2 tasses)

250 ml	**(1 tasse) noisettes**
250 ml	**(1 tasse) graines de tournesol**
125 ml	**(1/2 tasse) amandes**
15 ml	**(1 c. à s.) beurre**
2	**bananes, bien mûres**
2 ml	**(1/2 c. à t.) sel**
15 ml	**(1 c. à s.) miel**

■ Mélangez tous les ingrédients au robot culinaire, jusqu'à l'obtention d'une crème homogène. Parfumez d'un des aromates suivants :

■ 15 ml (1 c. à s.) de feuilles de menthe hachées

■ 5 ml (1 c. à t.) de feuille de citronnelle hachée

ou

■ 10 ml (2 c. à t.) de zeste d'orange râpé.

* recette illustrée

LES POTAGES

À la soupe ! Cette expression qui signifie « à table » prouve à quel point soupes et potages sont appréciés et connus de tous.

À l'origine, une soupe était composée d'une tranche de pain sur laquelle on versait un liquide chaud tel du bouillon, du vin ou de la sauce. En cuisine moderne, la soupe est devenue un bouillon épaissi par du pain, des pâtes ou du riz, et garni de viande, de poisson ou de légumes. Une soupe bien consistante peut constituer un repas en soi puisqu'une infinité d'ingrédients peuvent entrer dans sa composition.

On dit souvent qu'il n'y rien de meilleur qu'une bonne soupe chaude, mais qui s'est régalé d'une vichyssoise ou d'un gaspacho ne saurait renier les délices de la soupe froide. Faites-vous plaisir : goûtez-y !

Les potages sont souvent servis en début de repas, principalement le soir. Selon leur composition, on les classe en deux principaux groupes : d'une part, les potages clairs — comme les consommés et bouillons de bœuf ou de volaille et d'autre part, les potages liés (potages-purées, potages taillés, soupes et crèmes).

LES CONSOMMÉS

Si vous désirez ajouter des garnitures à vos consommés, consultez la section POULET, à la page des bouillons.

Consommé de bœuf « brunoise »

Les légumes dits en « brunoise » sont taillés en minuscules dés (env. 1 mm de côté)... Pas surprenant qu'ils cuisent en un rien de temps !

environ 625 ml (2 1/2 tasses)

284 ml	(10 oz) consommé de bœuf, en conserve
250 ml	(1 tasse) eau
30 ml	(2 c. à s.) porto, sherry ou vin rouge
30 ml	(2 c. à s.) carotte, en brunoise
30 ml	(2 c. à s.) navet, en brunoise
30 ml	(2 c. à s.) blanc de poireau, en brunoise
30 ml	(2 c. à s.) vert de poireau, en brunoise
60 ml	(1/4 tasse) bœuf cuit, en très petits cubes
	sel et poivre

■ Dans une casserole, amenez le consommé, l'eau et le vin à ébullition ; ajoutez les autres ingrédients ; couvrez ; laissez mijoter 1 minute ; éteignez le feu ; rectifiez l'assaisonnement ; servez.

Pour rendre votre consommé légèrement velouté, remplacez l'eau par du lait.

Consommé de volaille rosé

environ 625 ml (2 1/2 tasses)

284 ml	(10 oz) consommé de poulet, en conserve
250 ml	(1 tasse) eau
30 ml	(2 c. à s.) jus de tomates
15 ml	(1 c. à s.) vodka
60 ml	(1/4 tasse) tomate, en brunoise
10 ml	(2 c. à t.) ciboulette, hachée
	sel et poivre

■ Dans une casserole, amenez le consommé, l'eau, le jus de tomates et la vodka à ébullition ; ajoutez les autres ingrédients ; couvrez ; laissez mijoter 1 minute ; éteignez le feu ; rectifiez l'assaisonnement ; servez.

* recette illustrée

Consommé aux œufs

Le consommé est un simple bouillon de viande. Pour l'agrémenter, on a expérimenté les garnitures les plus diverses, des simples vermicelles aux extravagantes profiteroles garnies d'une purée de foie gras !

■ Faites mijoter un morceau de viande ou de volaille avec os, et quelques aromates, 3 à 4 heures. Passez au chinois, dégraissez, et le tour est joué !

Aux profiteroles

24 profiteroles		
140 ml	(5 oz)	lait
60 ml	(1/4 tasse)	beurre
1		pincée de sel
60 ml	(1/4 tasse)	farine
1		œuf

■ Préchauffez le four à 190 °C (375 °F).

■ Dans une petite casserole, faites chauffer le lait, le beurre et le sel ; amenez à ébullition ; ajoutez la farine ; mélangez jusqu'à ce que la pâte n'adhère plus aux parois. Incorporez l'œuf en remuant vivement ; retirez du feu ; laissez refroidir 5 minutes.

■ Sur une plaque à biscuits beurrée, à l'aide d'un sac à pâtisserie muni d'une petite douille, façonnez des petites boules de pâte ; faites cuire au four environ 5 minutes ou jusqu'à ce qu'elles soient bien dorées.

■ Dans chaque bol, déposez 6 à 8 profiteroles ; arrosez de consommé chaud ; servez.

Aux œufs filés

1 portion		
1		œuf
1 ml	(1/4 c. à t.)	farine

■ Mélangez l'œuf et la farine. Dans une petite casserole, faites frémir le consommé ; ajoutez le mélange œuf et farine en le versant au-dessus d'un tamis ou d'une écumoire à petits trous. Le mélange s'étalera en minces filets et cuira en moins d'une minute. Garnissez de persil haché ; servez.

* recette illustrée

Aux œufs pochés

1 portion		
1 L	(4 tasses)	eau bouillante
60 ml	(1/4 tasse)	jus de tomates
60 ml	(1/4 tasse)	bouillon de bœuf
30 ml	(2 c. à s.)	vinaigre
1		œuf

■ Dans une petite casserole, faites bouillir l'eau, le jus de tomates, le bouillon de bœuf et le vinaigre. Faites pocher l'œuf 1 minute.

■ Déposez un œuf poché dans chaque bol de consommé chaud.

Aux crêpes persillées

1 portion		
Pâte		
45 ml	(3 c. à s.)	farine
60 ml	(1/4 tasse)	lait
1		œuf
10 ml	(2 c. à t.)	persil, haché
		sel et poivre
10 ml	(2 c. à t.)	beurre

■ Dans un bol, mélangez les ingrédients de la pâte.

■ Dans un poêlon, faites fondre le beurre ; faites cuire 2 crêpes ; découpez en julienne ; déposez en petite quantité au fond de chaque bol ; arrosez de consommé chaud.

Les potages taillés

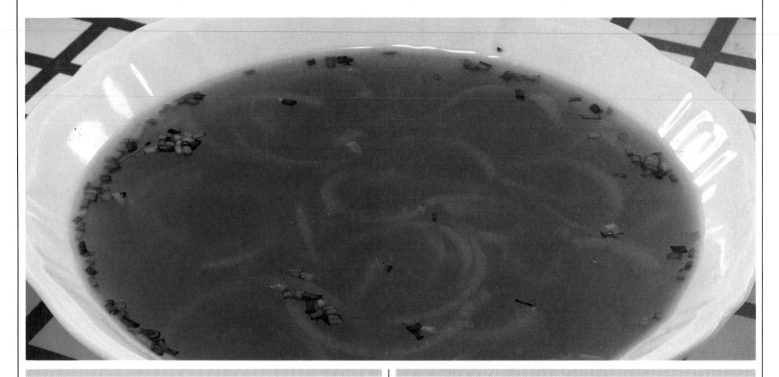

Potage printanier

Avec ses petits morceaux de légumes tout en verdure, ce potage a une fraîcheur de printemps !

environ 750 ml (3 tasses)

500 ml	(2 tasses) bouillon de poulet
125 ml	(1/2 tasse) blanc de poireau, émincé
60 ml	(1/4 tasse) brocoli, en petits bouquets
60 ml	(1/4 tasse) pois mange-tout, en petits tronçons
2	feuilles de vert de poireau, en julienne
	sel et poivre

■ Dans une casserole, amenez le bouillon de poulet à ébullition ; ajoutez le blanc de poireau et le brocoli ; faites cuire 3 minutes.

■ Ajoutez les pois mange-tout ; faites cuire 1 minute. Ajoutez le vert de poireau ; salez et poivrez ; vérifiez l'assaisonnement ; servez.

Soupe aux oignons et aux échalotes

Dans cette soupe claire que l'on sert bien chaude, la saveur du bouillon de bœuf gagne à être associée à celle des oignons et des échalotes.

environ 750 ml (3 tasses)

30 ml	(2 c. à s.) beurre
3	oignons, en demi-rondelles
2	échalotes françaises, hachées
1	gousse d'ail, émincée
250 ml	(1 tasse) eau
60 ml	(1/4 tasse) vin blanc sec (facultatif)
375 ml	(1 1/2 tasse) bouillon de bœuf
	sel et poivre
1 ml	(1/4 c. à t.) muscade, moulue
2 ml	(1/2 c. à t.) ciboulette, hachée

■ Dans une casserole, faites fondre le beurre ; faites revenir les oignons, les échalotes et l'ail ; ajoutez l'eau, le vin et le bouillon de bœuf ; couvrez ; amenez à ébullition ; faites cuire à feu doux environ 30 minutes. Assaisonnez de sel, de poivre et de muscade ; parsemez de ciboulette ; servez.

* recette illustrée

424

Potage Belmont

N'hésitez pas à utiliser de la choucroute fraîche ! Sinon, elle se vend aussi en conserve.

environ 750 ml (3 tasses)

45 ml	(3 c. à s.) beurre
180 ml	(3/4 tasse) choucroute, égouttée
2	échalotes, émincées
125 ml	(1/2 tasse) bière
500 ml	(2 tasses) bouillon de bœuf
	sel et poivre
2 ml	(1/2 c. à t.) cumin
2 ml	(1/2 c. à t.) muscade

■ Dans une casserole, faites fondre le beurre ; faites revenir la choucroute et les échalotes ; versez la bière et le bouillon de bœuf ; amenez à ébullition ; couvrez ; faites mijoter à feu doux, environ 15 minutes.

■ Assaisonnez de sel, de poivre, de cumin et de muscade ; servez.

Potage fermière

Pour faire encore plus authentique, ajoutez quelques haricots blancs, cuits.

environ 1 L (4 tasses)

250 ml	(1 tasse) bouillon de poulet
250 ml	(1 tasse) bouillon de bœuf
250 ml	(1 tasse) jus de tomates
60 ml	(1/4 tasse) carotte, en cubes
60 ml	(1/4 tasse) navet, en cubes
60 ml	(1/4 tasse) tomate, en cubes
60 ml	(1/4 tasse) épinards, ciselés
	sel et poivre
5 ml	(1 c. à t.) basilic, haché

■ Dans une casserole, amenez les bouillons de poulet et de bœuf et le jus de tomates à ébullition ; ajoutez la carotte et le navet ; laissez mijoter 15 minutes. Ajoutez la tomate et les épinards ; salez et poivrez ; laissez mijoter 1 minute.

■ Vérifiez l'assaisonnement ; parsemez de basilic ; servez.

* recette illustrée

Soupe aux petits choux

Assurez-vous de bien laver les choux de Bruxelles en les faisant tremper une dizaine de minutes dans une eau additionnée d'un peu de vinaigre blanc.

environ 1 L (4 tasses)

625 ml	(2 1/2 tasses) bouillon de poulet
	sel et poivre
125 ml	(1/2 tasse) bacon, en morceaux
250 ml	(1 tasse) choux de Bruxelles, blanchis, coupés en quatre
1	gousse d'ail, émincée

■ Dans une casserole, amenez le bouillon de poulet à ébullition ; laissez mijoter 20 minutes ; salez et poivrez.

■ Dans un poêlon, faites fondre le bacon ; laissez cuire à demi ; ajoutez les choux de Bruxelles ; poursuivez la cuisson 4 minutes. Dégraissez le poêlon ; versez le mélange bacon-chou dans le bouillon ; remuez ; laissez mijoter 5 minutes ; dégraissez ; servez.

Potage symphonie

Léger et parfumé, ce potage ouvre l'appétit !

environ 750 ml (3 tasses)

375 ml	(1 1/2 tasse) bouillon de poulet
250 ml	(1 tasse) bouillon de bœuf
180 ml	(3/4 tasse) têtes de violon
2	échalotes, émincées
	ou
1	petit oignon rouge, émincé
	sel et poivre
15 ml	(1 c. à s.) persil, haché

■ Dans une casserole, amenez les bouillons de poulet et de bœuf à ébullition ; incorporez les têtes de violon et les échalotes (ou l'oignon) ; salez et poivrez ; laissez mijoter 10 minutes.

■ Vérifiez l'assaisonnement ; parsemez de persil ; servez.

Soupe paysanne

Dans une soupe paysanne, il y a place pour toutes sortes de légumes ! Profitez-en pour utiliser des restes !

environ 875 ml (3 1/2 tasses)

250 ml	**(1 tasse) bouillon de poulet**
250 ml	**(1 tasse) bouillon de bœuf**
125 ml	**(1/2 tasse) jus de légumes**
45 ml	**(3 c. à s.) beurre**
60 ml	**(1/4 tasse) courgette, tranchée finement, coupée en quatre**
60 ml	**(1/4 tasse) aubergine, en cubes**
60 ml	**(1/4 tasse) poivron rouge, en cubes**
60 ml	**(1/4 tasse) poivron jaune, en cubes**
	sel et poivre

■ Dans une casserole, amenez les bouillons de poulet et de bœuf et le jus de légumes à ébullition.

■ Entre-temps, dans un poêlon, faites fondre le beurre ; faites suer les légumes environ 2 minutes ; salez et poivrez. Incorporez au bouillon ; laissez mijoter 10 minutes ; vérifiez l'assaisonnement ; servez.

Soupe du pêcheur

Prenez soin de bien nettoyer les moules avant de les ajouter à la préparation.

environ 750 ml (3 tasses)

250 ml	**(1 tasse) bouillon de poulet**
375 ml	**(1 1/2 tasse) bisque de fruits de mer**
20	**moules, bien lavées**
125 ml	**(1/2 tasse) crevettes de Matane**
1	**pincée de safran**
2 ml	**(1/2 c. à t.) muscade, moulue**
	sel et poivre

■ Dans une casserole, amenez le bouillon de poulet et la bisque de fruits de mer à ébullition. Ajoutez les moules ; laissez cuire 4 minutes, ou jusqu'à ce qu'elles soient ouvertes ; retirez du bouillon ; enlevez les écailles ; réservez.

■ Laissez mijoter le bouillon 10 minutes ; ajoutez les crevettes et les moules ; assaisonnez de safran, de muscade, de sel et de poivre ; remuez ; servez.

LES SOUPES COSTAUDES

Soupe aux huîtres du dimanche

Cette recette se prépare avec des huîtres fraîches ou des huîtres nature, en conserve.

environ 1 L (4 tasses)

30 ml	(2 c. à s.) beurre
1	oignon, haché
1/2	carotte, en julienne
1/2	poivron, en julienne
1	courgette, en julienne
60 ml	(1/4 tasse) farine
500 ml	(2 tasses) lait
250 ml	(1 tasse) huîtres, égouttées (réservez le jus)
	sel et poivre
1	pincée de poivre de cayenne
30 ml	(2 c. à s.) ciboulette, ciselée

■ Dans une casserole, faites fondre le beurre ; faites revenir les légumes, à feu doux, 4 minutes. Ajoutez la farine ; faites cuire à feu doux en remuant, environ 2 minutes ; versez le lait et le jus des huîtres ; laissez épaissir en mélangeant bien.

■ Ajoutez les huîtres ; assaisonnez de sel, de poivre et de poivre de cayenne ; poursuivez la cuisson 5 minutes ; parsemez de ciboulette ; servez.

Chaudrée de palourdes

Pour mériter le nom de « chaudrée », un potage doit être préparé avec des produits de la mer.

environ 1 L (4 tasses)

200 g	(7 oz) palourdes, en conserve
2	tranches de bacon, émincées
1	poivron vert, en cubes
1	oignon, haché
60 ml	(1/4 tasse) poireau, émincé
125 ml	(1/2 tasse) pomme de terre, en cubes
	sel et poivre
1	pincée de thym
500 ml	(2 tasses) crème de champignons
30 ml	(2 c. à s.) persil, haché
60 ml	(1/4 tasse) homard, en cubes

■ Laissez égoutter les palourdes ; réservez le jus.

■ Dans une casserole, faites fondre le bacon ; ajoutez les palourdes, le poivron, l'oignon, le poireau et la pomme de terre ; faites revenir 4 minutes en remuant. Assaisonnez de sel, de poivre et de thym ; ajoutez la crème de champignons et le jus de palourdes ; faites cuire jusqu'à ce que la pomme de terre soit tendre.

■ Ajoutez le persil et le homard en cubes ; laissez réchauffer ; servez.

* recette illustrée

428

Soupe automnale

Toute indiquée après une journée au grand air.

environ 1 L (4 tasses)

15 ml	(1 c. à s.) huile végétale
225 g	(8 oz) bœuf haché
125 ml	(1/2 tasse) oignon, haché
500 ml	(2 tasses) sauce béchamel
125 ml	(1/2 tasse) carotte, tranchée
125 ml	(1/2 tasse) céleri, en tronçons
125 ml	(1/2 tasse) pomme de terre, en cubes
	sel et poivre
1	feuille de laurier
3	tomates, fraîches ou en conserve

■ Dans une casserole, faites chauffer l'huile ; faites revenir le bœuf à feu doux.

■ Ajoutez l'oignon ; poursuivez la cuisson 5 minutes en remuant continuellement.

■ Ajoutez la sauce béchamel et les légumes ; amenez à ébullition ; couvrez ; laissez mijoter environ 20 minutes.

■ Ajoutez les tomates ; laissez mijoter 10 minutes ; servez.

VARIANTES

• **Substituez au bœuf haché des restes de viande cuite.**

• **Ajoutez des croûtons avant de servir.**

Potage au maïs

Un potage délicieux, idéal pour apporter à l'école ou au travail.

environ 1,25 L (5 tasses)

15 ml	(1 c. à s.) beurre
1	oignon, haché
1	pomme de terre moyenne, tranchée
375 ml	(1 1/2 tasse) bouillon de poulet
500 ml	(2 tasses) maïs en grains
	sel
375 ml	(1 1/2 tasse) lait
	quelques grains de maïs
	paprika

■ Dans une casserole, faites fondre le beurre ; faites revenir l'oignon et la pomme de terre. Ajoutez le bouillon de poulet et le maïs ; salez ; amenez à ébullition ; couvrez ; laissez mijoter jusqu'à ce que la pomme de terre soit tendre.

■ Retirez du feu ; laissez refroidir quelques minutes.

■ Versez dans le bol du mélangeur ; mélangez environ 30 secondes.

■ Remettez dans la casserole ; ajoutez le lait ; faites chauffer sans bouillir 8 à 10 minutes.

■ Déposez quelques grains de maïs au centre ; saupoudrez de paprika ; servez.

* recette illustrée

Soupe aux légumineuses

Parsemez la soupe d'un peu de cheddar râpé.

environ 1 L (4 tasses)	
15 ml	(1 c. à s.) beurre
2	oignons, émincés
1	gousse d'ail, émincée
398 ml	(14 oz) fèves de lima, en conserve
398 ml	(14 oz) pois chiches, en conserve
540 ml	(19 oz) tomates, en conserve
30 ml	(2 c. à s.) pâte de tomates
2 ml	(1/2 c. à t.) origan
2 ml	(1/2 c. à t.) sel
2 ml	(1/2 c. à t.) poivre

■ Dans une casserole, faites chauffer le beurre ; faites revenir les oignons et l'ail ; ajoutez les légumineuses ; mélangez. Ajoutez les tomates et la pâte de tomates ; assaisonnez d'origan, de sel et de poivre ; laissez mijoter environ 20 minutes.

■ Vérifiez l'assaisonnement ; servez.

Soupe favorite

Si vous désirez essayer une nouvelle céréale, remplacez le riz par du millet.

environ 1 L (4 tasses)	
15 ml	(1 c. à s.) beurre
1	gousse d'ail, émincée
10 ml	(2 c. à t.) basilic, haché
540 ml	(19 oz) tomates, en conserve
250 ml	(1 tasse) bouillon de poulet
	sel et poivre
	vermicelles
	riz
250 ml	(1 tasse) épinards, grossièrement hachés

■ Dans une casserole, faites fondre le beurre ; faites revenir l'ail et le basilic. Ajoutez les tomates et le bouillon de poulet ; salez et poivrez. Amenez à ébullition ; ajoutez les vermicelles et le riz ; couvrez ; laissez mijoter environ 20 minutes.

■ Vérifiez l'assaisonnement ; incorporez les épinards ; laissez mijoter quelques minutes ; servez.

* recette illustrée

Potage Saint-Germain

Soupe aux pois suprême

Ce potage aux pois cassés a un goût plus délicat que notre traditionnelle soupe aux pois.

environ 1,25 L (5 tasses)	
250 ml	(1 tasse) pois cassés
30 ml	(2 c. à s.) beurre
1	poireau, émincé
1	oignon, émincé
500 ml	(2 tasses) eau
500 ml	(2 tasses) bouillon de poulet
125 ml	(1/2 tasse) bacon, en morceaux
1	feuille de laurier
	sel et poivre
60 ml	(1/4 tasse) crème à 35 %

■ Lavez les pois cassés ; laissez égoutter ; réservez.

■ Dans une casserole, faites fondre le beurre ; faites suer le poireau et l'oignon ; ajoutez les pois cassés ; arrosez d'eau et de bouillon de poulet ; amenez à ébullition. Ajoutez le bacon et la feuille de laurier ; salez et poivrez ; couvrez ; laissez mijoter au moins 1 heure.

■ Passez au mélangeur ; incorporez la crème ; vérifiez l'assaisonnement ; servez.

Si vous utilisez des petits pois surgelés, réduisez la quantité d'eau à 1 litre (4 tasses) et le temps de cuisson à 30 minutes.

Garnissez d'une julienne de jambon.

environ 2 L (8 tasses)	
225 g	(8 oz) pois verts, séchés
60 ml	(1/4 tasse) lard salé
1,75 L	(7 tasses) d'eau
1	oignon, émincé
1	carotte, en cubes
1	feuille de laurier
10 ml	(2 c. à t.) feuilles de céleri, émincées
5	brins de persil
2 ml	(1/2 c. à t.) sarriette, hachée
	sel et poivre

■ Dans une casserole, combinez tous les ingrédients ; amenez à ébullition ; laissez bouillir 2 minutes. Réduisez le feu ; couvrez ; laissez mijoter environ 1 1/2 heure en remuant de temps en temps.

■ Retirez le lard salé ; passez la soupe au mélangeur ; vérifiez l'assaisonnement ; décorez de quelques lardons ; servez.

LES CRÈMES ET VELOUTÉS

Velouté de poulet

Pour un velouté plus léger, remplacez la crème par du lait entier.

environ 2 L (8 tasses)

2	carottes, en cubes
1	oignon, haché
1 L	(4 tasses) bouillon de poulet
45 ml	(3 c.à s.) beurre
45 ml	(3 c. à s.) farine
226 g	(8 oz) poulet (ou reste de poulet, cuit)
60 ml	(1/4 tasse) riz à cuisson rapide
	sel et poivre
1	pincée de ciboulette, hachée
1	pincée de basilic
180 ml	(3/4 tasse) crème à 35 %

■ Dans un plat allant au four à micro-ondes, placez les légumes et 250 ml (1 tasse) de bouillon de poulet ; faites cuire à ÉLEVÉ, 6 minutes ; réservez.

■ Dans une grande tasse de pyrex, faites cuire le beurre et la farine à ÉLEVÉ, 1 minute. Versez le reste du bouillon ; remuez délicatement.

■ Ajoutez le poulet, le riz et les légumes réservés ; assaisonnez de sel, de poivre, de ciboulette et de basilic ; mélangez bien ; faites cuire à ÉLEVÉ, 10 minutes ; remuez ; poursuivez la cuisson à FAIBLE, 10 minutes.

■ Ajoutez la crème ; remuez délicatement ; servez avec des croûtons.

Velouté de poivrons et de tomates

Au moment de servir le velouté, décorez d'un léger filet de crème.

environ 1,5 L (6 tasses)

45 ml	(3 c. à s.) beurre
1	poivron rouge, en lanières
1	poivron vert, en lanières
1 L	(4 tasses) bouillon de poulet
30 ml	(2 c. à s.) farine
284 ml	(10 oz) crème de tomates
	sel et poivre
	poivron, vert et rouge, en julienne
	ciboulette, hachée

■ Dans un poêlon, faites fondre 10 ml (2 c. à t.) de beurre ; faites revenir les poivrons, 5 minutes. Versez 250 ml (1 tasse) de bouillon de poulet ; laissez bouillir 4 minutes ; passez au mélangeur ; réservez.

■ Dans une casserole, faites fondre le reste de beurre ; ajoutez la farine ; remuez ; ajoutez le mélange de poivrons et le reste de bouillon ; amenez à ébullition en remuant continuellement.

■ Ajoutez la crème de tomates ; laissez mijoter 5 minutes. Salez et poivrez ; garnissez de poivron en julienne et de ciboulette hachée ; servez.

* recette illustrée

432

Velouté d'asperges

Vous gagnerez du temps en utilisant des ingrédients précuits.

environ 1,5 L (6 tasses)

45 ml	(3 c. à s.) beurre
45 ml	(3 c. à s.) farine
750 ml	(3 tasses) bouillon de poulet
568 ml	(20 oz) asperges, en conserve
	sel et poivre
5 ml	(1 c. à t.) ciboulette, hachée
	crème à 35 %
	quelques pointes d'asperges

■ Dans un poêlon, faites fondre le beurre ; ajoutez la farine ; laissez cuire 2 minutes. Arrosez de bouillon de poulet ; mélangez bien. Ajoutez les asperges ; assaisonnez de sel, de poivre et de ciboulette ; laissez mijoter 20 minutes. Passez au mélangeur ; versez dans chaque bol ; ajoutez un léger filet de crème ; garnissez de pointes d'asperge ; servez.

* recette illustrée

MÉTHODE MINUTE

• Faites chauffer 568 ml (20 oz) de crème d'asperges en conserve, selon le mode d'emploi ; ajoutez 284 ml (10 oz) d'asperges en conserve et 5 ml (1 c. à t.) de ciboulette hachée. Laissez mijoter 5 minutes. Passez au mélangeur ; ajoutez 15 ml (1 c. à s.) de beurre et 60 ml (1/4 tasse) de crème à 35 % ; servez.

Velouté d'endives aux herbes fraîches

À défaut d'herbes fraîches, réduisez de moitié la quantité à utiliser.

environ 1,5 L (6 tasses)

500 ml	(2 tasses) bouillon de poulet
500 ml	(2 tasses) bouillon de bœuf
3	endives, émincées
5 ml	(1 c. à t.) cerfeuil, haché
2 ml	(1/2 c. à t.) estragon, haché
3 ml	(3/4 c. à t.) basilic, haché
10 ml	(2 c. à t.) persil, haché
2 ml	(1/2 c. à t.) muscade, moulue
3	jaunes d'œufs
250 ml	(1 tasse) crème à 15 %

■ Dans une casserole, faites chauffer les bouillons de poulet et de bœuf ; ajoutez les endives et les fines herbes ; assaisonnez de muscade ; laissez mijoter 20 minutes. Passez au mélangeur.

■ Entre-temps, dans un bol, mélangez les jaunes d'œufs et la crème ; versez dans le bol du mélangeur ; mélangez ; remettez dans la casserole ; faites réchauffer sans laisser bouillir ; vérifiez l'assaisonnement ; servez.

Crème de laitue

Utilisez les feuilles extérieures de plusieurs laitues et gardez les cœurs pour votre salade.

environ 2 L (8 tasses)

1 L	(4 tasses) bouillon de poulet
500 ml	(2 tasses) pommes de terre, en morceaux
1	laitue Boston, lavée, en morceaux
	sel et poivre
1	pincée de poivre de cayenne
125 ml	(1/2 tasse) yogourt nature
250 ml	(1 tasse) lait partiellement écrémé
	feuilles de laitue, ciselées

■ Dans une casserole, amenez le bouillon de poulet à ébullition ; ajoutez les pommes de terre ; faites cuire 20 minutes.

■ Ajoutez la laitue ; laissez mijoter 1 minute. Assaisonnez de sel, de poivre et de poivre de cayenne ; passez au mélangeur.

■ Entre-temps, dans un bol, mélangez le yogourt et le lait ; versez dans le bol du mélangeur ; mélangez. Versez dans une soupière ; garnissez de feuilles de laitue ciselées ; servez très chaud.

Crème de légumes à la canadienne

Ajoutez quelques croûtons juste avant de servir.

environ 2 L (8 tasses)

30 ml	(2 c. à s.) beurre
125 ml	(1/2 tasse) carotte, en cubes
125 ml	(1/2 tasse) navet, en cubes
60 ml	(1/4 tasse) pomme de terre, en cubes
125 ml	(1/2 tasse) poireau, en tronçons
125 ml	(1/2 tasse) céleri, en tronçons
125 ml	(1/2 tasse) oignon, en cubes
250 ml	(1 tasse) tomates, en cubes
750 ml	(3 tasses) bouillon de bœuf
	sel et poivre
125 ml	(1/2 tasse) crème à 35 %
10 ml	(2 c. à t.) persil, haché

■ Dans une casserole, faites fondre le beurre ; faites suer les légumes et les tomates, 5 minutes.

■ Ajoutez le bouillon ; salez et poivrez ; amenez à ébullition ; laissez mijoter à feu doux, 30 minutes. Passez au mélangeur ; incorporez la crème ; parsemez de ciboulette ; servez.

Crème de poireaux

Si vous prévoyez servir cette soupe le lendemain, n'incorporez le lait qu'à la dernière minute.

environ 2 L (8 tasses)

45 ml	(3 c. à s.) huile
4	poireaux, lavés, tranchés
3	pommes de terre, en cubes
45 ml	(3 c. à s.) farine
	sel et poivre
2 ml	(1/2 c. à t.) basilic
2 ml	(1/2 c. à t.) estragon
2 ml	(1/2 c. à t.) sarriette
1,25 L	(5 tasses) bouillon
250 ml	(1 tasse) lait
	ou
125 ml	(1/2 tasse) crème à 35 %
	fines herbes fraîches

■ Dans une casserole, faites chauffer l'huile ; faites revenir les poireaux 3 minutes ; ajoutez les pommes de terre ; laissez cuire 5 minutes.

■ Incorporez la farine ; mélangez ; assaisonnez de sel, de poivre, de basilic, d'estragon et de sarriette ; arrosez de bouillon ; faites cuire 40 minutes.

■ Passez au mélangeur ; incorporez le lait ou la crème ; décorez de fines herbes ; servez.

* recette illustrée

VARIANTE

• **Parsemez de fromage râpé ; faites gratiner ; servez.**

Crème aux tomates et au pain

Voilà une façon ingénieuse d'utiliser de façon fort agréable un reste de pain rassis !

environ 2 L (8 tasses)

1 L	(4 tasses) lait
3	tranches de mie de pain
30 ml	(2 c. à s.) beurre
3 à 4	oignons, hachés
	sel et poivre
2 ml	(1/2 c. à t.) bicarbonate de soude
796 ml	(28 oz) tomates, en conserve

■ Dans une casserole, versez le lait ; déposez les tranches de pain ; laissez tremper ; réservez.

■ Dans un poêlon, faites fondre le beurre ; faites revenir les oignons ; incorporez au mélange de pain et de lait ; amenez au point d'ébullition ; diminuez la chaleur ; salez et poivrez ; ajoutez le bicarbonate de soude, puis les tomates ; laissez réchauffer ; servez.

Crème de céleri « en bouquets »

Si vous désirez attendrir les fleurettes de brocoli et de chou-fleur, faites-les cuire au four à micro-ondes à ÉLEVÉ, pendant 1 minute.

environ 2 L (8 tasses)

568 ml	(20 oz) crème de céleri, en conserve
284 ml	(10 oz) lait
284 ml	(10 oz) eau
125 ml	(1/2 tasse) queues de brocoli
125 ml	(1/2 tasse) queues de chou-fleur
3 ml	(3/4 c. à t.) sel d'oignon
2 ml	(1/2 c. à t.) poivre de céleri
60 ml	(1/4 tasse) crème à 35 %
60 ml	(1/4 tasse) brocoli, en fleurettes
60 ml	(1/4 tasse) chou-fleur, en fleurettes

■ Dans une casserole, faites chauffer la crème de céleri, le lait et l'eau ; réservez.

■ Dans une autre casserole d'eau bouillante salée, faites blanchir le brocoli et le chou-fleur ; laissez égoutter ; réservez les fleurettes pour la garniture.

■ Ajoutez les queues de brocoli et de chou-fleur à la crème de céleri ; assaisonnez de sel d'oignon et de poivre de céleri ; laissez mijoter 10 minutes.

■ Passez au mélangeur ; incorporez délicatement la crème ; vérifiez l'assaisonnement ; versez dans les bols ; décorez de brocoli et de chou-fleur en fleurettes ; servez.

Crème de champignons

Avec des ingrédients tout simples, vous pouvez facilement donner une touche personnelle à n'importe quelle soupe en conserve.

environ 1,5 L (6 tasses)

568 ml	(20 oz) crème de champignons
284 ml	(10 oz) lait
284 ml	(10 oz) eau
30 ml	(2 c. à s.) beurre
250 ml	(1 tasse) champignons, tranchés
15 ml	(1 c. à s.) oignon, haché
1	gousse d'ail, émincée
15 ml	(1 c. à s.) brandy (facultatif)
	sel et poivre
1 ml	(1/4 c. à t.) muscade

■ Dans une casserole, faites chauffer la crème de champignons, le lait et l'eau.

■ Entre-temps, dans un poêlon, faites fondre le beurre ; faites revenir les champignons, l'oignon et l'ail ; ajoutez le brandy ; faites chauffer 1 minute ; incorporez à la crème de champignons ; assaisonnez de sel, de poivre et de muscade ; laissez mijoter 5 minutes ; servez.

* recette illustrée

Crème d'épinards et de cresson

Ne jetez surtout pas les queues de cresson : utilisez-les pour aromatiser un bouillon.

environ 1 L (4 tasses)

30 ml	(2 c. à s.) beurre
1	gousse d'ail, émincée
30 ml	(2 c. à s.) oignon, haché
250 ml	(1 tasse) épinards, équeutés
60 ml	(1/4 tasse) cresson, équeuté
284 ml	(10 oz) crème de céleri
284 ml	(10 oz) lait
250 ml	(1 tasse) bouillon de poulet
	sel et poivre
5 ml	(1 c. à t.) fenouil, haché
125 ml	(1/2 tasse) crème à 35 %

■ Dans une casserole, faites fondre le beurre ; faites revenir l'ail et l'oignon ; faites tomber les épinards et le cresson.

■ Ajoutez la crème de céleri, le lait et le bouillon de poulet ; amenez à ébullition ; laissez mijoter 10 minutes.

■ Assaisonnez de sel, de poivre et de fenouil ; passez au mélangeur ; versez dans la casserole ; incorporez la crème ; faites réchauffer en remuant, sans laisser bouillir ; servez.

Crème de courgettes à l'ail

Ne pelez pas vos courgettes ; votre soupe sera plus parfumée et aussi plus colorée.

environ 1,5 L (6 tasses)

6	courgettes
10 ml	(2 c. à t.) sel
45 ml	(3 c. à s.) beurre
2	oignons, tranchés
2	gousses d'ail, émincées
1 L	(4 tasses) bouillon de poulet
1	grosse tomate, pelée, en morceaux
5 ml	(1 c. à t.) thym
2 ml	(1/2 c. à t.) sucre
2 ml	(1/2 c. à t.) origan
2 ml	(1/2 c. à t.) basilic
1 ml	(1/4 c. à t.) muscade
1 ml	(1/4 c. à t.) poivre
125 ml	(1/2 tasse) crème à 35 %

■ Coupez finement les courgettes ; salez ; laissez dégorger dans une passoire, 30 minutes.

■ Dans une casserole, faites fondre le beurre ; ajoutez les oignons, les courgettes et l'ail ; couvrez ; laissez cuire à feu doux 10 minutes.

■ Ajoutez le bouillon de poulet, la tomate et les assaisonnements ; passez au mélangeur ; remettez dans la casserole ; incorporez la crème ; laissez réchauffer environ 5 minutes ; servez.

LES SOUPES FROIDES

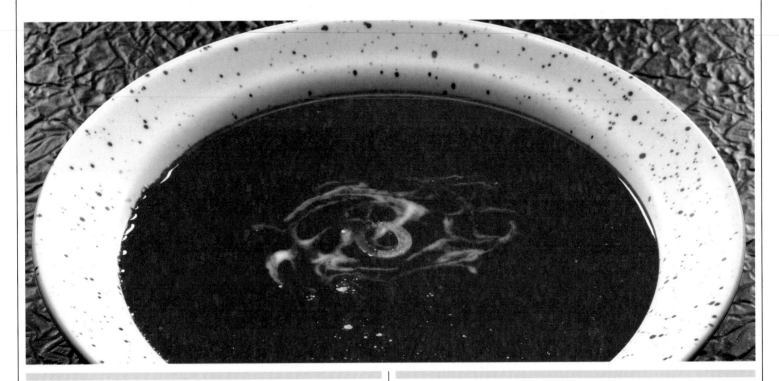

Vichyssoise

Ce potage est bien meilleur servi glacé ! Certains disent que c'est le meilleur des potages à la crème.

environ 2 L (8 tasses)

45 ml	(3 c. à s.) beurre
750 g	(3 tasses) blancs de poireaux, émincés
250 g	(1 tasse) pommes de terre, tranchées
675 ml	(2 1/2 tasses) bouillon de poulet
250 ml	(1 tasse) crème à 15 %
	sel et poivre
	ciboulette, hachée

■ Dans une casserole, faites fondre le beurre ; faites suer les blancs de poireaux et les pommes de terre ; arrosez de bouillon de poulet ; amenez à ébullition ; laissez mijoter jusqu'à ce que les légumes soient tendres.

■ Passez au mélangeur ; versez dans une soupière ; incorporez la crème délicatement ; salez et poivrez ; laissez refroidir. Parsemez de ciboulette hachée juste avant de servir.

VARIANTES

- Substituez aux pommes de terre du navet ou des carottes.

- Saupoudrez de muscade.

- Décorez de 15 ml (1 c. à s.) de caviar rouge ou noir.

Soupe aux betteraves

Qui dit soupe aux betteraves dit « bortsch ». Ce potage russe se mange aussi bien chaud que froid.

environ 1 L (4 tasses)

7	petites betteraves, cuites
1	grosse pomme de terre, cuite
500 ml	(2 tasses) bouillon de poulet
15 ml	(1 c. à s.) vinaigre de vin
5 ml	(1 c. à t.) estragon, haché
250 ml	(1 tasse) crème sure
1	échalote, émincée

■ Passez tous les ingrédients au mélangeur, sauf une betterave, la crème et l'échalote ; versez dans une soupière ; incorporez la crème délicatement ; laissez refroidir.

■ Entre-temps, râpez la betterave réservée.

■ Versez la soupe dans les bols ; décorez de betterave râpée ; arrosez d'un filet de crème sure ; parsemez d'échalote ; servez.

* recette illustrée

VARIANTES

- Substituez à l'estragon 2 ml (1/2 c. à t.) de fenouil haché et 5 ml (1 c. à t.) d'aneth séché.

- Substituez à 250 ml (1 tasse) de bouillon 250 ml (1 tasse) de bière légère.

Gaspacho (sans cuisson)

D'origine espagnole, ce potage s'accompagne de croûtons, d'olives hachées et d'œufs durs tranchés.

environ 1,5 L (6 tasses)	
1	concombre moyen, pelé, haché
2 à 3	tomates moyennes, hachées grossièrement
1	petit oignon, émincé
5 ml	(1 c. à t.) ail, émincé
500 ml	(2 tasses) chapelure fraîche
500 ml	(2 tasses) eau froide
30 ml	(2 c. à s.) vinaigre de vin
10 ml	(2 c. à t.) sel
10 ml	(2 c. à t.) huile d'olive ou de maïs
	croûtons à l'ail
	poivron vert, en julienne

■ Dans une soupière, mélangez les légumes, l'ail et la chapelure ; ajoutez l'eau, le vinaigre et le sel ; passez au mélangeur. Remettez dans la soupière ; incorporez l'huile à l'aide d'un fouet ; couvrez ; placez au réfrigérateur ; attendez au moins 2 heures.

■ Au moment de servir, garnissez de croûtons à l'ail et de poivron vert en julienne.

VARIANTES

• Substituez une courgette au concombre.

• Garnissez de ciboulette ou d'échalote émincée.

Soupe froide aux concombres

Garnissez votre potage glacé de légumes croquants en julienne, ou de croûtons.

environ 1 L (4 tasses)	
2 à 4	concombres moyens, pelés, épépinés, coupés en quatre
500 ml	(2 tasses) yogourt nature
250 ml	(1 tasse) crème sure
1 ou 2	petits oignons ou échalotes
2 ml	(1/2 c. à t.) sel
1	pincée de poivre noir
2 ml	(1/2 c. à t.) sauce anglaise
5 ml	(1 c. à t.) aneth
30 ml	(2 c. à s.) persil frais, haché
4	fines tranches de concombre

■ Passez tous les ingrédients au mélangeur, sauf l'aneth, le persil et les tranches de concombre. Placez au réfrigérateur ; attendez au moins 4 heures.

■ Au moment de servir, versez la soupe dans les bols ; parsemez d'aneth et de persil ; décorez de fines tranches de concombre.

* recette illustrée

Soupe froide à l'avocat et au cresson

Il faut arroser la pulpe de l'avocat de jus de citron pour éviter qu'elle ne noircisse.

environ 1 L (4 tasses)

2	avocats, pelés, en morceaux
1	botte de cresson, sans tiges
	jus de 1/2 limette
	jus de 1/2 citron
750 ml	(3 tasses) bouillon de poulet
	sel et poivre
	poudre d'ail
	origan
2	tranches de mie de pain blanc
60 ml	(1/4 tasse) huile végétale
60 ml	(1/4 tasse) crème à 15 %
12	olives noires, dénoyautées, émincées

■ Dans le bol du mélangeur ou du robot culinaire, combinez les avocats, le cresson, les jus, le bouillon de poulet et les assaisonnements ; réduisez en purée.

■ Entre-temps, arrosez la mie de pain d'eau froide ; éliminez le surplus d'eau ; ajoutez au premier mélange ; mélangez quelques secondes jusqu'à l'obtention d'une consistance homogène.

■ Incorporez l'huile, en filet ; versez dans une soupière ; incorporez délicatement la crème et les olives ; placez au réfrigérateur ; attendez jusqu'au moment de servir.

Potage froid

Dérogez à la règle qui veut que l'on ne serve rien à boire avec une soupe et offrez à vos invités un vin blanc sec ou un rosé avec ce potage.

environ 1,5 L (6 tasses)

284 ml	(10 oz) crème de céleri, en conserve
284 ml	(10 oz) crème de tomates, en conserve
100 ml	(3,5 oz) pâte de homard
1	pincée de cari
500 ml	(2 tasses) lait
250 ml	(1 tasse) crème à 15 %

■ Dans un bol, mélangez tous les ingrédients ; passez au mélangeur, 30 secondes ; versez dans une soupière ; laissez refroidir ; servez.

VARIANTE

• **Substituez à la pâte de homard des petites crevettes en conserve.**

Soupe froide aux asperges

Si vous utilisez des asperges fraîches, gagnez du temps en les faisant cuire environ 6 minutes au four à micro-ondes, dans un faitout contenant 15 ml (1 c. à s.) d'eau.

environ 1 L (4 tasses)

12	asperges fraîches, cuites
	ou
284 ml	(10 oz) asperges, en conserve
284 ml	(10 oz) crème d'asperges
375 ml	(1 1/2 tasse) lait
	sel et poivre
	estragon
60 ml	(1/4 tasse) crème sure
	persil, haché

■ Dans un bol, mélangez tous les ingrédients, sauf 20 ml (4 c. à t.) de crème sure et le persil ; passez au mélangeur. Placez au réfrigérateur ; laissez refroidir.

■ Au moment de servir, versez la soupe dans les bols, garnissez chaque bol de 5 ml (1 c. à t.) de crème sure et de persil.

Soupe au cantaloup

Râpez très finement le gingembre pour que son goût demeure subtil.

environ 750 ml (3 tasses)

1	cantaloup moyen mûr, évidé, pelé, haché
60 ml	(1/4 tasse) yogourt nature
60 ml	(1/4 tasse) jus d'orange
250 ml	(1 tasse) crème sure
5 ml	(1 c. à t.) basilic frais, haché
5 ml	(1 c. à t.) zeste d'orange, râpé
2 ml	(1/2 c. à t.) gingembre frais, pelé, râpé
15 ml	(1 c. à s.) cognac ou brandy

■ Déposez tous les ingrédients dans le bol du robot culinaire ; mélangez jusqu'à l'obtention d'une consistance homogène. Passez au tamis ; versez dans une soupière ; couvrez ; placez au réfrigérateur ; attendez au moins 3 heures ; servez dans des bols froids.

* recette illustrée

VARIANTE

• Substituez au cantaloup du melon miel ou 375 ml (1 1/2 tasse) de fraises.

LES SAUCES

Les sauces sont un excellent moyen de rehausser certains plats et de réchauffer bien des restes.

Le délicat arôme d'une sauce béchamel, douce et crémeuse, est toujours apprécié. Ajoutez quelques ingrédients juste avant de la servir (fromage, œuf, moutarde, crevette, estragon, etc.) et vous donnerez en un rien de temps une nouvelle dimension à votre plat.

Des sauces au beurre, telles la hollandaise et la béarnaise ont, elles aussi, plusieurs variantes. Ces sauces relèvent délicatement la saveur des aliments et transforment les plus simples d'entre eux en plats gastronomiques.

La mayonnaise est sûrement la sauce la plus versatile de toutes. En effet, rien n'empêche d'y incorporer fines herbes, épices, câpres, cornichons, légumes et pourquoi pas quelques fruits ?

Il ne faut pas oublier non plus les fonds, les coulis de légumes et les sauces aux fruits.

N'hésitez pas à jongler avec les sauces de base ; vous découvrirez des saveurs toutes nouvelles qui raviront bien des gourmets !

LES SAUCES BÉCHAMELS

Sauce béchamel

environ 500 ml (2 tasses)

1/2	oignon
1	feuille de laurier
3	clous de girofle
45 ml	(3 c. à s.) beurre
45 ml	(3 c. à s.) farine
500 ml	(2 tasses) lait
	sel et poivre
1 ml	(1/4 c. à t.) muscade, moulue

■ Posez la feuille de laurier sur la face coupée du demi-oignon ; piquez de clous de girofle.

■ Dans une casserole, faites fondre le beurre ; ajoutez la farine ; mélangez ; faites cuire 2 minutes, en remuant. Ajoutez le lait et l'oignon ; faites cuire 6 minutes, sans cesser de remuer.

■ Retirez l'oignon ; assaisonnez de sel, de poivre et de muscade ; servez.

VARIANTES

Sauce aux œufs

• Ajoutez à 250 ml (1 tasse) de sauce béchamel, 3 jaunes d'œufs durs hachés et 5 ml (1 c. à t.) de moutarde forte.

Sauce persillée

• Ajoutez à 250 ml (1 tasse) de sauce béchamel, 2 gousses d'ail émincées et 10 ml (2 c. à t.) de persil haché.

Sauce au crabe

• Ajoutez à 250 ml (1 tasse) de sauce béchamel, 60 ml (1/4 tasse) de bisque de homard et 30 ml (2 c. à s.) de chair de crabe effilochée.

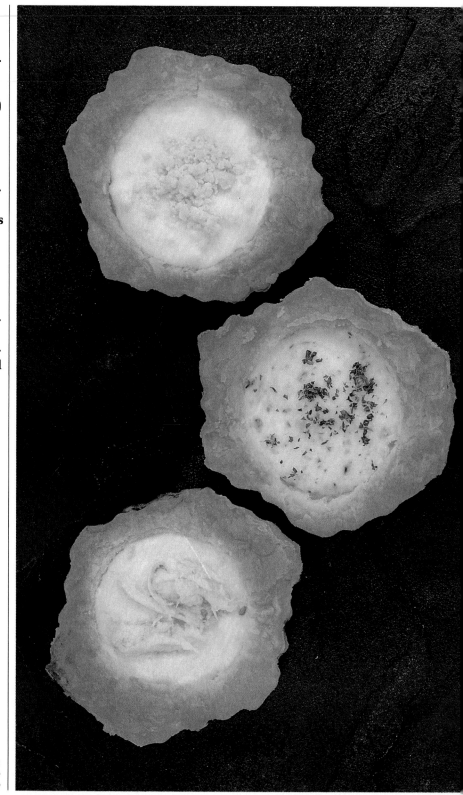

De haut en bas :
Sauce aux œufs ▪ Sauce
persillade ▪ Sauce au crabe

Réussir une sauce béchamel n'est peut-être pas aussi difficile qu'on le croit. Le secret consiste à ajouter le liquide en une seule fois et à remuer constamment. Une fois que vous saurez vous y prendre, vous pourrez remercier le marquis de Béchamiel — c'est bien son nom — d'avoir contribué à asseoir votre réputation de cordon-bleu !

*De haut en bas :
Sauce aux champignons • Sauce
au céleri • Sauce mornay*

Sauce aux champignons

- **Ajoutez à 250 ml (1 tasse) de sauce béchamel, 60 ml (1/4 tasse) de champignons équeutés, sautés dans 10 ml (2 c. à t.) de beurre.**

Sauce au céleri

- **Ajoutez à 250 ml (1 tasse) de sauce béchamel, 60 ml (1/4 tasse) de crème de céleri en conserve, non diluée et 15 ml (1 c. à s.) de céleri en cubes, blanchi 1 minute.**

Sauce mornay

- **Ajoutez à 250 ml (1 tasse) de sauce béchamel, 60 ml (1/4 tasse) de parmesan râpé.**

Sauce soubise

- **Ajoutez à 250 ml (1 tasse) de sauce béchamel, 30 ml (2 c. à s.) d'oignon haché, blanchi 1 minute, 1 pincée de coriandre hachée et 30 ml (2 c. à s.) de crème à 35 %.**

Sauce au concombre

- **Ajoutez à 250 ml (1 tasse) de sauce béchamel, 80 ml (1/3 tasse) de concombre en julienne, blanchi 1 minute et 5 ml (1 c. à t.) d'aneth, haché.**

445

LES SAUCES HOLLANDAISES

Sauce hollandaise

environ 250 ml (1 tasse)

2	jaunes d'œufs
15 ml	(1 c. à s.) vin blanc
225 g	(1/2 lb) beurre, clarifié
1	pincée de sel
1	pincée de poivre de cayenne
5 ml	(1 c. à t.) jus de citron

■ Dans une petite casserole, à feu très doux, fouettez les jaunes d'œufs et le vin blanc jusqu'à un léger épaississement.

■ Retirez du feu ; à l'aide d'un fouet, incorporez le beurre clarifié, en petites quantités. Ajoutez les assaisonnements et le jus de citron ; mélangez jusqu'à l'obtention d'une consistance homogène.

Sauce simili-hollandaise

environ 250 ml (1 tasse)

30 ml	(2 c. à s.) beurre
30 ml	(2 c. à s.) farine
250 ml	(1 tasse) lait
	sel et poivre
1	jaune d'œuf
15 ml	(1 c. à s.) beurre
30 ml	(2 c. à s.) jus de citron

■ Dans une casserole, faites fondre le beurre ; ajoutez la farine ; mélangez ; faites cuire 1 minute. Ajoutez le lait ; faites cuire en remuant, environ 4 minutes. Salez et poivrez.

■ Dans un petit bol, battez le jaune d'œuf ; arrosez d'un peu de sauce chaude ; mélangez ; incorporez à la sauce ; faites cuire 2 minutes. Retirez du feu ; ajoutez le beurre et le jus de citron.

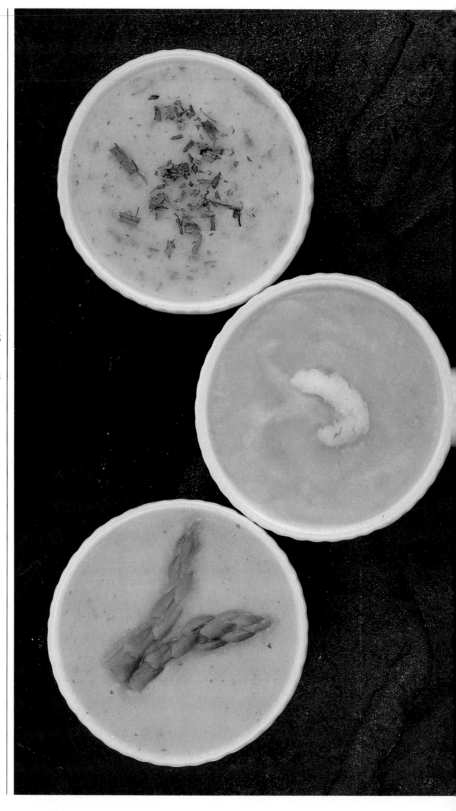

De haut en bas :
Sauce béarnaise ▪ Sauce aux crevettes ▪ Sauce aux asperges

446

Les sauces hollandaises ou simili-hollandaises sont des sauces riches qui accompagnent très bien les grillades, les poissons pochés, les légumes cuits à la vapeur, le riz, les nouilles et les œufs à la coque. Si vous craignez de ne pas réussir votre sauce hollandaise, nous vous conseillons d'essayer notre simili-hollandaise ; le résultat est sensiblement le même, mais elle est tellement plus facile à réussir.

*De haut en bas :
Sauce Choron • Sauce mousseline • Sauce maltaise*

VARIANTES

Sauce béarnaise

- Ajoutez à 250 ml (1 tasse) de sauce hollandaise, 5 ml (1 c. à t.) d'estragon au vinaigre, haché, 1 échalote hachée, 10 ml (2 c. à t.) de persil haché et quelques gouttes de vinaigre d'estragon.

Sauce aux crevettes

- Ajoutez à 250 ml (1 tasse) de sauce hollandaise, 15 ml (1 c. à s.) de bisque de crevettes froide et 60 ml (1/4 tasse) de crevettes cuites et hachées.

Sauce aux asperges

- Ajoutez à 250 ml (1 tasse) de sauce hollandaise, 30 ml (2 c. à s.) d'asperges passées au robot culinaire et 2 à 3 pointes d'asperges.

Sauce Choron

- Ajoutez à 250 ml (1 tasse) de sauce hollandaise, 45 ml (3 c. à s.) de pâte de tomates et 5 ml (1 c. à t.) d'estragon haché.

Sauce mousseline

- Ajoutez à 250 ml (1 tasse) de sauce hollandaise, 60 ml (1/4 tasse) de crème fouettée ferme.

Sauce à la menthe

- Ajoutez à 250 ml (1 tasse) de sauce hollandaise, 10 ml (2 c. à t.) de feuilles de menthe hachées.

Sauce maltaise

- Ajoutez à 250 ml (1 tasse) de sauce hollandaise, le jus et le zeste d'une orange sanguine.

Sauce au raifort

- Ajoutez à 250 ml (1 tasse) de sauce hollandaise, 10 ml (2 c. à t.) de raifort au vinaigre.

LES MAYONNAISES

Mayonnaise, recette de base

environ 500 ml (2 tasses)

2	jaunes d'œufs
10 ml	(2 c. à t.) moutarde de Dijon
2 ml	(1/2 c. à t.) sel
500 ml	(2 tasses) huile végétale
30 ml	(2 c. à s.) vinaigre de vin
1 ml	(1/4 c. à t.) poivre
15 ml	(1 c. à s.) eau, bouillante
5 ml	(1 c. à t.) miel (facultatif)

■ Dans un bol, à l'aide d'un fouet, mélangez les jaunes d'œufs, la moutarde et le sel ; versez l'huile en mince filet, en fouettant continuellement. Chaque fois que le mélange semble trop épais, ajoutez environ 5 ml (1 c. à t.) de vinaigre.

■ À la toute fin, ajoutez le poivre et l'eau bouillante ; mélangez ; vérifiez l'assaisonnement ; servez.

■ Note : Ajoutez le miel en même temps que l'eau pour obtenir un goût plus sucré.

Aux fines herbes

environ 250 ml (1 tasse)

250 ml	(1 tasse) mayonnaise
2 ml	(1/2 c. à t.) estragon, haché
2 ml	(1/2 c. à t.) ciboulette, hachée
2 ml	(1/2 c. à t.) fenouil, haché
2 ml	(1/2 c. à t.) basilic, haché

■ Mélangez ensemble tous les ingrédients.

Au cari

environ 250 ml (1 tasse)

250 ml	(1 tasse) mayonnaise
3 ml	(3/4 c. à t.) cari
1 ml	(1/4 c. à t.) muscade, moulue

■ Mélangez ensemble tous les ingrédients.

Tartare

environ 250 ml (1 tasse)

250 ml	(1 tasse) mayonnaise
5 ml	(1 c. à t.) persil, haché
15 ml	(1 c. à s.) cornichons au vinaigre, hachés
15 ml	(1 c. à s.) câpres, hachées
15 ml	(1 c. à s.) moutarde en grains
30 ml	(2 c. à s.) jus de citron

■ Mélangez ensemble tous les ingrédients.

Rémoulade

environ 250 ml (1 tasse)

250 ml	(1 tasse) mayonnaise
2 ml	(1/2 c. à t.) cerfeuil, haché
2 ml	(1/2 c. à t.) estragon, haché
5 ml	(1 c. à t.) persil, haché
15 ml	(1 c. à s.) cornichons au vinaigre, hachés
15 ml	(1 c. à s.) câpres, hachées
15 ml	(1 c. à s.) moutarde en grains
30 ml	(2 c. à s.) jus de citron

■ Mélangez ensemble tous les ingrédients.

De haut en bas :
Aux fines herbes ▪ Au cari ▪
Tartare

448

Cette sauce froide est indispensable dans une cuisine. Elle accompagne aussi bien les viandes froides (poulet, dinde, jambon, bœuf) que les poissons pochés, le homard, le saumon, le crabe, les légumes et les hors-d'œuvre.

À l'oseille

environ 250 ml (1 tasse)

250 ml	(1 tasse)	mayonnaise
10 ml	(2 c. à t.)	purée d'oseille
15 ml	(1 c. à s.)	feuilles d'oseille, ciselées

■ Mélangez ensemble tous les ingrédients.

Au roquefort

environ 250 ml (1 tasse)

250 ml	(1 tasse)	mayonnaise
15 ml	(1 c. à s.)	roquefort, émietté
5 ml	(1 c. à t.)	sauce anglaise

■ Mélangez ensemble tous les ingrédients.

Chantilly

environ 250 ml (1 tasse)

250 ml	(1 tasse)	mayonnaise
125 ml	(1/2 tasse)	crème, fouettée

■ Mélangez ensemble tous les ingrédients.

Mikado

environ 500 ml (2 tasses)

250 ml	(1 tasse)	mayonnaise
125 ml	(1/2 tasse)	crème, fouettée
60 ml	(1/4 tasse)	mandarines, grossièrement hachées

■ Mélangez ensemble tous les ingrédients.

Ailloli

environ 250 ml (1 tasse)

250 ml	(1 tasse)	mayonnaise
2		gousses d'ail, émincées
10 ml	(2 c. à t.)	jus de citron

■ Mélangez ensemble tous les ingrédients.

À la russe

environ 250 ml (1 tasse)

250 ml	(1 tasse)	mayonnaise
10 ml	(2 c. à t.)	raifort au vinaigre
30 ml	(2 c. à s.)	ketchup
5 ml	(1 c. à t.)	échalote, hachée
30 ml	(2 c. à s.)	caviar
60 ml	(1/4 tasse)	crème, fouettée ferme

■ Mélangez ensemble les 5 premiers ingrédients ; incorporez la crème fouettée.

De haut en bas :
Au roquefort ■ Mikado ■
À la russe

LES FONDS BRUNS

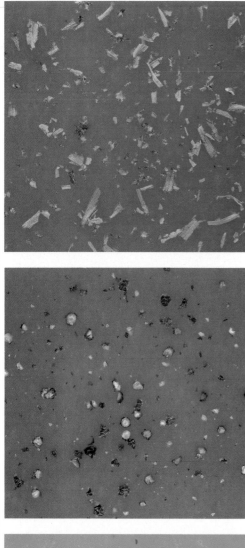

Sauce bordelaise

environ 750 ml (3 tasses)

10 ml	(2 c. à t.)	beurre
	3	échalotes, hachées
180 ml	(3/4 tasse)	vin rouge
500 ml	(2 tasses)	bouillon de bœuf
	1	pincée de thym
	1	pincée d'estragon
		sel et poivre
30 ml	(2 c. à s.)	beurre manié
15 ml	(1 c. à s.)	jus de citron
15 ml	(1 c. à s.)	persil, haché
5 ml	(1 c. à t.)	estragon, haché

■ Dans une casserole, faites fondre le beurre ; faites suer les échalotes ; ajoutez le vin ; laissez réduire de moitié.

■ Ajoutez le bouillon de bœuf et les fines herbes ; laissez mijoter 5 minutes. Salez et poivrez ; ajoutez le beurre manié ; mélangez au fouet ou à la mixette jusqu'à épaississement ; passez au tamis.

■ Au moment de servir, ajoutez le jus de citron, le persil et l'estragon.

Sauce poivrade

environ 750 ml (3 tasses)

125 ml	(1/2 tasse)	vinaigre de vin
	3	échalotes, hachées
180 ml	(1/3 tasse)	vin rouge
500 ml	(2 tasses)	bouillon de bœuf
30 ml	(2 c. à s.)	beurre manié
2 ml	(1/2 c. à t.)	poivre en grains, concassé

■ Dans une casserole, amenez à ébullition le vinaigre de vin, les échalotes et le vin ; laissez réduire de moitié.

■ Arrosez de bouillon de bœuf ; laissez mijoter 15 minutes.

■ Incorporez le beurre manié au fouet ou à la mixette ; ajoutez le poivre ; laissez mijoter jusqu'à épaississement.

■ Passez au tamis ; servez.

Sauce Diane

environ 750 ml (3 tasses)

500 ml	(2 tasses)	sauce poivrade
180 ml	(3/4 tasse)	crème à 35 %

■ Passez la sauce au poivre au tamis ; ajoutez la crème ; versez dans une casserole ; faites réchauffer sans laisser bouillir ; servez.

VARIANTE

- **Substituez au poivre noir, du poivre vert ou du poivre rose.**

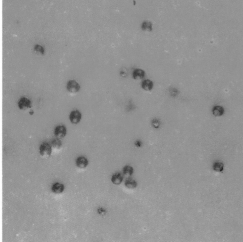

De haut en bas :
Sauce bordelaise ▪ Sauce poivrade ▪ Sauce Diane

Les fonds bruns doivent leur appellation au fait que les ingrédients qui les composent sont tout d'abord légèrement revenus dans du beurre avant d'y ajouter le liquide. Ils accompagnent surtout les viandes rouges et les rognons et rehaussent l'arôme de certains potages.

Sauce Robert

environ 750 ml (3 tasses)

10 ml	(2 c. à t.) beurre
1	oignon, haché
45 ml	(3 c. à s.) vinaigre de vin
125 ml	(1/2 tasse) vin rouge
500 ml	(2 tasses) bouillon de bœuf
30 ml	(2 c. à s.) beurre manié
	sel et poivre
15 ml	(1 c. à s.) moutarde en grains
5 ml	(1 c. à t.) miel
5 ml	(1 c. à t.) persil, haché

■ Dans une casserole, faites fondre le beurre ; faites revenir l'oignon ; ajoutez le vinaigre et le vin ; laissez réduire de moitié. Arrosez de bouillon de bœuf ; laissez mijoter 15 minutes.

■ Ajoutez le beurre manié ; salez et poivrez ; mélangez au fouet ou à la mixette ; laissez mijoter jusqu'à épaississement.

■ Ajoutez la moutarde et le miel ; passez au tamis. Parsemez de persil ; servez.

Sauce lyonnaise

environ 500 ml (2 tasses)

500 ml	(2 tasses) bouillon de bœuf
30 ml	(2 c. à s.) beurre manié
15 ml	(1 c. à s.) beurre
1	oignon, émincé
1	gousse d'ail, émincée
	sel et poivre

■ Dans une casserole, faites chauffer le bouillon de bœuf ; ajoutez le beurre manié ; mélangez au fouet ou à la mixette ; laissez mijoter 15 minutes.

■ Entre-temps, dans un poêlon, faites fondre le beurre ; faites revenir l'oignon et l'ail ; ajoutez au bouillon ; salez et poivrez ; laissez mijoter 15 minutes.

Sauce espagnole

environ 750 ml (3 tasses)

10 ml	(2 c. à t.) beurre
1	petite carotte, hachée
1	petit oignon, haché
1	branche de céleri, hachée
1	tranche de bacon, en morceaux
500 ml	(2 tasses) bouillon de bœuf
15 ml	(1 c. à s.) purée de tomates
125 ml	(1/2 tasse) champignons, en quartiers
1	feuille de laurier
3	branches de persil
	sel et poivre
30 ml	(2 c. à s.) beurre manié

■ Dans une casserole, faites fondre le beurre ; faites suer la carotte, l'oignon, le céleri et le bacon.

■ Arrosez de bouillon de bœuf ; laissez mijoter 15 minutes.

■ Ajoutez la purée de tomates, les champignons et les fines herbes ; salez et poivrez ; laissez mijoter 15 minutes.

■ Ajoutez le beurre manié ; mélangez. Passez à la mixette ou au mélangeur ; remettez dans la casserole ; laissez mijoter jusqu'à épaississement ; passez au tamis. Décorez de champignons en brunoise ; servez.

*De haut en bas :
Sauce Robert ▪ Sauce lyonnaise ▪ Sauce espagnole*

451

Les fonds blancs et fumets

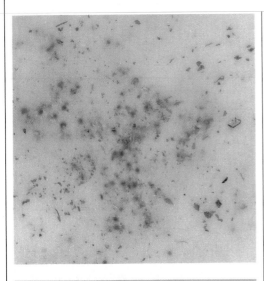

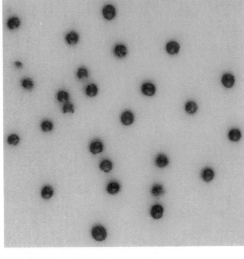

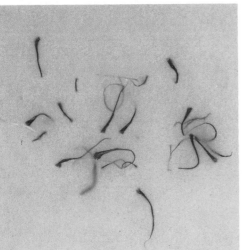

De haut en bas :
Sauce à la moutarde ▪ *Sauce au poivre rose* ▪ *Sauce au safran*

Sauce à la moutarde

environ 500 ml (2 tasses)

15 ml	(1 c. à s.)	beurre
15 ml	(1 c. à s.)	farine
500 ml	(2 tasses)	bouillon de poulet
		sel et poivre
10 ml	(2 c. à t.)	persil, haché
15 ml	(1 c. à s.)	moutarde en grains
60 ml	(1/4 tasse)	crème à 35 %

▪ Dans une casserole, faites fondre le beurre ; ajoutez la farine ; mélangez bien. Incorporez le bouillon en mince filet, en remuant continuellement. Ajoutez le sel, le poivre et le persil ; laissez mijoter 10 minutes.

▪ Incorporez la moutarde et la crème ; faites cuire 5 minutes sans laisser bouillir.

Sauce au poivre rose

environ 500 ml (2 tasses)

15 ml	(1 c. à s.)	beurre
15 ml	(1 c. à s.)	farine
500 ml	(2 tasses)	bouillon de poulet
		sel
5 ml	(1 c. à t.)	poivre rose
60 ml	(1/4 tasse)	crème à 35 %

▪ Dans une casserole, faites fondre le beurre ; incorporez la farine ; mélangez ; versez le bouillon de poulet en mince filet, en remuant continuellement. Salez ; ajoutez le poivre rose ; laissez mijoter 15 minutes. Ajoutez la crème ; faites réchauffer sans laisser bouillir ; servez.

Sauce au safran

environ 625 ml (2 1/2 tasses)

500 ml	(2 tasses)	bouillon de poulet
30 ml	(2 c. à s.)	beurre manié
1		gousse d'ail, émincée
1 ml	(1/4 c. à t.)	feuilles de coriandre, hachées
2 ml	(1/2 c. à t.)	safran
		sel et poivre
125 ml	(1/2 tasse)	crème à 35 %

▪ Dans une casserole, faites chauffer le bouillon de poulet ; incorporez le beurre manié au fouet ou à la mixette ; ajoutez l'ail, la coriandre et le safran ; salez et poivrez ; laissez mijoter jusqu'à épaississement.

▪ Passez au tamis ; ajoutez la crème ; remettez dans la casserole ; faites cuire 5 minutes sans laisser bouillir.

Les fonds blancs ont une saveur plus délicate que les fonds bruns. Ils accompagnent surtout les viandes blanches (veau, poulet, dinde) et peuvent servir à la préparation de certaines sauces blanches.

Fumet de poisson aux fines herbes

environ 500 ml (2 tasses)

20 ml	(4 c. à t.) beurre
20 ml	(4 c. à t.) farine
500 ml	(2 tasses) bouillon de poisson
1/2	gousse d'ail, émincée
1	pincée d'estragon, haché
1	pincée de ciboulette, hachée
1	pincée de cerfeuil, haché
1	pincée de thym, haché
5 ml	(1 c. à t.) persil, haché
	sel et poivre
60 ml	(1/4 tasse) crème à 35 %

■ Dans une casserole, faites fondre le beurre ; ajoutez la farine ; mélangez bien ; incorporez le fumet de poisson en mince filet, en remuant continuellement. Ajoutez l'ail et les fines herbes ; salez et poivrez ; laissez mijoter 10 minutes.

■ Ajoutez la crème ; faites réchauffer sans laisser bouillir ; servez.

Sauce aux escargots

environ 500 ml (2 tasses)

250 ml	(1 tasse) jus de palourdes
250 ml	(1 tasse) bouillon de fruits de mer
45 ml	(3 c. à s.) beurre manié
10 ml	(2 c. à t.) beurre
12	escargots, en conserve, coupés en deux
1/2	gousse d'ail, émincée
15 ml	(1 c. à s.) oignon, haché
	sel et poivre
10 ml	(2 c. à t.) persil, haché

■ Dans une casserole, faites chauffer le jus de palourdes et le bouillon de fruits de mer ; incorporez le beurre manié au fouet ou à la mixette ; laissez mijoter 10 minutes.

■ Entre-temps, dans un poêlon, faites fondre le beurre ; faites colorer les escargots, l'ail et l'oignon ; ajoutez au bouillon ; salez et poivrez ; parsemez de persil ; laissez mijoter 5 minutes ; servez.

Sauce aurore

environ 500 ml (2 tasses)

20 ml	(4 c. à t.) beurre
20 ml	(4 c. à t.) farine
500 ml	(2 tasses) bouillon de poisson
60 ml	(1/4 tasse) purée de tomates
1/2	gousse d'ail, émincée
2 ml	(1/2 c. à t.) miel
15 ml	(1 c. à s.) beurre, en 6 petites noisettes

■ Dans une casserole, faites fondre le beurre ; ajoutez la farine ; mélangez bien ; incorporez le bouillon de poisson en mince filet, en remuant continuellement. Ajoutez la purée de tomates, l'ail et le miel ; laissez mijoter 10 minutes.

■ Au moment de servir, ajoutez le beurre en noisettes.

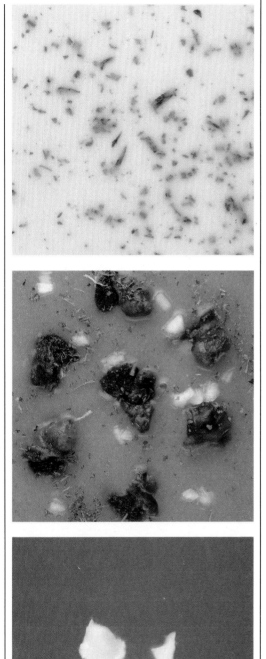

De haut en bas :
Fumet de poisson aux fines herbes ▪ Sauce aux escargots ▪ Sauce aurore

Les coulis de légumes

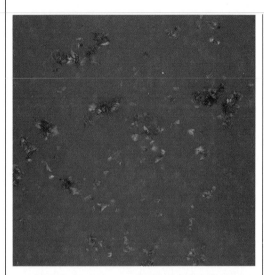

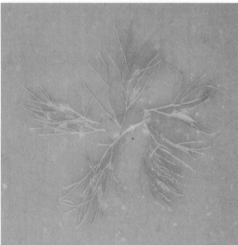

Coulis de tomates

environ 1 L (4 tasses)

30 ml	(2 c. à s.) beurre
60 ml	(1/4 tasse) carotte, émincée
60 ml	(1/4 tasse) céleri, émincé
60 ml	(1/4 tasse) poivron, émincé
60 ml	(1/4 tasse) pomme de terre, en cubes
60 ml	(1/4 tasse) oignon, émincé
1	gousse d'ail, émincée
796 ml	(28 oz) tomates, en conserve
1 ml	(1/4 c. à t.) estragon
1 ml	(1/4 c. à t.) origan
1 ml	(1/4 c. à t.) thym
10 ml	(2 c. à t.) persil, haché
	sel et poivre

■ Dans une casserole, faites fondre le beurre ; faites suer les légumes et l'ail ; ajoutez les tomates et les fines herbes ; salez et poivrez ; amenez à ébullition ; laissez mijoter 20 minutes.

■ Passez au mélangeur ; remettez dans la casserole ; faites cuire 5 minutes.

■ Vérifiez l'assaisonnement ; passez au tamis, servez.

Coulis d'asperges

environ 500 ml (2 tasses)

30 ml	(2 c. à s.) beurre
284 ml	(10 oz) asperges, en conserve
30 ml	(2 c. à s.) oignon, haché
1	gousse d'ail, émincée
180 ml	(3/4 tasse) bouillon de poulet
1 ml	(1/4 c. à t.) cerfeuil, haché
1 ml	(1/4 c. à t.) fenouil, haché
	sel et poivre

■ Dans une casserole, faites fondre le beurre ; faites suer les asperges, l'oignon et l'ail ; ajoutez le bouillon de poulet et les fines herbes ; salez et poivrez ; laissez mijoter 20 minutes.

■ Passez au mélangeur ; remettez dans la casserole ; laissez cuire 5 minutes.

■ Vérifiez l'assaisonnement ; passez au tamis ; servez.

Coulis de chou-fleur

environ 750 ml (3 tasses)

375 ml	(1 1/2 tasse) chou-fleur (surtout les queues)
15 ml	(1 c. à s.) beurre
1	échalote, hachée
60 ml	(1/4 tasse) pomme de terre, tranchée
250 ml	(1 tasse) lait
	sel et poivre

■ Dans une casserole d'eau bouillante salée, faites cuire le chou-fleur ; passez sous l'eau froide ; laissez égoutter.

■ Dans une autre casserole, faites fondre le beurre ; faites revenir l'échalote et la pomme de terre, 5 minutes. Ajoutez le chou-fleur ; arrosez de lait ; salez et poivrez ; laissez chauffer à feu doux 20 minutes, sans faire bouillir.

■ Passez au mélangeur ; remettez dans la casserole ; faites chauffer 5 minutes.

■ Vérifiez l'assaisonnement ; passez au tamis ; servez.

De haut en bas :
Coulis de tomates ▪ Coulis d'asperges ▪ Coulis de chou-fleur

*Depuis quelques années, on tend à remplacer les sauces tradition-
nelles par des coulis de légumes, parce qu'ils sont moins riches.
De plus, ils ajoutent une touche de couleur aux plats qu'ils accompagnent.*

Coulis de brocoli

---

environ 750 ml (3 tasses)

15 ml	(1 c. à s.) beurre
375 ml	(1 1/2 tasse) brocoli (surtout les queues), en morceaux
2	échalotes, hachées
1	gousse d'ail, émincée
60 ml	(1/4 tasse) pomme de terre, en cubes
250 ml	(1 tasse) bouillon de poulet
	sel et poivre
2 ml	(1/2 c. à t.) estragon, haché

■ Dans une casserole, faites fondre le beurre ; faites suer le brocoli, les échalotes, l'ail et la pomme de terre ; arrosez de bouillon de poulet ; assaisonnez de sel, de poivre et d'estragon ; laissez mijoter 20 minutes.

■ Passez au mélangeur ; remettez dans la casserole ; faites cuire 5 minutes.

■ Vérifiez l'assaisonnement ; passez au tamis ; servez.

Coulis de navet

---

environ 750 ml (3 tasses)

15 ml	(1 c. à s.) beurre
375 ml	(1 1/2 tasse) navet, en morceaux
30 ml	(2 c. à s.) oignon, haché
1	gousse d'ail, émincée
250 ml	(1 tasse) bouillon de poulet
	sel et poivre
5 ml	(1 c. à t.) persil, haché

■ Dans une casserole, faites fondre le beurre ; faites suer le navet, l'oignon et l'ail ; arrosez de bouillon de poulet ; salez et poivrez ; parsemez de persil ; laissez mijoter 20 minutes.

■ Passez au mélangeur ; remettez dans la casserole ; faites cuire 5 minutes.

■ Vérifiez l'assaisonnement ; passez au tamis ; servez.

Coulis de poivrons

---

environ 500 ml (2 tasses)

30 ml	(2 c. à s.) beurre
1	poivron vert, en lanières
1	poivron rouge, en lanières
1	oignon, haché
60 ml	(1/4 tasse) pomme de terre, en cubes
1	gousse d'ail, émincée
80 ml	(1/3 tasse) jus de légumes
160 ml	(2/3 tasse) bouillon de poulet
	sel et poivre
5 ml	(1 c. à t.) paprika

■ Dans une casserole, faites fondre le beurre ; faites suer les poivrons, l'oignon, la pomme de terre et l'ail ; arrosez de jus de légumes et de bouillon de poulet ; assaisonnez de sel, de poivre et de paprika ; laissez mijoter 20 minutes.

■ Passez au mélangeur ; remettez dans la casserole ; faites cuire 5 minutes.

■ Vérifiez l'assaisonnement ; passez au tamis ; servez.

*De haut en bas :
Coulis de brocoli ▪ Coulis de
navet ▪ Coulis de poivrons*

LES SAUCES AUX FRUITS

Sauce aux abricots

environ 750 ml (3 tasses)	
30 ml	(2 c. à s.) beurre
60 ml	(1/4 tasse) carotte, émincée
60 ml	(1/4 tasse) poireau, émincé
60 ml	(1/4 tasse) céleri, émincé
340 ml	(12 oz) abricots, en conserve, égouttés, le jus réservé
30 ml	(2 c. à s.) vinaigre de champagne
15 ml	(1 c. à s.) liqueur d'abricots
500 ml	(2 tasses) bouillon de poulet
	sel et poivre
2	feuilles de menthe
1	feuille de citronnelle, hachée
30 ml	(2 c. à s.) vinaigre de vin
5 ml	(1 c. à t.) miel
60 ml	(1/4 tasse) beurre manié

■ Dans une casserole, faites fondre le beurre ; faites suer les légumes.

■ Ajoutez la moitié des abricots ; mélangez ; déglacez au vinaigre de champagne ; ajoutez la liqueur d'abricots ; laissez réduire de moitié.

■ Arrosez de bouillon de poulet ; ajoutez le reste des abricots ; amenez à ébullition ; salez et poivrez ; ajoutez la menthe, la citronnelle et le miel ; laissez mijoter 20 minutes.

■ Entre-temps, dans une petite casserole, faites bouillir le sirop d'abricots réservé et le vinaigre de vin ; laissez réduire de moitié.

■ Versez dans la sauce ; remuez ; incorporez le beurre manié au fouet ou à la mixette ; laissez cuire 5 minutes à feu doux ; servez.

Ces deux recettes de sauce aux fruits ont pour base, l'une un fond blanc, l'autre un fond brun. Elles accompagneront à merveille toutes vos viandes. N'hésitez pas à varier les fruits et même à en marier plusieurs ensemble.

■ Dans une casserole, faites fondre le beurre ; faites suer les légumes. Ajoutez la moitié des framboises ; mélangez bien. Ajoutez le vinaigre et le vin ; laissez réduire de moitié. Arrosez de bouillon de bœuf ; ajoutez le reste des framboises ; amenez à ébullition ; ajoutez le persil, la menthe et le miel ; laissez mijoter 20 minutes.

■ Incorporez le beurre manié au fouet ou à la mixette ; salez et poivrez ; laissez cuire à feu doux, 10 minutes.

■ Vérifiez l'assaisonnement ; servez.

* recette illustrée

environ 750 ml (3 tasses)	
30 ml	(2 c. à s.) beurre
60 ml	(1/4 tasse) carotte, émincée
60 ml	(1/4 tasse) poireau, émincé
60 ml	(1/4 tasse) céleri, émincé
345 g	(12 oz) framboises, surgelées, dégelées, non égouttées
60 ml	(1/4 tasse) vinaigre de framboises
60 ml	(1/4 tasse) vin rouge
500 ml	(2 tasses) bouillon de bœuf
3	brins de persil
3	feuilles de menthe
5 ml	(1 c. à t.) miel
60 ml	(1/4 tasse) beurre manié
	sel et poivre

Beurre blanc, Beurre rouge

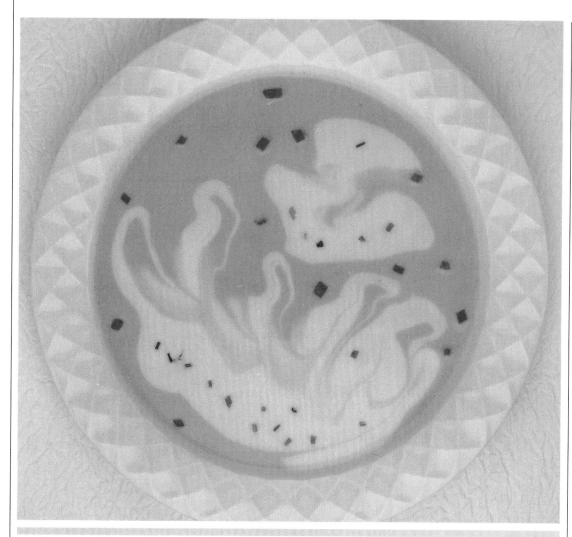

environ 250 ml (1 tasse)	
125 ml	(1/2 tasse) vin rouge sec
5	échalotes, hachées
125 ml	(1/2 tasse) crème à 35 %
225 g	(8 oz) beurre, à température ambiante
	sel et poivre
5 ml	(1 c. à t.) poivron rouge, coupé en brunoise

■ Dans une petite casserole, amenez le vin et les échalotes à ébullition ; laissez réduire de moitié.

■ Ajoutez la crème ; mélangez bien ; laissez réduire de moitié.

■ À feu très doux, incorporez le beurre et les fines herbes à l'aide d'un fouet ; remuez vivement jusqu'à ce qu'il soit bien monté. Garnissez de poivron rouge en brunoise.

Note : Après avoir ajouté le beurre, ne laissez pas le mélange bouillir.

VARIANTE

- Ajoutez 15 ml (1 c. à s.) d'asperges émincées, de céleri, de tomate ou d'orange, en petits cubes.

Pour empêcher la sauce de tourner, assurez-vous de fouetter pendant que vous ajoutez le beurre et n'attendez pas pour la servir.

Beurre blanc

environ 250 ml (1 tasse)	
125 ml	(1/2 tasse) vin blanc sec
5	échalotes, hachées
125 ml	(1/2 tasse) crème à 35 %
225 g	(8 oz) beurre, à température ambiante
	sel et poivre
5 ml	(1 c. à t.) fines herbes, hachées

■ Dans une petite casserole, amenez le vin et les échalotes à ébullition ; laissez réduire de moitié.

■ Ajoutez la crème ; mélangez bien ; laissez réduire de moitié.

■ À feu très doux, incorporez le beurre à l'aide d'un fouet ; remuez vivement jusqu'à ce qu'il soit bien monté. Garnissez de fines herbes.

Note : Après avoir ajouté le beurre, ne laissez pas le mélange bouillir.

LES MARINADES

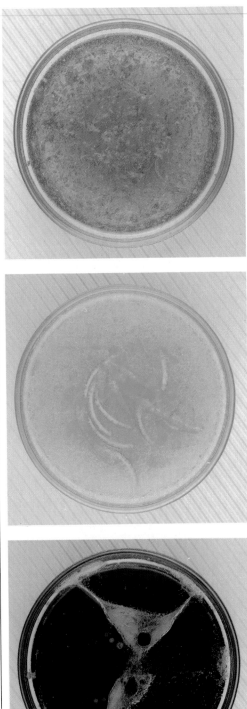

Marinade à l'oseille

pour poissons

environ 250 ml (1 tasse)	
125 ml	(1/2 tasse) huile d'olive
80 ml	(1/3 tasse) vinaigre de champagne
15 ml	(1 c. à s.) oseille, en purée
30 ml	(2 c. à s.) oseille, hachée
2 ml	(1/2 c. à t.) coriandre, hachée
	jus de 1 limette

■ Dans un bol, mélangez tous les ingrédients ; ajoutez le poisson ; laissez mariner de 1 à 6 heures.

Marinade aux agrumes

pour viandes et poissons

environ 500 ml (2 tasses)	
250 ml	(1 tasse) jus de pamplemousse
125 ml	(1/2 tasse) jus de citron
125 ml	(1/2 tasse) jus d'orange
80 ml	(1/3 tasse) huile végétale
10 ml	(2 c. à t.) sauce anglaise
10 ml	(2 c. à t.) sucre
	sel et poivre
30 ml	(2 c. à s.) zestes d'agrumes

■ Dans un bol, mélangez tous les ingrédients ; laissez mariner la viande ou le poisson de 1 à 24 heures.

Marinade à la bière

pour poulet et porc

environ 500 ml (2 tasses)	
340 ml	(1 bouteille) bière
60 ml	(1/4 tasse) huile d'olive
30 ml	(4 c. à s.) sauce soja
	jus de 1 citron

■ Dans un bol, mélangez tous les ingrédients ; ajoutez la viande ; laissez mariner de 1 à 24 heures.

De haut en bas :
Marinade à l'oseille ■
Marinade aux agrumes ■ ■
Marinade à la bière

Au Québec, on associe les marinades aux condiments tels que chutney, herbes salées, relish, etc. Cependant, la marinade est un liquide arômatisé qui permet d'attendrir viandes et poissons.

Marinade aigre-douce

pour viandes

environ 375 ml (1 1/2 tasse)	
125 ml	(1/2 tasse) sauce Teriyaki
125 ml	(1/2 tasse) huile d'arachide
60 ml	(1/4 tasse) sauce soja
2	gousses d'ail, émincées
1	échalote, hachée
30 ml	(2 c. à s.) ketchup
60 ml	(1/4 tasse) vinaigre de vin
10 ml	(2 c. à t.) miel, liquide
	sel et poivre

■ Dans un bol, mélangez tous les ingrédients ; ajoutez la viande ; laissez mariner de 1 à 4 heures.

Relish au concombre

environ 750 ml (3 tasses)	
375 ml	(1 1/2 tasse) concombres, pelés, épépinés, tranchés
125 ml	(1/2 tasse) oignon, tranché
1	poivron vert, en lanières
15 ml	(1 c. à s.) sel
115 g	(4 oz) cassonade
15 ml	(1 c. à s.) raifort au vinaigre
5 ml	(1 c. à t.) graines de moutarde
1 ml	(1/4 c. à t.) sel de céleri
250 ml	(1 tasse) vinaigre d'estragon ou de champagne

■ Mélangez le concombre, les oignons et le poivron ; salez ; laissez dégorger dans une passoire 12 heures ; rincez.

■ Passez au hachoir ; ajoutez le reste des ingrédients, sauf le vinaigre ; remuez.

■ Déposez dans des pots ; recouvrez d'une fine couche de vinaigre ; placez au réfrigérateur ; attendez 12 heures avant de servir.

Chutney aux tomates vertes

environ 1,25 L (5 tasses)	
500 ml	(2 tasses) tomates vertes, miniatures, coupées en huit
125 ml	(1/2 tasse) pomme verte, pelée, hachée
80 ml	(1/3 tasse) échalote, hachée
2 ml	(1/2 c. à t.) sel de céleri
5 ml	(1 c. à t.) piment fort, haché
125 ml	(1/2 tasse) cassonade
250 ml	(1 tasse) vinaigre de cidre
125 ml	(1/2 tasse) tomate rouge, en cubes
125 ml	(1/2 tasse) poivron rouge, en cubes
10 ml	(2 c. à t.) sel
2 ml	(1/2 c. à t.) muscade, moulue

■ Saupoudrez les tomates vertes de sel ; laissez dégorger dans une passoire pendant 12 heures ; rincez.

■ Dans une grande casserole, placez tous les ingrédients, sauf la muscade ; amenez à ébullition ; laissez mijoter 40 minutes, ou jusqu'à ce que le vinaigre soit complètement réduit. Ajoutez la muscade ; poursuivez la cuisson quelques minutes. Laissez refroidir ; versez dans des pots.

De haut en bas :
Marinade aigre-douce ■
Relish au concombre ■
Chutney aux tomates vertes

LES DESSERTS

Gâteaux, tartes, flans, friandises... ces douceurs servies en fin de repas ou à l'heure du thé feraient craquer plus d'un ascète !

Sucre, chocolat, crème et autres ingrédients irrésistibles s'unissent pour composer ces gâteries dont on aimerait bien alimenter son quotidien. Certains desserts à base de fruits par exemple, sont souvent légers et riches en vitamines. D'autres, comme les biscuits, sont une excellente source d'hydrates de carbone. Il est cependant difficile d'éliminer entièrement de notre vie certaines pâtisseries riches en lipides mais combien savoureuses !

Une délicieuse pointe de tarte parfumée au citron ou une mousse garnie de copeaux de chocolat noir n'ont jamais fait de tort à personne à moins d'en abuser, bien entendu. Il serait vraiment dommage de se priver d'un des meilleurs plaisirs de la table...

LES GÂTEAUX

Un gâteau est bien souvent signe de fête mais il peut se servir à tout moment de la journée. Que ce soit l'après-midi, pour accompagner une tasse de thé ou de café ou après un délicieux repas, il est toujours fort apprécié.

■ Au bain-marie, à feu doux, faites chauffer le sirop d'érable et les jaunes d'œufs ; remuez continuellement jusqu'à ce que le mélange épaississe.

■ Retirez du feu ; remuez jusqu'à complet refroidissement ; ajoutez les noix.

■ Dans un bol, fouettez la crème et l'essence de vanille jusqu'à consistance ferme ; réservez.

■ Dans un autre bol, montez les blancs d'œufs en neige ferme ; aux trois-quarts, ajoutez le sucre.

■ À l'aide d'une spatule, incorporez au mélange d'œufs et de sirop d'érable la crème fouettée, puis, délicatement, les blancs d'œufs en neige.

■ Versez la préparation dans un contenant en plastique de 1 L (32 oz) ; faites congeler environ 8 heures.

■ Démoulez en trempant le bol dans l'eau chaude ; décorez de fils de caramel (voir la technique de la page 503) et de fruits.

Servez la bombe sur une serviette de papier pliée, déposée sur l'assiette de service. Ainsi, la glace fondue ne gâchera pas l'apparence du dessert. Décorez de crème fouettée, de noix ou de fruits frais.

6 portions	
160 ml	(2/3 tasse) sirop d'érable
3	jaunes d'œufs
125 ml	(1/2 tasse) noix
125 ml	(1/2 tasse) crème à 35 %
2 ml	(1/2 c. à t.) essence de vanille
3	blancs d'œufs
45 ml	(3 c. à s.) sucre

Gâteau au chocolat glacé

À l'aide d'un couteau économe, faites des copeaux de chocolat que vous disposerez joliment sur votre gâteau après l'avoir glacé.

8 portions

250 ml	(1 tasse) farine tout usage
5 ml	(1 c. à t.) poudre à pâte
1 ml	(1/4 c. à t.) sel
3	œufs, battus
250 ml	(1 tasse) sucre
10 ml	(2 c. à t.) jus de citron
90 ml	(6 c. à s.) lait

Garniture

250 g	(1/2 lb) chocolat sucré
45 ml	(3 c. à s.) eau froide
60 ml	(1/4 tasse) sucre
4	jaunes d'œufs
375 ml	(1 1/2 tasse) crème à 35 %
4	blancs d'œufs

■ Préchauffez le four à 190 °C (375 °F).

■ Dans un bol, mélangez la farine, la poudre à pâte, le sel ; réservez.

■ Dans un autre bol, fouettez les œufs ; ajoutez progressivement le sucre ; mélangez bien après chaque addition ; ajoutez le jus de citron.

■ Faites chauffer le lait (sans bouillir).

■ Incorporez les ingrédients secs aux œufs en quatre fois.

■ Versez le lait chaud d'un seul coup ; mélangez bien.

■ Versez la pâte dans un moule à gâteau de 20 cm (8 po) non beurré ; faites cuire au four 25 minutes ; retirez du four ; laissez refroidir. Démoulez ; coupez en trois étages.

Garniture

■ Faites fondre au bain-marie le chocolat additionné d'eau ; ajoutez le sucre ; remuez. Retirez du feu ; laissez tiédir ; ajoutez les jaunes d'œufs non battus ; mélangez bien ; réservez.

■ Fouettez la crème ; réservez.

■ Montez les blancs d'œufs en neige. Incorporez la crème fouettée au mélange de chocolat, puis les blancs d'œufs.

Montage

■ Déposez un étage du gâteau dans un moule de 20 cm (8 po) de diamètre, à fond amovible ; couvrez de 60 ml (1/4 tasse) de garniture ; répétez ces opérations en terminant par une couche de crème en ayant soin de réserver le reste. Placez au congélateur ; sortez le gâteau 10 minutes avant de servir ; démoulez ; masquez le contour du gâteau avec la garniture réservée. Décorez.

Gâteau aux fruits

12 portions

375 ml	(1 1/2 tasse) farine tout usage
225 g	(8 oz) dattes, dénoyautées
115 g	(4 oz) raisins secs
115 g	(4 oz) noix, hachées
60 ml	(1/4 tasse) cerises, confites, rouges et vertes
2	gros œufs
180 ml	(3/4 tasse) sucre
80 ml	(1/3 tasse) graisse
2 ml	(1/2 c. à t.) bicarbonate de soude
1 ml	(1/4 c. à t.) clou de girofle, moulu
3 ml	(3/4 c. à t.) gingembre, moulu
3 ml	(3/4 c. à t.) cannelle, moulue
3 ml	(3/4 c. à t.) muscade, moulue
3 ml	(3/4 c. à t.) poudre à pâte
125 ml	(1/2 tasse) lait homogénéisé
	rhum ou cognac

■ Préchauffez le four à 150 °C (300 °F).

■ Tapissez le moule de papier brun et beurrez-le.

■ Avec 125 ml (1/2 tasse) de farine, enfarinez les dattes, les raisins, les noix et les cerises ; réservez.

■ Dans le bol du malaxeur, mélangez les œufs, le sucre, et la graisse 4 minutes ; réservez.

■ Dans un bol, tamisez les ingrédients secs ; incorporez au premier mélange en alternant avec le lait ; ajoutez peu à peu les fruits ; remplissez les moules à moitié ; faites cuire au four 1 h 30.

■ Retirez du four ; imbibez de rhum ou de cognac ; laissez refroidir.

■ Couvrez d'un linge propre ; placez dans un sac de plastique ; rangez dans un endroit frais, 2 semaines pour permettre à la saveur du gâteau de se développer au maximum ; toutefois, vous pouvez également le servir sans attendre.

Gâteau du lendemain

Le gâteau d'anniversaire était délicieux, mais, dès le lendemain, il perd de sa fraîcheur ? Congelez les portions qu'il vous reste et utilisez-les pour préparer un dessert tout à fait différent.

8 portions

	restes de gâteau, en cubes
2	jaunes d'œuf
375 ml	(1 1/2 tasse) sucre
250 ml	(1 tasse) farine tout usage
5 ml	(1 c. à t.) poudre à pâte
375 ml	(1 1/2 tasse) lait
30 ml	(2 c. à s.) beurre, fondu
1 ml	(1/4 c. à t.) essence de vanille

Meringue

2	blancs d'œufs
500 ml	(2 tasses) cassonade

■ Préchauffez le four à 175 °C (350 °F).

■ Beurrez un moule de 22 x 32 cm (9 x 12 po).

■ Mettez les restes de gâteau dans le moule ; réservez.

■ Dans un bol, mélangez les jaunes d'œufs et le sucre environ 3 minutes. Incorporez la farine et la poudre à pâte ; versez le lait et le beurre ; mélangez bien ; ajoutez l'essence de vanille.

■ Versez sur les restes de gâteau ; faites cuire au four 30 minutes ; retirez le gâteau.

■ Allumez le four à gril (broil).

■ Dans un bol, montez les blancs d'œufs et la cassonade en neige ferme ; étalez sur le gâteau.

■ Placez sous le gril pour faire dorer la meringue ; servez accompagné d'une sauce aux pêches.

Gâteau aux fruits des champs

Voici une recette qui laisse toute la vedette à ces précieuses baies sauvages dont on ne peut profiter que quelques semaines par année.

6 à 8 portions

125 ml	(1/2 tasse) beurre
250 ml	(1 tasse) sucre
2	œufs
430 ml	(1 3/4 tasse) farine tout usage
15 ml	(1 c. à s.) poudre à pâte
1	pincée de sel
180 ml	(3/4 tasse) lait
5 ml	(1 c. à t.) essence de vanille
250 ml	(1 tasse) crème à 35 %
60 ml	(1/4 tasse) sucre
500 ml	(2 tasses) fruits des champs (fraises, framboises, bleuets)

■ Préchauffez le four à 175 °C (350 °F).

■ Beurrez un moule de 22 x 34 cm (9 x 13 po).

■ Dans un bol, défaites le beurre en crème ; ajoutez progressivement le sucre, puis les œufs.

■ Dans un autre bol, tamisez les ingrédients secs. Ajoutez au premier mélange en alternant avec le lait et l'essence de vanille.

■ Versez la pâte dans le moule ; faites cuire au four 30 à 40 minutes ; laissez refroidir sur une grille.

■ Fouettez la crème ; incorporez le sucre ; recouvrez le gâteau ; garnissez de fruits des champs ou servez accompagné d'une salade de fruits des champs.

Gâteau fermière au miel

Utilisez un reste de miel cristallisé pour confectionner votre glace au miel.

8 à 10 portions

125 ml	(1/2 tasse) beurre
5 ml	(1 c. à t.) essence de vanille
2 ml	(1/2 c. à t.) sel
250 ml	(1 tasse) sucre
3	jaunes d'œufs
500 ml	(2 tasses) farine tout usage, tamisée
15 ml	(1 c. à s.) poudre à pâte
125 ml	(1/2 tasse) cacao
1	pincée de bicarbonate de soude
5 ml	(1 c. à t.) cannelle
250 ml	(1 tasse) lait
3	blancs d'œufs
125 ml	(1/2 tasse) sucre

Glace au miel

1	blanc d'œuf
250 ml	(1 tasse) miel
1	pincée de sel

■ Préchauffez le four à 175 °C (350 °F). Beurrez un moule à gâteau.

■ Dans le bol du malaxeur, combinez les 5 premiers ingrédients jusqu'à ce que le mélange soit crémeux.

■ Dans un bol, tamisez les ingrédients secs ; incorporez au premier mélange en alternant avec le lait.

■ Montez les blancs d'œufs et le sucre en neige ferme, et à l'aide d'une spatule, incorporez délicatement les blancs à la pâte. Versez dans le moule ; faites cuire au four 60 minutes.

■ Laissez refroidir ; nappez de glace au miel ; garnissez de fruits.

Glace au miel

■ Au bain-marie, faites chauffer tous les ingrédients ; fouettez au-dessus de l'eau chaude jusqu'à ce que la glace garde sa forme.

* recette illustrée

VARIANTE

• Substituez à la glace au miel, une crème Chantilly.

Gâteau renversé aux ananas

Remplacez les tranches d'ananas par des demi-pêches en conserve. Vous obtiendrez un gâteau tout aussi délicieux.

8 à 10 portions

45 ml	(3 c. à s.) beurre
540 ml	(19 oz) ananas tranchés, en conserve
60 ml	(1/4 tasse) cerises
125 ml	(1/2 tasse) amandes
125 ml	(1/2 tasse) noix de coco
125 ml	(1/2 tasse) cassonade
45 ml	(3 c. à s.) lait
1 ml	(1/4 c. à t.) gingembre, moulu
80 ml	(1/3 tasse) beurre
250 ml	(1 tasse) sucre
2	œufs
500 ml	(2 tasses) farine tout usage
15 ml	(1 c. à s.) poudre à pâte
	pincée de sel
180 ml	(3/4 tasse) lait

■ Préchauffez le four à 175 °C (350 °F).

■ Dans un moule à gâteau, faites fondre le beurre au four. Étalez les ananas, les cerises et les amandes sur le beurre fondu.

■ Dans un bol, mélangez la noix de coco, la cassonade, le lait et le gingembre ; versez ce mélange sur les fruits. Réservez.

■ Dans un autre bol, défaites le beurre en crème ; ajoutez graduellement le sucre. Incorporez les œufs un à un et le lait en filet ; remuez. Ajoutez la farine, la poudre à pâte et le sel ; mélangez bien.

■ Versez la pâte sur les fruits. Faites cuire au four environ 50 minutes.

Gâteau à la compote de pommes

Utilisez de la compote maison ou du commerce.

8 à 10 portions

180 ml	(3/4 tasse) compote de pommes
5 ml	(1 c. à t.) bicarbonate de soude
80 ml	(1/3 tasse) graisse
125 ml	(1/2 tasse) sucre
125 ml	(1/2 tasse) raisins secs
125 ml	(1/2 tasse) noix
250 ml	(1 tasse) farine tout usage
1 ml	(1/4 c. à t.) clou de girofle, moulu
1 ml	(1/4 c. à t.) cannelle, moulue
	sel
250 ml	(1 tasse) confiture d'abricots, chaude

Petit ragoût de pommes

30 ml	(2 c. à s.) beurre
250 ml	(1 tasse) pommes, en quartiers
60 ml	(1/4 tasse) sucre
125 ml	(1/2 tasse) crème à 35 %

■ Préchauffez le four à 190 °C (375 °F).

■ Beurrez un moule rond de 20 cm (8 po).

■ Dans une casserole, faites chauffer la compote de pommes ; ajoutez le bicarbonate de soude ; retirez du feu ; réservez.

■ Dans un grand bol, défaites la graisse en crème ; ajoutez progressivement le sucre, puis les raisins secs, les noix, la farine, le clou de girofle, la cannelle et le sel.

■ Incorporez la compote de pommes ; mélangez parfaitement. Versez la pâte dans le moule, faites cuire au four 35 à 45 minutes.

■ Nappez de confiture d'abricots chaude ; garnissez de petit ragoût de pommes ; servez.

Petit ragoût de pommes

■ Dans un poêlon, faites fondre le beurre ; faites revenir les pommes ; ajoutez le sucre et la crème ; mélangez bien.

Gâteau aux betteraves et aux carottes

Pour un gâteau encore plus nutritif, utilisez un mélange de farine blanche et de farine complète.

8 à 10 portions

180 ml	(3/4 tasse) huile
375 ml	(1 1/2 tasse) sucre
3	jaunes d'œufs
5 ml	(1 c. à t.) essence de vanille
45 ml	(3 c. à s.) eau chaude
500 ml	(2 tasses) farine tout usage
15 ml	(1 c. à s.) poudre à pâte
1 ml	(1/4 c. à t.) sel
5 ml	(1 c. à t.) cannelle
500 ml	(2 tasses) carottes crues, hachées finement
250 ml	(1 tasse) betteraves crues, hachées finement
125 ml	(1/2 tasse) noix, hachées
3	blancs d'œufs

■ Préchauffez le four à 175 °C (350 °F).

■ Beurrez un moule rond de 20 cm (8 po).

■ Dans un bol, mélangez l'huile, le sucre, les jaunes d'œufs, l'essence de vanille et l'eau ; réservez.

■ Dans un autre bol, tamisez les ingrédients secs ; incorporez au premier mélange en remuant.

■ Ajoutez les carottes, les betteraves et les noix ; mélangez bien.

■ Montez les blancs d'œufs en neige ferme ; incorporez délicatement à la pâte.

■ Versez dans le moule ; faites cuire au four environ 50 minutes.

■ Couvrez d'un glaçage à l'essence de vanille ; garnissez de brisures de chocolat et de cerises.

Gâteau aux tomates vertes

Laissez vos invités deviner la composition de ce gâteau.

8 à 10 portions

250 ml	(1 tasse) huile
500 ml	(2 tasses) sucre
3	œufs
750 ml	(3 tasses) farine tout usage
10 ml	(2 c. à t.) poudre à pâte
6 ml	(1 1/4 c. à t.) bicarbonate de soude
500 ml	(2 tasses) tomates vertes, épépinées, en petits morceaux
125 ml	(1/2 tasse) cerises rouges, égouttées, coupées en deux
125 ml	(1/2 tasse) raisins à tarte, enfarinés
15 ml	(1 c. à s.) essence de vanille

Glaçage au sucre à la crème

60 ml	(1/4 tasse) lait
250 ml	(1 tasse) cassonade
125 ml	(1/2 tasse) beurre
250 ml	(1 tasse) sucre glace

■ Préchauffez le four à 175 °C (350 °F).

■ Beurrez un moule à gâteau.

■ Dans un bol, battez l'huile, le sucre et les œufs.

■ Dans un autre bol, tamisez la farine, la poudre à pâte et le bicarbonate de soude.

■ Ajoutez les tomates et les cerises ; mélangez ; incorporez au mélange d'œufs en alternant avec les ingrédients secs.

■ Ajoutez l'essence de vanille ; mélangez.

■ Versez la pâte dans le moule ; faites cuire au four 1 h 15 ; retirez ; laissez refroidir.

Glaçage au sucre à la crème

■ Dans une petite casserole, faites bouillir le lait, la cassonade et le beurre 5 minutes. Retirez du feu ; ajoutez le sucre glace d'un seul coup, fouettez au malaxeur ; versez sur le gâteau ; garnissez de fruits frais et de noix.

Gâteau velouté à la noix de coco

Pour économiser du temps, commencez par faire le sirop car il prendra au moins une heure à refroidir.

6 à 8 portions	
180 ml	(3/4 tasse) graisse
375 ml	(1 1/2 tasse) sucre
3	œufs
750 ml	(3 tasses) farine à pâtisserie
20 ml	(4 c. à t.) poudre à pâte
3 ml	(3/4 c. à t.) sel
250 ml	(1 tasse) lait
2 ml	(1/2 c. à t.) essence d'amande
5 ml	(1 c. à t.) essence de vanille

Glace

80 ml	(1/3 tasse) eau
250 ml	(1 tasse) sucre
5 ml	(1 c. à t.) vinaigre
2	blancs d'œufs, en neige ferme
3 ml	(3/4 c. à t.) essence de vanille
	noix de coco, râpée

■ Préchauffez le four à 190 °C (375 °F).

■ Beurrez deux moules carrés de 22 cm (9 po).

■ Défaites la graisse en crème ; ajoutez progressivement le sucre, puis les œufs un à un.

■ Dans un bol, tamisez les ingrédients secs ; incorporez au premier mélange en alternant avec le lait. Ajoutez les essences d'amande et de vanille.

■ Versez dans les moules ; faites cuire au four environ 25 minutes ; retirez ; laissez refroidir sur une grille.

Glace

■ Dans une casserole, faites bouillir l'eau, le sucre et le vinaigre pour obtenir 120 °C (250 °F) au thermomètre à bonbons ; laissez refroidir.

■ Ajoutez ce sirop aux blancs d'œufs en battant continuellement jusqu'à ce que la glace se tienne. Incorporez l'essence de vanille.

■ Nappez le gâteau ; décorez de noix de coco et de fruits.

468

Roulade suisse chocolatée

Dès que le gâteau est cuit, renversez-le sur une serviette saupoudrée de cacao. Découpez une fine bande tout autour pour enlever le bord croustillant : vous pourrez le rouler plus facilement.

6 portions

250 ml	(1 tasse) farine tout usage
60 ml	(1/4 tasse) cacao
5 ml	(1 c. à t.) poudre à pâte
1 ml	(1/4 c. à t.) sel
3	œufs
250 ml	(1 tasse) sucre
80 ml	(1/3 tasse) eau
5 ml	(1 c. à t.) essence de vanille

Crème cacao

500 ml	(2 tasses) crème à 35 %
125 ml	(1/2 tasse) cacao
125 ml	(1/2 tasse) sucre
60 ml	(1/4 tasse) liqueur de café

■ Préchauffez le four à 190 °C (375 °F).

■ Beurrez une plaque à biscuits de 36 x 25 x 2 cm (15 x 10 x 3/4 po), allant au four ; couvrez de papier ciré.

■ Dans un bol, tamisez la farine, le cacao, la poudre à pâte et le sel.

■ Dans le bol du malaxeur, battez les œufs ; ajoutez progressivement le sucre ; continuez à battre, puis versez l'eau et l'essence de vanille. À faible vitesse, incorporez les ingrédients secs.

■ Étalez la pâte dans la plaque à biscuits ; faites cuire au four 12 minutes.

■ Démoulez sur une serviette saupoudrée de cacao ; enlevez le papier ciré ; enroulez le gâteau avec la serviette en commençant par l'extrémité la plus étroite ; laissez refroidir sur une grille.

Crème cacao

■ Mélangez tous les ingrédients ; couvrez ; placez au réfrigérateur.

■ Après 1 heure, fouettez jusqu'à la formation de pointes molles.

■ Déroulez le gâteau ; étalez la moitié de la crème ; enroulez de nouveau ; nappez du reste de crème.

■ Garnissez d'amandes effilées, de noix de coco râpée, de brisures de chocolat ; servez avec des fruits.

LES TARTES

Tarte au chocolat

La reine incontestée des tartes! Vous pouvez remplacer le fond suggéré par un fond à la chapelure de biscuits graham.

6 à 8 portions

Fond de tarte

375 ml	(1 1/2 tasse) flocons de maïs émiettés
60 ml	(1/4 tasse) beurre, fondu
30 ml	(2 c. à s.) sucre

Garniture

225 g	(1/2 lb) fromage à la crème
80 ml	(1/3 tasse) sirop de chocolat
250 ml	(1 tasse) crème à 35 %

■ Préchauffez le four à 175 °C (350 °F).

■ Dans un bol, mélangez les ingrédients du fond de tarte ; foncez un moule à tarte de 22 cm (9 po) ; faites cuire au four 10 minutes ; retirez ; laissez refroidir.

■ Dans un bol, travaillez le fromage pour obtenir une crème légère ; incorporez le sirop de chocolat.

■ Dans un autre bol, fouettez la crème ; ajoutez au fromage en mélangeant délicatement.

■ Garnissez le fond de tarte ; placez au réfrigérateur ; attendez quelques heures avant de servir.

Tarte à la vitre cassée

Ce dessert fera la joie des enfants !

6 à 8 portions

3	boîtes de poudre pour gelée de 85 g (3 oz) chacune, de différentes saveurs
250 ml	(1 tasse) jus d'ananas
1	boîte de poudre pour gelée de 85 g (3 oz), au citron
2	paquets de crème fouettée, du commerce
1	fond de tarte, cuit ou chapelure de biscuits graham

■ Préparez les gelées avec 375 ml (1 1/2 tasse) d'eau au lieu des 2 tasses suggérées sur l'emballage ; versez dans 3 grands récipients différents pour n'en couvrir que le fond, soit 1,25 cm (1/4 po) d'épaisseur ; laissez prendre ; découpez en petits morceaux.

■ Entre-temps, dans une casserole, faites bouillir le jus d'ananas ; ajoutez la poudre de gelée au citron ; faites dissoudre complètement ; ajoutez 125 ml (1/2 tasse) d'eau froide ; remuez ; laissez refroidir jusqu'à l'obtention d'un sirop épais.

■ Dans un bol, préparez la crème fouettée selon le mode d'emploi ; incorporez le mélange au citron et les autres gelées ; versez dans le fond de tarte.

■ Couvrez de crème fouettée ; placez au réfrigérateur ; attendez jusqu'au moment de servir.

* recette illustrée

470

Tarte au sucre infaillible

Attendez que la garniture soit froide avant de démouler votre tarte.

8 portions

Garniture

500 ml	(2 tasses) cassonade
1	œuf, battu
15 ml	(1 c. à s.) farine tout usage
125 ml	(1/2 tasse) lait condensé ou crème à 15 %
15 ml	(1 c. à s.) beurre, fondu
	pâte à tarte pour 2 abaisses

■ Préchauffez le four à 205 °C (400 °F).

■ Dans un bol, mélangez tous les ingrédients de la garniture.

■ Foncez un moule à tarte de 22 cm (9 po) d'une abaisse ; versez la garniture ; recouvrez d'une abaisse ; pincez les bords ; pratiquez une incision sur le dessus pour permettre à la vapeur de s'échapper ; faites cuire au four 25 à 30 minutes.

Tarte aux fraises

Déposez délicatement les fraises entières dans l'abaisse, en cercles concentriques : l'effet sera spectaculaire.

8 portions

500 ml	(2 tasses) eau chaude
250 ml	(1 tasse) sucre
45 ml	(3 c. à s.) fécule de maïs
1	boîte de poudre pour gelée à la fraise
500 ml	(2 tasses) fraises entières
1	abaisse, cuite
250 ml	(1 tasse) crème, fouettée
60 ml	(1/4 tasse) noix
	fraises, en moitiés

■ Dans une petite casserole, faites cuire à feu lent l'eau, le sucre et la fécule de maïs, jusqu'à ce que le mélange épaississe ; retirez du feu ; incorporez la gelée ; faites bien dissoudre ; laissez refroidir.

■ Déposez les fraises entières dans l'abaisse, couvrez de gelée aux fraises ; garnissez de crème fouettée, de noix et de moitiés de fraises. Placez au réfrigérateur jusqu'au moment de servir.

Tarte aux œufs

Au temps des sucres, versez un filet de sirop d'érable sur les pointes de tarte encore chaudes.

6 à 8 portions

330 ml	(1 1/3 tasse) lait
3	œufs
160 ml	(2/3 tasse) sucre
1	pincée de sel
2 ml	(1/2 c. à t.) essence de vanille
	muscade (facultatif)
	pâte à tarte pour 1 abaisse

■ Préchauffez le four à 230 °C (450 °F).

■ Dans une petite casserole, faites tiédir le lait.

■ Dans un bol, fouettez les œufs, le sucre et le sel jusqu'à l'obtention d'une pâte lisse.

■ Versez le lait tiède sur le mélange d'œufs en remuant vivement ; incorporez l'essence de vanille et la muscade.

■ Foncez un moule à tarte de 22 cm (9 po) d'une abaisse ; versez la garniture ; faites cuire au four 10 minutes ; diminuez la température à 175 °C (350 °F) ; poursuivez la cuisson 35 minutes. Vérifiez après 20 minutes. Si la tarte semble brunir trop rapidement, couvrez-la de papier d'aluminium et terminez la cuisson.

Tarte au sirop d'érable

La tarte est cuite lorsque la pointe d'un couteau insérée en son centre en ressort propre.

6 à 8 portions

1	abaisse, non cuite
2	œufs
250 ml	(1 tasse) cassonade
30 ml	(2 c. à s.) farine tout usage
250 ml	(1 tasse) sirop d'érable
30 ml	(2 c. à s.) beurre, fondu
125 ml	(1/2 tasse) noix de Grenoble ou de pécans, hachées
5 ml	(1 c. à t.) essence de vanille
1	pincée de sel

■ Préchauffez le four à 205 °C (400 °F).

■ Foncez un moule à tarte de 22 cm (9 po) d'une abaisse ; dentelez les bords.

■ Dans un grand bol, fouettez légèrement les œufs.

■ Dans un autre bol, mélangez la cassonade et la farine ; incorporez aux œufs battus.

■ Ajoutez le reste des ingrédients ; mélangez ; versez dans l'abaisse.

■ Faites cuire au four 35 à 40 minutes, ou jusqu'à ce que la garniture soit prise ; servez avec une sauce au caramel additionnée de noix hachées.

Tarte délice à la rhubarbe

Votre rhubarbe pousse fidèlement dans un coin du jardin, d'année en année ? Voici l'occasion de l'utiliser autrement qu'en compote ou en confiture. Votre dessert sera mémorable !

6 à 8 portions

	pâte brisée pour 2 abaisses
375 ml	(1 1/2 tasse) sucre
45 ml	(3 c. à s.) farine tout usage
2 ml	(1/2 c. à t.) muscade
15 ml	(1 c. à s.) beurre
2	œufs, battus
750 ml	(3 tasses) rhubarbe, en morceaux de 1,25 cm (1/2 po)

■ Préchauffez le four à 230 °C (450 °F).

■ Foncez un moule à tarte de 22 cm (9 po) d'une abaisse.

■ Dans un bol, mélangez les autres ingrédients ; versez dans l'abaisse ; recouvrez d'une abaisse ; pincez les bords. Pratiquez une incision sur le dessus pour permettre à la vapeur de s'échapper.

■ Faites cuire au four 15 minutes ; diminuez la température à 175 °C (350 °F) ; poursuivez la cuisson 40 à 45 minutes.

Tarte aux bleuets de l'Abitibi

Cette tarte se réalise en un tour de main : même pas besoin de cuisson.

6 à 8 portions

30 ml	(2 c. à s.) fécule de maïs
30 ml	(2 c. à s.) eau
250 ml	(1 tasse) bleuets
60 ml	(1/4 tasse) eau
180 ml	(3/4 tasse) sucre
1 L	(4 tasses) bleuets
1	abaisse, cuite

■ Dans un bol, délayez la fécule de maïs dans 30 ml (2 c. à s.) d'eau ; réservez.

■ Dans une casserole, faites bouillir 250 ml (1 tasse) de bleuets et 250 ml (1 tasse) d'eau ; pressez les fruits pour obtenir une purée.

■ Ajoutez le sucre et la fécule de maïs délayée ; faites bouillir 5 minutes ou jusqu'à l'obtention d'un sirop clair. Retirez du feu ; ajoutez les bleuets.

■ Versez dans l'abaisse ; placez au réfrigérateur au moins 2 heures avant de servir.

■ Garnissez de crème fouettée ou de crème glacée et de bleuets.

Tarte aux pommes et caramel

Faites un petit extra en garnissant chaque pointe d'une tranche de fromage.

	6 à 8 portions
45 ml	(3 c. à s.) beurre
60 ml	(1/4 tasse) farine tout usage
1 ml	(1/4 c. à t.) sel
250 ml	(1 tasse) eau
250 ml	(1 tasse) sucre ou cassonade, bien tassée
1,5 L	(6 tasses) pommes, épluchées, en cubes
5 ml	(1 c. à t.) essence de vanille
	pâte à tarte pour 2 abaisses

■ Préchauffez le four à 205 °C (400 °F).

■ Dans une casserole, faites fondre le beurre ; ajoutez la farine et le sel ; laissez bouillir 1 minute.

■ Retirez du feu ; continuez de remuer ; ajoutez l'eau puis le sucre.

■ Poursuivez la cuisson à feu moyen ; remuez jusqu'à ébullition ou jusqu'à l'obtention d'une crème lisse et épaisse.

■ Ajoutez les pommes ; couvrez ; faites cuire à feu doux 15 minutes ; remuez souvent pendant la cuisson.

■ Retirez du feu ; ajoutez l'essence de vanille ; laissez tiédir.

■ Foncez un moule à tarte de 22 cm (9 po) d'une abaisse ; versez la garniture ; couvrez d'une abaisse ; pincez les bords ; pratiquez une incision sur le dessus pour permettre à la vapeur de s'échapper ; faites cuire au four 30 à 35 minutes.

Saupoudrez la meringue d'un peu de sucre en poudre avant de mettre votre tarte au four. Elle prendra une joli teinte caramel.

Tarte au citron

	6 à 8 portions
160 ml	(2/3 tasse) sucre
60 ml	(1/4 tasse) fécule de maïs
1 ml	(1/4 c. à t.) sel
330 ml	(1 1/3 tasse) eau
2	jaunes d'œufs, battus
30 ml	(2 c. à s.) beurre
10 ml	(2 c. à t.) zeste de citron
60 ml	(1/4 tasse) jus de citron
1	abaisse, cuite

Meringue

2	blancs d'œufs
0,5 ml	(1/8 c. à t.) sel
1 ml	(1/4 c. à t.) sucre

■ Préchauffez le four à 160 °C (325 °F).

■ Dans un bol, mélangez le sucre, la fécule de maïs et le sel ; ajoutez l'eau ; en remuant constamment, faites cuire au bain-marie jusqu'à épaississement.

■ Incorporez lentement les jaunes d'œufs ; faites cuire 2 minutes en remuant.

■ Retirez du feu ; ajoutez le beurre, le zeste et le jus de citron ; laissez refroidir.

■ Versez dans l'abaisse.

■ Dans un autre bol, montez les blancs d'œufs, le sel et le sucre en neige ferme ; étalez sur la garniture au citron ; faites dorer au four 15 minutes. Décorez de zeste de citron et de fruits frais ; servez.

* recette illustrée

Tarte chiffon aux pêches fraîches

En saison, utilisez diverses variétés de fruits frais.

6 à 8 portions

180 ml	(3/4 tasse) sucre
375 ml	(1 1/2 tasse) pêches, en cubes
1	sachet de gélatine, sans saveur
60 ml	(1/4 tasse) eau froide
125 ml	(1/2 tasse) eau chaude
15 ml	(1 c. à s.) jus de citron
1	pincée de sel
125 ml	(1/2 tasse) crème, fouettée
1	abaisse de 22 cm (9 po), cuite

■ Dans un bol, ajoutez le sucre aux pêches ; laissez reposer 30 minutes.

■ Dans un autre bol, faites d'abord gonfler la gélatine dans l'eau froide, puis faites-la dissoudre dans l'eau chaude ; laissez refroidir.

■ Versez la gélatine sur les pêches ; ajoutez le jus de citron et le sel ; mélangez. Laissez refroidir jusqu'à ce que la préparation soit à demi-prise.

■ Incorporez délicatement la crème fouettée ; étalez la garniture dans l'abaisse ; placez au réfrigérateur.

VARIANTES

Substituez aux pêches, des ananas, frais ou en conserve.

Substituez aux pêches, des prunes, fraîches ou en conserve.

Tarte surprise aux framboises

Une crème pâtissière onctueuse recouvre une couche de framboises éclatantes : la surprise est irrésistible !

8 portions	
375 ml	(1 1/2 tasse) framboises
125 ml	(1/2 tasse) sucre
1	boîte de poudre pour gelée, aux framboises
80 ml	(3/4 tasse) eau, bouillante
1	abaisse de 22 cm (9 po), cuite

Crème pâtissière à la gélatine

7 ml	(1 1/2 c. à t.) gélatine
30 ml	(2 c. à s.) eau froide
45 ml	(3 c. à s.) farine tout usage
80 ml	(1/3 tasse) sucre
1	œuf entier
1	jaune d'œuf
375 ml	(1 1/2 tasse) lait
2 ml	(1/2 c. à t.) essence de vanille
125 ml	(1/2 tasse) crème à 35 %
45 ml	(3 c. à s.) sucre
125 ml	(1/2 tasse) framboises

■ Dans un bol, mélangez délicatement les framboises et le sucre ; laissez macérer 2 heures.

■ Pour préparer la crème pâtissière, faites gonfler la gélatine dans l'eau froide 5 minutes ; réservez.

■ Dans une casserole, mélangez la farine et le sucre ; incorporez l'œuf et le jaune d'œuf. Ajoutez le lait en remuant ; continuez de remuer jusqu'à ce que le mélange épaississe et bouillonne.

■ Retirez du feu ; faites dissoudre la gélatine dans le mélange ; ajoutez l'essence de vanille ; laissez refroidir ; versez dans l'abaisse.

■ Dans une casserole, amenez les framboises à ébullition ; laissez cuire 30 secondes ; retirez du feu.

■ Dans un autre bol, faites dissoudre la poudre de gelée dans l'eau bouillante ; incorporez aux framboises ; laissez refroidir jusqu'à ce que le mélange commence à prendre.

■ Remuez délicatement pour répartir les fruits ; versez sur la crème pâtissière ; placez au réfrigérateur 30 minutes.

■ Peu avant de servir, fouettez la crème et le sucre jusqu'à l'obtention d'une consistance ferme ; garnissez la tarte ; décorez de framboises.

Tarte aux pommes amandine et confiture de lait

Servez cette tarte encore tiède et garnissez-la de glace à la vanille ou de sorbet au citron.

8 portions	
500 ml	(2 tasses) pommes, pelées, en cubes
60 ml	(1/4 tasse) amandes, en poudre
60 ml	(1/4 tasse) sucre
1 ml	(1/4 c. à t.) essence de vanille
10 ml	(2 c. à t.) jus de citron
30 ml	(2 c. à s.) raisins secs
45 ml	(3 c. à s.) beurre doux
3 ml	(3/4 c. à t.) cannelle, moulue
	pâte à tarte pour 1 abaisse

■ Préchauffez le four à 175 °C (350 °F).

■ Dans un bol, mélangez les pommes, les amandes, le sucre, l'essence de vanille, le jus de citron, les raisins secs, le beurre et la cannelle.

■ Étalez dans l'abaisse ; faites cuire au four environ 30 minutes ; retirez ; laissez tiédir ; nappez de confiture de lait ; garnissez de fruits.

CONFITURE DE LAIT

• **Dans une casserole à fond épais, amenez à ébullition 250 ml (1 tasse) de lait, 180 ml (3/4 tasse) de sucre et 1 gousse de vanille fraîche ou quelques gouttes d'essence de vanille ; laissez bouillir jusqu'à ce que le mélange épaississe légèrement ; nappez la tarte de ce mélange. Servez tiède ou froid.**

LES FLANS

Petits flans à la guimauve

Si vous désirez préparer un gros flan, utilisez six œufs au lieu de quatre.

6 portions

125 ml	(1/2 tasse) sucre
10 ml	(2 c. à t.) eau
80 ml	(1/3 tasse) sucre
1 ml	(1/4 c. à t.) sel
4	œufs, légèrement battus
750 ml	(3 tasses) lait, chaud
2 ml	(1/2 c. à t.) essence de vanille
2 ml	(1/2 c. à t.) cannelle
12	guimauves

■ Préchauffez le four à 160 °C (325 °F).

■ Dans une petite casserole, faites fondre le sucre additionné d'eau ; laissez cuire jusqu'à ce que le sucre soit caramélisé. Versez une fine couche de caramel au fond de chaque ramequin. Réservez.

■ Dans une casserole, mélangez le sucre, le sel et les œufs ; ajoutez le lait en remuant continuellement ; faites réchauffer sans laisser bouillir.

■ Placez au fond de chaque ramequin 2 demi-guimauves ; réservez.

■ Filtrez le mélange ; versez dans les ramequins ; saupoudrez de cannelle.

■ Déposez les ramequins dans une lèchefrite contenant 2,5 cm (1 po) d'eau chaude ; faites cuire au four 25 à 35 minutes.

■ Laissez refroidir ; démoulez ; servez avec des tranches de guimauves et de fruits frais.

FLAN À L'ORANGE

• Ajoutez 10 ml (2 c. à t.) de zeste d'orange râpé et 5 ml (1 c. à t.) de zeste de citron râpé au mélange liquide. Substituez de la muscade à la cannelle. Omettez les guimauves. Garnissez de quartiers d'orange et de tranches de kiwi, tel qu'illustré ci-contre.

FLAN AU PAIN

• Substituez 250 ml (1 tasse) de chapelure à 2 des 4 œufs de la recette de base. Omettez les guimauves.

FLAN AU GINGEMBRE

• Ajoutez à la recette de base 375 ml (1 1/2 tasse) de biscuits au gingembre émiettés que vous déposez au fond des ramequins. Omettez les guimauves.

Crème brûlée à la noix de coco râpée

Laissez refroidir complètement la crème avant de la saupoudrer de cassonade. Surveillez-la attentivement lorsque vous la faites caraméliser : la cassonade peut brûler facilement.

6 à 8 portions

500 ml	(2 tasses) lait
1 ml	(1/4 c. à t.) essence de vanille
125 ml	(1/2 tasse) noix de coco, râpée
3	œufs
125 ml	(1/2 tasse) sucre
15 ml	(1 c. à s.) fécule de maïs
30 ml	(2 c. à s.) cassonade

■ Préchauffez le four à 160 °C (325 °F).

■ Dans une casserole, faites bouillir le lait, l'essence de vanille et la noix de coco râpée.

■ Dans le bol du malaxeur, travaillez les œufs, le sucre et la fécule de maïs, 2 minutes.

■ Incorporez le lait bouilli au mélange d'œufs en remuant.

■ Versez dans la casserole ; faites bouillir 30 secondes en remuant continuellement.

■ Répartissez le mélange dans des petits ramequins ; déposez dans une lèchefrite contenant 2,5 cm (1 po) d'eau chaude ; faites cuire au four 30 minutes ; retirez du four.

■ Allumez le four à gril (broil) ; saupoudrez la crème de cassonade ; faites caraméliser sous le gril, environ 1 minute.

Flan aux œufs et aux fruits

Garnissez le fond des ramequins d'un peu de noix râpées.

8 portions

4	œufs, légèrement battus
125 ml	(1/2 tasse) sucre
1 ml	(1/4 c. à t.) sel
1 ml	(1/4 c. à t.) essence de vanille
500 ml	(2 tasses) lait
	fruits frais

■ Préchauffez le four à 150 °C (300 °F).

■ Dans un bol, mélangez les œufs, le sucre, le sel et l'essence de vanille. Dans une casserole, faites à peine frémir le lait ; incorporez au mélange d'œuf ; mélangez.

■ Versez dans 8 petits ramequins ; déposez dans une lèchefrite contenant 2,5 cm (1 po) d'eau chaude ; faites cuire au four 50 à 60 minutes, ou jusqu'à ce qu'une lame de couteau enfoncée au centre en ressorte propre.

■ Démoulez ; servez accompagné de petits fruits frais (fraises, framboises, bleuets, mûres, etc.)

LES MOUSSES

Pour réussir des mousses fondantes à souhait, assurez-vous que les ingrédients utilisés sont finement râpés ou réduits en purée fine. Pour les mousses bavaroises, assurez-vous de bien laisser tiédir le mélange avant d'incorporer le lait pour éviter que celui-ci ne tourne.

Mousse aux pommes

4 portions	
450 g	(1 lb) pommes à cuire
75 ml	(5 c. à s.) miel
45 ml	(3 c. à s.) eau
	jus de 1 citron
1 ml	(1/4 c. à t.) cannelle
3	blancs d'œufs, battus

■ Pelez, évidez et coupez les pommes en morceaux.

■ Dans une casserole, faites cuire les pommes, le miel et l'eau jusqu'à l'obtention d'une compote ; laissez refroidir.

■ Ajoutez le jus de citron et la cannelle ; mélangez.

■ Dans un bol, montez les blancs d'œufs en neige ferme ; incorporez à la compote de pommes en pliant. Versez dans des coupes ; garnissez de cerises au marasquin ; servez.

4 portions	
85 g	(3 oz) poudre pour gelée, saveur au choix
250 ml	(1 tasse) eau bouillante
250 ml	(1 tasse) lait
60 ml	(1/4 tasse) crème fouettée

Garnitures

fruits frais, cerises au marasquin, brisures de chocolat ou noix

■ Dans une casserole d'eau bouillante, faites dissoudre la poudre pour gelée ; laissez tiédir.

■ Ajoutez le lait ; brassez.

■ Versez dans 4 coupes à dessert ; placez au réfrigérateur ; attendez que la gelée soit bien prise.

■ Garnissez de crème fouettée et d'un choix de fruits frais, de cerises au marasquin, de brisures de chocolat ou de noix.

AUX RAISINS

• Utilisez de la poudre pour gelée à saveur de raisins de Bourgogne. Garnissez de raisins rouges et de noix.

À L'ORANGE

• Utilisez de la poudre pour gelée à saveur d'orange. Garnissez de quartiers d'oranges, de cerises au marasquin et de brisures de chocolat.

À LA BANANE

• Utilisez de la poudre pour gelée à saveur de banane. Garnissez de tranches de banane.

Mousse au chocolat

Les amateurs de chocolat ne pourront pas lui résister !

4 à 6 portions	
3	jaunes d'œufs
125 ml	(1/2 tasse) sucre
237 ml	(8 oz) chocolat mi-sucré
250 ml	(1 tasse) crème à 35 %
6	blancs d'œufs

■ Dans le bol du malaxeur, fouettez les jaunes d'œufs et 60 ml (1/4 tasse) de sucre pour obtenir un mélange mousseux.

■ Au bain-marie, à feu doux, faites fondre le chocolat.

■ Incorporez progressivement le chocolat fondu au mélange d'œufs, en fouettant continuellement ; réservez.

■ Dans un bol, fouettez la crème et le reste de sucre jusqu'à consistance ferme.

■ Dans un autre bol, montez les blancs d'œufs en neige.

■ Réservez une partie de la crème fouettée.

■ À l'aide d'une spatule, incorporez au mélange d'œufs et de chocolat le reste de la crème fouettée, puis les blancs d'œufs en neige.

■ Versez délicatement la mousse au chocolat dans un plat de service profond ou dans des coupes individuelles.

■ Mettez la crème fouettée réservée dans un sac à pâtisserie muni d'une douille cannelée ; décorez la mousse au chocolat ; parsemez de copeaux de chocolat ; placez au réfrigérateur 4 heures.

Mousse à l'orange en coquilles d'agrumes

Décorez chaque mousse de fines lanières de zeste d'orange blanchies.

4 portions	
4	oranges
15 ml	(1 c. à s.) jus de citron
1 ml	(1/4 c. à t.) essence de vanille
125 ml	(1/2 tasse) sucre
125 ml	(1/2 tasse) crème à 35 %
2	blancs d'œufs
45 ml	(3 c. à s.) sucre

■ Videz les oranges à l'aide d'une petite cuillère sans briser l'écorce.

■ Réduisez la pulpe d'orange en purée.

■ Dans une casserole, combinez la pulpe d'orange, le jus de citron, l'essence de vanille et le sucre ; faites bouillir en remuant jusqu'à la consistance d'une confiture ; laissez refroidir.

■ Dans un bol, fouettez la crème jusqu'à l'obtention d'une consistance ferme.

■ Dans un autre bol, montez les blancs d'œufs et le sucre en neige ferme.

■ À l'aide d'une spatule, incorporez au mélange d'orange la crème fouettée, puis les blancs d'œufs en neige.

■ Remplissez les coquilles de mousse à l'orange ; décorez ; déposez sur des tranches d'orange pour stabiliser ; servez immédiatement ou réfrigérez.

481

LES FRUITS

Délice aux ananas

Remplacez les cerises au marasquin par des quartiers de mandarine ou d'un autre fruit.

4 portions

250 ml	(1 tasse)	eau
60 ml	(1/4 tasse)	sucre
30 ml	(2 c. à s.)	fécule de maïs
250 ml	(1 tasse)	pulpe d'ananas
5 ml	(1 c. à t.)	jus de citron
		cerises au marasquin

■ Dans une casserole, faites chauffer l'eau.

■ Dans un bol, mélangez le sucre et la fécule de maïs ; ajoutez progressivement l'eau, en remuant. Incorporez la pulpe d'ananas et le jus de citron ; faites cuire jusqu'à consistance onctueuse.

■ Retirez du feu ; laissez refroidir.

■ Versez dans des coupes à dessert ; décorez de cerises rouges au marasquin ; servez accompagné de biscuits.

Ce dessert aux couleurs vives sera fort apprécié lors d'une fête ou d'un pique-nique.

8 portions

Pâte

60 ml	(1/4 tasse)	margarine
60 ml	(1/4 tasse)	sucre
2	œufs, non battus	
250 ml	(1 tasse)	farine
10 ml	(2 c. à t.)	poudre à pâte
10 ml	(2 c. à t.)	essence d'amande

Garniture

341 ml	(12 oz)	ananas, en conserve
341 ml	(12 oz)	pêches, en conserve, tranchées
341 ml	(12 oz)	poires, en conserve, tranchées
		cerises au marasquin

Glaçage

250 ml	(1 tasse)	jus d'orange
250 ml	(1 tasse)	sucre
45 ml	(3 c. à s.)	fécule de maïs

■ Préchauffez le four à 175 °C (350 °F).

■ Beurrez un moule à pizza de 34 cm (13 po).

■ Dans un bol, à l'aide d'une fourchette, travaillez ensemble tous les ingrédients de la pâte.

■ Avec les mains, étendez cette pâte dans le moule à pizza.

■ Faites cuire au four 15 à 20 minutes ; retirez ; laissez refroidir.

Garniture

■ Déposez les fruits sur la pâte cuite en commençant, au centre, par les ananas, puis les pêches, les poires et les cerises ; réservez.

Glaçage

■ Dans une casserole, faites chauffer le jus d'orange et le sucre. Dans un bol, diluez la fécule de maïs dans 15 ml (1 c. à s.) de jus d'orange ; ajoutez la fécule de maïs diluée ; laissez mijoter quelques minutes ; versez le liquide chaud sur les fruits.

■ Placez au réfrigérateur ; attendez quelques heures avant de servir.

* recette illustrée

VARIANTE

• **Variez les combinaisons de fruits tels que poires et fraises ou framboises ; poires, fraises et kiwis ; etc.**

Délice chocolaté

Une gourmandise et une surprise que les enfants adoreront.

4 portions

225 g	(8 oz) chocolat mi-amer
10 ml	(2 c. à t.) miel
2	bananes
12	cerises au marasquin avec leurs queues
8	grosses guimauves

■ Dans un bain-marie, faites fondre le chocolat additionné de miel.

■ Épluchez les bananes ; coupez chaque banane en quatre tronçons.

■ Trempez jusqu'à mi-hauteur dans le chocolat les tronçons de bananes et les guimauves. Déposez sur un papier ciré ; attendez environ 5 minutes.

■ Trempez les cerises dans le chocolat fondu.

■ Servez tels quels ou accompagnés d'une sauce à la cannelle.

Pamplemousse grillé au miel

Puisque la vitamine C facilite l'assimilation du fer par l'organisme, servez ce dessert après un repas riche en fer. Remplacez le miel par un léger filet de sirop d'érable.

4 portions

2	pamplemousses
60 ml	(1/4 tasse) miel liquide
10 ml	(2 c. à t.) sucre glace

■ Préchauffez le four à gril (broil).

■ Tranchez les pamplemousses en deux ; à l'aide d'un petit couteau, séparez chaque section.

■ Versez le miel sur la surface des quatre moitiés ; saupoudrez de sucre glace.

■ Passez sous le gril environ 4 minutes. Servez accompagné de fruits.

Crêpes aux fraises

Ces crêpes peuvent tout aussi bien être garnies d'autres fruits. Il ne suffit que d'un peu d'imagination...

6 à 8 portions

Garniture

| 375 ml | (1 1/2 tasse) fraises, tranchées |
| 60 ml | (1/4 tasse) sirop d'érable |

Crêpes

250 ml	(1 tasse) farine tout usage
5 ml	(1 c. à t.) poudre à pâte
2 ml	(1/2 c. à t.) sel
250 ml	(1 tasse) lait
30 ml	(2 c. à s.) beurre, fondu
2	œufs

■ Déposez les fraises dans un bol ; versez le sirop d'érable ; laissez macérer quelques heures.

■ Dans un bol, tamisez la farine, la poudre à pâte et le sel ; versez progressivement le lait en remuant à l'aide d'un fouet jusqu'à l'obtention d'une pâte lisse.

■ Passez au tamis pour éliminer les grumeaux ; ajoutez le beurre ; incorporez les œufs, un à un, en battant après chaque addition.

■ Faites chauffer une poêle à crêpes ; beurrez légèrement ; versez un peu de pâte ; étalez à la grandeur de la poêle ; faites dorer des deux côtés ; gardez dans un plat chaud.

■ Faites égoutter les fraises ; réservez le sirop.

■ Répartissez les fraises entre les crêpes ; roulez les crêpes ; dressez dans un plat de service ; nappez du sirop réservé ; garnissez de fraises entières ; servez.

Choux à la crème et aux fraises

Allez cueillir vous-même vos fraises, faites-les congeler et offrez ce dessert au parfum d'été, au beau milieu de l'hiver.

24 choux

250 ml	(1 tasse) eau
125 ml	(1/2 tasse) beurre ou margarine
250 ml	(1 tasse) farine tout usage
4	œufs
375 ml	(1 1/2 tasse) fraises fraîches, coupées en deux
125 ml	(1/2 tasse) crème à 35 %, fouettée
45 ml	(3 c. à s.) sucre glace

■ Préchauffez le four à 160 °C (325 °F).

■ Dans une casserole, amenez à ébullition l'eau et le beurre. À feu doux, ajoutez la farine ; mélangez vivement 1 minute, ou jusqu'à ce que le mélange forme une boule ; retirez du feu.

■ Incorporez les œufs, un à un, en fouettant après chaque addition jusqu'à consistance molle.

■ Sur une plaque à biscuits, non graissée, déposez de petites boules de pâte espacées d'environ 7 cm (3 po). Faites cuire au four 35 à 40 minutes, ou jusqu'à ce que les choux soient dorés ; laissez refroidir à l'abri des courants d'air.

■ Découpez une calotte à chacun des choux ; évidez.

■ Au moment de servir, trempez la moitié des fraises dans la crème fouettée ; remplissez les choux ; replacez les calottes ; saupoudrez de sucre glace.

Pêches melba

La pêche melba a été créée par le grand chef Escoffier, en 1892, en l'honneur de la cantatrice australienne Nelly Melba.

4 portions	
4	demi-pêches en conserve
	jus de pêche
1	bâton de cannelle
250 ml	(1 tasse) framboises surgelées, dégelées, égouttées
60 ml	(1/4 tasse) Triple sec ou liqueur d'orange
250 ml	(1 tasse) crème glacée à la vanille

■ Faites égoutter les pêches ; réservez le jus.

■ Dans une casserole, portez à ébullition le jus de pêche et la cannelle ; laissez mijoter 10 minutes.

■ Versez sur les moitiés de pêches ; laissez refroidir.

■ Au mélangeur, réduisez les framboises en purée ; ajoutez le Triple sec ou la liqueur d'orange ; laissez refroidir.

■ Dans des coupes à dessert, déposez une demi-pêche ; coiffez d'une boule de crème glacée ; nappez de sauce ; servez.

VARIANTE

• **Garnissez de crème fouettée sucrée.**

Salade de fruits

Ajoutez de la couleur à cette salade en utilisant une pomme Granny Smith et une pomme Délicieuse.

4 portions	
1 à 2	oranges
125 ml	(1/2 tasse) eau
60 ml	(1/4 tasse) sucre
1 ou 2	pommes
2	poires
2	bananes
	quelques raisins
	quelques cerises

■ Pelez les oranges ; enlevez la membrane blanche ; réservez la pelure.

■ Dans une casserole, amenez à ébullition l'eau, la pelure d'orange et le sucre ; laissez bouillir 5 minutes.

■ Dans un grand bol, mélangez les fruits (entiers, ou en morceaux) ; arrosez de sirop ; laissez refroidir au réfrigérateur environ 2 heures.

Pommes au four

Vous n'avez pas eu le temps de préparer un dessert ou vous avez tout simplement oublié... Ce dessert simple et économique vous dépannera.

4 portions

4	pommes
125 ml	(1/2 tasse) cassonade
5 ml	(1 c. à t.) cannelle
45 ml	(3 c. à s.) beurre
4	carrés de pain de 5 x 5 x 1 cm (2 x 2 x 1/2 po)
	eau, sucrée

■ Préchauffez le four à 175 °C (350 °F).

■ Beurrez une plaque à biscuits.

■ Lavez, puis évidez les pommes sans les transpercer.

■ Pratiquez une fente d'environ 5 cm (2 po) sur le côté de la pomme pour éviter qu'elle n'éclate en cuisant.

■ Remplissez les pommes de cassonade, de cannelle et d'un peu de beurre.

■ Placez les carrés de pain sur la plaque à biscuits ; déposez une pomme sur chacun ; arrosez d'un peu d'eau sucrée.

■ Faites cuire au four 30 à 50 minutes, selon la grosseur des pommes. Arrosez d'un peu d'eau de temps en temps pour éviter que le pain ne colle.

■ Servez avec une sauce au caramel.

Gratin de poires marguerite

Arrosez d'un coulis de framboise ou servez le coulis en saucière.

6 portions

6	poires fraîches
1 L	(4 tasses) eau
180 ml	(3/4 tasse) sucre
1 ml	(1/4 c. à t.) vanille
10 ml	(2 c. à t.) jus de citron
125 ml	(1/2 tasse) framboises surgelées
45 ml	(3 c. à s.) sucre
3	jaunes d'œufs
30 ml	(2 c. à s.) eau ou vin blanc
45 ml	(3 c. à s.) sucre

■ Préchauffez le four à gril (broil).

■ Pelez les poires ; coupez en deux ; évidez.

■ Dans une casserole, faites bouillir l'eau, le sucre, l'essence de vanille et le jus de citron, 5 minutes. Ajoutez les poires ; faites cuire à feu moyen environ 10 minutes.

■ Dans une autre casserole, faites bouillir les framboises et le sucre, 1 minute ; versez dans le mélangeur ; réduisez en purée ; passez au tamis ; réservez.

■ Divisez les demi-poires en trois ; dressez en forme de marguerite dans des assiettes à dessert.

■ Dans un bol, fouettez vivement les jaunes d'œufs, le sucre et l'eau ; placez le bol au-dessus d'une casserole d'eau à peine bouillante ; travaillez jusqu'à l'obtention d'une consistance épaisse et mousseuse.

■ Nappez chaque marguerite ; faites colorer sous le gril.

* recette illustrée

Soupière de cantaloup veloutée aux framboises

Banane royale au beurre d'arachide

Remplacez le cantaloup par un melon miel.

4 portions

1	kiwi, tranché
60 ml	(1/4 tasse) bleuets
1	banane, tranchée
1	orange, en quartiers
15 ml	(1 c. à s.) jus de citron
30 ml	(2 c. à s.) jus d'orange
1	cantaloup
250 ml	(1 tasse) framboises surgelées, sucrées
250 ml	(1 tasse) crème à 15 % glace concassée

■ Dans un bol, combinez le kiwi, les bleuets, la banane, l'orange, les jus de citron et d'orange ; couvrez ; laissez macérer 2 heures.

■ Découpez la calotte du cantaloup ; épépinez et évidez à l'aide d'une cuillère.

■ Au mélangeur, réduisez en purée la pulpe du melon et les framboises ; ajoutez la crème ; mélangez.

■ Remplissez le cantaloup de salade de fruits ; nappez de purée de fruits.

■ Dressez sur un lit de glace concassée ; servez.

Remplacez la sauce au beurre d'arachide par une sauce au chocolat ou un coulis de fruits.

4 portions

125 ml	(1/2 tasse) cassonade
80 ml	(1/3 tasse) lait
60 ml	(1/4 tasse) miel
15 ml	(1 c. à s.) beurre
80 ml	(1/3 tasse) beurre d'arachide
2	bananes, coupées en deux
30 ml	(2 c. à s.) noix, hachées

■ Dans une casserole, faites chauffer à feu moyen la cassonade, le lait, le miel et le beurre ; remuez pour faire fondre le beurre et dissoudre la cassonade.

■ Retirez du feu ; ajoutez le beurre d'arachide ; malaxez jusqu'à consistance onctueuse ; laissez refroidir.

■ Dans un plat, déposez une demi-banane tranchée sur la longueur ; ajoutez une boule de crème glacée ; nappez de sauce ; parsemez de noix ; servez.

LES GOÛTERS

Muffins au son et aux bleuets

Enfarinez les bleuets ; ils se répartiront également dans la pâte.

12 gros muffins

30 ml	(2 c. à s.) beurre
250 ml	(1 tasse) yogourt nature
5 ml	(1 c. à t.) bicarbonate de soude
250 ml	(1 tasse) farine tout usage
10 ml	(2 c. à t.) poudre à pâte
2 ml	(1/2 c. à t.) sel
180 ml	(3/4 tasse) cassonade
1	œuf
125 ml	(1/2 tasse) huile
5 ml	(1 c. à t.) essence de vanille
250 ml	(1 tasse) bleuets, enfarinés
250 ml	(1 tasse) flocons de son

■ Préchauffez le four à 175 °C (350 °F).

■ Beurrez des moules à muffins.

■ Dans un premier bol, mélangez le yogourt et le bicarbonate de soude.

■ Dans un second bol, tamisez la farine, la poudre à pâte et le sel.

■ Dans un troisième bol, mélangez la cassonade, l'œuf et l'huile. Incorporez ce mélange aux ingrédients secs par petites quantités, en alternant avec le yogourt.

■ Ajoutez l'essence de vanille et les bleuets, puis les céréales ; mélangez ; versez dans les moules ; faites cuire au four 35 minutes.

Muffins surprise

Garnissez vos muffins d'une cuillerée de confiture...

12 muffins

30 ml	(2 c. à s.) beurre
430 ml	(1 3/4 tasse) farine tout usage
125 ml	(1/2 tasse) sucre
5 ml	(1 c. à t.) poudre à pâte
2 ml	(1/2 c. à t.) sel
5 ml	(1 c. à t.) zeste de citron
2	œufs
160 ml	(2/3 tasse) lait
80 ml	(1/3 tasse) beurre, fondu
160 ml	(2/3 tasse) confiture

■ Préchauffez le four à 205 °C (400 °F).

■ Beurrez des moules à muffins.

■ Dans un bol, tamisez la farine, le sucre, la poudre à pâte et le sel ; ajoutez le zeste de citron, les œufs, le lait et le beurre ; mélangez.

■ Dans chaque moule, déposez 15 ml (1 c. à s.) de pâte ; ajoutez 5 ml (1 c. à t.) de confiture ; recouvrez de 15 ml (1 c. à s.) de pâte ; faites cuire au four 12 à 15 minutes.

VARIANTES

• **Ajoutez de la noix de coco râpée, des noix hachées ou des raisins secs.**

• **Substituez à la confiture une gelée de votre choix.**

* recettes illustrées :
En haut : Muffins surprise
En bas : Muffins au son et aux bleuets

Carrés aux noix

Les noix sont une excellente source d'hydrates de carbone.

25 carrés

250 ml	(1 tasse) farine tout usage
30 ml	(2 c. à s.) sucre glace
125 ml	(1/2 tasse) beurre ou margarine

Garniture

2	œufs
250 ml	(1 tasse) cassonade
30 ml	(2 c. à s.) farine tout usage
5 ml	(1 c. à t.) poudre à pâte
0,5 ml	(1/8 c. à t.) sel
5 ml	(1 c. à t.) essence de vanille
250 ml	(1 tasse) noix, hachées
250 ml	(1 tasse) noix de coco, râpée

■ Préchauffez le four à 160 °C (325 °F).

■ Dans un bol, mélangez la farine et le sucre glace.

■ Incorporez le beurre jusqu'à ce que le mélange soit fin et granuleux.

■ Pressez ce mélange dans un moule carré de 20 cm (8 po) non beurré ; faites cuire au four 20 minutes.

Garniture

■ Dans un bol, faites mousser les œufs ; ajoutez la cassonade.

■ Dans un autre bol, mélangez la farine, la poudre à pâte et le sel. Incorporez au premier mélange.

■ Ajoutez l'essence de vanille, les noix et la noix de coco.

■ Étalez cette garniture sur le gâteau ; remettez au four ; poursuivez la cuisson 30 à 35 minutes.

■ Laissez refroidir complètement avant de couper.

Carrés aux dattes

Voici une variante des carrés aux dattes traditionnels. Si vous le désirez, saupoudrez le fond du moule beurré de flocons d'avoine.

25 carrés

250 ml	(1 tasse) dattes, hachées
125 ml	(1/2 tasse) eau
125 ml	(1/2 tasse) cassonade
90 ml	(6 c. à s.) beurre
125 ml	(1/2 tasse) sucre
2	jaunes d'œufs
5 ml	(1 c. à t.) essence de vanille
375 ml	(1 1/2 tasse) farine tout usage, tamisée
5 ml	(1 c. à t.) poudre à pâte
2	blancs d'œufs
250 ml	(1 tasse) cassonade

■ Préchauffez le four à 175 °C (350 °F).

■ Beurrez un moule carré de 20 cm (8 po).

■ Dans une casserole, faites bouillir les dattes, l'eau et la cassonade jusqu'à épaississement ; retirez du feu ; laissez refroidir.

■ Dans un bol, mélangez le beurre, le sucre et les jaunes d'œufs ; incorporez l'essence de vanille, puis les ingrédients secs.

■ Étalez cette pâte dans le moule ; couvrez du mélange aux dattes.

■ Dans un autre bol, fouettez les blancs d'œufs en neige ; ajoutez la cassonade ; mélangez.

■ Versez sur les dattes ; faites cuire au four 45 minutes ; coupez en carrés.

LES BISCUITS

Biscuits à la gelée de framboise

Préparez la pâte à biscuits, puis garnissez-la de votre confiture ou gelée préférée.

36 biscuits

60 ml	(1/4 tasse) margarine
180 ml	(3/4 tasse) cassonade
1	œuf
80 ml	(1/3 tasse) beurre, fondu
5 ml	(1 c. à t.) essence de vanille
375 ml	(1 1/2 tasse) farine
2 ml	(1/2 c. à t.) bicarbonate de soude
1 ml	(1/4 c. à t.) sel
2 ml	(1/2 c. à t.) crème de tarte
	gelée de framboise

■ Préchauffez le four à 190 °C (375 °F).

■ Dans un bol, combinez la margarine, la cassonade, l'œuf, le beurre fondu et l'essence de vanille ; mélangez bien.

■ Dans un autre bol, mélangez tous les ingrédients secs ; incorporez au premier mélange.

■ Façonnez de petites boules de pâte ; déposez sur une plaque à biscuits non graissée ; faites cuire au four 10 à 15 minutes ; laissez refroidir.

■ Réunissez deux biscuits avec de la gelée de framboise.

Pour faire surir le lait, ajoutez-y 5 ml (1 c. à t.) de vinaigre blanc.

36 biscuits

125 ml	(1/2 tasse) beurre, mou
250 ml	(1 tasse) sucre
2	œufs
500 ml	(2 tasses) farine tout usage
10 ml	(2 c. à t.) poudre à pâte
2 ml	(1/2 c. à t.) sel
2 ml	(1/2 c. à t.) bicarbonate de soude
125 ml	(1/2 tasse) cacao
250 ml	(1 tasse) lait, sur
5 ml	(1 c. à t.) essence de vanille

■ Préchauffez le four à 175 °C (350 °F).

■ Beurrez une plaque à biscuits.

■ Dans un bol, défaites le beurre en crème ; ajoutez le sucre ; mélangez.

■ Incorporez les œufs un à un ; mélangez après chaque addition.

■ Dans un autre bol, mélangez les ingrédients secs. Ajoutez au premier mélange, par petites quantités, en alternant avec le lait et l'essence de vanille.

■ Déposez à la cuillère sur la plaque à biscuits ; faites cuire au four 12 à 15 minutes.

Glace pour réunir 2 biscuits :
■ Mélangez ensemble 125 ml (1/2 tasse) de beurre, 500 ml (2 tasses) de sucre glace, 2 blancs d'œufs et 5 ml (1 c. à t.) d'essence de vanille.

* recette illustrée

Feuillantines

*Selon l'occasion, modi-
fiez la forme des biscuits :
cœurs pour la Saint-
Valentin, ovales pour
Pâques, sapins pour
Noël, etc.*

48 biscuits

5 ml	(1 c. à t.) bicarbonate de soude
20 ml	(4 c. à t.) eau chaude
250 ml	(1 tasse) beurre
250 ml	(1 tasse) cassonade
1	œuf, battu
750 ml	(3 tasses) farine tout usage
1	pincée de sel
2 ml	(1/2 c. à t.) essence de vanille

Sucre à la crème

250 ml	(1 tasse) cassonade
60 ml	(1/4 tasse) beurre
60 ml	(1/4 tasse) lait condensé
	sucre glace

■ Préchauffez le four à 190 °C (375 °F).

■ Délayez le bicarbonate de soude dans l'eau.

■ Dans un bol, défaites le beurre en crème ; ajoutez la cassonade, l'œuf, le bicarbonate de soude délayé ; mélangez.

■ Incorporez progressivement la farine, le sel, l'essence de vanille ; placez au réfrigérateur ; attendez au moins 1 heure.

■ Roulez la pâte en une mince couche ; découpez à l'emporte-pièce en forme de feuilles.

■ Déposez sur une plaque à biscuits ; faites cuire au four 8 minutes.

■ Entre-temps, dans une casserole, faites bouillir la cassonade, le beurre, et le lait, 2 minutes.

■ Ajoutez du sucre glace jusqu'à l'obtention d'une consistance crémeuse.

■ Réunissez deux biscuits avec le sucre à la crème.

Biscuits aux carottes

*Glacez les biscuits avec
un mélange de sucre
glace, de jus d'orange
et d'un peu de beurre.*

36 biscuits

125 ml	(1/2 tasse) beurre
125 ml	(1/2 tasse) sucre
1	œuf, battu
250 ml	(1 tasse) de purée de carottes
5 ml	(1 c. à t.) essence de vanille
250 ml	(1 tasse) cassonade
500 ml	(2 tasses) farine tout usage
7 ml	(1 1/2 c. à t.) bicarbonate de soude
2 ml	(1/2 c à t.) sel
180 ml	(3/4 tasse) raisins secs

■ Préchauffez le four à 175 °C (350 °F).

■ Beurrez une plaque à biscuits.

■ Dans un bol, défaites le beurre et le sucre en crème ; ajoutez l'œuf, la purée de carottes et l'essence de vanille ; mélangez.

■ Dans un autre bol, tamisez les ingrédients secs ; incorporez au premier mélange en remuant jusqu'à l'obtention d'une pâte souple.

■ Ajoutez les raisins secs.

■ Déposez à la cuillère sur la plaque à biscuits ; faites cuire au four 15 minutes.

Biscuits à la mélasse

Préparez votre pâte la veille et mettez-la au réfrigérateur ; vous pourrez l'étendre plus facilement et la découper à l'emporte-pièce.

48 biscuits

625 ml	(2 1/2 tasses) farine tout usage
7 ml	(1 1/2 c. à t.) bicarbonate de soude
60 ml	(1/4 tasse) beurre
15 ml	(1 c. à s.) shortening
125 ml	(1/2 tasse) cassonade
1	oeuf
125 ml	(1/2 tasse) mélasse
60 ml	(1/4 tasse) eau
	sucre

■ Préchauffez le four à 120 °C (250 °F).

■ Beurrez une plaque à biscuits.

■ Dans un bol, tamisez les ingrédients secs ; réservez.

■ Dans un autre bol, défaites en crème le beurre, le shortening, la cassonade, les œufs ; incorporez la mélasse, l'eau et les ingrédients secs tamisés.

■ Déposez à la cuillère sur la plaque à biscuits ; saupoudrez de sucre ; faites cuire au four 15 minutes.

Croquettes aux raisins

Les biscuits maison sont une tradition du temps des fêtes. Pourtant, ils s'offrent très bien à ceux qui ont la gentillesse de vous inviter à leur table.

36 biscuits

2 ml	(1/2 c. à t.) bicarbonate de soude
30 ml	(2 c. à s.) lait
250 ml	(1 tasse) cassonade
1	œuf
125 ml	(1/2 tasse) beurre
250 ml	(1 tasse) raisins secs
430 ml	(1 3/4 tasse) farine tout usage

■ Préchauffez le four à 175 °C (350 °F).

■ Beurrez une plaque à biscuits.

■ Faites dissoudre le bicarbonate de soude dans le lait ; réservez.

■ Dans un bol, mélangez la cassonade, l'œuf et le beurre.

■ Ajoutez les raisins secs, le bicarbonate de soude dissout ; mélangez.

■ Incorporez la farine pour obtenir une pâte ferme.

■ Déposez à la cuillère sur la plaque à biscuits ; faites cuire environ 5 minutes.

Biscuits au gruau et aux raisins

Conservez toujours le germe de blé au réfrigérateur.

48 biscuits

250 ml	(1 tasse) farine tout usage ou de blé entier
5 ml	(1 c. à t.) bicarbonate de soude
2 ml	(1/2 c. à t.) sel
500 ml	(2 tasses) gruau
60 ml	(1/4 tasse) germe de blé
180 ml	(3/4 tasse) beurre
375 ml	(1 1/2 tasse) casso- nade
2	œufs
5 ml	(1 c. à t.) essence de vanille
180 ml	(3/4 tasse) noix de coco, râpée
180 ml	(3/4 tasse) raisins secs

■ Préchauffez le four à 175 °C (350 °F).

■ Beurrez légèrement des plaques à biscuits.

■ Dans un bol, mélangez la farine, le bicarbonate de soude, le sel, le gruau et le germe de blé ; réservez.

■ Dans un autre bol, défaites le beurre en crème ; incorpo- rez la cassonade, les œufs et l'essence de vanille.

■ Ajoutez à la première pré- paration ; mélangez bien.

■ Incorporez la noix de coco et les raisins secs.

■ Déposez à la cuillère sur les plaques à biscuits ; faites cuire au four 12 à 15 minutes, jusqu'à ce que les biscuits soient légèrement dorés.

VARIANTE

• **Substituez aux raisins des brisures de chocolat et/ou ajoutez 125 ml (1/2 tasse) de noix hachées.**

Biscuits frigidaire

Gardez ces biscuits au réfrigérateur ; à peine 10 minutes au four et ils seront prêts à servir.

36 biscuits

180 ml	(3/4 tasse) beurre
125 ml	(1/2 tasse) sucre
125 ml	(1/2 tasse) cassonade
2	œufs
60 ml	(1/4 tasse) sirop de maïs
15 ml	(1 c. à s.) essence de vanille
500 ml	(2 tasses) farine à pâtisserie
2 ml	(1/2 c. à t.) bicarbo- nate de soude
2 ml	(1/2 c. à t.) poudre à pâte
125 ml	(1/2 tasse) fruits confits
125 ml	(1/2 tasse) noix

■ Préchauffez le four à 190 °C (375 °F).

■ Dans un bol, défaites le beurre en crème ; ajoutez le sucre, la cassonade, les œufs, le sirop de maïs et l'essence de vanille ; mélangez jusqu'à l'obtention d'une consistance mousseuse ; réservez.

■ Dans un autre bol, com- binez les ingrédients secs ; incorporez au premier mé- lange.

■ Divisez la pâte en deux ; ajoutez les fruits confits à l'une des moitiés et des noix à l'autre.

■ Façonnez en rouleaux de 5 cm (2 po) de diamètre ; enveloppez dans une pelli- cule plastique ; placez au réfrigérateur.

■ Au moment voulu, décou- pez les rouleaux en tranches ; déposez sur une plaque à biscuits beurrée ; faites cuire au four 8 à 10 minutes.

LES FRIANDISES

Bonbons à la guimauve

Un succès assuré lors d'une fête d'enfants.

48 bonbons	
24	grosses guimauves, coupées en quatre
5 ml	(1 c. à t.) crème à 15 %
125 ml	(1/2 tasse) noix, hachées
125 ml	(1/2 tasse) dattes, hachées
24	cerises, en morceaux
250 ml	(1 tasse) noix de coco, râpée

■ Au bain-marie, faites fondre les guimauves dans la crème.

■ Ajoutez les autres ingrédients, sauf la noix de coco ; mélangez.

■ Laissez refroidir 1 heure au réfrigérateur.

■ Façonnez en petites boules ; roulez dans la noix de coco ; gardez au réfrigérateur.

Ces chocolatines combleront tout amateur de friandises.

8 portions	
125 ml	(1/2 tasse) beurre
125 ml	(1/2 tasse) cassonade, légèrement tassée
2 ml	(1/2 c. à t.) essence d'amande
1	jaune d'œuf
125 ml	(1/2 tasse) farine tout usage
125 ml	(1/2 tasse) gruau
250 ml	(1 tasse) brisures de chocolat
60 ml	(1/4 tasse) noix, hachées
60 ml	(1/4 tasse) amandes effilées, grillées

■ Préchauffez le four à 175 °C (350 °F).

■ Beurrez un moule carré de 20 cm (8 po).

■ Défaites le beurre en crème ; ajoutez la cassonade, l'essence d'amande et le jaune d'œuf ; mélangez.

■ Incorporez la farine et le gruau.

■ Étalez la pâte uniformément dans le moule ; faites cuire au four 25 minutes ; couvrez de noix hachées ; réservez.

■ Au bain-marie, faites fondre les brisures de chocolat ; versez sur le gâteau ; saupoudrez d'amandes grillées ; laissez refroidir jusqu'à ce que le chocolat durcisse ; découpez.

* recette illustrée

494

Boules au rhum

Si vous n'avez pas le temps de râper vous-même le chocolat, utilisez des vermicelles de chocolat.

	12 boules
142 ml	(5 oz) lait condensé
60 ml	(1/4 tasse) beurre
60 ml	(1/4 tasse) noix de coco, râpée
60 ml	(1/4 tasse) cacao
30 ml	(2 c. à s.) sucre
15 à 20	biscuits « digestifs », écrasés
5 ml	(1 c. à t.) essence de rhum
250 ml	(1 tasse) chocolat, râpé

■ Dans une casserole, faites chauffer le lait ; ajoutez le beurre ; mélangez.

■ Ajoutez la noix de coco, le cacao et le sucre ; mélangez.

■ Incorporez les miettes de biscuits ; remuez jusqu'à l'obtention d'un mélange épais.

■ Ajoutez l'essence de rhum ; mélangez.

■ Placez au réfrigérateur ; attendez 1 heure.

■ Façonnez en petites boules ; roulez dans le chocolat râpé.

Sucre à la crème

Le sucre à la crème fait partie du patrimoine culinaire québécois. Cette variante modernisée vous fera gagner du temps, sans que notre friandise nationale n'y perde en onctuosité !

	25 carrés
250 ml	(1 tasse) cassonade
250 ml	(1 tasse) sucre
250 ml	(1 tasse) crème à 35 %
5 ml	(1 c. à t.) essence de vanille
15 ml	(1 c. à s.) beurre
125 ml	(1/2 tasse) noix, hachées (facultatif)

■ Dans un plat profond allant au four à micro-ondes, mélangez la cassonade, le sucre et la crème ; placez au four à micro-ondes ; faites bouillir à ÉLEVÉ, 11 minutes.

■ Remuez 2 fois pendant la cuisson.

■ Ajoutez l'essence de vanille et le beurre ; fouettez jusqu'à épaississement.

■ Ajoutez les noix ; étalez dans un moule beurré ; découpez en carrés ; laissez refroidir.

■ Pour une consistance plus crémeuse, ajoutez 4 à 5 grosses guimauves avant de fouetter le mélange.

Fudge moka

Les guimauves donnent de l'onctuosité à la friandise. Vous pouvez également utiliser 375 ml (1 1/2 tasse) de « crème de guimauve » du commerce.

25 friandises	
30 ml	(2 c. à s.) beurre
160 ml	(2/3 tasse) lait condensé ou à 2 %
410 ml	(1 2/3 tasse) sucre
15 ml	(1 c. à s.) café instantané
500 ml	(2 tasses) guimauves miniatures
1	sachet de brisures de chocolat, mi-sucré, de 175 g (5 1/2 oz)
5 ml	(1 c. à t.) essence de vanille
125 ml	(1/2 tasse) noix, hachées

■ Dans une casserole, mélangez le beurre, le lait, le sucre et le café instantané ; amenez à ébullition, à feu moyen, en remuant continuellement ; sans cesser de remuer, laissez bouillir 4 à 5 minutes.

■ Retirez du feu ; incorporez les guimauves, les brisures de chocolat, l'essence de vanille et les noix ; remuez vivement 1 minute.

■ Beurrez un moule carré de 20 cm (8 po) de côté ; versez-y le mélange ; laissez refroidir ; gardez au réfrigérateur.

■ Coupez à l'emporte-pièce ; servez.

Cerises enrobées

Ces friandises peuvent également décorer un gâteau glacé à la vanille.

40 friandises	
125 ml	(1/2 tasse) beurre, mou
375 ml	(1 1/2 tasse) sucre glace
5 ml	(1 c. à t.) essence de vanille
15 ml	(1 c. à s.) crème à 35 %
375 ml	(1 1/2 tasse) noix de coco, râpée
40	cerises rouges, égouttées
250 ml	(1 tasse) chapelure de biscuits graham

■ Mélangez les 5 premiers ingrédients.

■ Roulez les cerises dans le mélange, puis dans la chapelure.

■ Gardez au réfrigérateur dans un contenant fermé.

Épinglettes aux dattes

Laissez la pâte refroidir 24 heures au réfrigérateur avant de la rouler.

24 biscuits

Garniture

330 ml	(1 1/3 tasse) dattes, en petits morceaux
160 ml	(2/3 tasse) sucre
160 ml	(2/3 tasse) eau
5 ml	(1 c. à t.) essence de vanille

Pâte

375 ml	(1 1/2 tasse) cassonade
160 ml	(2/3 tasse) shortening
2	œufs, légèrement battus
625 ml	(2 1/2 tasses) farine tout usage
1 ml	(1/4 c. à t.) bicarbonate de soude

■ Préchauffez le four à 175 °C (350 °F).

■ Dans une casserole, faites cuire les dattes, le sucre et l'eau. Ajoutez l'essence de vanille ; remuez ; laissez refroidir.

■ Entre-temps, dans un bol, tamisez les ingrédients secs pour faire la pâte.

■ Coupez le shortening en petits morceaux. Incorporez aux ingrédients secs ; pétrissez à la main, sans rendre homogène. Incorporez les œufs au mélange ; laissez reposer 30 minutes.

■ Abaissez à 1,25 cm (1/2 po) d'épaisseur.

■ Étalez la garniture refroidie dans l'abaisse ; roulez ; coupez en tranches de 1,25 cm (1/2 po) d'épaisseur ; déposez sur une plaque à biscuits ; faites cuire au four environ 10 minutes.

Bouchées aux dattes et aux cerises

Utilisez des cerises confites rouges et vertes.

24 bouchées

250 ml	(1 tasse) amandes, émincées
125 ml	(1/2 tasse) beurre
375 ml	(1 1/2 tasse) dattes, en petits morceaux
180 ml	(3/4 tasse) sucre
80 ml	(1/3 tasse) cerises, confites, en morceaux
125 ml	(1/2 tasse) noix, en petits morceaux
750 ml	(3 tasses) flocons de maïs

■ Faites griller les amandes au four ; réservez.

■ Dans une casserole, faites chauffer le beurre à feu doux ; ajoutez les dattes, le sucre et les cerises ; mélangez jusqu'à l'obtention d'une pâte molle.

■ Incorporez les noix et les céréales.

■ Façonnez en petites boules ; laissez refroidir ; roulez dans les amandes grillées.

LES COULIS ET SAUCES

Coulis d'ananas

environ 625 ml (2 1/2 tasses)

30 ml	(2 c. à s.) fécule de maïs
125 ml	(1/2 tasse) eau
60 ml	(1/4 tasse) sucre
500 ml	(2 tasses) ananas

■ Dans un bol, délayez la fécule de maïs dans un peu d'eau ; réservez.

■ Dans une casserole, faites bouillir le sucre, les ananas et l'eau, environ 5 minutes.

■ Ajoutez la fécule de maïs délayée ; laissez bouillir 1 minute.

■ Passez au mélangeur, puis au tamis, pour obtenir un coulis plus lisse.

Coulis de bleuets

environ 625 ml (2 1/2 tasses)

30 ml	(2 c. à s.) fécule de maïs
125 ml	(1/2 tasse) eau
60 ml	(1/4 tasse) sucre
500 ml	(2 tasses) de bleuets

■ Dans un bol, délayez la fécule de maïs dans un peu d'eau ; réservez.

■ Dans une casserole, faites bouillir le sucre, les bleuets et l'eau, environ 5 minutes.

■ Ajoutez la fécule de maïs délayée ; laissez bouillir 1 minute.

■ Passez au mélangeur, puis au tamis, pour obtenir un coulis plus lisse.

Coulis d'abricots

environ 625 ml (2 1/2 tasses)

30 ml	(2 c. à s.) fécule de maïs
125 ml	(1/2 tasse) eau
60 ml	(1/4 tasse) sucre
500 ml	(2 tasses) abricots

■ Dans un bol, délayez la fécule de maïs dans un peu d'eau ; réservez.

■ Dans une casserole, faites bouillir le sucre, les abricots et l'eau, environ 5 minutes.

■ Ajoutez la fécule de maïs délayée ; laissez bouillir 1 minute.

■ Passez au mélangeur, puis au tamis, pour obtenir un coulis plus lisse.

Coulis de framboises

environ 625 ml (2 1/2 tasses)

30 ml	(2 c. à s.) fécule de maïs
125 ml	(1/2 tasse) eau
60 ml	(1/4 tasse) sucre
500 ml	(2 tasses) framboises

■ Dans un bol, délayez la fécule de maïs dans un peu d'eau ; réservez.

■ Dans une casserole, faites bouillir le sucre, les framboises et l'eau, environ 5 minutes.

■ Ajoutez la fécule de maïs délayée ; laissez bouillir 1 minute.

■ Passez au mélangeur, puis au tamis, pour obtenir un coulis plus lisse.

Coulis de kiwi

environ 625 ml (2 1/2 tasses)

30 ml	(2 c. à s.)	fécule de maïs
125 ml	(1/2 tasse)	eau
60 ml	(1/4 tasse)	sucre
500 ml	(2 tasses)	kiwis

■ Dans une casserole, délayez la fécule de maïs dans un peu d'eau ; réservez.

■ Dans une casserole, faites bouillir le sucre, les kiwis et l'eau, environ 5 minutes.

■ Ajoutez la fécule de maïs délayée ; laissez bouillir 1 minute.

■ Passez au mélangeur, puis au tamis, pour obtenir un coulis plus lisse.

Coulis de poires

environ 625 ml (2 1/2 tasses)

30 ml	(2 c. à s.)	fécule de maïs
125 ml	(1/2 tasse)	eau
60 ml	(1/4 tasse)	sucre
500 ml	(2 tasses)	poires

■ Dans une casserole, délayez la fécule de maïs dans un peu d'eau ; réservez.

■ Dans une casserole, faites bouillir le sucre, les poires et l'eau, environ 5 minutes.

■ Ajoutez la fécule de maïs délayée ; laissez bouillir 1 minute.

■ Passez au mélangeur, puis au tamis, pour obtenir un coulis plus lisse.

Coulis de fraises

environ 625 ml (2 1/2 tasses)

30 ml	(2 c. à s.)	fécule de maïs
125 ml	(1/2 tasse)	eau
60 ml	(1/4 tasse)	sucre
500 ml	(2 tasses)	fraises

■ Dans une casserole, délayez la fécule de maïs dans un peu d'eau ; réservez.

■ Dans une casserole, faites bouillir le sucre, les fraises et l'eau, environ 5 minutes.

■ Ajoutez la fécule de maïs délayée ; laissez bouillir 1 minute.

■ Passez au mélangeur, puis au tamis, pour obtenir un coulis plus lisse.

Coulis de pêches

environ 625 ml (2 1/2 tasses)

30 ml	(2 c. à s.)	fécule de maïs
125 ml	(1/2 tasse)	eau
60 ml	(1/4 tasse)	sucre
500 ml	(2 tasses)	pêches

■ Dans une casserole, délayez la fécule de maïs dans un peu d'eau ; réservez.

■ Dans une casserole, faites bouillir le sucre, les pêches et l'eau, environ 5 minutes.

■ Ajoutez la fécule de maïs délayée ; laissez bouillir 1 minute.

■ Passez au mélangeur, puis au tamis, pour obtenir un coulis plus lisse.

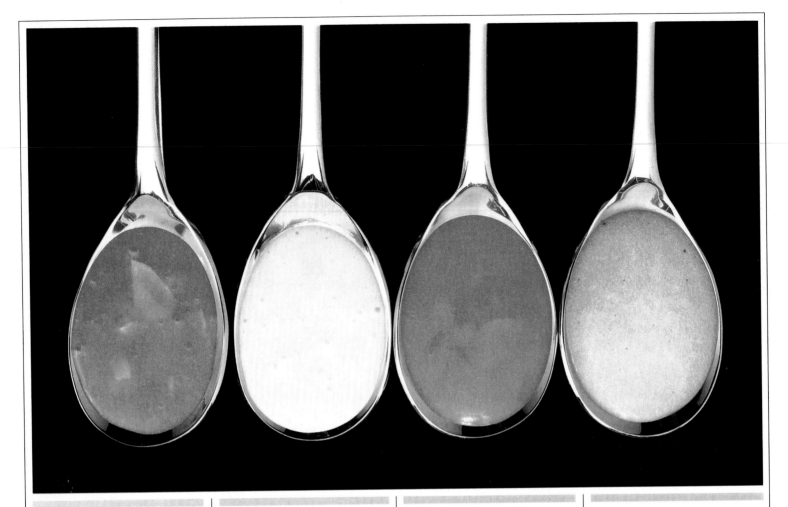

Sauce aux amandes grillées

environ 500 ml (2 tasses)

1	boîte de pouding et garniture pour tarte au caramel
125 ml	(1/2 tasse) sucre
250 ml	(1 tasse) eau, ou plus
30 ml	(2 c. à s.) beurre
30 ml	(2 c. à s.) amandes grillées

■ Dans une casserole, mélangez le pouding, le sucre et l'eau ; à feu doux amenez à ébullition, en remuant continuellement.

■ Retirez du feu ; ajoutez le beurre et les amandes grillées; mélangez.

Sauce à la cannelle

environ 750 ml (3 tasses)

750 ml	(3 tasses) sucre
80 ml	(1/3 tasse) lait condensé
15 ml	(1 c. à s.) sirop de maïs
45 ml	(3 c. à s.) beurre
5 ml	(1 c. à t.) cannelle

■ Dans une casserole, faites chauffer à feu doux le sucre, le lait et le sirop de maïs jusqu'à ce que le sucre soit fondu.

■ Retirez du feu ; ajoutez le beurre et la cannelle ; mélangez.

Sauce aux pêches

environ 500 ml (2 tasses)

398 ml	(14 oz) pêches, en conserve
	fromage cottage au goût

■ Égouttez les pêches ; réservez le sirop.

■ Au mélangeur, réduisez les pêches en purée.

■ Incorporez le fromage cottage et le sirop réservé ; mélangez jusqu'à l'obtention d'une sauce onctueuse.

Sauce au caramel

environ 1 L (4 tasses)

750 ml	(3 tasses) cassonade
250 ml	(1 tasse) sirop de maïs
60 ml	(1/4 tasse) beurre, ramolli
142 ml	(5 oz) lait condensé

■ Dans une casserole, mélangez les 3 premiers ingrédients ; faites bouillir 3 minutes.

■ Retirez du feu ; ajoutez le lait ; mélangez au malaxeur jusqu'à l'obtention d'une consistance homogène.

Sauce au chocolat

environ 500 ml (2 tasses)	
250 ml	(1 tasse) sucre
30 ml	(2 c. à s.) cacao
5 ml	(1 c. à t.) essence de vanille
250 ml	(1 tasse) eau, bouillante
60 ml	(1/4 tasse) beurre
60 ml	(1/4 tasse) crème à 35 %

■ Dans une casserole, mélangez le sucre, le cacao, l'essence de vanille et l'eau ; faites bouillir 5 minutes.

■ Retirez du feu ; incorporez le beurre et la crème ; remuez jusqu'à ce que la sauce tiédisse ; servez.

Sauce au café

environ 500 ml (2 tasses)	
500 ml	(2 tasses) lait
1 ml	(1/4 c. à t.) essence de vanille
1	pincée de sel
6	jaunes d'œufs
125 ml	(1/2 tasse) sucre
30 ml	(2 c. à s.) café instantané

■ Procédez comme pour la recette de sauce à la vanille ; ajoutez le café au mélange de lait, d'essence de vanille et de sel.

Sauce au rhum

environ 500 ml (2 tasses)	
125 ml	(1/2 tasse) beurre
250 ml	(1 tasse) sucre
125 ml	(1/2 tasse) crème à 35 %
5 ml	(1 c. à t.) essence de vanille
30 ml	(2 c. à s.) rhum

■ Dans une casserole, faites chauffer à feu doux, le beurre, le sucre et la crème, 8 à 12 minutes.

■ Retirez du feu ; ajoutez l'essence de vanille et le rhum.

Sauce à la vanille

environ 500 ml (2 tasses)	
500 ml	(2 tasses) lait
2 ml	(1/2 c. à t.) essence de vanille
1	pincée sel
6	jaunes d'œufs
60 ml	(1/4 tasse) sucre

■ Dans une casserole, faites bouillir le lait, l'essence de vanille et le sel.

■ Dans un bol, fouettez les jaunes d'œufs avec le sucre ; sans cesser de remuez, versez le lait bouillant. Remettez sur le feu ; faites cuire en remuant continuellement jusqu'à ce que la sauce soit onctueuse.

■ Retirez du feu ; laissez tiédir ; servez.

LES GLAÇAGES ET GARNITURES

Glaçage au fromage à la crème

environ 500 ml (2 tasses)

225 g	(1/2 lb)	fromage à la crème
15 ml	(1 c. à s.)	beurre
125 ml	(1/2 tasse)	compote de pommes
300 ml	(1 1/4 tasse)	sucre glace

■ Dans un bol, faites ramollir le fromage et le beurre ; mélangez.

■ Ajoutez la compote de pommes ; incorporez progressivement le sucre, jusqu'à l'obtention de la consistance désirée.

■ Recouvrez le gâteau de votre choix.

Glaçage au chocolat rapide

environ 500 ml (2 tasses)

60 ml	(1/4 tasse)	lait
30 ml	(2 c. à s.)	cacao
500 ml	(2 tasses)	sucre glace, tamisé
60 ml	(1/4 tasse)	lait

■ Faites chauffer sans bouillir 60 ml (1/4 tasse) de lait ; ajoutez le cacao et laissez fondre.

■ Tamisez le sucre glace et incorporez au mélange. Ajoutez le reste du lait.

■ Laissez refroidir 1 heure au réfrigérateur.

Glaçage d'antan

environ 500 ml (2 tasses)

80 ml	(1/3 tasse)	beurre
250 ml	(1 tasse)	cassonade
60 ml	(1/4 tasse)	lait
250 ml	(1 tasse)	sucre glace, tamisé

■ Dans une casserole, mélangez le beurre, la cassonade et le lait. Amenez à ébullition ; laissez bouillir 2 minutes.

■ Retirez du feu ; ajoutez le sucre glace ; mélangez.

Glaçage à la vanille

environ 500 ml (2 tasses)

3		blancs d'œufs
375 ml	(1 1/2 tasse)	sucre glace, tamisé
1 ml	(1/4 c. à t.)	essence de vanille
30 ml	(2 c. à s.)	jus d'orange

■ Mélangez ensemble tous les ingrédients et battez jusqu'à l'obtention d'une consistance ferme.

■ Si le glaçage ne devient pas assez ferme, ajoutez 45 ml (3 c. à s.) de sucre glace.

Comment faire des fils de caramel

- Faites fondre 125 ml (1/2 tasse) de sucre additionné de 10 ml (2 c. à t.) d'eau ; laissez cuire jusqu'à l'obtention d'un liquide blond caramélisé.

- Trempez une fourchette dans le caramel.

- Exercez un mouvement de va-et-vient sur le dessus de la casserole ; laissez durcir les fils 2 minutes. Cassez les fils de caramel et déposez-les sur vos desserts préférés.

Comment faire des copeaux de chocolat

- Choisissez un morceau de chocolat ayant au moins une surface plane.

- À l'aide d'un couteau économe, grattez la surface plane du chocolat.

- Vous obtiendrez des copeaux de différentes grosseurs selon la pression que vous exercerez sur le couteau.

Comment garnir rapidement une tarte ou un gâteau

- Montez de la crème fouettée additionnée de sucre glace en pics fermes.

- Remplissez de crème un sac à pâtisserie muni d'une douille cannelée.

- En exerçant une légère rotation, confectionnez des rosaces plus ou moins grosses et recouvrez ainsi l'ensemble de la tarte ou du gâteau.

Comment créer des motifs dans une sauce ou un coulis

- Versez le coulis dans une assiette ; dessinez une spirale de crème.

- À l'aide d'une baguette de bois, partez de l'extérieur de l'assiette vers le centre puis du centre de l'assiette vers l'extérieur. Alternez toujours ces deux mouvements en parcourant la surface du coulis ou de la sauce.

LEXIQUE

Abaisse : pâte étalée sur une égale épaisseur à l'aide d'un rouleau à pâtisserie.

Amandes grillées : amandes tranchées qui ont été colorées au four.

Arroser : verser graduellement du liquide sur un aliment afin qu'il ne se déssèche pas pendant la cuisson.

Badigeonner : enduire d'un autre aliment.

Bain-marie : récipient contenant de l'eau dans lequel ou au-dessus duquel on place un récipient contenant un mélange à cuire ou à réchauffer. Sans contact direct avec le feu.

Beurre manié : mélange en parts égales de beurre et de farine, travaillé à froid.

Blanchir : plonger un aliment dans de l'eau bouillante légèrement salée pendant quelques minutes afin de l'attendrir, d'en enlever l'âcreté ou de faciliter l'enlèvement des peaux.

Ciseler : émincer un aliment très finement.

Déglaçage : verser un liquide dans un récipient après avoir fait revenir des légumes ou de la viande afin de mélanger le « gratin » à une sauce.

Dégraisser : enlever la graisse qui se trouve à la surface d'un liquide (jus ou bouillon).

Délayer : amener à une consistance plus liquide.

Dépiauter : retirer la peau d'une volaille ou d'un poisson avant la cuisson.

Dissoudre : décomposer entièrement.

Dresser : disposer les aliments.

Égoutter : débarrasser de tout liquide.

Émincer : couper en tranches très minces.

Frémir : liquide juste au-dessous du point d'ébullition. La surface du liquide tremble, mais ne fait pas de bulles.

Gratin : couche de fromage ou de chapelure dont on recouvre les mets avant de les faire dorer au four sous le gril (broil). Partie de certains mets (légumes, viande) qui reste collée au fond des récipients dans lesquels ils cuisent.

Gratiner : faire cuire un plat préalablement recouvert de chapelure ou de fromage.

Homogène : mélangé ou réparti de façon uniforme.

Lier : donner de l'épaisseur à un liquide avec des jaunes d'œuf battus ou un mélange de beurre et de farine.

Malaxeur : appareil servant à manier, pétrir, mélanger des ingrédients pour homogénéiser un mélange.

Mélangeur : appareil servant à réduire les aliments en purée (ne s'utilise pas pour les ingrédients secs).

Mixette : appareil portatif s'utilisant aux mêmes fins que le mélangeur.

Mouiller : (voir **Arroser**)

Napper : recouvrir d'une couche de crème, de sauce, etc.

Paner à l'anglaise : enfariner des aliments, et les passer d'abord dans du jaune d'œuf, puis dans de la chapelure avant de les faire cuire.

Parer : débarrasser un aliment des éléments inutiles.

Parsemer : couvrir par endroits.

Ramequin : petit plat utilisé pour la cuisson au four ou au bain-marie.

Réduire : diminuer le volume d'un liquide par ébullition et par évaporation dans un récipient non couvert pour l'épaissir et en augmenter la saveur.

Réserver : mettre à part (pour utiliser plus tard).

Robot culinaire : appareil à utilisations multiples (moudre, hacher, trancher, mélanger).

Sauce anglaise : sauce d'origine anglaise, de type « Worcestershire », utilisée pour rehausser la saveur de certains plats.

Sauter : faire dorer au beurre ou à l'huile un aliment dans un casserole pour le saisir.

Singer : en cours de cuisson, saupoudrer les aliments de farine.

Suer, faire : faire revenir, sans coloration, des aliments dans une matière grasse.

Tomber : faire cuire des aliments sans coloration, jusqu'à ce qu'ils perdent leur fermeté.

INDEX